Diversidade do campesinato: expressões e categorias

MINISTÉRIO DO DESENVOLVIMENTO AGRÁRIO (MDA)
www.mda.gov.br

NÚCLEO DE ESTUDOS AGRÁRIOS E DESENVOLVIMENTO RURAL (NEAD)
SBN, Quadra 2, Edifício Sarkis –
Bloco D – loja 10 – sala S2
CEP: 70.040-910
Brasília/DF
Tel.: (61) 2020-0189
www.nead.org.br

PCT MDA/IICA – Apoio às Políticas e à Participação Social no Desenvolvimento Rural Sustentável

EMILIA PIETRAFESA DE GODOI
MARILDA APARECIDA DE MENEZES
ROSA ACEVEDO MARIN
(Orgs.)

Diversidade do campesinato: expressões e categorias

Construções identitárias e sociabilidades

volume 1

editora unesp

Direitos de publicação reservados à:
Fundação Editora da UNESP (FEU)
Praça da Sé, 108
01001-900 – São Paulo – SP
Tel.: (0xx11) 3242-7171
Fax: (0xx11) 3242-7172
www.editoraunesp.com.br
feu@editora.unesp.br

CIP – Brasil. Catalogação na fonte
Sindicato Nacional dos Editores de Livros, RJ

D648
v.1

Diversidade do campesinato: expressões e categorias: construções identitárias e sociabilidades, v.1/Emilia Pietrafesa de Godoi, Marilda Aparecida de Menezes, Rosa Acevedo Marin (orgs.) – São Paulo: Editora UNESP; Brasília, DF: Núcleo de Estudos Agrários e Desenvolvimento Rural, 2009.

337p. : il. (História social do campesinato brasileiro)

ISBN 978-85-7139-955-6 (Editora UNESP)

ISBN 978-85-60548-52-1 (NEAD)

1. Camponeses – Brasil – História. 2. Camponeses – Brasil – Condições sociais. 3. Camponeses – Brasil – Atividades políticas. 4. Brasil – Condições rurais. 5. Posse da terra – Brasil. 6. Movimentos sociais rurais – Brasil – História. 7. Identidade social. 8. Cultura – Brasil. I. Godoi, Emilia Pietrafesa. II. Menezes, Marilda Aparecida de. III. Marin, Rosa Acevedo. IV. Núcleo de Estudos Agrários e Desenvolvimento Rural. V. Série.

09-3674. CDD: 305.5633
CDU: 316.343

Editora afiliada:

Asociación de Editoriales Universitarias de América Latina y el Caribe

Associação Brasileira de Editoras Universitárias

SUMÁRIO

Apresentação à coleção

Por uma recorrente visão linear e evolutiva dos processos históricos, as formas de vida social tendem a ser pensadas se sucedendo no tempo. Em cada etapa consecutiva, apenas são exaltados seus principais protagonistas, isto é, os protagonistas diretos de suas contradições principais. Os demais atores sociais seriam, em conclusão, os que, por alguma razão, se atrasaram para sair de cena. O campesinato foi freqüentemente visto dessa forma, como um resíduo. No caso particular do Brasil, a esta concepção se acrescenta outra que, tendo como modelo as formas camponesas européias medievais, aqui não reconhece a presença histórica do campesinato. A sociedade brasileira seria então configurada pela polarizada relação senhor–escravo e, posteriormente, capital–trabalho.

Ora, nos atuais embates no campo de construção de projetos concorrentes de reordenação social, a condição camponesa vem sendo socialmente reconhecida como uma forma eficaz e legítima de se apropriar de recursos produtivos.

O que entendemos por campesinato?

São diversas as possibilidades de definição conceitual do termo. Cada disciplina tende a acentuar perspectivas específicas e a destacar um ou outro de seus aspectos constitutivos. Da mesma forma, são diversos os contextos históricos nos quais o campesinato está presente nas sociedades. Todavia, há reconhecimento de princípios mínimos que permitem aos que investem, tanto no campo acadêmico quanto no político, dialogar em torno de reflexões capazes de demonstrar a presença da forma ou condição camponesa, sob a variedade de possibilidades de objetivação ou de situações sociais.

Em termos gerais, podemos afirmar que o campesinato, como categoria analítica e histórica, é constituído por poliprodutores, integrados ao jogo de forças sociais do mundo contemporâneo. Para a construção da história social do campesinato no Brasil, a categoria será reconhecida pela produção, em modo e grau variáveis, para o mercado, termo que abrange, guardadas as singularidades inerentes a cada forma, os mercados locais, os mercados em rede, os nacionais e os internacionais. Se a relação com o mercado é característica distintiva desses produtores (cultivadores, agricultores, extrativistas), as condições dessa produção guardam especificidades que se fundamentam na alocação ou no recrutamento de mão-de-obra familiar. Trata-se do investimento organizativo da condição de existência desses trabalhadores e de seu patrimônio material, produtivo e sociocultural, variável segundo sua capacidade produtiva (composição e tamanho da família, ciclo de vida do grupo doméstico, relação entre composição de unidade de produção e unidade de consumo). Por esses termos, a forma de alocação dos trabalhadores também incorpora referências de gestão produtiva, segundo valores sociais reconhecidos como orientadores das alternativas de reprodução familiar, condição da qual decorrem modos de gerir a herança, a sucessão, a socialização dos filhos, a construção de diferenciados projetos de inserção das gerações.

O campesinato emerge associadamente ao processo de seu reconhecimento político, ora negativo, ora positivo. Por tais circunstâncias, a questão política, constituída para o reconhecimento social, enquadrou tal segmento de produtores sob a perspectiva de sua capacidade adaptativa a diferentes formas econômicas dominantes, ora pensadas pela permanência, ora por seu imediato ou gradual desaparecimento. Como em muitos outros casos de enquadramento social e político, uma categoria de auto-identificação, portanto contextual, produto de investimentos de grupos específicos, desloca-se, sob empréstimo e (re)semantização, para os campos político e acadêmico e, nesses universos sociais, sob o caráter de signo de comportamentos especialmente hétero-atribuídos ou sob o caráter de conceito, apresenta-se como generalizável.

Vários autores, retratando a coexistência do campesinato em formações socioeconômicas diversas, já destacaram que o reconhecimento dessa nominação, atribuída para efeitos de investimentos políticos ou para reconhecimento de características comuns, só pode ser compreendido como conceito, cujos significados definem princípios gerais abstratos, motivo pelo qual podem iluminar a compreensão de tantos casos particulares. Para que a forma camponesa seja reconhecida, não basta considerar a especificidade da organização interna à unidade de produção e à família trabalhadora e gestora dos meios de produção alocados. Todavia, essa distinção é analiticamente fundamental para diferenciar os modos de existência dos camponeses dos de outros trabalhadores (urbanos e rurais), que não operam produtivamente sob tais princípios. Percebendo-se por essa distinção de modos de existência, muitos deles se encontram mobilizados politicamente para lutar pela objetivação daquela condição de vida e produção (camponesa).

Em quaisquer das alternativas, impõe-se a compreensão mais ampla do mundo cultural, político, econômico e social em que o camponês produz e se reproduz. Da coexistência com outros agentes sociais, o camponês se constitui como categoria política, reconhecendo-se pela possibilidade de referência identitária e de organização social, isto é, em luta por objetivos comuns ou, mediante a luta, tornados comuns e projetivos. A esse respeito, a construção da história social do campesinato, como de outras categorias socioeconômicas, deve romper com a primazia do econômico e privilegiar os aspectos ligados à cultura. Ao incorporar as múltiplas dimensões da prática dos agentes, destacamos o papel da experiência na compreensão e explicitação política das contradições do processo histórico. Essas contradições revelam conflitos entre normas e regras que referenciam modos distintos de viver, em plano local ou ocupacional, colocando em questão os meios que institucionalizam formas de dominação da sociedade inclusiva. Tais postulados serão demonstrados nos diversos artigos desta coletânea, voltada para registros da história social do campesinato brasileiro.

A prática faz aparecer uma infinidade de possibilidades e arranjos, vividos até mesmo por um mesmo grupo. Quanto mais se avança na pesquisa e no reconhecimento da organização política dos que objetivam a condição camponesa, mais se consolidam a importância e a amplitude do número de agricultores, coletores, extrativistas, ribeirinhos e tantos outros, nessa posição social ou que investem para essa conquista.

A diversidade da condição camponesa por nós considerada inclui os proprietários e os posseiros de terras públicas e privadas; os extrativistas que usufruem os recursos naturais como povos das florestas, agroextrativistas, ribeirinhos, pescadores artesanais e catadores de caranguejos que agregam atividade agrícola, castanheiros, quebradeiras de coco-babaçu, açaizeiros; os que usufruem os fundos de pasto até os pequenos arrendatários não-capitalistas, os parceiros, os foreiros e os que usufruem a terra por cessão; quilombolas e parcelas dos povos indígenas que se integram a mercados; os serranos, os caboclos e os colonos assim como os povos das fronteiras no sul do país; os agricultores familiares mais especializados, integrados aos modernos mercados, e os novos poliprodutores resultantes dos assentamentos de reforma agrária.

No caso da formação da sociedade brasileira, formas camponesas coexistem com outros modos de produzir, que mantêm relações de interdependência, fundamentais à reprodução social nas condições hierárquicas dominantes. Assim, a título de exemplo, ao lado ou no interior das grandes fazendas de produção de cana-de-açúcar, algodão e café, havia a incorporação de formas de imobilização de força de trabalho ou de atração de trabalho livre e relativamente autônomo, fundamentadas na imposição técnica do uso de trabalho basicamente manual e de trabalhadores familiares, isto é, membros da família do trabalhador alocado como responsável pela equipe. Esses fundamentais agentes camponeses agricultores apareciam sob designação de colonos, arrendatários, parceiros, agregados, moradores e até sitiantes, termos que não podem ser compreendidos sem a articulação com a grande produção agroindustrial e pastoril. Se recuarmos um pouco no tempo, veremos que, ao lado de donatários e sesmeiros, apareciam os foreiros, os posseiros ou – designando a condição de coadjuvante menos valorizada nesse sistema de posições hierárquicas – os intrusos ou invasores, os posseiros criminosos etc. Os textos da história geral do Brasil, nos capítulos que exaltam os feitos dos agentes envolvidos nos reconhecidos movimentos de entradas e bandeiras, trazem à tona a formação de pequenos povoados de agricultores relativamente autárquicos. Posteriormente, tais agentes produtivos serão celebrados pelo papel no abastecimento dos tropeiros que deslocavam metais e pedras preciosas, mas também outros produtos passíveis de exportação e de abastecimento da população das cidades ou das vilas portuárias.

Desse modo, o campesinato, forma política e acadêmica de reconhecimento conceitual de produtores familiares, sempre se constituiu, sob modalidades e intensidades distintas, um ator social da história do Brasil. Em todas as expressões de suas lutas sociais, seja de conquista de espaço e reconhecimento, seja de resistência às ameaças de destruição, ao longo do tempo e em espaços diferenciados, prevalece um traço comum que as define como lutas pela condição de protagonistas dos processos sociais.

Para escrever sobre essa história é preciso, portanto, antes de tudo, refletir sobre a impositiva produção dessa "amnésia social" ou dessa perspectiva unidimensional e essencializada, que apaga a presença do campesinato e oculta ou minimiza os movimentos sociais dos camponeses brasileiros, consagrando – com tradição inventada – a noção do caráter cordato e pacífico do homem do campo. Ou fazendo emergir a construção de uma caricatura esgarçada do pobre coitado, isolado em grande solidão e distanciamento da cultura oficial, analfabeto, mal-alimentado. Ora, tais traços aviltantes, para olhares que os tomassem como expressivos da condição de vida e não do sujeito social, revelavam as bases da exploração e da submissão em que viviam, seja como agentes fundamentais ou complementares do processo produtivo da atividade agroindustrial e exportadora.

Estimulados a coexistirem internamente, ao lado ou ao largo da grande produção, os agentes constituídos na condição camponesa não tinham reconhecidas suas formas de apropriação dos recursos produtivos. Assim sendo, são recorrentemente questionados e obrigados a se deslocar para se reconstituir, sob as mesmas condições, em áreas novamente periféricas. Da mesma forma, em outras circunstâncias, são submetidos a regras de coexistência consentidas e por vezes imediatamente questionadas, dada a exacerbação das posições hierarquizadas ou das desigualdades inerentes às condições de coexistência.

A presença dos camponeses é, pois, postulada pela ambigüidade e desqualificação, quando os recursos por eles apropriados se tornavam objeto de cobiça. Entendemos, no entanto, que, sob processos relativamente equivalentes, esses agentes elaboraram, como traço comum de sua presença social, projetos de existência fundamentados em regras legítimas e legais, princípios fundamentais para a construção de um éthos e de regras éticas, orientadores de seu modo de existência e coexistência. Sob tais circunstâncias, a constituição da condição camponesa torna o agente que lhe corresponde o portador de uma percepção de justiça, entendida aqui não como uma abstração teórica sobre o direito aos recursos produtivos, e sim como uma experiência baseada em modos de coexistência: sob formas de comunidade camponesa; na labuta diária pela sobrevivência; na relação com a natureza; e nas práticas costumeiras para a manutenção e a reprodução de um modo de vida compatível com a ordem social, institucionalizada por aqueles que se colocam socialmente como seus opressores.

Levando em consideração o conjunto de fatores que vimos destacando, podemos caracterizar alguns elementos constitutivos de certa tradição do campesinato brasileiro, isto é, como expressão da existência permitida sob determinadas constrições e provisoriedades e sob certos modos de negociação política. Essa negociação não exclui resistências, imposições contratuais, legais ou consuetudinárias, ou questionamentos jurídicos, que revelam e reafirmam a capacidade de adaptação às condições da produção econômica dominante. Menos do que um campesinato de constituição tradicional, no sentido da profundidade temporal da construção de um patrimônio material e familiar, vemos se institucionalizar, como elemento distintivo, um patrimônio cultural inscrito nas estratégias do aprendizado da mobilidade social e espacial. Estratégias que visam, entre outros objetivos, à busca do acesso aos recursos produtivos para a reprodução familiar e a exploração de alternativas, oferecidas pelas experiências particulares ou oficiais de incorporação de áreas improdutivas ou fracamente integradas aos mercados.

Os camponeses instauraram, na formação social brasileira, em situações diversas e singulares e mediante resistências de intensidades variadas, uma forma de acesso livre e autônomo aos recursos da terra, da floresta e das águas, cuja legitimidade é por eles reafirmada no tempo. Eles investiram na legitimidade desses mecanismos de acesso e apropriação, pela demonstração do valor de modos de vida decorrentes da forma de existência em vida familiar, vicinal e comunitária. A produção estrito senso se encontra, assim, articulada aos valores da sociabilidade e da reprodução da família, do parentesco, da vizinhança e da construção política de um "nós" que se contrapõe ou se reafirma por projetos comuns de existência e coexistência sociais. O modo de vida, assim estilizado para valorizar formas de apropriação, redistribuição e consumo de bens materiais e sociais, se apresenta, de fato, como um valor de referência, moralidade que se contrapõe aos modos de exploração e de desqualificação, que também foram sendo reproduzidos no decorrer da existência da posição camponesa na sociedade brasileira.

As formas exacerbadas de existência sob desigualdades socioeconômicas se expressam, sobretudo, na exploração da força de trabalho coletiva dos membros da família e na submissão aos intermediários da comercialização, que se associam a outros agentes dominantes para produzir um endividamento antecipado e expropriador. Essas formas de subordinação, que põem em questão as possibilidades de reprodução da condição camponesa, contrapõem-se à avaliação de perenizadas experiências positivas de construção da condição camponesa. Um exemplo de experiências positivas é a institucionalizada pelos sitiantes, dotados de autonomia para se agregarem por vida coletiva em bairros rurais.

No contexto de lutas sociais, os trabalhadores foram construindo um sistema de crenças partilhadas e inscritas em seu cotidiano de lutas pela sobrevivência e reprodução social. Essas lutas são orientadas pela definição do acesso aos recursos produtivos, de forma legal e autônoma, como fator fundamental para sua constituição como agente produtivo imediato, isto é, contraposto ao cativo ou subjugado no interior das fazendas e, por tal razão, dispondo de relativa autonomia. Nos termos dessa tradição, a liberdade é um valor para expandir uma potencialidade, ou seja, capacidade para projetar o futuro para os filhos e para socialmente se valorizar como portador de dignidade social. Na construção da formação social brasileira, o modo de existir reconhecido pela forma camponesa, menos que um peso da tradição da estabilidade e de longas genealogias, como ocorre, por exemplo, em formações sociais européias, é uma idéia-valor, orientadora de condutas e de modos de agregação familiar ou grupal. Na qualidade de valor, é um legado transmitido entre gerações, reatualizado e contextualizado a cada nova geração que investe nessa adesão política.

O peso desse legado, quando não compreendido, leva aos estranhamentos muito comuns em relação à persistência da luta pelo acesso aos recursos produtivos e mesmo em relação ao deslocamento de trabalhadores definidos como urbanos, que engrossam movimentos de sua conquista. As possibilidades de existência que a condição camponesa permite vão se contrapor, em parte por equivalência comparativa, às condições de exploração de trabalhadores da indústria, do comércio e de serviços. Esses traços, sempre presentes porque realimentados como um legado de memórias familiares e coletivas, vão atribuir sentido às constantes mobilidades de trabalhadores. Os deslocamentos justificam-se pela busca de espaços onde haja oportunidade de pôr em prática modos de produzir e de existência, desde que fundamentados pela gestão autônoma dos fatores produtivos, das condições e produtos do trabalho e da orientação produtiva.

Levando em conta tais elementos, definidos como constitutivos de uma tradição e alargando a compreensão da diversidade de situações, reafirmamos a presença do campesinato como constitutiva de toda a história do Brasil. Tais produtores estiveram vinculados à exploração colonial, integrando-se a mercados locais ou a distância; reafirmaram-se como posição desejada no decorrer da transição do trabalho escravo para o trabalho livre; abasteceram os processos de agroindustrialização de produtos destinados à exportação; e, entre outras tantas situações, por mais de um século, vêm ocupando a Amazônia. Atualmente, apresentam-se como um dos principais atores da cena política, constituída para tornar possível a construção de sociedade erguida sobre bases mais igualitárias, capazes, então, de fundamentar os princípios democráticos de coexistência social e política.

Portanto, as negociações em torno das alternativas de ocupação do espaço físico e social marcaram e impregnaram a proposição de modos de vida orientados por valores cuja elaboração tornou possível a legitimidade da coexistência política e cultural. Modos de vida que também reafirmam o direito à luta pela autonomia, emblematizada pela célebre referência à vida na *fartura*. Ora, tudo isso, relembramos, fora construído no contexto de imposição de formas de dominação objetivadas com base na grande produção. Por esse motivo, a vida segundo a lógica expropriatória objetivada na grande propriedade foi concebida como destruidora da dignidade social. A honra estava (assim e inclusive) pautada pela defesa do acesso à alimentação, todavia em condições socialmente concebidas como adequadas à reprodução saudável do trabalhador e dos membros de sua família.

Dessa forma, no Brasil, os produtores agregados pela forma de organização camponesa estão presentes como atores sociais que participaram e participam da construção da sociedade nacional. Esse reconhecimento não se funda tão-somente em uma dimensão politizada de defesa dessa visibilidade social. Ele também se explica pelos princípios de constituição das formas hegemônicas de organização da produção social. Destacaremos três dimensões desse protagonismo. Em primeiro lugar, o campesinato representa um pólo de uma das mais importantes contradições do capital no Brasil, que consiste em sua incapacidade de se "libertar" da propriedade fundiária. O significado que a propriedade da terra tem até hoje, como um elemento que ao mesmo tempo torna viável e fragiliza a reprodução do capital, gera uma polarização (de classe) entre o proprietário concentrador de terras (terras improdutivas) e aquele que não tem terras suficientes. Desse fato decorrem duas conseqüências principais. Por um lado, essa contradição não é residual na sociedade brasileira, constituindo-se um dos pilares de sua estrutura social; por outro, a principal luta dos camponeses é pela construção de seu patrimônio, condição *sine qua non* de sua existência. Essa luta foi e continua sendo muito forte em diversos momentos e sob as mais variadas formas. Ela tem um caráter eminentemente político e corresponde ao que se costuma chamar o "movimento camponês".

Assim, a luta pela terra e pelo acesso a outros recursos produtivos não assume apenas a dimensão mais visível das lutas camponesas. Ela se processa igualmente em um nível menos perceptível, por outras formas de resistência que dizem respeito às estratégias implementadas pelos camponeses para trabalhar, mesmo em condições tão adversas, e assegurar a reprodução da família. Essa dimensão tem, de fato, menor reconhecimento pela sociedade e mesmo na academia. Ao se afirmar historicamente essa dimensão, é importante ressaltar a capacidade dos camponeses de formular um projeto de vida, de resistir às circunstâncias nas quais estão inseridos e de construir uma forma de integração à sociedade. Essas são práticas que têm um caráter inovador ou que revelam grande capacidade de adaptação e de conquistas de espaços sociais que lhes são historicamente inacessíveis. Consideramos necessário registrar e reconhecer as vitórias, por mais invisíveis que sejam.

Por último, há uma terceira dimensão, também pouco reconhecida, até mesmo entre os acadêmicos, que consiste na valorização da forma de produzir do camponês. Esta se traduz pela adoção de práticas produtivas (diversificação, intensificação etc.), formas de uso da terra, relações com os recursos naturais etc. Formam-se, assim, os contornos de um saber específico que se produz e se reproduz contextualmente. É claro que o campesinato não se esgota na dimensão de um *métier* profissional, nem a ela corresponde um modelo imutável, incapaz de assimilar mudanças, mas é imprescindível para que se possa compreender seu lugar nas sociedades modernas. Sua competência, na melhor das hipóteses, é um trunfo para o desenvolvimento "de uma outra agricultura" ou para a perseguição da sustentabilidade ambiental e social como valor. E, na pior das hipóteses (para não idealizar a realidade), um potencial que poderia ser estimulado na mesma direção. Não é sem conseqüência que sua existência seja hoje tão exaltada como um dos pilares da luta pela reconstituição dos inerentes princípios de reprodução da natureza, tão subsumidos que estiveram e continuam estando a uma racionalidade técnica, em certos casos exagerada pela crença em uma artificialização dos recursos naturais reproduzidos em laboratórios e empresas industriais. Ora, os princípios de constituição e expansão do capitalismo desconhecem e desqualificam essa competência. Do ponto de vista político, a negação dessa dimensão, tanto à direita (que defende a grande propriedade como a única forma moderna ou modernizável) quanto à esquerda (que terminou enfatizando apenas a dimensão política da luta pela terra), tem como conseqüência a negação do camponês como agricultor. As políticas agrícolas chamadas "compensatórias" só reforçam a visão discriminadora.

Em conclusão, reiteramos, por um lado, a universalidade da presença do campesinato, que abarca os diversos espaços e os diferenciados tempos. E também, por outro, a variedade de existências contextuais, visto que essa variedade só indica a valorizada adaptabilidade dos agentes e dos princípios abrangentes de constituição da forma camponesa. Portanto, mesmo que corresponda à revalorização de uma tradição (patrimônio de valores institucionalizados nas memórias e na projeção social), a reprodução do campesinato nas sociedades contemporâneas é um fato social do mundo moderno, e não resquício do passado. Por essa perspectiva, ultrapassa-se a velha e surrada concepção unilinear da inexorável decomposição do campesinato. Como os processos históricos têm demonstrado, ela não é tendência geral ou lei inevitável. Em vez dessa concepção, que, reafirmando a substituição das classes fundamentais, augura (e até vaticina) o fim do campesinato, escolhemos pensar e registrar as múltiplas alternativas, resultado de conquistas e resistências de atores sociais que se referenciam a um modo de produzir e viver coexistente com um mundo moderno. Entrementes, é nesse mesmo mundo, cujos analistas vêm acenando (e, por que não, também vaticinando) com o desemprego em massa como princípio de constituição econômica, em que a diversidade cultural é reafirmada para fazer frente a uma vangloriada homogeneização política e cultural, que os camponeses se reorganizam em luta. Por essa conduta clamam exatamente pela manutenção da autonomia relativa, condição que o controle dos fatores de produção e da gestão do trabalho pode oferecer.

Conselho Editorial

Prefácio

Apresentamos aos leitores – especialmente aos militantes camponeses, aos interessados e aos estudiosos da questão camponesa no Brasil – uma obra que é o resultado de um fantástico esforço intelectual e coletivo. A elaboração da História Social do Campesinato no Brasil envolveu grande número de estudiosos e pesquisadores dos mais variados pontos do país, num esforço conjunto, planejado e articulado, que resulta agora na publicação de dez volumes retratando parte da história, resistências, lutas, expressões, diversidades, utopias, teorias explicativas, enfim, as várias faces e a trajetória histórica do campesinato brasileiro.

A idéia de organizar uma História Social do Campesinato no Brasil aflorou no fim de 2003, durante os estudos e os debates para a elaboração de estratégias de desenvolvimento do campesinato no Brasil que vinham sendo realizados desde meados desse ano por iniciativa do Movimento de Pequenos Agricultores (MPA), com envolvimento, em seguida, da Via Campesina Brasil, composta, além de pelo próprio MPA, pelo Movimento dos Trabalhadores Rurais Sem Terra (MST), pelo Movimento de Atingidos por Barragens (MAB), pelo Movimento de Mulheres Camponesas (MMC), pela Comissão Pastoral da Terra (CPT), pela Pastoral da Juventude Rural (PJR), pelo Conselho Indigenista Missionário (Cimi) e pela Federação dos Estudantes de Agronomia do Brasil (Feab).

Essa idéia foi ganhando corpo quando se envolveram, primeiro, o pesquisador Horácio Martins de Carvalho e os pesquisadores Delma Pessanha Neves, Márcia Maria Menendes Motta e Carlos Walter Porto-Gonçalvez, que decidiram, em reunião nas dependências da Universidade Federal Fluminense (UFF), no início de 2004, com dirigentes da Via Campesina, lançar o desafio a outros tantos que se dedicam ao tema no Brasil. O resultado foi o engajamento de grande número de pesquisadores, todos contribuindo de maneira voluntária.

Foram consultadas cerca de duas centenas de pesquisadores, professores e técnicos para verificar se a pretensão de elaborar uma História Social do

Campesinato no Brasil tinha sentido e pertinência. A idéia foi generosamente aceita, um Conselho Editorial foi constituído, muitas reuniões foram realizadas, os textos foram redigidos e o resultado é a publicação destes dez volumes da Coleção História Social do Campesinato no Brasil.

Nesta Coleção apresentamos diversas leituras sobre a história social do campesinato no Brasil. Nossa preocupação com os estudos sobre o campesinato se explica pelo fato de, na última década, ter havido um avanço dos trabalhos que promoveram os métodos do ajuste estrutural do campo às políticas neoliberais. Nessa perspectiva, a realidade do campo foi parcializada de acordo com os interesses das políticas das agências multilaterais que passaram a financiar fortemente a pesquisa para o desenvolvimento da agricultura.

Esses interesses pautaram, em grande medida, as pesquisas das universidades e determinaram os métodos e as metodologias de pesquisa com base em um referencial teórico de consenso para o desenvolvimento da agricultura capitalista. Desse ponto de vista, o campesinato tornou-se um objeto que necessita se adequar ao ajuste estrutural para que uma pequena parte possa sobreviver ao intenso processo de exploração e expropriação do capitalismo.

Poucos foram os grupos de pesquisa que mantiveram uma conduta autônoma e crítica a essa visão de mundo em que o capitalismo é compreendido como totalidade e fim de todas as coisas. Nesse princípio de século, o conhecimento é ainda mais relevante como condição de resistência, interpretação e explicação dos processos socioterritoriais. Portanto, controlá-lo, determiná-lo, limitá-lo, ajustá-lo e regulá-lo são condições de dominação.

Para criar um espaço em que se possa pensar o campesinato na história a partir de sua diversidade de experiências e lutas, a Via Campesina estendeu o convite a pesquisadores de várias áreas do conhecimento. Quase uma centena de cientistas responderam positivamente à nossa proposta de criar uma coleção sobre a história do campesinato brasileiro. Igualmente importante foi a resposta positiva da maior parte dos estudiosos convidada para publicar seus artigos, contribuindo com uma leitura do campesinato como sujeito histórico.

O campesinato é um dos principais protagonistas da história da humanidade. Todavia, por numerosas vezes, em diversas situações, foram empreendidos esforços para apagá-lo da história. Esses apagamentos ocorrem de tempos em tempos e de duas maneiras: pela execução de políticas para expropriá-lo de seus territórios e pela formulação de teorias para excluí-lo da história, atribuindo-lhe outros nomes a fim de regular sua rebeldia.

Por tudo isso, ao publicar esta importante obra, em nosso entender, de fôlego e profundidade, queremos fazer quatro singelos convites.

Convite à Leitura

Esta obra merece ser lida pela riqueza de informações, pela abrangência com que aborda o tema e pela importância da história social do campesinato para compreender o Brasil.

Convite ao Estudo

Além da mera leitura, é uma obra que deve ser estudada. É preciso que sobre ela nos debrucemos e reflitamos para conhecer esse tema em profundidade, quer em escolas, seminários, grupos de estudo, quer individualmente. Esta Coleção é um desafio, pois retrata uma realidade que, aqueles que estiverem comprometidos em entender o Brasil para transformá-lo, precisam conhecer profundamente.

Convite à Pesquisa

Esta obra, composta de dez volumes, é fruto e resultado de muita disciplinada e dedicada pesquisa. É, portanto, desafio a mais investigações e a que outros mais se dediquem a esses temas. Embora uma obra vasta, com certeza mais abre do que encerra perspectivas de novos estudos, sob novos ângulos, sobre aspectos insuficientemente abordados, sobre realidades e histórias não visibilizadas, com enfoques diferenciados. Há muito que desentranhar da rica e variada história social do campesinato brasileiro, e os autores desta obra sentir-se-ão imensamente realizados se muitas, rigorosas, profundas e novas pesquisas surgirem estimuladas por essa sua importante iniciativa.

Convite ao Debate

Esta não é uma obra de doutrina. E mesmo as doutrinas devem ser expostas ao debate e ao contraditório. Quanto mais uma obra sobre a história. Convidamos ao debate dos textos, mas, além disso, ao debate sobre o sujeito social do qual a Coleção se ocupa: o campesinato e sua trajetória ao longo da história do Brasil. E que esse não seja um debate estéril ou esterilizante que se perde nos meandros da polêmica pela polêmica, mas que gere ações na sociedade, nas academias, nos centros de pesquisas e nas políticas de Estado em relação aos camponeses e ao mundo que os circunda e no qual se fazem sujeitos históricos.

A Via Campesina do Brasil reconhece e agradece profundamente o trabalho árduo e voluntário dos membros do Conselho Editorial e de todos os envolvidos no projeto. Sem o desprendimento e o zelo desses professores, sem essa esperança renovada a cada dia pelas mais distintas formas e motivos, sem a acuidade acadêmica, o cuidado político e a generosidade de todos os envolvidos não teríamos alcançado os resultados previstos. De modo especial nosso reconhecimento ao professor Horácio Martins de Carvalho.

Agradecemos também ao Núcleo de Estudos Agrários e Desenvolvimento Rural (Nead), do Ministério do Desenvolvimento Agrário. Ao promover estudos e pesquisas sobre o universo rural brasileiro o Nead viabilizou, com a Editora da UNESP, a publicação desta Coleção.

A Via Campesina experimenta a satisfação do dever cumprido por ter participado desta importante iniciativa, desejando que se reproduza, se multiplique e gere frutos de consciência, organização e lutas nas bases camponesas em todo o território nacional.

Via Campesina do Brasil
agosto de 2008.

Introdução

O tomo IV da Coleção História Social do Campesinato no Brasil, intitulado *Diversidade do campesinato:* expressões e categorias, é dedicado à apresentação da diversidade sociocultural das configurações camponesas no Brasil e suas estratégias de reprodução social e está composto por dois volumes. O primeiro, dedicado às Construções Identitárias e Sociabilidades, e o segundo, às Estratégias de Reprodução Social. Os artigos apresentados em ambos os volumes são estudos de situações contemporâneas e em sua maioria contemplam descrições etnográficas, demonstrando a plasticidade das formas camponesas e como estas respondem às transformações que ocorrem na sociedade maior e às orientações políticas e jurídicas oriundas do próprio Estado.

Sabe-se que a preocupação presente em grande parte dos estudos sobre o campesinato e, de certa forma, suscitada pelo avanço da economia capitalista, é se o resultado desse processo seria a tendência à extinção próxima e definitiva das sociedades camponesas ou, se, ao contrário, estas conseguiriam resistir em meio à constante ameaça à sua reprodução. Nas décadas de 1960 e 1970, tentou-se delinear as características que conformariam as sociedades camponesas e, num esforço realizado criticamente por Shanin (1980), para sistematizar esses debates, conclui-se que essas sociedades se fundamentavam nas seguintes características: a) propriedade rural familiar como unidade básica da organização econômico-social. Ora, os trabalhos realizados por antropólogos do Museu Nacional do Rio de Janeiro, ainda na década de 1970, na área de plantation na Zona da Mata pernambucana, vêm a atestar que as coisas não se passam exatamente assim: muitos camponeses se assalariam até mesmo para preservar sua condição camponesa, como demonstraram Garcia Júnior (1974) Heredia (1979), Sigaud (1979) e Palmeira (1974; 1976; 1977); b) a vida em "aldeia" e a cultura específica das pequenas comunidades rurais, negligenciando as articulações e as relações com a sociedade da qual fazem parte; c) situação oprimida, isto é, a dominação e a exploração dos camponeses por "poderosas forças externas"

(Shanin, 1980, p.50), aqui deixa-se de considerar o impacto das histórias específicas dos camponeses sobre o contexto societário mais amplo do qual fazem parte. Ao lado dessas características sistematizadas por Shanin, outros acrescentariam a economia de subsistência. Conforme já consideramos, vários estudos mostram que a economia camponesa pode se articular, e no mais das vezes se articula, com uma produção para o mercado. É o mesmo autor quem nos adverte:

> Os camponeses, nessas circunstâncias (avanço do capital no campo), nem desaparecerão completamente, nem permanecerão como antes, nem se tornarão proletários rurais nos termos da teoria clássica do capitalismo. (Shanin, 1980, p.57.)

Com o exposto, queremos dizer que não nos atreveríamos a fazer uma lista ideal do que possa definir as sociedades camponesas, porque a história, parafraseando Paul Veyne (1982), "é mais inventiva do que nós". O que tomamos por camponeses e sociedades camponesas são objetivações de práticas. É por isso que este volume reúne artigos que aliam discussão teórica à apresentação de um contexto empírico concreto e dados etnográficos. Ainda recorrendo a Paul Veyne (1982, p.160), a *prática* "não é uma instância (como o *id* freudiano), nem um primeiro motor (como a relação de produção)", é o que as pessoas fazem. Dizer assim parece simples, mas absolutamente não o é. As práticas são orientadas pelo universo simbólico dos agentes sociais em questão, pelas representações, pelas categorias e regras segundo as quais pensam e vivem sua existência e é por isso que não se apresentam imediata e claramente à nossa visibilidade, sendo necessário para sua apreensão a sensibilidade ao dado etnográfico. E mais, é preciso perceber que as idéias e as práticas, a política e a economia não são domínios estanques da experiência social, é preciso perceber que a realidade não é "moldada unicamente por processos econômicos obedientes a lógicas próprias" (Soares, 1981, p.32). Partimos do pressuposto de que não só a reprodução dos fundamentos econômicos é indispensável à existência e reprodução das sociedades, mas também a reprodução de outras relações, como festas, cerimônias, trocas de dons, visitas e trocas matrimoniais, entre outras. Assim, o presente volume está subdividido em duas partes: Cultura e Sociabilidades e Identidades e Territorialidades.

Abrimos, pois, a primeira temática deste volume, Cultura e Sociabilidades, com o artigo do professor Carlos Rodrigues Brandão que nos brinda com uma riquíssima descrição do trabalho camponês em alguns lugares do Brasil. Os contextos empíricos escolhidos estão no interior de São Paulo e no interior de Goiás, um e outro com suas especificidades, mas em um e em outro é o trabalho camponês vivido entre o "labor e o prazer", entre "o lavrar e a festa", que nos é apresentado. Partindo da "treição", uma forma de ajuda mútua em várias localidades do estado de Goiás, e dos mutirões com "cantorio de brão", em São Luís do Paraitinga, mostra-nos o autor que o duro trabalho *da* e *na* terra quando "contratado e pago por um patrão, torna-se uma jornada que faz dele uma demorada cerimônia de convivência e entremeia o *serviço* e a *brincadeira*, o esforço do corpo e o canto, a dança e a comida festiva". Esse trabalho vivido como uma troca entre homens e natureza, mas, sobretudo, entre homens iguais em honra, que faz que as trocas de serviços sejam pensadas e vividas como dádiva, no sentido maussiano, isto é, como um "serviço voluntário", mas que é, na verdade, obrigatório pelo código local de trocas de bens e serviços. Não só bens e serviços são trocados nessas ocasiões, mas igualmente "sentidos": o trabalho produtivo é também o lugar de ação e reafirmação das regras de reciprocidade entre parceiros – vizinhos e parentes.

A ênfase atribuída por Brandão às regras da reciprocidade como fundamento de diversas práticas econômicas e sociabilidades dos agricultores, sitiantes ou em povoados, vilas, aldeias, sítios aparece em vários outros artigos desta coletânea, bem como na literatura estrangeira e nacional sobre o campesinato. Citaremos aqui as contribuições de James Scott e Antonio Candido. Em James Scott, a reciprocidade é analisada como um princípio da economia moral dos camponeses, ou seja, uma economia e sociologia da ética da subsistência, objeto de seu livro *A economia moral dos camponeses*, publicado em 1976. Ele toma como caso empírico o desenvolvimento histórico da sociedade agrária da Baixa Burma e do Vietnã, no período de 1930 a 1970. O conceito de economia moral inclui o princípio de *safety-first* (segurança primeiro) ou *risk-avoidance* (risco mínimo) e a noção de justiça permeada na rede de reciprocidade entre amigos, parentes e relações entre patrões e trabalhadores ou com o estado (Scott, 1976, p.27). A norma da reciprocidade é observada tanto na vida cotidiana das famílias e comunidades quanto em rituais como uma refeição comunitária em Java que celebra momentos cruciais na vida das famílias camponesas (p.168). Ela está presente na troca de trabalho, de serviços e celebrações como casamentos e nascimentos.

O tema da reciprocidade em Candido (1982 [1964]) é analisado na prática do mutirão – forma de trabalho coletivo que reúne parentes, amigos, vizinhos, compadres para a realização de determinada tarefa agrícola ou da indústria doméstica, que termina em festa com comida, bebida e, muitas vezes, dança. Ele não utiliza o termo reciprocidade, mas solidariedade como uma relação de obrigação que envolve o dar, o receber e o retribuir, como em Marcel Mauss (1974). A obrigação de retribuir um serviço recebido de um grupo de pessoas orienta-se por códigos morais e não por regulamentos formais. Aquele que não retribui poderá ser alvo de sanções morais, que podem afetar sua imagem na localidade. Além disso, o mutirão é um evento de reafirmação das relações de amizade, parentesco por meio da festa oferecida ao término do trabalho com comida, bebida e dança.

Além da importância das regras de reciprocidade mediando a associação entre trabalho e festa, a experiência de "*Trabalhar com outros e trabalhar cantando" acontece* em um cotidiano fundamentado na relação entre os sujeitos criadores, a terra, o trabalho, a poesia, a magia e a religião. É isso também que vemos no artigo de José Helder Pinheiro Alves que nos traz a experiência nascida de um agricultor narrada em poesia. É a representação do sertão de um poeta popular, Patativa do Assaré, que foi "lavrador a vida inteira". Segundo Alves, "trata-se de um olhar que nasce da experiência cotidiana com a terra, com o duro trabalho do lavrador, com a consciência de que a vida poderia ser menos dolorosa". Como diz o poeta: "Meu verso é como a semente. Que nasce inriba do chão". Assim, a produção literária de Patativa do Assaré não resulta de um trabalho especializado de um literato, mas tem como fundamento do próprio ato de criação a relação de seu criador com o trabalho na agricultura e a vivência no meio rural. A reflexão de Walter Benjamim (1987) no texto "O narrador" ajuda-nos a compreender o sentido dessa produção literária. Benjamin, no início do texto, afirma que a figura do narrador está em vias de desaparecimento nas sociedades atuais. " *...o narrador não está de fato presente entre nós, em sua atualidade viva*" (ibidem, p.197). Mais adiante, vemos o reforço dessas afirmações.

> É a experiência de que a arte de narrar está em vias de extinção. São cada vez mais raras as pessoas que sabem narrar devidamente... Uma das causas deste fenômeno é óbvia: as ações da experiência estão em baixa, e tudo indica que continuarão caindo até que seu valor desapareça de todo. (ibidem, p.197-8)[1]

O sentimento em Benjamin de que a narrativa estava ameaçada de desaparecer está relacionado à transformação da sociabilidade na sociedade moderna marcada por impessoalização, anonimato, individualização e valores de troca mercantilizada. A narrativa precisa de ouvintes e é resultado da relação entre o criador e sua obra, ou seja, a narrativa diz respeito às mãos, aos olhos e também à alma (Silva e Menezes, 1999, p.15). Benjamin nos diz:

> A alma, o olho e a mão estão assim inscritos no mesmo campo. Interagindo, eles definem uma prática... Na verdadeira narração, a mão intervém decisivamente com seus gestos, aprendidos na experiência do trabalho... (O dom do narrador) é poder contar sua vida; sua dignidade é contá-la inteira. (ibidem, p.220-1.)

Assim, a narrativa e a arte de narrar, para Walter Benjamin, situam-se em formas de organização do trabalho e da vida fundamentadas pela associação entre o criador e seu trabalho, sua obra. Tal é o caso de Patativa do Assaré, em que trabalho agrícola, relações com vizinhos, parentes e amigos da localidade e produção literária são indissociáveis. As mãos do agricultor

[1] Uma elaboração mais desenvolvida do conceito de experiência e o sentido da narrativa em Walter Benjamin está em Silva e Menezes (1999).

Patativa do Assaré são inscritas em sua obra literária, assim como o oleiro imprime sua mão na argila do vaso (Benjamim, p.205).

Experiência e vida são, assim, a matéria-prima do poeta, de uma "poesia-cabocla". Como o poeta que "doa sentido" ao cotidiano do trabalho e da vida, outros atores sociais constroem sentidos – às pessoas, à natureza e às coisas do mundo – que estão inscritos no imaginário e nas práticas religiosas.[2]

Quem já trabalhou com grupos sociais cuja história é marcada por uma "memória oral" pode constatar que muitas vezes o narrador emprega imagens míticas ou metáforas para representar e expor eventos históricos, o que muitas vezes pode ofuscar os próprios eventos, dificultando a localização no tempo e no espaço para aqueles que não partilham os referenciais do grupo. Esses modos culturalmente marcados de viver, construir e representar a própria história por homens e mulheres é que vemos trabalhados por Julie Cavignac em seu artigo sobre a memória e a oralidade entre sertanejos. Assim, também as estruturas narrativas são diferentes. São mais estilizadas, episódicas, com provérbios, por exemplo, pois a historicidade não está contida em um texto estático, mas está em um constante processo de interpretação por meio do qual dados e informações são adicionados. O uso de imagens, assim como a "memória episódica", não significa que essas populações não tenham o sentido do fluxo da história; sem essas imagens, metafóricas ou míticas, alguns fatos históricos certamente ficariam inacessíveis à memória oral. As imagens ajudam, pois, a refletir mais completamente sobre a realidade – no caso, a colonização e "os segredos do mundo antigo, que ainda não foram desvendados". Isso nos leva a constatar com Julie Cavignac que é necessário contextualizar a historicidade do Outro: as narrativas do Outro devem ser situadas em seus contextos histórico e sociopolítico e não analisadas como textos atemporais. Além disso, essas narrativas dão igualmente acesso ao imaginário e ao sagrado, aos elementos das cosmologias indígena e negra que vieram a compor o sistema cosmológico encontrado pela autora no sertão do Seridó, no Rio Grande do Norte.

Do sistema cosmológico do sertão do Seridó, somos levados pelo artigo de Raymundo Heraldo Maués, à "cosmologia cabocla" dos camponeses e pescadores da Amazônia Oriental, no Pará, e na ilha de Marajó. Heraldo Maués apresenta-nos uma fina reflexão sobre religiosidade na Amazônia brasileira, mostrando-nos como as representações de um universo indígena e negro estão presentes no catolicismo praticado por camponeses e pescadores. Nesse universo religioso, os cultos terapêuticos ou rituais de cura, conhecidos como pajelança, adjetivada de "cabocla ou rural", têm lugar de destaque. Mostra-nos como a pajelança incorpora elementos do

[2] É Alfredo Bosi quem nos fala do poeta como "doador de sentido", em *O ser e o tempo na poesia*. 6.ed. São Paulo: Companhia das Letras, 2000.

catolicismo, das práticas xamânicas indígenas, dos rituais afro-brasileiros, além dos conhecimentos fitoterápicos dessas diversas culturas. O autor descreve a complexidade do sistema cosmológico dessas populações (longe da representação bipartida entre em cima e embaixo, céu e inferno, com o intermediário purgatório) composto por cinco planos, integrando seres naturais e sobrenaturais, visíveis e invisíveis. Fenômeno complexo, a religiosidade dessas populações é a dimensão da vida na qual esses camponeses e pescadores realizam sua cultura, transmitindo e reafirmando valores, e onde, sob certos aspectos, se realiza uma demarcação identitária.

É ainda pelo universo religioso que somos conduzidos no artigo de Isabel Botelho. Desta vez o percorremos partindo da "festa de Nossa Senhora do Rosário", em Minas Novas no vale do Jequitinhonha. A autora nos mostra como chegam pelo processo colonizador elementos lusitanos e afros que encontram sua expressão no catolicismo popular praticado por essa população predominantemente rural. Tida como a "santa dos negros", sua festa é o *tempo* e o *lugar*, por excelência, de rememorar uma ascendência escrava, por símbolos como o "angu", distribuído entre os que trabalham nos preparativos da festa, e pensado como a "comida dos escravos". Mas não só, é o tempo no qual a sociabilidade é vivida de forma exponencial, onde a dádiva (Mauss, 1974) em forma de alimento circula, e os laços de reciprocidade, mesmo com aqueles que partiram, são reafirmados: é o tempo do retorno daqueles que migraram para o trabalho de bóia-fria nas fazendas de café e até daqueles que estão trabalhando em São Paulo. Se o momento ritual é o momento de reafirmação dos laços de solidariedade e reciprocidade, é também, e por isso mesmo, um momento de gestão dos conflitos e no qual as transformações que chegam são evidenciadas, como na culinária que começa a incorporar pratos do lugar de destino dos migrantes. As transformações em curso, entretanto, não impedem que o tempo e o lugar da festa continuem a ser o locus privilegiado para expressar o sentimento de pertencer a um lugar e a uma comunidade.

A relação encontrada entre trabalho e festa e o significado da partilha do alimento como expressão das regras de reciprocidade tratados nos artigos de Brandão e Botelho são igualmente temas do artigo de Renata Menasche e Leila Claudete Schmitz, "Agricultores de origem alemã: trabalho e vida". Com essas autoras somos levados ao vale do rio Taquari, na fazenda Lohmann, no Rio Grande do Sul, entre camponeses descendentes de imigrantes alemães. É por meio das práticas de sociabilidade e de alimentação que o longo processo de transformação do meio rural e dos modos de fazer a agricultura é apreendido. Os dias de colheita são lembrados como dias de confraternização, de muita conversa e animação. Com as colheitadeiras mecanizadas, o trabalho cooperativo não se extingue, mas passa a ser realizado diferentemente: não mais por mutirões, mas pela "troca de dias de trabalho". Além dos bailes, que antigamente eram o lugar no qual se "arranjavam casamentos e fechavam negócios", a *festa do Kerb* permanece transformada como o ritual mais importante na comunidade alemã no qual se "comemorava o aniversário da igreja – para os evangélicos –, ou o dia do padroeiro da paróquia – para os católicos". O *Kerb* é um ritual festivo que demarca uma temporalidade nas comunidades alemãs, é o tempo de fazer roupas novas, de abundância de comida e bebida e de celebração dos laços familiares e de amizade. Assim como vimos com a Festa de Nossa Senhora do Rosário em Minas Novas, Minas Gerais, também esta se encontra transformada e as comidas já são uma mistura entre os pratos herdados e incorporados. Esses momentos rituais nos permitem, pois, apreender as transformações nas dinâmicas de trabalho e vida das famílias rurais em distintos contextos. Podemos fazer eco ao que dizem Renata Menasche e Leila Schmitz: o *rural* estudado aqui é "mais complexo do que algo que deixou de ser o que era para transformar-se em seu contrário".

A relação entre trabalho, parentesco, festa e comida é também objeto de reflexão no artigo de Maria Isabel Dantas: "Doce dádiva: a festa do chouriço", no Seridó Potiguar, porção centro-meridional do Rio Grande do Norte. Nesse artigo temos uma forte inflexão de gênero: as mulheres são as "criadoras" de porco e as "mestras" na arte de fazer o chouriço. A autora nos mostra que o criatório funciona como atividade que propicia a "reafirmação ou o rompimento de vínculos dentro da comunidade", pois é nela que a rede de sociabilidade entre parentes e vizinhos é ativada a cada dia. Não é somente na festa da feitura do chouriço que a solidariedade é vista em ação: a generosidade é acionada na doação dos restos de comida da casa, por um lado, o que, por outro, abre a intimidade da família em termos de "fartura e escassez da mesa doadora". Ser "juntadora" dos restos da mesa da família para alguma "criadora" revela uma relação estreita, que implica tanto ajuda como confiança, e supõe o compartilhamento do animal abatido e do sangue transformado em chouriço. Além da relação entre pessoas, essa atividade evidencia também os laços entre humanos e não-humanos, aos quais se destinam "cuidados, comida e até carinho", como diz a autora. Maria Isabel Dantas nos chama a atenção para o fato de a "produção e comensalidade do chouriço" constituírem-se ocasião de "coesão social" – nelas circulam as partes do animal abatido, distribuído entre vizinhos e parentes – que são os parceiros das trocas cotidianas. E tudo isso se faz por intermédio das mulheres, criadoras de porco e mestras na arte do chouriço, e ao mesmo tempo mediadoras da passagem do animal ao alimento, da natureza à cultura.

Com o artigo de Isabel Dantas fechamos a primeira parte deste volume.

E para tratar da segunda temática, Identidades e Territorialidades, começamos com os artigos de Jean Hébette e Edma Silva Moreira, Rosa Elizabeth Acevedo Marin, Renata Medeiros Paoliello, Rosane Aparecida Rubert e Paulo Sérgio da Silva, que, em seu conjunto, tratam de situações que trouxeram uma renovação ao campo de estudos sobre populações rurais, da *criação* de novos sujeitos políticos. Esses artigos apresentam as preocupações antropológicas com as políticas de construção da identidade e com a dialética dos processos locais e não-locais, pois estão relacionados com movimentos maiores dentro do Estado nacional dados pelos novos ordenamentos jurídicos onde se encaixa a luta pelos chamados "direitos étnicos".[3] Grupos sociais antes pensados como residuais, por seu novo estatuto, abrem novos campos de análise: são grupos rurais negros que emergem na figura dos "remanescentes de quilombos".

É surpreendente a pluralidade de configurações sociais que se dá do encontro (desnecessário dizer que *encontro*, aqui, não significa ausência de conflitos) entre índios e negros. Outro artigo, já apresentado aqui, de Heraldo Maués, tratou desse encontro de outra perspectiva.

A interpretação das transformações do campesinato tem sido um objeto central nos estudos e na descrição de situações empíricas das áreas de colonização antiga e de fronteira. Jean Hébette e Edma Silva Moreira escrevem o artigo "Metamorfoses de um campesinato nos Baixo Amazonas e Baixo Xingu paraenses" de uma perspectiva histórica que permite compreender as transformações na identidade, na organização social e no modo de vida de um campesinato que os autores chamam de "mestiço". Nesse sentido, interpretam que a originalidade das transformações no campesinato do Baixo Amazonas e do Baixo Xingu diz respeito, em primeiro lugar, ao brusco e violento choque físico (dizimação de populações) e cultural (organização tecnológica e social) e, em segundo, à origem desse choque, resultado de "intervenções institucionais, de ordem econômica e política, externas à região amazônica e, com freqüência, sob pressão externa". O artigo destaca fases da presença desses atores históricos na Amazônia, iniciando com a formação do Estado nacional, por volta de 1820, com a Cabanagem. Recortes políticos e econômicos são trazidos à baila – a expansão da economia gomífera nos anos 1870 e a sua retomada em 1942. Novo marco é definido com a intervenção militar e os debates ambientais das décadas de 1980 e 1990, quando foi focalizada a Amazônia. Seringueiros, camponeses, posseiros elaboram estratégias para posicionarem-se na arena política e reivindicarem suas demandas. Sob esse ângulo histórico os autores abordam como a condição camponesa é chamada a dialogar com a identificação coletiva de quilombola. O subtítulo, "a cepa negra do campesinato regional", trata

[3] Em 1988, quando as lutas pela redemocratização do país desembocaram na Constituinte, ocasião em que também se comemorava os cem anos de libertação dos escravos, foi criada a oportunidade política catalisada pelos movimentos negros e pelos intelectuais orgânicos para garantir o reconhecimento de direitos específicos a comunidades negras rurais com a inclusão do art. 68, das Disposições Transitórias, que diz: *Aos remanescentes das comunidades de quilombos que estejam ocupando suas terras é reconhecida a propriedade definitiva, devendo o Estado emitir-lhes os títulos respectivos.*

menos de uma questão de cor e mais da problemática de construção e emergência de identidades sociais. Em Gurupá, o quilombo "Maria Ribeira" representa esse processo de auto-identificação e reconhecimento político das formas de existência desse campesinato negro, recorrentemente invisibilizado. Se algo pode ser afirmado é a diversidade social da ilha de Marajó, muito pouco estudada, que se desenvolve em diferentes nichos ecológicos. Os processos vividos e a ação política das diversas categorias camponesas foram examinados no período 1980-95, evidenciando a mediação da igreja católica. Entretanto, é nos anos 1995-2004, como mostram os autores, que os camponeses iniciam as lutas pelos territórios ameaçados pelas madeireiras e os fazendeiros. O cerne dessa luta está na conquista da Reserva Extrativista Verde para Sempre. Hébette e Moreira destacam que a reserva representa maior segurança no território, a autonomia para desenvolver formas comunitárias e os coloca diante do desafio de planejar o uso dos recursos, encerrando aqui a idéia de uma nova metamorfose.

Para se compreender o que vem tratado no artigo de Rosa Acevedo, "Quilombolas na ilha de Marajó: território e organização política", é importante lembrar que para as relações entre populações indígenas e negras no Norte e Meio-Norte do país, um período histórico é de fundamental importância. Trata-se do projeto pombalino para a região logo no início da segunda metade dos setecentos.[4] Com ele foi decretado o fim da escravidão dos índios e retirado o poder temporal dos missionários religiosos sobre os aldeamentos, desmanchando parte da estrutura de controle da mão-de-obra indígena na região, reaparecendo mais fortes os conflitos entre Estado português e os jesuítas pelo controle sobre os indígenas (Gomes, 2002). As povoações indígenas e os antigos aldeamentos foram transformados em vilas de camponeses, como nos informa Karasch (1993), e os índios em colonos e/ou súditos, ao mesmo tempo que se intensificou o tráfico de escravo africano para a região.[5] Com a desorganização das missões e a criação dos Diretórios, as fugas, ainda segundo Gomes (2002), passaram a ser em massa, formando-se mocambos e mais mocambos. Mocambos formados por índios, por negros ou por ambos se misturavam. É sobre uma dessas histórias que se centra o artigo de Rosa Acevedo, que vem estudando as comunidades negras rurais na ilha de Marajó, formadas por descendentes de índios e negros que desenvolveram "estratégias de vida como roceiros, extratores e pescadores". A autora narra o processo de territorialização que essas comunidades experimentam com as cercas postas pelos fazendeiros proibindo a circulação, fechando povoados, desrespeitando um território

[4] Os Diretórios foram criados em abril de 1757, sendo confirmados em agosto de 1758; mas, antes disso, já em 1755, foi decretada uma lei libertando todos os índios do Grão-Pará e Maranhão (GOMES, 2002). Os diretórios foram extintos em 1798.

[5] Entre 1756 e 1788 foram introduzidos 28.556 africanos no Maranhão e Grão-Pará (GOMES, 2002, p.33).

construído historicamente e praticado por meio de um sistema de uso comum da terra e de outros recursos naturais.

As configurações quilombolas são muito diversas dependendo de sua formação histórica; o artigo de Renata Paoliello trata das comunidades negras rurais do Vale do Ribeira paulista, mostrando como vêm atualizando sua "condição camponesa" por meio de uma identidade quilombola. Trata-se de um campesinato posseiro que historicamente vem sofrendo pressões sobre o seu território, desde ameaças de grileiros, passando pelas restrições impostas pela criação de áreas de proteção ambiental, até a ameaça mais recente que a construção de hidrelétricas na região apresenta. Renata Paoliello nos mostra como nos bairros rurais tratados o parentesco "é atributo primeiro da pessoa e do direito à terra"; é a partir dele que se "organiza a dinâmica territorial costumeira". Mostra-nos que também é ele, a exemplo de muitos outros grupos camponeses espalhados pelo território nacional, que orienta o apossamento de novas áreas tendo em vista a insuficiência de terras nas partilhas hereditárias. Mas ao longo de seu artigo mostra as transformações que essa lógica tem sofrido, a inserção dos moradores desses bairros rurais em várias redes de caráter "político, econômico e cultural-religioso". Para encerrar o artigo, a autora nos apresenta as categorias que "falam" da posição e situação de homens e mulheres dessas comunidades negras rurais como sitiantes, posseiros e quilombolas.

Adensando as discussões sobre distintas situações e configurações rurais negras, temos o artigo de Rosane Rubert e Paulo Sérgio da Silva sobre comunidades negras rurais no Rio Grande do Sul, estado sobre o qual as narrativas historiográficas e antropológicas desprezaram até há bem pouco tempo a presença negra. Os autores argumentam que "os confrontos pela posse da terra assumiram, desde os primórdios da ocupação, conotações étnicas e raciais", além dos conhecidos confrontos entre estancieiros e lavradores, de um lado, e posseiros, do outro, e ainda entre o latifúndio agropastoril e as colônias imigrantes. Revisitam brevemente dados historiográficos sobre a escravidão no Brasil meridional, para iluminar os dados etnográficos colhidos em um contexto recente de reivindicação e auto-identificação como remanescentes de quilombos. O pressuposto que perpassa o artigo é o de que "os movimentos de resistência por parte de escravos e ex-escravos, deflagrados ou não pela fuga deliberada, só se consolidam com a autonomia produtiva estabelecida em uma área de cultivo, direcionado tanto para o autoconsumo quanto para os diversos circuitos do mercado", daí os autores associarem o "aquilombamento" ao "acamponesamento", e como em outros exemplos de situações camponesas, o parentesco será a linguagem e a dimensão da vida social por meio da qual se transmite uma memória e um território.

Os artigos comentados e os que serão apresentados a seguir têm interlocução com uma discussão que se trava desde fins da década de 1960 e trata da natureza contrastiva e relacional das identidades, sobretudo daquelas constituídas sobre fatores étnicos (Barth, 1969; Cardoso de Oliveira, 1976). Essa discussão é importante por várias razões, e aqui merece destaque o fato de consolidar a crítica aos conceitos de assimilação e aculturação, posto que traz consigo a idéia de que as diferenças culturais podem permanecer apesar dos contatos interétnicos e da interdependência dos grupos (C. Lévi-Strauss já havia dito, em *Raça e história* [1952, 1976], que as sociedades se distinguem mais pelo contato do que pelo isolamento).

A formação do campesinato de origem européia, principalmente alemã e italiana, e a relação com os chamados "caboclos" são tratadas em três artigos deste volume em três regiões do estado de Santa Catarina: o Vale do Itajaí, o Oeste catarinense e a região serrana. O artigo de Giralda Seyferth nos traz o campesinato formado no processo de ocupação do território catarinense, por meio de núcleos coloniais, que privilegiou desde o Império o assentamento de *famílias* e não de indivíduos desacompanhados, implantando um regime agrícola baseado na pequena propriedade familiar voltada para a produção de alimentos. O artigo argumenta a formação de um campesinato na região que assume características próprias "mais gerais", apesar das diferenças culturais entre os vários grupos de imigrantes que ressoavam na adjetivação étnica dos núcleos coloniais. No caso estudado pela autora as famílias de imigrantes são de origem alemã. Giralda descreve com propriedade a organização espacial e social dessas colônias em *linhas*, onde se concentravam os lotes familiares que se tornariam a referência espacial da "comunidade rural" e *povoado* destinado aos comerciantes, autoridades e onde "ficava o barracão para recepção e moradia temporária dos imigrantes". Outras categorias passam pelo crivo analítico da autora como *colono* e *colônia*. A autora faz uma análise processual da implantação das colônias, mostrando que, longe de ter sido um processo tranqüilo, foi eivado de conflitos entre imigrantes e autoridades. Processo demorado que produziu um "campesinato formado por pequenos proprietários, ainda persistentes". Além de descrever as técnicas produtivas, Giralda tratará das estratégias sucessórias nos lotes, para evitar o fracionamento que comprometeria a reprodução social desses camponeses, e também das diferenciações internas aos próprios colonos e como estes constroem a diferença, sobretudo em relação aos *caboclos*, em algumas situações também chamados de "brasileiros".

É com uma reflexão sobre o "campesinato caboclo", desta vez no Oeste catarinense, que o artigo de Arlene Renk dá seguimento a este volume. O campesinato caboclo é pensado por Arlene Renk também como minoria étnica constituída da colonização da região por imigrantes alemães, italianos e poloneses nas primeiras décadas do século XX. Esse segmento formado por uma população bastante heterogênea, alguns egressos das fazendas de criar que dispensavam mão-de-obra, outros fugidos da Guerra do Contestado, outros descendentes de escravos forros ou não e de indígenas. A autora traz um histórico da apropriação das terras no Oeste catarinense, recuando para antes da Lei de Terras de 1850, mostrando-nos, entre outras coisas, como depois de sua promulgação raros posseiros registravam seus alqueires de *campo, campinas, capoeiras* e *faxinais*. A "população das matas", isto é, as áreas florestais com caboclos, não foi declarada; essa população, de modo geral, "estava alheia aos procedimentos legais de registro de terras e tampouco possuía documentos, ou seja, não tinha existência civil". A autora mostra-nos a constituição de um campesinato parcelar de origem européia, e como esse processo implicou a expropriação de grande parte de suas terras como também de um modo de vida caboclo. Esse "modo de vida caboclo" é descrito com competência pela autora: essa população cabocla estava segmentada entre aqueles donos de sítio e faxinais (onde estavam as terras de *criar*) e também comerciantes, mais sedentários e os caboclos itinerantes. Se, entre estes e aqueles, os usos da terra e de outros recursos naturais, assim como as técnicas produtivas, podiam variar, uma rede de parentesco, compadrio e amizade se tecia. Entre essa população itinerante os momentos das festas, sobretudo de santos – expressão do catolicismo popular –, eram o "momento de juntar os dispersos, rever os parentes e amigos e reafirmar os vínculos da sociabilidade cabocla". A autora descreve as artimanhas usadas pelos novos colonizadores que chegaram àquelas terras a partir da década de 1920 para expulsar os caboclos, posseiros, como eram tidos, e "negros intrusos". É, pois, uma história de expropriação que vemos tratada neste artigo.

E, encerrando este volume, o texto de Neusa Maria Sens Bloemer vai tratar de como esse segmento rural, os *caboclos*, se reproduz socialmente e reproduz seus meios de existência, assim como suas relações com os imigrantes italianos do Planalto catarinense.

No artigo "Colonos italianos e caboclos no Planalto catarinense" a autora se preocupa logo de início em trazer as polêmicas acerca da categoria classificatória *caboclo* – preocupação também presente no artigo de Giralda Seyferth. Naquele contexto tal categoria ficou associada aos camponeses que se estabeleceram por meio de pequenas posses (além de possuir um forte componente étnico compreendido localmente como resultante da mistura de índios, negros e brancos) e tidos em relação aos colonos italianos como "agricultores fracos". Vale lembrar que "fraco" e "forte" são categorias presentes em vários contextos rurais no Brasil, e estão associadas à extensão de terra possuída ou trabalhada e ao acesso às condições de reprodução econômico-social. Essas categorias também são internas aos segmentos mencionados: *caboclos* e *colonos*. Em uma competente descrição, a autora delineia a organização da produção, os circuitos da comercialização e a relação dos colonos com as transações financeiras, pelas quais o fantasma da "perda da terra" sempre se atualiza com a possibilidade de não conseguir "honrar" a dívida contraída. Mostrando-nos as aproximações e os distanciamentos entre colonos e caboclos, a autora procede também à descrição dos diferentes aspectos que colaboram para a reprodução social destes últimos. Ficamos sabendo, por exemplo, que é entre os jovens caboclos que a incidência do assalariamento temporário na zona rural e o assalariamento urbano é maior, como estratégia para garantir a reprodução econômica e social do grupo doméstico. Um importante ponto a destacar nesse artigo diz respeito às concepções e relações com a terra, que a autora liga às formas diferenciadas de acesso (propriedade ou posse) e também aos ideais de fixação ou de itinerância em busca de novas áreas livres que marcaram distintamente um e outro grupo.

Como o leitor poderá constatar, este volume mostra a heterogeneidade do mundo rural brasileiro, trazendo diversas formas nas quais o campesinato se objetivou. Ao lado das práticas em relação às diferentes formas de apropriação da terra e demais recursos naturais, à circulação e trocas de bens, símbolos e pessoas nas manifestações cotidianas e rituais, também foram apresentadas práticas narrativas *no* e *sobre* o mundo rural.

Emilia Pietrafesa de Godoi
Marilda Aparecida de Menezes
Rosa Acevedo Marin

REFERÊNCIAS BIBLIOGRÁFICAS

BENJAMIN, W. O narrador: considerações sobre a obra de Nikolai Leskov. In: ______. *Obras escolhidas.* Magia e técnica, arte e política. 3.ed. São Paulo: Brasiliense, 1987.

BARTH, F. *Ethnic groups and boundaries*: The social organization of culture difference, Boston: Little Brown & Co., 1969.

BOSI, Alfredo. *O ser e o tempo na poesia.* 6.ed. São Paulo: Companhia das Letras, 2000.

CANDIDO, A. *Os parceiros do Rio Bonito.* São Paulo: Duas Cidades, 1982 [1964].

CARDOSO DE OLIVEIRA, R. Identidade étnica, identificação e manipulação. *Identidade, etnia e estrutura social.* São Paulo: Pioneira, 1976.

GARCIA JR., A. *Terra de trabalho:* trabalho familiar de pequenos agricultores. Rio de Janeiro: Paz e Terra, 1983.

GOMES, F. dos S. Amostras humanas: índios, negros e relações interétnicas no Brasil colonial. In: MAGGIE, Y.; REZENDE, C. B. (Orgs.). *Raça como retórica – a construção da diferença.* Rio de Janeiro: Civilização Brasileira, 2002.

HEREDIA, B. *A morada da vida:* trabalho familiar de pequenos produtores do Nordeste do Brasil. Rio de Janeiro: Paz e Terra, 1979.

KARASCH, M. Catequese e cativeiro: política indigenista em Goiás – 1780-1889. In: CUNHA, M. M. C. da. (Org.). *História dos índios no Brasil.* São Paulo: Companhia das Letras/Fapesp, 1993.

LÉVI-STRAUSS, C. Raça e história. *Antropologia estrutural dois.* Tempo Brasileiro: Rio de Janeiro, 1976 [1952].

MAUSS, M. Ensaio sobre a dádiva. Forma e razão da troca nas sociedades. *Sociologia e antropologia*. São Paulo: EPU/EDUSP, v.II, 1974, p.37-58.

MENEZES, M. A. Reciprocidade e campesinato: uma leitura de James Scott, Enrique Mayer, Antonio Candido e Emilio Willems. In: MARTINS, P. H.; CAMPOS, R. B. C. (Orgs.). *Polifonia do dom*. Recife: Ed. Universitária da UFPE, 2006, p.209-33.

PALMEIRA, M. The aftermath of peasant mobilization. In: *The Structure of Brazilian Development*. New Jersey: Transaction Books, 1974.

______. Morar: a lógica da *plantation* tradicional. *Actes du XLII Congrès International des Américanistes*, v.I, 1976, p.305-15.

______. Emprego e mudança socioeconômica no Nordeste. *Anuário Antropológico/76*. Rio de Janeiro: Tempo Brasileiro, 1977, p.201-38.

PIETRAFESA de Godói, E. *O trabalho da memória:* cotidiano e História no Sertão do Piauí. Campinas. Ed. da Unicamp, 1999.

RAPPAPORT, J. *The politics of memory*. Cambridge: Cambridge University Press, 1990.

SCOTT, J. C. *The Moral Economy of the peasant*: rebellion and subsistence in South East Asia. New Haven: Yale University Press, 1976.

SHANIN, T. A definição de camponês: conceituação e desconceituação. O velho e o novo em uma discussão marxista. *Estudos Cebrap*, n.26, São Paulo, 1980, p.41-80.

SIGAUD, L. *Os clandestinos e os direitos:* estudo sobre trabalhadores da cana-de-açúcar de Pernambuco. São Paulo: Duas Cidades, 1979.

SILVA, M. A. M.; MENEZES, M. A. Migrantes temporários: fim dos narradores? *NEHO – Historia*. Revista do Núcleo de Estudos em Historia Oral, USP, Depto. de História, n.1, nov. 1999, p.11-32.

SOARES, L. E. *Campesinato:* ideologia e política. Rio de Janeiro: Zahar, 1981.

VEYNE, P. *Como se escreve a história; Foucault revoluciona a história*. Brasília: Ed. UnB, 1982.

PARTE I

CULTURA E SOCIABILIDADES

1
O TRABALHO COMO FESTA: ALGUMAS IMAGENS E PALAVRAS SOBRE O TRABALHO CAMPONÊS ACOMPANHADO DE CANTO E FESTA

Carlos Rodrigues Brandão

O TRABALHO E A FESTA

Quase sempre separamos os dois momentos. Fazemos isso em nossa própria vida. Fazemos isso quando escrevemos sobre a vida dos outros. Uma coisa é o trabalho: necessário, duro, penoso, vazio de ritos e, não raro, até mesmo de palavras. Talvez *Vidas secas*, o romance de Graciliano Ramos e o filme de Nelson Pereira dos Santos, seja um dos melhores exemplos da inevitável aspereza do trabalho rural. Talvez *Tempos modernos*, o inesquecível filme de Charlie Chaplin, seja a melhor sátira do trabalho operário.

Outra coisa é a festa, mesmo quando "dê trabalho" prepará-la. Ela é o oposto do trabalho. Nela mulheres e homens reúnem-se em algum lugar sagrado ou profano para, juntos, conviverem entre gestos, palavras e objetos carregados com a leveza e a força dos símbolos, a fé, a alegria, o congraçamento, a homenagem, a data festiva de uma pessoa, de uma família, de uma parentela, de um clã, de uma tribo, de uma aldeia, de uma comunidade, de uma nação.

Entre uma situação e outra, o trabalho e a festa, a produção e a celebração, uma diferença simples e quase romântica estaria dizer que, pelo menos para o caso de trabalho rural, o trabalho gera os frutos da terra, e a festa camponesa celebra os seres – humanos, naturais ou sobrenaturais – por meio dos quais acredita-se ou sabe-se que os frutos são gerados.

Podemos lembrar que nos antigos – e nunca esquecidos – estudos de comunidades aqui no Brasil, como *Cruz das Almas, uma vila brasileira*[1] – *tradição*

[1] PIERSON, Donald. *Cruz das Almas*: a Brazilian Village. Washington Smithsonian Institution, 1951; e WILLEMS, Emilio, *Uma vila brasileira*: tradição e transição. São Paulo: Difusão Européia do Livro, 1961.

e transição, assim como na maior parte das etnografias mais recentes sobre grupos indígenas ou comunidades camponesas, os capítulos que tratam dos momentos de não-trabalho ou da organização social da comunidade estudada são, em geral, os últimos. Eles aparecem como uma espécie de sótão festivo de uma casa metafórica em que o alicerce é o trabalho, o primeiro andar, a vida social, entre a família e o poder local e, o sótão, o lugar dos mitos e ritos, imaginários e celebrações.

Em outros casos, os dois lados da vida rural são descritos e escritos em separado, divididos entre teorias, vocações e olhares que colocariam em um ponto extremo a antropologia da prática econômica e, no outro, a antropologia do processo ritual.

Houve no passado e, na verdade, existem até hoje, no entanto, inúmeras situações em que o trabalho produtivo e o trabalho simbólico fundem seus tempos e as lógicas de suas relações sociais e aí, como diria Marcel Mauss em uma das mais belas passagens do *Ensaio sobre a dádiva,* "tudo são misturas". Misturam-se as almas com as coisas...

> No fundo são misturas. Misturam-se as almas nas coisas; misturam-se as coisas nas almas. Misturam-se as vidas, e é assim que as pessoas e as coisas, misturadas, saem cada qual de sua esfera e se misturam: o qual é precisamente o contrato e a troca.[2]

Estamos acostumados com a seqüência de momentos de festas, de celebrações com preces, cantos, procissões, danças, narrativas cerimoniais de mitos, em que se celebra o depois-do-trabalho. Os antigos e os ainda vivos festejos da colheita do milho ou da uva; a pequena e tradicional "festa da cumeeira", quando os operários completam o telhado da construção de uma casa; ou até mesmo a festa pomposa e aristocrática do lançamento de um novo navio ao mar. Assim como conhecemos, das sociedades tribais e das culturas arcaicas até muitas entre as atuais, os rituais propiciatórios, em que, entre preces, ritos não raros com a presença de sacerdotes e até mesmo sacrifícios cruentos, antes do começo de um novo trabalho com a terra, a comunidade reúne-se para pedir a seres e forças da natureza, ou a um deus poderoso: a chuva na hora certa, o trabalho bem-feito e uma farta colheita.

Não esqueço uma "chegada de Folia de Santos Reis" em uma fazenda de Mossâmedes, em Goiás, cujo dono, um fazendeiro de médias posses, prometeu antecipadamente aos "Três Reis Magos" uma grandiosa celebração de "entrega da festa", num dia 6 de janeiro, em troca de uma safra generosa do arroz que plantara em mais de 40 alqueires goianos. Ali chegamos, ali celebramos diante de um altar rústico a "visita dos Reis Magos ao Menino Jesus". Ali oramos um terço. Ali o mestre da folia abençoou a família, a

[2] Está na p.212 do livro *Sociologia e antropologia,* de Marcel Mauss, em nova e preciosa edição da Editora Cosac & Naify, de São Paulo. O livro é de 2003. Nesta edição o título do capítulo é: "Ensaio sobre a dádiva – forma e razão da troca nas sociedades arcaicas".

casa, os presentes e, mais do que tudo, o arroz recém-semeado. E ali a família do fazendeiro ofereceu aos foliões, aos acompanhantes da Folia e a um número muito grande de parentes, amigos, vizinhos e convidados (ou não-convidados, pois nessas festas rurais "vem quem quer") um festivo almoço. E tal como na passagem de um dos evangelhos: comeram todos e repetiram, e ainda sobraram muitas panelas cheias.

TRABALHAR CANTANDO

Mas é de outra situação que quero tratar aqui. Ela é próxima da celebração propiciatória antes-do-trabalho, ou da festa da colheita, depois-do-trabalho. Quero falar de situações, atualmente bastante mais raras do que no passado, em que o trabalho incorpora o rito, a brincadeira jocosa, o jogo, o canto.

Sabemos que por todo o mundo muitos povos plantam, colhem, remam cantando. É possível entrever em tais cantos um fator instrumental do trabalho. E canto coletivo e ritmado serve para estabelecer o ritmo devido das remadas, dos gestos de plantio coletivo em linha, ou os da colheita. Podemos imaginar que, entre a cultura e a razão prática, existe algo mais.

Lembro-me de um documentário que assisti há muitos anos e cujo nome não me recordo, que retrata momentos da "puxada da rede" na pesca do xaréu, em praias da Bahia. Presos a duas cordas paralelas, puxando-as com vagarosos e esforçados passos para trás, as duas linhas de homens pescadores puxavam do mar as redes cantando uma bela e alegre canção que lhes marcava os passos.

Aires da Mata Machado realizou na região de Diamantina, em Minas Gerais, uma longa pesquisa de coleta de cantos de escravos. Tenho comigo um disco em que algumas delas são cantadas, alternando Clementina de Jesus com outros cantores. Alguns serão, por certo, cantos do trabalho.

Em um dos primeiros livros mais completos sobre formas tradicionais de ajuda mútua entre homens e mulheres do mundo rural, Hélio Galvão lembra uma definição de teor jurídico atribuída a Freitas Marcondes:

> Mutirão é uma instituição universal, cultivada geralmente nos grupos primários, onde o organizador, necessitando de uma rápida, larga e eficiente cooperação para um serviço, a solicita dos seus vizinhos, comprometendo-se tacitamente a retribuí-la nas mesmas circunstâncias, tão logo lhe seja pedida essa retribuição.[3]

Há muitos anos fotografei e gravei pequenos mutirões de mulheres fiandeiras no interior de Goiás. Reunidas em um mesmo "terreiro" de uma

---

[3] Está na p.16 de *O mutirão no Nordeste,* publicado em 1959, pelo Serviço de Informação Agrícola do Ministério da Agricultura, no Rio de Janeiro, n.15 da Col. Documentário da Vida Rural.

casa rural, e repartidas entre as diversas atividades do ofício – desencaroçar, cardar, fiar, tingir e tecer –, elas cantavam. Cantavam ora em solo, uma só, em geral, uma das mais velhas. Cantavam em duplas, outras vezes. E cantavam em grupos maiores, em outras. O canto solo, desacompanhado de instrumentos, como de costume acontece em tais casos, não marcava propriamente o ritmo do trabalho, já que entre a desencaroçadeira, a cardadeira, a roca (que elas chamam "roda") e o tear, os ritmos e os gestos são diferentes. Das muitas cantigas de fiandeiras gravadas e, depois, perdidas no sumiço de algumas de minhas fitas de mais de trinta anos, lembro-me de pelo menos uma trova.

Cresce Tereza cresce
Você cresce, Terezinha.
E quando você crescer
Vai ser namorada minha.

Assim, não apenas o canto, mas o clima de trocas de serviços e de sentidos em que ele se dá, trazem a uma situação vivida no cotidiano como um trabalho feminino solidário ou realizado em pequenas equipes, quase sempre familiares (uma mãe fiandeira e suas filhas), a dimensão de um trabalho-festa, de uma ação produtiva, mas entretecida de um clima socioafetivo que faz interagirem as duas dimensões do trabalho que estamos tratando aqui. Uma relação entre pessoas e coisas, em outros momentos regida por princípios produtivos de eficácia e regida pelo estrito cumprimento de tarefas, torna-se uma relação entre pessoas por meio de coisas, em que as regras do trabalho produtivo mesclam-se com as de uma convivência gratuita e generosa. Ali onde atos utilitários de produção de bens tornam-se gestos afetivos de criação de afetos e sentidos, por meio não tanto do que se produz – colchas de algodão rústico – mas do como se produz.

TRAIÇÃO, "TREIÇÃO" – A SURPRESA DA AJUDA

Uma forma curiosa e atualmente bastante rara de ajuda mútua e de trabalho vivido como festejo ocorria com freqüência em Goiás e em algumas áreas rurais de Minas Gerais. Nunca ouvi falar de sua existência em outros estados, mas acredito que ela esteja ou fosse vigente também no Tocantins, regiões da Bahia na fronteira com Goiás e também no Mato Grosso.

Quando parentes e vizinhos tomavam conhecimento de que um sitiante das redondezas precisava da ajuda de outros braços, além dos de sua família, para realizar um trabalho em geral atrasado (a limpa de um pasto, o preparo de um terreno para o plantio) era costume que, em segredo, convidasse outros parceiros de trabalho da comunidade para um mutirão.

A diferença entre esta modalidade de ajuda mútua, mutirão, e as outras, bastante mais freqüentes, é que o próprio "dono do serviço" não toma a iniciativa de convocar parceiros, parentes e/ou vizinhos. Ele recebe em sua casa, em um clima de surpresa e festa, os trabalhadores do mutirão. E mesmo que porventura saiba o que vai acontecer, ele deve representar o papel de quem nada sabe.

E o mutirão começa com uma traição, com uma "treição". E esse momento da chegada é um alegre e festivo rito de surpresa e acolhida. Antes de descrever de maneira sumária mutirões goianos que conheci, quero reproduzir aqui um depoimento bastante mais antigo. Um dos mais atentos estudiosos das alternativas de ajuda mútua no mundo rural brasileiro foi Clovis Caldeira. Em um de seus livros ele dá voz ao folclorista paulista Alceu Maynard de Araújo, que assim descreve o mutirão com "chegada de traição".

> É principalmente no Estado de Goiás que ainda se pode observar uma das mais interessantes formas de cooperação vicinal (forma espontânea) a que já se fez referência: a traição ou, no linguajar matuto, tréição. Assim descreve ALCEU MAYNARD DE ARAÚJO uma dessas reuniões, realizadas na zona rural do Município de Inhumas, no dia 18-12-48.
>
> "Quando um lavrador da manhã está com o trabalho de sua roça em atraso, um compadre, ou amigo, às escondidas, combina e reúne um grupo de trabalhadores (uns cem ou mais) e, num sábado pela manhã vai até a casa do amigo para ajudá-lo. Essa ajuda, que é tramada em sigilo e que é de fato uma surpresa para o que a recebe, chama-se traição.
>
> Às cinco horas da manhã, rodeiam a casa do traiçoado, e os traiçoeiros dão tiros, soltam rojões, e, quando acordam a família, dão início ao trabalho. Se o atraiçoado pode fornecer comida para o treiçoêros, começa a prepará-la, caso contrário, o chefe da traição precavidamente já põe em andamento os apreparos para o almoço. É bom salientar que o chefe dos traiçoêros deu o café aos convidados em sua própria casa, aí pelas 4 horas da manhã.
>
> Todos trabalham nesse singular mutirão, homens, mulheres, crianças. Homens na roça, mulheres na cozinha e crianças no transporte de comida, água, LENHA. Almoiçam ali pelas 10 horas: às 14 horas o café e, ao anoitecer, o jantar... e terminam com danças. Os velhos gostam e preferem as 'quadrinhas' e o 'catira', e os mais moços, já influenciados pelo rádio, preferem o arrasta-pés com marchas e sambas 'carnavalistas'. O arremate da traição, isto é, a dança, vai até o dealbar do domingo".[4] [sic]

De modo geral os "treiçoêros" se reúnem em algum lugar antes combinado e não muito longe da casa do "traiçoado". Chegam lá em silêncio, pela madrugada. Levam com eles, ademais dos instrumentos do trabalho – enxadas e foices, quase sempre –, alguns instrumentos de música, quase

[4] O livro de Clovis Caldeira é *Mutirão – formas de ajuda mútua no meio rural*, v.289 da coleção Brasiliana, Companhia Editora Nacional, São Paulo. Tenho comigo a edição de 1956, p.183-4. A longa citação de Alceu Maynard de Araújo é do livro *Muquirão* "Fundamentos", n.9/10, mar./abr., 1949, São Paulo, tal como indicado por Clovis Caldeira. Os grifos são de Maynard de Araújo.

sempre violas, violões, de vez em quando acompanhados de um pandeiro, de uma caixa, de uma sanfona.

Diante da porta da casa começam a cantar anunciando a chegada e conclamando as pessoas que dormem a que acordem e venham abrir a porta. Um exemplo simples colhido por mim em Itauçu, em Goiás, há muitos anos.

Meu senhor dono da casa,
Meu amigo, meu patrão
Saia na porta da rua
Receber sua "treição".

Eu vim aqui
Eu vim lhe visitar (bis)
Meu senhor dono da casa
De saúde como está?(bis)

Senhora dona da casa
Cinturinha de retrós,
Entra pra porta pra dentro
Vai coar café pra nós.

Eu vim aqui...

Senhora dona da casa
Seus pezinho merece tudo,
Merece meia de seda
Sapatinho de veludo.

Eu vim aqui...[5]

Fiz uma breve síntese. O "cantorio de chegada" pode ser longo. Ele começa sempre com o anúncio da chegada, o convite ao despertar e o pedido de que a porta se abra. Aberta a porta, o grupo canta ainda diante do casal de "donos". Cantam elogiando virtudes do homem, da mulher, do casal. Cantam anunciando que vieram "dar uma treição", que anuncia a surpresa do mutirão a ser iniciado ao romper do dia. E cantam, finalmente, pedindo para entrar na casa e ser servidos de café e, em algumas vezes, "da boa pinga".

É raro que os "treiçoêros" cheguem cedo, pela manhã, ao raiar do dia. O costume tradicional é que cheguem no meio da madrugada, no escuro ainda. Assim, depois de aberta a porta e depois que todos entram e se saúdam, os que chegam e os "donos da casa", um café é servido e, quando possível, algumas quitandas típicas. Alguns poucos poderão aproveitar as

[5] Hélio Galvão lembra a folclorista goiana Regina Lacerda. Em antiga comunicação oral à então Comissão Nacional de Folclore, ela relatou uma série da cantos tradicionais de chegada dos "treiçoêros", de acompanhamento do trabalho e de final do dia de "serviço".

horas até o amanhecer para descansar, para dormir em algum canto da casa. Ou outros, a maioria, quase sempre formam rodas de algum cantorio de viola ou uma, duas mesas de truco.

Amanhece o dia e, ainda em clima de pequena festa, a família do dono e a equipe do mutirão saem para o dia de trabalho. Este pode ser uma "limpa de pasto", uma "capina de lavoura" ou, mais raro, uma colheita atrasada. Quando poucos formam uma linha de trabalho e, sob as ordens do "dono do serviço", o "traiçoado" ou do "chefe dos treiçoêros", em geral aquele que planejou em segredo o dia de serviço voluntário, todos trabalham armados de enxadas ou de foices, de acordo com o tipo de "serviço". Quando muitos, algumas dezenas, o costume é a formação de algumas ou várias "linhas" e, então, não é raro que entre estas sejam estabelecidas algumas brincadeiras e até mesmo uma competição em termos de qual delas termina uma seqüência do "serviço" mais depressa.

Trabalha-se de verdade, mas com a diferença de que o clima é festivo e francamente amistoso. Em algumas ocasiões o "dono do serviço" fica de fora das linhas e participa do "eito" servindo café, cachaça ou as duas bebidas alternadamente. Na casa, as mulheres da família sozinhas, ou acompanhadas de parentes e/ou vizinhas, preparam o "almoço dos homens". Em um dia de "eito" costuma-se parar para um almoço e este é o momento em que novas rodas de cantoria de improviso ou de mesas de truco se formam novamente. Havia, mais no passado do que agora, casos em que a equipe de trabalho jantava na casa do "dono do serviço" após o mutirão. Era na época em que costumava haver uma noitada alegre e brincalhona antes e depois da "comida", e em Minas Gerais e, mais ainda, em Goiás, uma dança de Catira seria quase indispensável.

Assim, o que seria um duro dia de trabalho rural caso este fosse contratado e pago pelo "patrão", torna-se uma jornada que faz do trabalho uma demorada cerimônia de convivência e entremeia o "serviço" e a "brincadeira", o esforço do corpo e o canto, a dança e a comida festiva. Outro exemplo poderia bem ilustrar isso.

O momento do final do "dia do serviço" no mutirão e o retorno à casa do "dono" costumavam ser ritualizados e jocosos. Ao final do trabalho os homens do mutirão primeiro cantavam trovas anunciando a hora da volta à casa do "dono".

Lá vai o sol entrando
Por cima da mataria
Acabou seu mutirão
Com prazer e alegria[6]

---

[6] Essa quadra é bastante semelhante a uma apresentada por Regina Lacerda, muitos anos antes, e reproduzida na p.32 de *O mutirão no Nordeste,* op.cit. Creio que esta e outras quadras de cantorio de final de dia de serviço são muito difundidas em Goiás.

Algumas vezes os "treiçoêros" formam a seguir um quadrado com quatro enxadas ou foices. Dentro dele vai, caminho afora, o "dono do serviço". Algumas outras trovas, também à capela, costumavam então ser entoadas pelos "treiçoêros". De modo geral falam de um "patrão preso" que só será solto depois de distribuir entre todos uma generosa oferta da "boa pinga".

O patrão tá preso
Tá dentro da volta (roda)
Se ele não der pinga
Ele nós não solta.

O patrão tá preso
Ele é prisioneiro,
Pra nós solta ele
Dá pinga primeiro.

Não é difícil compreender que o trabalho-ritual de um dia de serviço voluntário no mutirão tradicional envolve vários momentos também típicos de uma "chegada" de um grupo festivo e cerimonial em uma casa, no mundo camponês, como as chegadas em locais de "giro" ou de "pouso" em uma Folia de Santos Reis, ou de uma Folia do Divino Espírito Santo. Envolve uma chegada festiva e ritualmente cantada (de surpresa ou não); um cantorio de anúncio da chegada e de pedido de ingresso na propriedade rural e, depois, no interior da casa; cantorios ou gestos de acolhida pelos donos aos chegantes; a oferta festiva de alimentos; brincadeiras rituais, jogos de truco, dança de catira; orações coletivas e tradicionais; algumas cerimônias, com ou sem "cantorios", de despedida.

A diferença entre o mutirão (com ou sem "traição") é que mesmo quando há bastante trabalho de homens e mulheres em uma "festa de santo", ou em uma "chegada de folia", tudo o que se faz então é considerado um não-trabalho. Uma oferta de um "serviço voluntário", mas, na verdade, quase obrigatório pelo código local de trocas de bens, serviços e sentidos, às pessoas da casa, ao grupo ritual ou mesmo aos seres sagrados festejados. Vale então a convivência e o congraçamento e os momentos vividos com devoção e diversão são considerados um oposto cerimonial à rotina do trabalho rural. Enquanto o mutirão, ao contrário, traz momentos de festa para esse próprio trabalho rotineiro.

O BRÃO – TRABALHAR CANTANDO

Em algumas raras regiões do Brasil, o trabalho solidário realizado sob a forma de adjutórios ou de mutirões é acompanhado de cantos. Temos então esta diferença. Em modalidades mais freqüentes, cantos e ritos de deferência e de amizade são vividos antes e depois dos momentos do trabalho coletivo. Em outras, como a que descrevo a seguir, além de se saudar, cantar e festejar antes e após o trabalho coletivo, alterna-se o próprio trabalho com momentos de canto.

Alguns mutirões entremeados de cantos de *brão* ainda ocorrem pelo menos na região do Alto Paraíba, na Serra do Mar, em São Paulo. Não há nesses uma chegada de surpresa, como nos mutirões de "treição". Ao contrário, a iniciativa de convite parte do "dono do serviço", quase sempre um pequeno fazendeiro ou um sitiante, o que é mais comum ainda.

Participei de alguns desses mutirões com "cantorio de brão", dois deles no município de São Luís do Paraitinga e outro em Lagoinha. Em todos os casos foram mutirões com grande participação de vizinhos de perto, ou de parentes e de amigos vindos não raro de outros distantes bairros rurais. Todos foram mutirões de "bateção de pastos", serviços coletivos de "limpa de pastos".

No dia do mutirão, logo cedo, os parceiros começam a chegar, os de mais perto a pé, outros a cavalo, os de mais longe, em carros e caminhonetes. Quase todos trazem seus instrumentos de trabalho, os "empenados". Há, como em outros casos, um clima festivo. Os chegantes são recebidos pelo "pessoal da casa" com café. As mulheres da família e várias outras, vizinhas e parentes, estarão toda manhã na cozinha preparando o almoço e, em alguns casos, toda a tarde, preparando o "jantar dos homens".

Grupos de homens que vão chegando sobem morros em direção aos pastos onde o "serviço" deverá ser realizado, após as saudações alegremente exageradas aos donos da casa e a outros parceiros do trabalho. Num mutirão no bairro de Santa Cruz do Rio Abaixo, em São Luís do Paraitinga, reuniram-se mais de 120 homens para o mutirão. É costume que linhas de trabalho sejam formadas e, assim, os parceiros avançam juntos, pasto afora e morro acima.

É também costume, a não ser em equipes muito pequenas de trabalho voluntário, que o "dono do serviço" não participe da "bateção de pasto". No mutirão de Zé Leite – esse era o nome do dono do sítio e do "serviço" –, ele passou a manhã e a tarde montado em um cavalo, com dois botijões de leite, um de cada lado da montaria, quase cheios da "Luizence", a cachaça mais conhecida da região. Servia aos homens que se dispunham a "um trago" durante o serviço, brincava com alguns e animava a todos.

Trabalhando em linhas, alguns parceiros do mutirão ficam juntos, lado a lado. E então começa o "cantorio do brão". De repente uma dupla pára por um momento o trabalho com os "empenados". Apoiados neles e quase sempre um em frente ao outro, ou lado a lado, entoam um canto gritado e sem instrumentos, à capela. Cantam alto para que os escutem os de perto e também os longe. Após alguns instantes de silêncio outra dupla suspende o trabalho e entoa seu cantorio. E assim uma outra e outras. Os cantores do brão procuram tomar cuidado para que cada dupla cante sozinha e seja escutada por todos. Assim, se duas duplas próximas ou distantes iniciam quase juntas seu cantar, é costume que uma delas suspenda-o até o final da outra.

Chama a atenção o fato de que o que se canta quase sempre contém versos de perguntas ou de respostas a perguntas feitas por uma dupla que entoou antes seu canto. E por que é assim? Porque o brão é, na verdade, um diálogo cantado. As duplas cantam umas para as outras, muitas vezes dizendo os nomes das pessoas presentes a quem o canto se dirige. Sendo um diálogo, ele é também um desafio. Não um desafio de habilidades de improviso, como nos do Nordeste ou no Cururu de São Paulo.

O brão é um diálogo entre duplas e entre todos os presentes, por meio das duplas de cantadores, porque é também um enigma. Nesse sentido o brão aproxima-se do jongo, e alguns cantadores de brão nos mutirões são também bons jongueiros nos cantos escuros das noites de festas de santos nas cidades do Vale do Paraíba.

Quando uma dupla canta, seu cantar longo e gritado divide-se em duas partes. A parte inicial é um improviso e é comum que os dois que cantam combinem antes os versos da primeira parte. A segunda é fixa, repete-se sempre como um refrão, logo após o final do cantorio da primeira parte, e vale como uma assinatura de cada dupla. O que cada dupla canta pode iniciar uma "linha do brão". O que as outras cantam pode ser também "uma linha", ou pode ser uma pergunta musicada, para que a dupla que propôs a linha, cantando o começo de um enigma, forneça mais detalhes.

Dou um curioso exemplo do mesmo mutirão de Santa Cruz do Rio Abaixo. Como já dissemos, quase todos os parceiros chegantes traziam suas foices, seus empenados. Alguns, raros, chegavam sem eles e o "dono do serviço" emprestava um dos empenados de sua propriedade. Ora, aconteceu que não sobraram "empenados" para dois retardatários que não os trouxeram de casa. Para que eles não ficassem sem ter com que trabalhar, Zé Leite emprestou a eles um enxadão.

Claro que em um "mutirão de bateção de pasto" o enxadão é tão inútil como um giz branco para se escrever em um quadro-branco desses que requerem um tipo especial de caneta. Assim mesmo os dois foram para os pastos e passaram o dia capinando, enquanto os outros "batiam o pasto". O assunto inusitado foi logo percebido e comentado com chacotas e palavras de ânimo. E logo em seguida uma das duplas começou a cantar uma "linha" em que a metáfora do tema era uma boiada que eles tinham na fazenda. E nessa boiada havia dois "boizinhos emparelhados" que diferiam de todos os outros.

Logo em seguida iniciou-se uma troca de perguntas e de respostas cantadas sobre o assunto. Os que perguntavam cantando pediam mais dados sobre os "boiecos" e anunciavam seu desejo de comprá-los ou de trocá-los por outros, "breganhando" animais. Durante as horas e horas do mutirão em Santa Cruz do Rio Abaixo alternaram-se perguntas e respostas, propostas e contrapropostas. E nenhuma das duplas conseguiu adivinhar, cantando, o enigma, ou seja, nenhuma delas conseguiu "desmanchar a linha". Diz-se em todo o Alto Paraíba que algumas "linhas" e seus enigmas passam de um mutirão a outro, com meses de distância, sem serem "desmanchados".

Assim se canta:

(parte de improviso)

Ai meu senhor Mário Pacifi (Pacífico)
Mario Pacifi.
Dos meus amigos você é o mio (melhor)
Você é o mió!
Se não sair essa breganha
Ai, essa breganha!
Eu por mim vou sentir dó.
Ai, ai, ai!

(parte fixa – refrão)

Morena dos olhos pretos
Cinturinha de boneca
Por causa desta morena
Eu estou levando a breca.

(parte de improviso)

Ai amigo Geraldo Coelho
Geraldo Coelho.
O que nós tem pra escolher?
Pra escolher?
Eu quero fazer esta breganha
Esta breganha,
Antes do escurecer,
Ai, ai, ai!

(refrão)

No sertão adonde eu moro
Aonde os passarinhos pia.
Ai, morena,
Não tenho mais alegria!

(outros refrões costumeiros)

Quando for pra mim morrer
Não quero choro e nem vela.
Só quero no meu caixão uma florzinha amarela
Gravada com o nome dela.

Catirina, oi Catirina
Saudade de você, menina!

E assim se trabalha e se canta durante todo o dia. Algumas vezes o brão, agora acompanhado de ditos e de brincadeiras do que não cantam e escutam, não cessa nem durante as pausas alegres e festivas de almoço e de "janta".

Nunca esquecerei momentos de mutirões no Alto Paraíba, quando ao longo de todo um dia de trabalho em grande extensão de pasto, linhas de homens curvados sobre a terra, armados de "empenados", cantavam e ouviam os sons e os ecos de longos e dolentes cantorios de brão, cantados em duplas, a uma pura voz camponesa que levava longe, morro acima, pasto adiante, algumas letras sempre singelas e belas na sua simplicidade rústica. A mesma que vi sempre acompanhando as roupas, os gestos e as falas da "gente do mutirão".

Homens do campo, adultos de idade ou já velhos "de outros tempos". Os mesmos homens que nas suas conversas comigo, ou entre si, comentavam as "mudanças do mundo". E se alegravam com as boas, como o poder assistir em casa um "jogo do Brasil na Copa do Mundo, pela televisão". Mas lamentavam as mais essenciais. Como as condições cada vez mais inexplicavelmente difíceis de se seguir vivendo com dignidade e trabalhando "como nossos pais", na lavoura ou no pasto de algumas poucas vacas leiteiras.

E, mais do que tudo, lamentavam a perda de costumes "dos antigos", como as trocas solidárias de bens (prendas), de serviços (mutirões) e de sentidos de vida, vividas em dias de festas feitas através do trabalho coletivo, ou dias de trabalho coletivo vivido como festa. Tempos já então regidos por trocas de produtos por dinheiro e mesmo de trabalho por dinheiro (pagamento). Mas tempos em que eram ainda freqüentes as trocas solidárias de produtos por produtos (as diferentes modalidades de escambo) e as reciprocidades de trabalho por trabalho.

TRABALHAR SOZINHO, TRABALHAR COM OUTROS, CANTAR PARA TRABALHAR, TRABALHAR CANTANDO

No mesmo livro que nos acompanhou até aqui, Marcel Mauss reclamava, há mais de cem anos, do esvaziar-se desses gestos de troca e de gratuidade no correr da vida de sociedades imersas cada vez mais em princípios de utilidade, competição e eficácia. As mesmas que, bem mais agora do que em seu tempo, regem, no campo e na cidade, as relações entre as coisas, as relações entre as pessoas, as relações entre pessoas por meio das coisas e as relações cada vez mais entre coisas por meio das pessoas.

Ao lembrar tempos e sociedades regidas ainda pela troca e pela obrigação recíproca de dar-receber-retribuir, Marcel Mauss diz:

> Durante um tempo considerável e num número considerável de sociedades, os homens se abordaram num curioso estado de espírito, de temor e de hostilidade

exagerados, e de generosidade igualmente exagerada, mas que são desarrazoados apenas aos nossos olhos. Em todas as sociedades que nos precederam imediatamente e ainda nos cercam, e mesmo em numerosos costumes de nossa moralidade popular, não há meio-termo: é confiar inteiramente ou desconfiar inteiramente; é depor armas e renunciar à própria magia, ou dar tudo, desde a hospitalidade fugaz até as filhas e os bens. É em estados desse tipo que os homens renunciaram a sua autonomia e souberam dispor-se a dar e a retribuir.

...

Foi opondo a razão ao sentimento, foi estabelecendo a vontade de paz contra as loucuras bruscas desse gênero, que os povos conseguiram substituir a guerra, o isolamento e a estagnação pela aliança, a dádiva e o comércio.[7]

O que eles, os homens da terra, lamentam, o que lamentamos e não devemos aceitar é a perda do princípio de solidariedade, de gratuidade e de generosidade nas relações entre pessoas, entre grupos humanos e mesmo entre povos e nações. Uma perda tida por alguns como um ganho, quando defendem as regras e os valores de um mundo regido pelos interesses utilitários do mercado de dinheiro, de bens e de trabalhos. Relações em que produtos valem mais do que produtores de produtos e em que, sob uma mesma lei de que as regras do mundo do agronegócio são o melhor exemplo, quem trabalha para gerar bens não se sente apenas um criador de mercadorias, mas, cada vez mais, ele próprio uma outra mercadoria.

Teremos chegado a tal ponto? Haverá ainda um ponto de retorno a uma vida solidária, a um trabalho vivido como troca generosa e como gratuita interação entre pessoas que, ao mesmo tempo que produzem o bem da terra, voltam a se sentir criadores do bem da vida?

O trabalho com a terra é quase sempre duro e "cansa o corpo". Conhecemos todos, por vivência, por depoimentos ou mesmo pelas letras de velhas modas de viola, o quanto é penoso o trabalho camponês. Mais ainda quando é "cativo", quando é realizado "no que é dos outros" ou "para o outro". Sobretudo quando esse outro é um "senhor", um "patrão". Pior ainda quando se é um "peão" de um "senhor" impessoal e se trabalha não se sabe onde nem para quem.

Mas o trabalho "com outros" ou "para o outro" é sempre um gratificante e alegre trabalho-festa, ou um trabalho-ritual, quando voluntário. Quando, em vez de ser uma imposição ou uma "obrigação", é uma escolha livre, uma "ajuda a um amigo" de quem se pode esperar a contraparte, quando necessário. Os antigos e os ainda remanescentes mutirões rurais são o melhor exemplo do trabalho solidário vivido entre o labor e o prazer, entre e "lavrar" e o "festar".

Vimos que as situações antigas e atuais de trabalho com a terra, quando vividas como alguma forma de solidária "ajuda mútua", podem incorporar

[7] *Sociologia e antropologia*, p.312-3.

diferentes situações. Podem ser uma iniciativa do próprio "dono do serviço", que será eticamente devedor de um igual "favor" quando solicitado. Pode ser uma iniciativa de outros e, então, uma "surpresa" para o "dono". Ele pode envolver uma pequena equipe de parceiros por um ou mais dias de trabalho. E sua forma mais simples é a "troca de dia", em que uma pessoa trabalha um ou dois dias para outra em troca de receber igual ajuda em outros dias. Ele pode envolver uma equipe maior e pode abarcar também momentos festivos, pelo menos na hora "da bóia" ou no fim do "dia de serviço". Pode, como no mutirão sumariamente descrito aqui em Santa Cruz do Rio Abaixo, congregar em uma mesma propriedade camponesa mais de uma centena de parceiros e cantadores do brão.

Pode ser um trabalho coletivo e parcialmente voluntário, reduzido apenas às situações costumeiras de trabalho. Pode entremear, como vimos, o trabalho com a celebração da amizade, entre brincadeiras e cantorios. Pode ser um trabalho em que se canta antes, nos intervalos (almoço e/ou jantar) e ao final. Ou pode ser, como no "mutirão com brão", um trabalho que se canta enquanto o vive.

Mas, em qualquer situação e de qualquer maneira, será sempre um trabalho em que cada um dos participantes sai de si mesmo, deixa por algum tempo os seus afazeres, sua rotina e seus interesses pessoais e familiares, e gratuita e generosamente se dá aos outros. Traz a um vizinho, a um parente, a um amigo, não apenas a força física de um ou mais dias de trabalho. Traz com sua presença solidária o rito e o sentido de uma vida ainda não dominada pela concorrência, pelo interesse individualista e pelo fechar-se em si mesmo e no que é "seu".

Dar (bens, trabalho, afeto, saber, sentido), receber, retribuir. Fazer dessas alternâncias de recíprocas intertrocas que resistem ao mundo dos negócios em nome do mundo da vida, a essência solidária da razão de ser e viver. E, mais do que essa razão, a de saber dar-se ao outro, conviver com ele uma vida que, afinal, valha a pena.

Deixemos que o mesmo Marcel Mauss nos diga sobre isso tudo algumas últimas palavras.

> Assim, de uma ponta a outra da evolução humana, não há duas sabedorias. Que adotemos então como princípio de nossa vida, o que sempre foi um princípio e sempre o será: sair de si, dar, de maneira livre e obrigatória; não há risco de nos enganarmos. Um belo provérbio maori diz:
>
> *Ko Martu kai atu*
> *Ko Maru kai ma*
> *Ka ngohe ngohe.*
>
> *"Dá tudo quanto tomas, tudo estará muito bem".*[8]

[8] Na p.300 do mesmo livro de Marcel Mauss.

REFERÊNCIAS BIBLIOGRÁFICAS

BRANDÃO, C. R. *A partilha da vida.* Taubaté: Cabral, 1997.

CALDEIRA, C. *Mutirão – formas de ajuda mútua no mundo rural.* São Paulo: Biblioteca Pedagógica Brasileira, 1956, Col. Brasiliana.

GALVÃO, H. *O mutirão no Nordeste.* Rio de Janeiro: Serviço de Informação Agrícola, Ministério da Agricultura, 1959.

MAYNARD DE ARAÚJO, A. Muquirão. *Fundamentos*, n.9/10, mar./abr. 1949, São Paulo.

MAUSS, M. *Sociologia e antropologia.* São Paulo: Cosac & Naify, 2003.

2
Patativa do Assaré: eu canto o sertão que é meu

José Helder Pinheiro Alves

Depois que o pudê celeste
Manda chuva no Nordeste,
De verde a terra se veste
E corre água em brobutão
A Mata com seu verdume
E as fulô com seu perfume,
Se infeita de vaga-lume
Nas noite de iscuridão

"A festa da natureza" – Patativa do Assaré

Diferentes são os modos como os artistas representam o sertão. Uma presença constante em muitos poemas e canções é a do tom saudosista, sobretudo de quem se mudou para a cidade. Também é recorrente a idealização da vida no campo, que se soma ao saudosismo, caindo, muitas vezes, num bucolismo que falseia a realidade do trabalhador rural. Outro viés presente na produção de muitos poetas é a apresentação do modo simples de ser do sertanejo quando chega à cidade. Esse viés é responsável por um olhar muitas vezes cheio de preconceitos, apresentando o homem do campo meio bobo, além do preconceito lingüístico que está por trás da reprodução das falas do sertanejo.

O amplo espaço do sertão nordestino foi cantado de modo peculiar por um dos maiores poetas de nossa literatura. Refiro-me ao cearense Antônio Gonçalves da Silva, conhecido como Patativa do Assaré.[1] A obra desse

[1] Antônio Gonçalves da Silva – Patativa do Assaré, nasceu a 5 de março de 1909, num sítio na serra de Santana, no município de Assaré, Ceará. Como afirma Luís Tavares Júnior (1999), o poeta "teve uma vida atribulada; descendente de agricultor pobre, o segundo de

poeta, em sentido amplo, pode ser lida como uma grande epopéia, cuja personagem central, o grande herói (ou anti-herói) seria o povo com suas dores, seu sofrimento, as injustiças por ele vivenciada, mas também seus sonhos, suas esperanças, sua coragem de lutar, suas brincadeiras e seu bom humor. A geografia local também é presença marcante nessa poesia: não só o tempo de verão e de seca, que chega a durar sete meses, mas também a paisagem do sertão chovido, o verde e as flores que recobrem, por um curto tempo, o sertão nordestino.

Apresentaremos, neste artigo, um pouco da concepção que um poeta popular, que foi lavrador a vida inteira, tem de seu sertão, das lutas de seu povo, das belezas de sua terra. O fato de ter vivido como trabalhador pobre, puxando o cabo da enxada, confere um diferencial à poesia de Patativa do Assaré. Trata-se de um olhar que nasce da experiência cotidiana com a terra, com o duro trabalho do lavrador, com a consciência de que a vida poderia ser menos dolorosa.[2]

Tendo em vista que a obra do poeta é vastíssima e são numerosos os poemas que tratam diretamente de questões ligadas ao sertão e ao sertanejo, faremos um recorte. Será analisado, de início, o poema "Cante lá que eu canto cá", que é uma espécie de *poética* do autor, e revela, portanto, o nível de consciência que ele tem de suas formas, de seus temas, de suas paisagens, diferentemente do que ele chama "Poeta cantor da rua / que na cidade nasceu". A seguir, comentaremos um longo poema denominado "Eu e o sertão" em que, como o título já revela, o poeta cantará a beleza do sertão, o sol ardente, as festas religiosas, as brincadeiras populares. Outro poema fundamental, nacionalmente conhecido, que também será analisado, é a "Triste partida". Nele é narrada a saída dolorosa do sertanejo de sua terra e os sofrimentos que vai enfrentar "nas terra do su". Para finalizar, comentaremos "A morte de Nanã", poema capaz de comover o leitor devido ao tratamento lírico conferido a uma tragédia.

---

uma irmandade de cinco filhos, perdeu a vista em tenra idade; ficou órfão aos oito anos, intensificando sua labuta na terra, ao lado do irmão mais velho, para sustento de sua mãe e dos mais novos". Como afirma o próprio poeta: "Com idade de doze anos, freqüentei uma escola muito atrasada, na qual passei quatro meses, porém, sem interromper muito o trabalho de agricultor. Saí da escola lendo o segundo livro de Felisberto de Carvalho e daquele tempo pra cá não freqüentei mais escola nenhuma, porém, sempre lidando com as letras, quando dispunha de tempo para esse fim" (apud TAVARES JÚNIOR, 1999).

2 Gilmar de Carvalho (2002), um dos mais importantes estudiosos da obra de Patativa, fez um estudo comparativo entre o sertão de Rosa e o de Patativa. O ensaio intitula-se "O sertão: de Guimarães Rosa e Patativa do Assaré". A perspectiva adotada por nós se diferencia do ensaísta, uma vez que procuramos ao máximo indicar versos e poemas que ilustrem a visão do poeta.

O POETA

Conhecido hoje em todo o país, sobretudo depois que teve um de seus livros publicado por uma grande editora na década de 1970,[3] Patativa guardou na memória por dezenas de anos seus versos, muitos conhecidos por pessoas de sua cidade e circunvizinhanças. Isso porque ele sempre gostou de recitar seus poemas e o fazia em festas, encontros com trabalhadores e nas rádios da região, principalmente nas da cidade do Crato. Poeta que começou dedilhando uma viola, nunca viveu como cantador uma vez que este não era seu desejo. Com o tempo largou a viola e dedicou-se a fazer e recitar seus poemas. A profissão mesmo era de agricultor, na Serra de Santana, no município de Assaré, Ceará. Só depois de aposentado é que veio morar na pequena Assaré, mas nunca deixa de frisar seu encanto pela terra, pela vida no meio rural. Em entrevista ao pesquisador Gilmar de Carvalho (2002b, p.17), afirmou: "Eu vivo aqui em Assaré, mas meu coração ficou lá na Serra de Santana, onde eu trabalhei muito até a idade de sessenta e tantos anos, trabalhando na roça...".

Em sua pequena "Autobiografia", publicada no livro *Cante lá que eu canto cá* (1970), Patativa assevera: "Desde que comecei a trabalhar na agricultura, até hoje, nunca passei um ano sem botar a minha roçazinha, só não plantei roça no ano em que fui para o Pará" (p.16).

A proximidade do poeta da terra, sua experiência de agricultor, suas mãos escalavradas, seu corpo queimado de sol é que fornecem ao poema um olhar de dentro, de quem conhece as belezas e as dores da vida do sertanejo. E esses dois veios são matéria de sua poesia ao longo de seus mais de sessenta anos de produção poética. Os estudiosos tendem a chamar mais a atenção para a poesia social, para o poeta engajado, que cunhou imagens fortes da dor do sertanejo fugindo da seca ou sendo oprimido em seu próprio lugar. Mas é o poeta quem melhor se apresenta em seu "O poeta e a roça":

> Sou fio da mata, canto da mão grossa,
> Trabaio na roça, de inverno e de estio.
> A minha chupana é tapada de barro,
> Só fumo cigarro de paia de mio.

Outro viés a ser destacado nessa rápida apresentação do poeta é a sua destreza formal. Toda a sua obra ostenta uma diversidade de formas e de ritmos (quadras, sextilhas, setilhas, décimas, oitavas, versos decassílabos, redondilhas menores e maiores), bem como um domínio absoluto da chamada poesia cabocla (que reproduz, de certo modo, o ritmo da fala e sua

[3] Trata-se do livro *Cante lá que eu canto cá*, publicado pela Editora Vozes na década de 1970. Todos os poemas citados ao longo deste trabalho são da 3.ed.

expressão) e da expressão mais clássica. Inclusive o poeta escreveu inúmeros sonetos dentro da mais perfeita forma.

O poeta sempre teve consciência de quem era seu público ouvinte/ leitor, quando afirma, ainda em "O poeta e a roça", "Meu verso só entra no campo e na roça/ Nas pobre paioça, da serra ao sertão". Hoje seus leitores se ampliaram e, ainda em vida, o poeta teve o reconhecimento merecido, embora já depois dos sessenta anos.

Nos últimos anos muitos têm sido os estudos sobre a poesia do vate sertanejo. Destaque para uma tese de doutorado de Luiz Tadeu Feitora (2003), *Patativa de Assaré: a trajetória de um canto*, que estuda o poeta e sua obra da perspectiva da nova História Cultural. A abordagem

> ao valorizar o cotidiano e a micro-história, em particular aquela ligada ao popular, tem a pretensão de tentar decifrar como, através da análise de produtos culturais consumidos pelas elites ou pelas classes subalternas, as culturas que nos antecederam formulavam o mundo e o interpretavam. (p.9 e 10)

Já a dissertação de Cláudio Henrique Sales de Andrade (2003) aborda a obra do poeta de uma perspectiva mais analítica, sem deixar de lado elementos sociológicos importantes para sua avaliação crítica. A análise detida de alguns poemas é a marca desse importante trabalho da fortuna crítica do poeta.

Na introdução da antologia *Cordéis: Patativa do Assaré*, Luís Tavares Júnior lembra que:

> Sofrendo na própria carne as asperezas, as agruras do sertão, calcinado pelas secas e vitimado pelas injustiças sociais, perpetradas, por vezes, permitidas pelo sistema, fez de sua poesia poderoso instrumento de combate social, sem perder, no entanto, o senso de humor e o gosto pela vida, que o levam a sorrir e a fazer gracejos, através de seus versos, no espírito de ludicidade, que sempre acompanhou a Literatura de Cordel.

O POETA E O SERTÃO

Destacaremos, primeiro, os encantos do sertão que o poeta se propõe a cantar. As festas, as brincadeiras, as paisagens são matéria da poesia. No poema "Eu e o sertão" (p.21), Patativa apresenta toda a beleza de seu sertão, a infinidade de coisas que ele tem para cantar:

> A tua beleza é tanta,
> Que o poeta canta, canta
> E inda fica o qui cantá.

A partir daí ele elenca essas belezas. No âmbito da natureza, ela está na audição do canto dos pássaros – sobretudo do sabiá, do "canaro e do campina" e na aurora. Ele encerra a estrofe afirmando: "E com munta razão vejo, / Que a gente sê sertanejo / é um dos maió prazê".

Outro aspecto destacado, ainda no âmbito da natureza, é o "bom e sadio crima". E aqui um verso sublime, como tantos de sua larva: este clima "deu de mão beijada" ao poeta "Um mundo cheio de rima". Patativa vê a poesia no mundo em que vive. A sensibilidade do vate está posta o tempo todo: alguém que desentranha a poesia, que lança mão de todos os seus sentidos para ouvir e captar esse mundo de rimas. O sol, "Que treme a vista da gente", ao mesmo tempo "dá corage, saúde / E alegria aos teus caboco". O poeta também afirma que "ninguém / Sabe direito cantá / Tanta beleza que tem / Tuas noite de luá". Através de uma imagem de sabor erótico, cheia de animismo, ele afirma:

> Quando a lua sertaneja,
> Toda amorosa despeja
> Um grande banho de prata
> Pro riba da terra intera
> *E a brisa assopra manera*
> *Fazendo cosca na mata.* (grifo meu)

Depois de apresentar as belezas naturais do sertão, ele se volta para o universo da cultura. E lembra do "Sertão do Bumba Meu Boi", da "armônica de oito baxo", também conhecido entre o sertanejo como o fole de oito baixos. Embora não descreva os forrós, o poeta lembra um instrumento fundamental no modo de diversão do sertanejo durante muitas décadas. Mas o grande tesouro do sertão é o "Caboclo que resinga / Corrê dentro da catinga / Na pega do barbatão". Ele compara o caboclo a um "diamante / Ante de argúem lapidá". Depois de apontar a condição desumana do caboclo, "esquecido / Dos meio de inducação" ele nos brinda com uma imagem marcadamente dialética; "Tua santa inguinorança / Incerra munta verdade".

O universo das festas religiosas também é convocado pelo poeta. "As oração e os bendito / Das festa do mês de maio", a bandeira hasteada no terreiro, a mulher que puxa a reza "Lendo vagarosamente / Com a cartia na mão". E "Quando acabava Maio, / Já começava os insaio / Do santo mês de S. João". Essas descrições são lembranças que o poeta guarda como "moeda de oro" e arremata: "Fiz do meu peito o sacraro / E guardei esse tesoro".[4]

---

[4] Entre as festas cultivadas pelos sertanejos nordestinos, a de São João é a mais popular. Vale lembrar que o mês de junho congrega as comemorações de Santo Antônio, São João e São Pedro. Neste mês, em quase todo o Nordeste, a safra de milho, feijão e outras culturas está sendo colhida. As festas, portanto, ocorrem em tempo de fartura. Embora muitos poemas tenham registrado esses momentos de alegria coletiva, é na canção popular que os festejos juninos foram cantados com muita recorrência. Para uma compreensão antropológica do sentido da festa popular e das várias teorias que discutem a questão, ver o ensaio "O sentido da festa e do festejar", de Elizabeth Christina de Andrade Lima (2002).

A consciência de que o espaço em que vive e as condições culturais em que está inserido são um *valor* que permeia a obra de Patativa. O tesouro do poeta está na memória, palavra fundamental para alguém que guardou durante décadas toda sua poesia de cor. E aqui vale lembrar a etimologia da expressão *saber de cor*, que muito se adequa à situação: significa guardar no coração, saber de coração. Poderíamos hoje dizer que o sacrário do poeta é sua poesia, onde depositou seu encantamento diante do mundo sertanejo e soube formular imagens que alçaram a uma dimensão verdadeiramente universal.

POESIA E EXPERIÊNCIA

A reflexão sobre as relações entre poesia e experiência é antiga e povoa a produção de críticos literários e teóricos da literatura. Se, por um lado, a poesia moderna exacerbou um modelo de fazer poético voltado para a natureza lingüística dos textos, por outro, toda grande poesia manteve, no mínimo, um pé na experiência individual do poeta. Basta observar, entre nós, toda a lírica de Manuel Bandeira e a rica recolha que faz da vivência do cotidiano.

No âmbito da poesia popular, poderíamos afirmar que a experiência sempre foi a matéria-prima do poeta. E mais: é possível vislumbrar, num poema como "Cante lá que eu canto cá", toda uma dialética entre a representação do universo sertanejo e a reflexão sobre a poesia. Noutras palavras, nesse poema, Patativa, lançando mão do contraponto "poeta cantor da rua" *versus* poeta do sertão, nos oferece as especificidades de sua poesia, por meio de um dizer metalingüístico dos mais lúcidos e raramente encontrado num poeta popular.

O axioma que preside toda argumentação do poeta é a afirmativa de que só pode falar do sertão quem o conhece de uma experiência cotidiana de sua diversidade, de suas belezas e das dificuldades que ele apresenta. Dito de um modo poético, temos:

> Você teve inducação,
> Aprendeu munta ciença,
> Mas das coisa do sertão
> Não tem boa experiênça.
> Nunca fez uma paioça,
> Nunca trabaiou na roça,
> Não pode conhece bem,
> Pois nesta penosa vida,
> Só quem provou da comida
> Sabe o gosto que ela tem.

Nesse poema, Patativa elenca a vida árdua do sertanejo trabalhador rural, que tem de pegar no cabo da enxada e da foice, expor a cabeça ao sol abrasador. Ao elencar as numerosas dificuldades vividas pelo sertanejo, o poeta vai sempre fechando suas estrofes com a conclusão de que é impossível representar esse universo de dor sem vivenciá-lo no cotidiano:

> Cá no sertão eu enfrento
> A fome, a dor e a misera.
> Pra sê poeta divera,
> Precisa tê sofrimento.

E ainda:

> Porque você não conhece
> Nossa vida aperreada.
> E a dô só é bem cantada,
> Cantada por quem padece.

Numa estrofe inteira, o poeta arremata, sempre chamando a atenção para as dificuldades da vida do sertanejo e a necessidade de conhecê-la por dentro para saber cantá-la:

> Só canta o sertão direito,
> Com tudo quanto ele tem,
> Quem sempre correu estreito,
> Sem proteção de ninguém,
> Coberto de precisão
> Suportanto a privação
> Com paciença de Jó,
> Puxando o cabo da inxada
> Na quebrada e na chapada,
> Moiadinho de suó.

Apresentada a diferença que se ancora na experiência, como suporte para cantar o sertão, o poeta passa a mostrar as peculiaridades de seu verso. Mas não se trata de uma experiência metalingüística ao modo dos poetas do século XX. As imagens que usa para falar de seu verso estão ligadas à terra, ao trabalho, à vida do sertanejo: "Meu verso é como a semente/Que nasce inriba do chão".

A aprendizagem da poesia, ou como se constrói o poeta, nasce também da experiência e da convivência com a natureza.

> Pra gente aqui sê poeta
> Não precisa professô;
> Basta vê no mês de maio,
> *Um poema em cada gaio,*
> *Um verso em cada fulo.* (grifo meu)

Os dois versos finais dessa estrofe revelam o telurismo da poesia de Patativa. O poeta parece encantado com a beleza de seu sertão. Não se trata, portanto, de uma poesia que fala só da seca e do sofrimento. Ele sabe recolher a beleza do sertão no tempo do inverno, quando acontece uma verdadeira transfiguração da paisagem. Na estrofe seguinte ele dirá: "Eu canto as coisa visive / Do meu querido sertão". Trata-se, portanto, de uma poética marcadamente visual, arriscaria mesmo dizer, contemplativa da natureza. A estrofe que se segue, uma das mais belas de toda sua poesia, nos dá a dimensão da sensibilidade de Patativa:

> Canto as fulô e os abróio
> Com todas coisas daqui:
> Pra cada canto que eu óio
> Vejo um verso se buli.
> Se as vez andando nos vale
> Atrás de curá meus male
> Quero repará pra serra,
> Assim que eu óio pra cima,
> Vejo um dilúvio de rima
> Caindo inriba da terra.

Como se vê, a natureza é a grande fonte de inspiração do poeta. É nela que ele enxerga infindáveis possibilidades poéticas. A poesia está viva na natureza e sinaliza para o poeta: "Pra cada canto que eu óio / Vejo um verso se buli". Nos três últimos versos dessa estrofe temos uma das hipérboles mais significativas que conhecemos. Quando mira a serra, a imaginação do poeta é como que tocada pela paisagem que o faz elaborar "um dilúvio de rima / Caindo inriba da terra". Trata-se de um momento sublime de poesia que revela também o poder inventivo do poeta. Falando de uma perspectiva mais teórica, poderíamos dizer que uma das forças da poesia de Patativa está no poder de criar imagens para revelar sua ligação profunda com a terra e seu povo. Certamente inúmeros homens e mulheres sertanejos viveram momentos de encantamento diante da natureza; instantes em que o corpo parece atrair, como um ímã, cheiros, odores, imagens visuais, enfim, sensações as mais diversas. Mas poucos alcançam criar uma imagem que consiga alçar o nível simbólico e encantar seus leitores e ouvintes.

O poema continua demarcando as diferenças entre a vida do poeta da rua e a vida do poeta do sertão. Ela está no cigarro de palha de um, e no "cigarro manso do outro", no isqueiro de lume rápido e no isqueiro engendrado pelo homem simples. Mas há um lugar em que o poeta não vê diferença: "Só numa parte da vida / Nóis dois samo bem iguá". Trata-se, segundo sua própria expressão, de um "direito sagrado". Portanto, "Da coisa mio do mundo / Nóis goza do mesmo tanto". Na estrofe seguinte, ele dirá de modo mais claro:

Pois minha boa muié,
Me estima com munta fé,
Me abraça, beja e qué bem
E ninguém pode negá
Que das coisa naturá
Tem ela o que a sua tem.

Muitas vezes nos perguntamos: por que o poeta sentiu necessidade de demarcar de modo tão incisivo a diferença entre o "cantor da rua" e o cantor do sertão? Não sabemos de um motivo explícito, que tenha detonado a criação do poema. Uma hipótese seria o possível conhecimento de inúmeros "poetas" que se põem a falar do sertão de um modo ora caricato ora laudatório.

O SECO SERTÃO

Em pelo menos dois grandes poemas Patativa se voltou exclusivamente para cantar a seca e suas conseqüências para a vida do sertanejo pobre. No âmbito da tradição literária brasileira, essa temática já aparece desde o século XIX. Leandro Gomes de Barros, grande ícone da poesia popular, também já a abordara nas duas primeiras décadas do século XX.

O folheto de Leandro que trata da seca é *A seca no Ceará*. Já na primeira estrofe ele descreve a tragédia da seca para as famílias pobres:

Seca a terra as folhas caem
Morre o gado sai o povo,
O vento varre a campina,
Rebenta a seca de novo;
Cinco, seis mil emigrantes
Flagelados retirantes
Vagam mendigando o pão,
Acambam-se os animais
Onde houve criação.[5]

O século XX ficou marcado, na boca de nosso povo, por três grandes secas, verdadeiramente devastadoras: a de 1915, brilhantemente representada por Rachel de Queiroz em *O quinze*;[6] a seca de 1932, eternizada por

[5] Uma boa antologia dos poemas de Leandro pode ser encontrada em Medeiros (2002), de onde retiramos o fragmento acima citado.

[6] Há importantes estudos sobre o romance regionalista brasileiro que engloba, de diferentes modos, a temática do sertão. Um trabalho de referência no campo dos estudos literários é a obra de José Maurício Gomes de Almeida (1999), *A tradição regionalista do romance brasileiro*. Por sua vez, não temos, no âmbito da poesia, um estudo mais abrangente tanto do regionalismo quanto de temas mais específicos, como o sertão. Sabemos que o modo de representação da poesia é bem diverso do modo como se dá no romance e em outros gêneros narrativos.

Patativa no poema "A morte de Nanã", uma verdadeira nênia pela criança que morre de fome no decorrer da seca; e, por fim, a seca de 1958, que já contou com a abertura de frentes de trabalho do Departamento Nacional de Obras contra a Seca (DNOCS). Mais duas outras grandes obras da literatura canônica trataram da seca e, conseqüentemente, do seco sertão nordestino. No âmbito da ficção, a obra-prima que é *Vidas secas*,[7] de Graciliano Ramos, e na poesia dramática, *Morte e Vida Severina*, de João Cabral de Melo Neto. Da primeira, destaquemos um momento de apresentação da terra seca que obriga o homem pobre a se retirar.

O poema de Cabral retrata a história de Severino que sai do sertão, rumo ao litoral, fugindo da aridez da terra e das condições de vida desumanas. Mas o que encontra em seu percurso? Severino é que nos responde:

> Desde que estou retirando
> só a marte vejo ativa,
> só a morte deparei
> e às vezes até festiva. (p.177)[8]

A certa altura da viagem, quando Severino encontra dois homens carregando um defunto numa rede, pergunta onde começa a jornada deles, a resposta é: "Onde a caatinga é mais seca, / irmão das almas, / onde uma terra não dá / nem planta brava" (p.173).

Importa chamar a atenção também para o fato de o poema de João Cabral ter sido construído, quase em sua totalidade, com versos de sete sílabas, medida que predomina na poesia popular.

Em *Vidas secas*, Graciliano retrata a terra hostil ao sertanejo pobre de modo conciso, cortante. Mas sem o eixo da narrativa, recai sobre as personagens vivendo um clima hostil. Poucas descrições, se comparada a outras obras. No capítulo "Fuga", temos um momento em que está representado o sertão seco que expulsa os homens pobres:

> A vida na fazenda se tornara difícil. Sinhá Vitória benzia-se tremendo, mexia os beiços rezando rezas desesperadas. Encolhido no banco do copiar, Fabiano espiava a catinga amarelada, onde as folhas secas se pulverizavam, trituradas pelos redemoinhos, e os garranchos se torciam, negros, torrados. No céu azul as últimas arribações tinha desaparecido. Pouco a pouco os bichos se finavam, devorados pelo carrapato. E Fabiana resistia, pedindo a Deus um milagre. (p.143)

Como se vê, poetas e escritores retratam esse sertão seco e os infortúnios que ele proporciona a seus moradores. Em todas essas obras há um caráter de denúncia e, ao mesmo tempo, uma poesia que também se faz árida como a vida e a terra representada.

---

[7] Graciliano Ramos.
[8] João Cabral de Melo Neto.

Em "A morte de Nanã", de Patativa, é o lavrador que canta o definhar da "fia querida" que "Foi sacudida na cova / Com seis ano e doze dia". Inicialmente o poeta descreve a menina alegre e sadia, correndo pelo terreiro e brincando. A comparação da menina com a banana-maçã mostra como o poeta está atento ao mundo que o cerca, para dele recolher as imagens de sua poesia:

Era gorda, bem gordinha
Minha querida Nanã,
Tão gorda que reluzia.
O seu corpo parecia
Uma banana-maçã.

Mas todo esse encanto vai definhando, e o eu lírico vai acompanhando, passo a passo, com muita dor, a morte lenta da criança. A narração da dor do pai e da mãe vendo a filha morrer e nada podendo fazer para amenizar aquela tragédia é das mais comoventes de nossa literatura. Para ter uma noção mais precisa, o leitor terá de ler o poema integralmente. Transcrevemos apenas algumas estrofes para mostrar a riqueza de imagens com que o poeta descreve o enfraquecimento da menina:

Se passava o dia intero
E a coitada não comia,
Não brincava no terrero
Nem cantava de alegria,
Pois a farta de alimento
Acaba o contentamento,
Tudo destrói e consome.
Não saia da tipóia
A minha adorada jóia,
Infraquecida de fome.

O sertão seco, onde o poeta via em cada folha "um verso se buli", agora parece tragicamente desumano, muito embora o poeta tenha a percepção clara de que a culpa da morte de sua Nanã não foi de Deus, foi "dos home rico". Também aqui a natureza, a certa altura, parece condoída com a morte das crianças.

E enquanto nós assistia
A morte da pequenina,
Na manhã daquele dia,
Veio um bando de campina,
De canaro e sabiá
E começaro a cantar
Um hino santificado
Na copa do cajuêro
Que havia bem no terrêro
Do meu rancho esburacado.

Numa estrofe seguinte ele assevera:

> Nunca mais os passarinho
> Cantaro daquele jeito.

Mas o poema mais conhecido e que se tornou um clássico, que o poeta escreveu e musicou, foi "A triste partida". Trata-se de uma narrativa em que uma família de retirantes foge da seca rumo ao sul do país. O poema tem toda uma cronologia que vai das "experiênça" para saber se vai ou não chover no primeiro semestre do ano vindouro até o sofrimento nas terras do sul.

Lentamente vão se consumindo todas as esperanças que findam em março, "que é o mês preferido / Do santo querido, / Senhô São José". A partir de agora não há mais esperança e o trabalhador começa por desfazer-se de suas poucas posses:

> Agora pensando já segui outra tria,
> Chamando a famia
> Começa a dizê:
> Eu vendo o meu burro, meu jegue e o cavalo,
> Nós vamo a São Palo
> Vivê ou morre.

Mas a esperança de voltar ele carrega consigo: "Se o nosso destino não fô tão mesquinho, / Pro mêrmo cantinho / Nós torna a vortar". O poema segue narrando a dolorosa partida, o "carro correndo", a saudade dos bichos e das plantas, a dor da menina que esqueceu sua boneca, a chegada nas terras do sul. O sofrimento continua: agora o estranhamento numa terra que não é a sua, o enfrentar a diversidade e a dor da saudade. Mas a sina do pobre trabalhador está consolidada: o sonho de voltar é impossível, pois "Nunca ele pode, só vive devendo / E assim vai sofrendo / Tormento sem fim".

A última estrofe sela o sofrimento do homem que fugiu da seca para não morrer de fome com sua família:

> Distante da terra tão seca mas boa,
> Exposto à garoa,
> À lama e ao pau,
> Faz pena o nortista, tão forte, tão bravo,
> Vive como escravo
> Nas terra do Su.

Cantado, o poema é de uma melancolia funda, com uma melodia que lembra uma longa ladainha, mas da qual foi eliminado o "Rogai por nós", porque não há a quem rogar, a quem suplicar.

Outros poemas retomam também de forma explícita o sofrimento do sertanejo pobre. O "ABC do Nordeste Flagelado", "Emigrante Nordestino no Sul do País" e outra canção, que ficou conhecida nacionalmente na voz de Fagner, a "Vaca Estrela e o Boi Fubá". Este último, um verdadeiro canto de aboio. Mais uma vez está posto o tema da seca no sertão e suas conseqüências:

> Aquela seca medonha
> Fez tudo se trapaiá;
> Não nasceu capim no campo
> Para o gado sustenta,
> O sertão esturricou,
> Fez os açude seca,
> Morreu minha Vaca Estrela,
> Se acabou meu Boi Fubá,
> Perdi tudo quanto tinha
> Nunca mais pude abóia.
> Ê ê ê ê Vaca Estrela
> Ô ô ô ô Boi Fubá.

Em muitos outros poemas, o poeta celebra as coisas do seu sertão: os bichos (o lendário jumento, fundamental para a vida do sertanejo pobre, a vaca, que sempre tem um nome, uma particularidade), as árvores (o Pau d'arco seco da beira da estrada), os pássaros (o Vim-Vim, o Pica-pau, o rouxinol) e tantos outros que habitam o sertão e a poesia de Patativa.

Walter Benjamim (2002), numa das várias reflexões que nos deixou sobre a *experiência*, afirma que "cada uma de nossas experiências possui efetivamente conteúdo. Nós mesmos conferimos-lhe conteúdo a partir de nosso espírito" (p.23). Essa reflexão nos faz pensar na riqueza de experiência do poeta e no sentido que ele lhe confere a cada instante. Talvez esteja aí uma das forças de sua poesia. O poeta encontra um sentido na experiência mais singular de contemplar uma serra, de olhar uma árvore florida, de imaginar a vida do retirante, a criança que morre de fome na seca e tantas outras situações. Ele estava absolutamente certo ao dizer ao poeta da rua: "Cante a cidade que é sua / que eu canto o sertão que é meu". Se o poeta é, como afirma Bosi (2000), "um doador de sentido", estamos diante de um grande poeta.

É preciso finalizar esta apresentação do universo sertanejo desta poesia com uma estrofe de um poema denominado "É coisa do meu sertão". Mais uma vez a consciência do poeta das contradições de seu sertão e de que ele, pelo conhecimento detido, está autorizado a cantar. Destaco apenas a primeira estrofe e o leitor, se tiver sido tocado pela lírica desse verdadeiro vate, terá de ir em busca do que resta. E se for, fará uma grande e prazerosa empreitada.

> Eu sei que dizendo assim,
> Eu não tou falando à toa,
> Meu sertão tem coisa boa
> E também tem coisa ruim;
> Umas que fede a cupim

Ôtras que cheira a melão.
De tudo eu sei a feição
Pois conheço uma por uma.
Vou aqui dize arguma
Das coisa do meu sertão

REFERÊNCIAS BIBLIOGRÁFICAS

ALMEIDA, J. M. G. de. *A tradição regionalista do romance brasileiro*. 1857-1945. 2.ed. Rio de Janeiro: Topbooks, 1999.

ANDRADE, C. H. S. *Patativa do Assaré*: as razões da emoção (capítulos de uma poética sertaneja). Fortaleza/São Paulo: Editora UFC/Nankin, 2003.

ASSARÉ, P. *Cante lá que canto cá*. 3.ed. Petrópolis/Crato: Vozes/Fundação Pe. Ibiapina, 1978.

______. *Inspiração nordestina*. Fortaleza, 1999.

______. *Aqui tem coisa*. 2.ed. Fortaleza: Ed. da UECE, 1995.

______. *Ispinho e fulo*. Fortaleza, 2001.

______. *Cordéis*: Patativa do Assaré. Fortaleza: EUFC, 1999.

______.*Patativa do Assaré*: antologia poética. Fortaleza: Demócrito Rocha, 2001. (Org. e prefácio de Gilmar de Carvalho).

BENJAMIM, W. *Reflexões sobre a criança, o brinquedo e a educação*. Trad. Marcos Mazzari. São Paulo: 34/Duas Cidades, 2002.

BOSI, A. *O ser e o tempo da poesia*. 6.ed. São Paulo: Companhia das Letras, 2000.

CARVALHO, G. de. *Patativa poeta pássaro do Assaré*. Entrevista concedida a Gilmar de Carvalho. Fortaleza: Omni, 2002a.

______. *Patativa do Assaré*: Pássaro Liberto. Fortaleza: Museu do Ceará; Secretaria de Cultura e Desporto do Ceará, 2002b.

______ (Org.). *Cordel canta Patativa*. Fortaleza: Demócrito Rocha, 2002.

FEITOSA, L. T. *Patativa do Assaré*: a trajetória de um canto. São Paulo: Escrituras, 2003.

LIMA, E. C. de A. Sentidos da festa e do festejar. *Revista Ariús*, n.11, Campina Grande, 2002, p.66-71.

NETO, J. C. de M. *Obra completa* (Org. Marly de Oliveira). V. único. Rio de Janeiro: Nova Aguilar, 1994.

QUEIROZ, R. *O quinze*. 26.ed. Rio de Janeiro: José Olympio, 1980.

RAMOS, G. *Vidas secas*. 5.ed. Rio de Janeiro: José Olympio, 1955.

RIBEIRO, I. (Org.). *Leandro Gomes de Barros*: no reino da poesia sertaneja. João Pessoa: Idéia, 2002.

TAVARES JÚNIOR, L. Patativa: um cordelista revisitado. In: ASSARÉ, Patativa. *Cordéis*: Patativa do Assaré. Fortaleza: EUFC, 1999.

ICONOGRAFIA

As imagens 1, 2 e 3 foram extraídas do livro ÂNGELO, A. *O poeta do povo:* vida e obra de Patativa do Assaré. (Fotos de Gal Oppido). São Paulo: CPC-UMES, 1999.

3
UM MUNDO ENCANTADO: MEMÓRIA E ORALIDADE NO SERTÃO DO SERIDÓ*

Julie Cavignac

Antigamente, ouvi contar, eu aprendi. Se for estória mal contada, foi dos velhos antigos, eu não tenho culpa realmente não. Eu ouvi contar essa estória que existiu antigamente no tempo da inocência... Diziam que existia milagre, existia inocência, eles falavam que gente virou santo. Tinha minha filha. Tinha os reinados, os reinados desabitados com aquelas casas grandes, naquelas fazendas que ninguém habitava. Existiam casas desabitadas, aquelas matas, aquelas montanhas. Com leoa, leão, onça. Os leões devoradores. E realmente ainda existe. Assim como vê aqueles livros que a gente estudou. Ciência. Tinha aqueles animais ferozes mesmo.

Vitória Ivoneide de Oliveira[1]

O relato de dona Vitória nos transporta para um mundo imaginário, mas muito real para os moradores de Carnaúba dos Dantas e, de forma mais ampla, para todos os sertanejos. O que são os "reinados encantados"? Como continuam a ser invocados em pleno século XXI e o que dizem sobre a cultura local? O que seria "o tempo da inocência"? Como explicar a concentração de botijas, visagens, santificações, almas, assombrações, encantamentos e outros fenômenos curiosos que rodeiam a cidade? O Monte do Galo, "reinado encantado" e santuário, reúne todos os elementos do imaginário e do sagrado presentes na cosmografia seridoense. Ao contar as lendas que deram início à cidade, muitos são transportados à infância,

* A primeira versão deste artigo está disponível no site http://www.cerescaico.ufrn.br/carnauba/, integrando o projeto *Carnaúba dos Dantas: Inventário do Patrimônio Imaterial de uma Cidade do Sertão do Rio Grande do Norte,* coordenado por Helder Alexandre Medeiros de Macedo (Petrobras, Governo Federal, Ministério da Cultura, Programa Nacional de Cultura, UFRN e Governo do Estado do Rio Grande do Norte, 2005).

[1] Vitória Ivoneide de Oliveira foi entrevistada em 25/5/1991 em seu domicílio, no Monte do Galo (Carnaúba dos Dantas).

quando gostavam de escutar as "estórias de trancoso" e os romances de cordel. Assuntos privilegiados das debulhas de feijão ou das conversas de fim de tarde, ritmadas pelas cadeiras de balanço, nos alpendres ventilados das casas antigas, nos sítios atualmente abandonados. Os relatos nos introduzem num mundo tenebroso e num tempo primordial, no universo do mito.

Essas narrativas atemporais revelam ainda um passado esquecido, enterrado e escondido nas furnas e nas serras repletas de perigos e de almas; realidade invisível que se desvenda na palavra. Estranhamos ao perceber que os registros narrativos são pouco valorizados pelos próprios narradores: esses hesitam em se pronunciar sobre assuntos tão irrelevantes, pois são "mentiras dos antigos". Ou será justamente o contrário? Quando levados a sério e analisados em conjunto, os relatos informam sobre imagens que dizem respeito ao passado e à origem da cidade. Essa reflexão preliminar, que toma como ponto de partida os reinos encantados da cidade de Carnaúba dos Dantas, tem como proposta mostrar que as narrativas coletadas fazem ressurgir uma história pouco conhecida que é constantemente reinterpretada pela tradição oral. Desenha-se, ao longo das estórias, uma configuração cultural complexa onde se mesclam a realidade e o imaginário, o presente e o passado, a experiência vivida e o fato narrado.

ABRINDO CAMINHOS

Para avaliar as imagens do passado e a identidade local, partirei das narrativas gravadas em 1990 e 1991, durante pesquisa realizada para a conclusão de meu doutorado.[2] Na época, estava interessada em coletar a memória dos folhetos de cordel com a finalidade de avaliar a importância dessa literatura popular na constituição e no devir da sociedade.[3] Para tanto, procurei encontrar as ligações que uniam a escrita com a tradição oral. Utilizando os métodos clássicos da Antropologia, a pesquisa etnográfica foi realizada com a coleta de discursos contextualizados da memória, do tempo e das marcas culturais. Assim, o trabalho envolveu a análise de discursos, narrativas, mitos, lendas, lembranças e crenças ligadas ao passado e às origens das cidades do interior do Seridó e do Oeste do Rio Grande do Norte. A recorrência de alguns temas-chave encontra-se ligada à profunda

[2] Consultamos também outras fontes mais recentes, entre as quais destacamos a dissertação de Maria Isabel Dantas (2002), o artigo de Helder Macedo (2005) e as entrevistas realizadas pelo Projeto *Carnaúba dos Dantas: Inventário do Patrimônio Imaterial de uma Cidade do Sertão do Rio Grande do Norte.*

[3] Fui pela primeira vez a Carnaúba dos Dantas em setembro de 1990, onde realizei boa parte da pesquisa empírica para a elaboração de uma tese de doutorado defendida na Universidade de Nanterre (Paris X), na França. Partes mais significativas foram publicadas no livro hoje traduzido em português (Cavignac, 2006).

Figura 3.1 – Dona Vitória Ivoneide de Oliveira (Vitorinha) em 1991. Crédito: Julie Cavignac.

homogeneidade das histórias, independentemente do gênero narrativo. A comparação dos textos escritos e orais permitiu que surgisse um tratamento específico dos fatos e uma interpretação estável dos eventos – elaborações simbólicas que pertencem à cultura local.

Atualmente, meu interesse caminha na mesma direção, pois procuro avaliar os discursos orais que versam sobre o passado. Ao analisar as narrativas coletadas, surgem os principais lugares de memória de Carnaúba dos Dantas. Com sua evocação, percebe-se como o sobrenatural se faz presente no cotidiano dos moradores. Associados às marcas materializadas do passado (montanhas, sepulturas, monumentos etc.), elementos do sagrado e personagens oriundos de um universo fantástico irrompem repentinamente na vida real. Além da profusão das imagens, visualiza-se um conjunto de representações simbólicas organizadas por uma lógica semelhante: todos os seres sobrenaturais, sejam eles santos, bichos misteriosos sejam monstros malvados, procuram a paisagem selvagem ou desabitada para fazer sua morada, pois são "encantados". Destacam-se também lugares que conservam a memória de uma resistência indígena e, a seu modo, testemunham o massacre da população autóctone. Aqui, o mito aparece integrado à paisagem natural e conta uma historia antiga, transmitida oralmente desde o "início dos tempos"; ancora-se em eventos históricos, em lugares construídos e em acidentes naturais. Porém, como demonstrou Claude Lévi-Strauss (1974, p.235-65), o mito coletado em campo é parte de um relato maior e mais elaborado, cuja significação escapa ao entendimento dos locutores; tendo uma função lógica de reordenamento dos eventos presentes e passados, os mitos oferecem uma representação da realidade social e não seu reflexo. No caso específico de reinos encantados e de seus habitantes, é difícil encontrar o mito, pois este não consegue se constituir numa narrativa elaborada: apresenta-se a todos que querem ouvir sob a forma de registros rápidos e sem importância que, em geral, passam despercebidos nas conversas ou nas atitudes ritualizadas. É como se o mito fosse despedaçado e espalhado na paisagem do sertão.

À primeira vista, as narrativas e os registros memoriais fragmentados parecem pouco relevantes para o estudo do social. Porém, pela reiteração dos elementos constitutivos dos encantamentos, as histórias contadas revelam uma "*realidade vivida e sentida pelos homens em sociedade*" (Leenhardt, 1971, p.303). Sem contestar as propriedades universais do mito, os relatos míticos encontrados no Seridó trazem, para o plano real, um universo repleto de personagens sobrenaturais escondidos embaixo da terra ou nas águas subterrâneas, sobretudo nos poços e nos olhos d'água: as almas e demais aparições ocupam o território, lembrando aos vivos que há uma presença anterior, demarcando espaços com sinais, pedras, "letreiros" e cruzes. Assim, o mito transforma-se em memória. Pois, no fim das contas, aparece como a única lembrança dos acontecimentos que marcaram a vida dos antepassados; destinos trágicos, mortes solitárias, massacres e ocupações territoriais.

Na ocasião da evocação do passado, todos os nossos interlocutores insistem nas dificuldades vividas por eles e por seus ancestrais, e as narrativas contadas exemplificam como conseguiram vencer os obstáculos, mostrando soluções encontradas nos momentos de crise (seca, fome, doença) e ressaltando aspectos ligados aos valores centrais para o grupo (honestidade, respeito, religiosidade, sentimento filial, fidelidade conjugal, justiça etc.). De origem agrícola, a maior parte de nossos entrevistados da época já estava aposentada e vivia na zona urbana, embora ainda mantivesse um roçado ou alguma relação com o campo; até hoje, encontramos pequenos proprietários morando nos sítios, meeiros e moradores tomando conta das fazendas maiores cujas atividades associam a agricultura de subsistência à criação de pequenos animais e de gado. Porém, desde a década de 1990, a economia dessa zona rural do sertão do Rio Grande do Norte é baseada nas cerâmicas de telhas e de tijolos, no comércio organizado em torno do turismo religioso, tendo como destino o Monte do Galo, incluindo artesanato e confecção têxtil. Se, na origem, trata-se de uma região agrícola, organizada tradicionalmente em torno das fazendas de gado e de algodão, hoje atividades agrícolas de pequeno alcance servem para o sustento das famílias e para prover as necessidades do mercado organizado em torno de uma economia informal que utiliza a troca e é fundada nas relações de interconhecimento.[4] Mesmo se, nessas últimas décadas, a organização econômica e social da região se modificou profundamente, parece que a produção e o consumo de bens e de serviços respondem a uma lógica fundada nas relações de parentesco. A solidariedade intergeracional é forte e o convívio cotidiano entre os membros da família multiplica as ocasiões de trocas de bens, de serviços, de favores e de informações. A reunião cotidiana de familiares, amigos e vizinhos nas calçadas, no fim do dia, se caracteriza como um momento importante de sociabilidade que tem por finalidade explícita a conversa. Surgem, nessas ocasiões, diversos registros narrativos e alguns locutores destacam-se como exímios contadores de história.

O relato oral agora analisado, mesmo reduzido, aparece como uma estratégia para colocar em ação elementos narrativos necessários à afirmação de uma memória e de uma identidade nativa. Seguindo uma via traçada por Maurice Halbwachs (1990), Marshall Sahlins (1987), Nathan Wachtel (1990), Manuela Carneiro da Cunha (1994) e Eduardo Viveiros de Castro (2002), entendemos que a memória, expressão oral da experiência sensível, é processada graças à operacionalização de um conjunto lógico capaz de integrar novos elementos aos já acumulados pela tradição. A ausência de uma memória histórica não é surpreendente e é reveladora de um sistema cultural que consegue se reproduzir, apesar dos acontecimentos e das contingências humanas.

[4] Para informações sobre a formação da economia e da sociedade do Seridó, ver Macedo, K., 2005.

Dessa forma, quando se reúnem as imagens míticas de Carnaúba dos Dantas e a memória dos eventos históricos recolhida nos discursos de meus interlocutores, aparece um sistema de representação compartilhado e relativamente homogêneo que se organiza em torno dos reinados encantados; lugares que concentram as manifestações sobrenaturais. Ao traçar a cartografia dos mistérios evocados, reinados encantados, santuários, sepulturas das figuras santificadas (covas) e marcas da presença indígena (pinturas rupestres e cemitérios), verificam-se múltiplas imagens recorrentes cuja significação escapa ao viajante apressado. Seguindo a pista da memória e da tradição oral, cruzamos com as veredas da história, em particular as das populações indígenas do sertão do Seridó.

Figura 3.2 – Seu Manuel Matias (Manuel Preto) em 2005. Crédito: Ginanny Bárbara dos Santos Dantas. Arquivo do Projeto PRONAC.

O INÍCIO DOS TEMPOS – ÍNDIOS E FURNAS

Cabocla da minha terra
A linda flor do Ipê
Eu hoje vivo chorando
Com saudades de você...[5]

Os estudos sobre as populações indígenas no Nordeste concentram-se no litoral onde estavam situadas as aldeias missionárias mais importantes e as primeiras construções coloniais. Apesar de estudos pioneiros, a história fica para ser escrita e sistematizada (Macedo, H., 2004; 2005; Medeiros Filho, 1984; Puntoni, 2002; Pompa, 2003). Dessa forma, devemos recorrer à memória, ainda muito viva, para conhecer os primeiros habitantes do "*valle Sirido*", saber onde moravam e como resistiram à dominação colonial.

Ao que tudo indica, os contatos com as populações nativas da região foram travados logo na ocasião das primeiras entradas portuguesas no sertão: o registro mais antigo encontrado data de 1545. O "Riacho de Carnaúbas" era o lugar onde moravam uns "tapuyos jundoins". Mais tarde, em 1613, por ocasião da demarcação da sesmaria do Riacho de Carnaúbas, registra-se a intervenção do rei Canindé, filho do rei Janduí, reivindicando a propriedade das terras, num espaço delimitado entre a Serra do Piauí e o Marimbondo; aprendemos na mesma ocasião que "Caiissara de pedra" é reconhecido oficialmente como o território dos índios Pega e que o Ermo dos Anuns era habitado por "*Canindês junduins*" (Macedo, 2004). O documento informa que, no início do século XVII, grande parte das terras que hoje correspondem ao município de Carnaúba estava sob controle dos índios. Alguns padres jesuítas circularam no sertão da capitania do Rio Grande por volta de 1659-1661, durante a "ocupação" holandesa, catequisando índios; é bem provável terem passado em Carnaúba, mas não se tem referências exatas (Puntoni, 2002, p.76). O que sabemos é que em 1683, 21 índios potiguaras foram assassinados por um holandês na Serrota do Giz – outro nome dado à Serra do Forte, serra situada entre as cidades de Carnaúba dos Dantas e Picuí, na Paraíba (Macedo, 2004). Provavelmente os potiguaras estavam na região a mando dos portugueses, seus aliados. A leitura desses documentos nos informa também da existência de um massacre: em outubro de 1689, a mando de Domingos Jorge Velho, foram executados 1.500 índios na Serra da Rajada. Entre os sobreviventes, trezentos foram aprisionados e outros, que conseguiram escapar, foram refugiar-se no "local xamado por elles de queicar xuc q. significa saco do xiqexiqe" (Macedo, 2004). No ano seguinte, mais de mil índios foram presos na serra do Acauã, situada entre Acari e Currais Novos (Medeiros Filho, 2001, p.127-32; Puntoni, 2002; Macedo,

[5] "*Cabocla do meu sertão*", canção de autoria de Zé Gomes (Cuité – PB), interpretada por "seu" Manoel Preto e gravada em 28/3/1991 em sua casa.

2004). Finalmente, Joffily (1977, p.118) e Lima (1990, p.25) indicam que, nas primeiras décadas do século XVIII, duzentos índios Janduí e trinta Panati atacaram uma fazenda na serra do Forte. O ano de 1717 parece ter sido momento em que os "tapuias do rei Janduí" foram expulsos, de forma definitiva, de suas terras pelos representantes da Coroa portuguesa, uma vez que nesse ano já constam requerimentos de concessão de sesmaria e ocupação com criação de gado na região (Macedo, 2004). Nos documentos, os índios aparecem nas serras ou nos lugares afastados, longe de toda ocupação branca. Os depoimentos orais que se referem à presença indígena apontam para os mesmos lugares citados nos documentos históricos: Serra da Rajada, Serra do Forte, Serra do Piauí, Bico d'Arara, Caiçara de Pedra, Ermo (dos Anuns), riacho d'Olho d'Água, Marimbondo e Saco do Xiquexique, apenas para citar alguns exemplos. A topografia conservou fielmente a lembrança de um passado carregado de massacres, espólios e tentativas de resistência à ocupação colonial.

Analisando os relatos orais dos moradores de Carnaúba, aparecem algumas indicações sobre a origem das famílias, a presença e a herança indígena. Alguns, como Francisco Otacílio Dantas, antigo pequeno proprietário de um sítio no lugar chamado Quarenta, hoje com 84 anos, lembra ainda de sua tataravó Micaela, índia da Serra da Rajada (Macedo H., 2005, p.149). Quando interrogada sobre a existência de índios na região, dona Vitória faz referência a uma figura indígena genérica e histórica. Dessa forma, reafirma um distanciamento com os índios, representando uma alteridade extrema. Retoma os estereótipos e insiste sobre a rusticidade do modo de vida dos índios. Esses viviam em harmonia com a natureza, pois conheciam seus segredos. Segundo essa versão, os primeiros habitantes não existem mais, e fugiram para longe, na Amazônia:

> Aqui tinha índio selvagem que se alimentava da caça, da pesca, do beiju, da mandioca, não era? Matavam cobra... quando foi a descoberta do Brasil, né? Que existia só mata, selvagem... naquela época, nós não existia ... hoje em dia, já estão civilizados.

Aqui, a referência aos índios corresponde a um tempo antigo, que não foi "alcançado" por Vitória e a um espaço virgem de civilização. A mata parece ser o espaço onde os índios encontraram refúgio e tiravam seu sustento. Categoria recorrente no discurso de meus interlocutores, o mato designa ao mesmo tempo um território não habitado por brancos – ou, como veremos, por humanos –, e refere-se ao momento inicial da ocupação colonial da região. História e geografia fundam-se num mesmo registro, o da selvageria.

Mesmo quando os locutores não se reconhecem como descendentes das populações nativas, os relatos apontam para características comuns: os índios e, sobretudo, "as caboclas brabas", são conhecidos por terem caráter forte, "sangue quente", por serem muito inteligentes ou fazerem travessuras (Macedo, H., 2005). "Caboclo brabo" é o termo empregado para designar os descendentes de índios e, sobretudo, as pessoas que têm um modo de vida rústico e vivem fora da cidade, no mato. Por isso encontramos uma ambigüidade na utilização dessa categoria descritiva, pois "caboclo" é utilizado para designar tanto os mestiços quanto os descendentes de índios ou mesmo os negros. A "brabeza" lembra as dificuldades com as quais os moradores da cidade se defrontam quando encontram os habitantes do mato; esses não aceitaram compromissos, não foram "amansados". Outras qualidades são lembradas: os índios conhecem a natureza, sabem controlar suas forças, entendem seus segredos, pois são vistos como selvagens. Comem carne crua – a dos animais que caçam –, em geral com mel. Do ponto de vista da aparência física, são fortes, percorrem grandes distâncias a pé, têm a pele "cabra", os cabelos lisos e usam furos no nariz e na língua. Assim, os índios históricos e os caboclos atuais encontram-se em uma mesma categoria, a da alteridade.

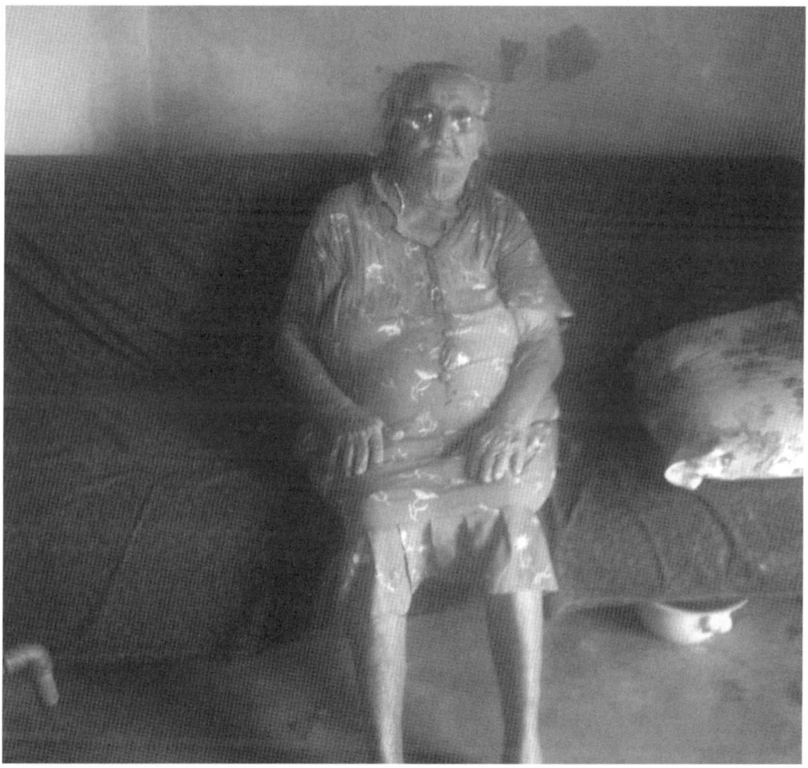

Figura 3.3 – Dona Angélica em 2005. Crédito: Helder Alexandre Medeiros de Macedo. Arquivo do Projeto PRONAC.

Na fala de dona Angélica ressurge a figura esquecida e ambígua, a de sua tataravó indígena, detentora de saber divinatório e curativo:

> Nasci no dia 9 de abril de 1909, numa terça-feira às 8 horas do dia. Nasci em Brejo de Areia ... meu tataravô era marinheiro, chamava-se ele marinheiro Pinto. Um jovem. Ai foi para Itália. Da Itália agradou-se dessa índia, roubou ela e quando chegou nas ondas... nesse tempo não havia navio nem trem, nem nada que salvasse. Ele pagou com o dinheiro e avoou as ondas e pegou a cabocla e trouxe e casou no Brasil. Ela era muito ouçoberba, muito azgudosa e muito sabida. Agora, que ela botava... ela tinha um buraco na língua, ela assoviava que se ouvia quase meia légua. Ela botava o ouvido no chão, escutava, sabia o que estava se passando, não era? Eu venho dessa descendência, não é? E puxei por certo, puxei alguma herança dela, não é? A ciência... O meu tio (neto da índia) foi que me ensinou essas orações... meu tio se assoutrava no que quisesse, não é? Podia estar uma porta fechada, ele, com as orações, abria ela, não é? Abria mesmo. Mas aí, com medo do inferno, eu era muito jovem nesse tempo, novinha, com meus catorze anos, aí não quis aprender...[6]

Trata-se da mesma ciência que é evocada por dona Vitória. Revela um grande conhecimento nas "coisas da natureza" e na cura das doenças. Os conhecimentos nativos, transmitidos preferencialmente pela linha materna, incluem dons, sentidos desenvolvidos ao extremo e uma inteligência fora do comum. A revelação do segredo é geralmente feita em sonho. Além disso, as netas das "caboclas brabas" contam sempre que essas foram "pegada a casco de cavalo e dente de cachorro"; na enunciação dessa locução fixada pela tradição oral, a memória de um processo colonizador violento é ativada: os descendentes das populações nativas reafirmam a lembrança de um roubo inicial, privando a índia de sua liberdade e tirando-a de seu hábitat natural, o mato.[7] Na mesma ocasião, os relatos denunciam um estupro perpetuado pelos primeiros colonizadores europeus. A memória, nesse caso, conservou fielmente os acontecimentos históricos, apresentando-os num modo mítico.

Ainda bem que as populações nativas deixaram marcas para lembrarmos de sua existência: os sítios arqueológicos, "as pinturas", os "letreiros", as "furnas", os "cemitérios" são lugares distantes da cidade. Conhecidas da população rural, as cavernas ainda são utilizadas pelos caçadores como abrigo. Escondem segredos e mistérios. Encontram-se nelas "ossadas" que não podem ser "bulidas".[8] Quando transformados em pequenos santuários,

[6] Dona Angélica, entrevistada em 27/2/1991 em sua casa. A suposta origem italiana da ancestral indígena não é isolada, pois encontramos vários relatos nos quais os índios teriam vindo da Europa. Também, a referência a italianos pode estar ligada à presença de comerciantes italianos no Seridó no século XIX. Finalmente, podemos fazer uma aproximação com a "índia marineira" evocada por dona Delmira Maria da Silva "por ter a pele branca manchada e o cabelo cacheado, uma mistura de cabelo bom e ruim" (MACEDO, H., 2005).

[7] Sobre as "caboclas brabas", ver Cavignac, 1995 e Macedo, H., 2005.

[8] Durante minha estada em Carnaúba, em 1990-1, uma equipe de arqueólogos da Universidade Federal do Pernambuco fazia pesquisa e descobriu um lugar de sepultamento no sítio Pedra do Alexandre (Ermo), que causou muita apreensão na cidade, pois remover os cadáveres podia trazer infortúnio para o município.

promessas começam a ser realizadas nesses locais. Os fiéis lembram, na ocasião, que são antigos sepultamentos. Nesse sentido, "as cruzes", no sítio Ermo, aparecem como um lugar de memória, pois se visita os túmulos dos caboclos da família Calorindo, dizimada pela "bexiga braba" em 1877 (Macedo, H., 2005, p.153). Uma dúvida persiste quanto à origem étnica desses defuntos, pois alguns interlocutores afirmam que eram negros.[9]

Há também referência a duas sepulturas de descendentes de escravos próximas ao sítio Ermo: a "Cova da Negra" e a "Cova do Negro Maurício". De fato, as populações negras conheceram um destino semelhante ao dos índios e tiveram que se "esconder no meio do mato". Porém, para Carnaúba, não há informações sobre a existência de comunidades quilombolas, como nos municípios vizinhos – Parelhas e Acari ou mesmo Currais Novos. A memória dos grupos informa que indivíduos isolados se instalaram nos lugares afastados – em terras pouco cobiçadas – e fundaram famílias; fugiram do cativeiro ou, quando libertos, procuravam melhorar de vida.[10] Assim como às populações indígenas, há poucas referências históricas sobre a presença negra para Carnaúba, porém, sabemos que os escravos ou os libertos participaram ativamente da "Guerra dos Bárbaros" (Portalegre, 1994, p.129; Puntoni, 2002, p.58). Também, no documento n.2, "*Auctos de demarcação do riacho de Carnahubas q. mandou fazer S.M.p. não descordaram da lei lei maes proxima e as disposeçoens...*", datado de 1613,[11] fala-se de quatro "nêgos timbûs" pertencentes ao "cap. Mor de ordennanças filippinas Majr. Anto. de Mello Castro. Ribr. reinvidicam terras na serra do Piaui" em "exponsa á atos criminaes comettidos contra elles". A terra desses "nêgos" (Firmino Anto. Roberto Jerella) estende-se até "Caiissara de pedra", lugar próximo às covas supracitadas e território dos índios Pegas. Sem poder encontrar as provas de uma continuidade genealógica entre os atores dessa história, apontamos para um destino comum entre os índios e os negros que habitaram as serras do "Riacho d'Carnhaubbas".

A história da cidade, ao ser contada, mesmo de modo ficcional, mostra os lugares onde houve mortes violentas e massacre dos primeiros moradores (Macedo, H., 2005). Nessas localidades, constatamos que há maior número de histórias, pois ali concentram-se os fenômenos sobrenaturais, os animais

[9] Na comunidade quilombola de Conceição das Crioulas, no sertão de Pernambuco, encontramos referências de uma fronteira fluída entre as categorias de "índio" e "negro" devido, em parte, à existência intercasamentos (SOUZA in O'Dwyer, 2002, p.126).

[10] A Igreja do Rosário, em Acari, construída no século XVIII (1737-1738) atesta a presença negra na região pelo menos para esse período. A atuação de uma irmandade dos pretos supõe a existência de uma comunidade organizada, de solidariedades, de sistemas de ajuda aos mais pobres, de formas de sociabilidade, de estratégias de sobrevivência e de revalorização do grupo, acompanhado de uma afirmação identitária, de crenças e de práticas próprias aos membros do grupo. Para discussão detalhada sobre a presença indígena e negra no Rio Grande do Norte, ver Cavignac, 2003.

[11] Citado por Macedo (2004).

misteriosos e os encantamentos de todo tipo. Podemos destacar as serras da Rajada e do Forte como os lugares principais onde os índios viveram, onde foram capturados e onde foram mortos; com certeza, a alma deles ficou vagando pelas serras.

ALMAS PENADAS E BOTIJAS

> *As almas dos vaqueiros são poderosas demais. Quando a gente se vê no aperreio, a gente se vale das almas dos vaqueiros:*
> *– Minhas almas benditas dos vaqueiros, se alcançasse a graça que necessito... ai diz a graça, né ... aí, eu prometo mandar celebrar uma missa.*
>
> Dona Chiquinha Lino[12]

Com a evocação do passado das populações indígenas e negras, entramos no universo mítico e religioso. Verificamos aqui uma atuação permanente das almas e uma expressão da forma privilegiada de comunicação entre os vivos e os mortos: o sonho. Encontram-se também sepulturas distribuídas na paisagem natural que nos informam sobre a existência de indivíduos marginalizados e de práticas rituais que nem sempre são reconhecidas pela Igreja.

Analisando o mapa na Figura 3.4, e sem contar as múltiplas cruzes que povoam as estradas, encontramos covas em várias localidades: fora os sepultamentos já mencionados – "As cruzes" (Ermo), a "Cova da Negra" (Ermo de Cima), a "Cova do negro Maurício" (Boqueirão) –, encontramos o "Cemitério do Riacho Fundo" (Riacho Fundo) e a "Cova do Menino" (Carnaúba de Baixo), (Dantas, 2002, p.90). O Santuário de Santa Rita, situado entre as serras do Marimbondo e de Pedra do Dinheiro, pode ser integrado nessa categoria, pois, mesmo que missas sejam celebradas invocando o nome da santa, percebemos que os fiéis pagam promessas, rezando para salvar a alma da finada Joana Turuba que alguns descrevem como "morena". Em contrapartida, Joana ajudará o fiel a resolver seus problemas do momento de maneira eficaz e rápida. Em todos os casos, são sepultamentos localizados fora do cemitério oficial, em lugares desertos, afastados das habitações e em geral considerados perigosos. As cruzes evocam a lembrança de uma morte longe dos outros homens, o que a assemelha à dos selvagens e dos animais. É como se as almas fossem abandonadas e não conseguissem "descansar" num ambiente tão hostil. São espíritos que ainda conservam feições humanas. Os mortos lembram constantemente aos vivos a brutalidade com que foram tratados os doentes, os marginais e os excluídos. Assim, as histórias de almas, os milagres ou as promessas realizadas nas covas, testemunham um passado conturbado e revelam uma lógica subjacente: os espíritos evocados põem em movimento as forças da natureza.

[12] Dona Chiquinha Lino, entrevistada em 31/3/1991.

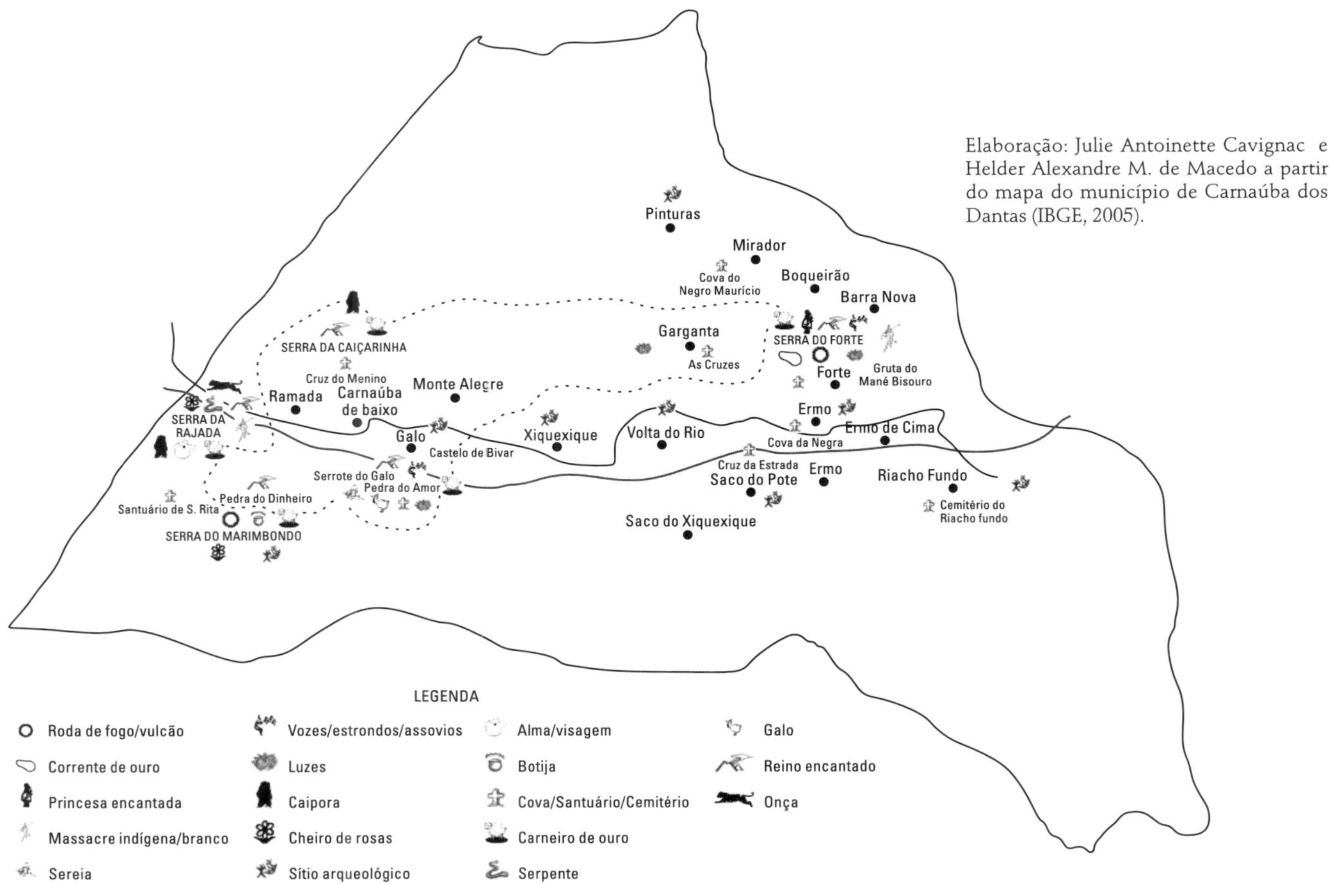

Figura 3.4 – Localização dos reinos encantados, mitos e estórias.

Os santos católicos servem de modelo a santificações de pessoas comuns e, ao inverso, as existências sofridas e as mortes dolorosas lembram às dos santos mártires. Em Carnaúba dos Dantas, observamos, de fato, um culto local de criação recente. Os santuários, situados fora da cidade, surgiram após a realização de um milagre, conseqüência de promessa feita a uma alma penada ou a um santo. Poderíamos arriscar que se trata de exemplos de mortes totalmente "desprovidas de humanidade" dadas as circunstâncias dos acontecimentos ou a crueldade dos homens que deixaram morrer pessoas indefesas sem os devidos cuidados, sem que os corpos tivessem sido "encomendados", sem rezas. Examinando as explicações dadas pelos fiéis a propósito da emergência de novos santuários, encontramos elementos constantes que lembram os relatos da vida dos santos, analisados aqui em relação às almas errantes e à ausência de rezas. A história de Joana contada por dona Tereza de Monteiro[13] revela aspectos interessantes sobre o processo de santificação:

> ela (Joana) adoeceu de bexiga braba. Aí, enterraram ela no mato... abandonaram ela. Não queriam dar nem comida nem nada. Aí ele (o filho de Joana) que ia levar. Ele levava comida, roupa. Aí o dia que ela morreu, foi ele quem botou a vela... cavou um buraco... Porque ela morreu de abandono... Aí sonharam, [Zefinha, a filha de Pedro de Leandro], a velhinha sonhou que comprasse Santa Rita de Cássia e arranjasse e botasse lá que ela estava obrando milagre ... era Joana, mas o sonho foi para Santa Rita. [porque] ela foi amortalhada em Santa Rita de Cássia. É muito milagrosa, tem gente que vai todo dia fazer novena...

Santa Rita, santa de devoção de Joana, mostrou, durante sua vida terrena, vários exemplos de paciência. Dizem que Joana foi encontrada morta abraçada à imagem. A humanidade e o sofrimento dos santos são elementos fundadores do sistema de representação do mundo divino. Os humanos identificam-se com esses destinos trágicos e são chamados para tomar conta do túmulo. É possível estender essa observação para o caso das mortes dolorosas e solitárias, se consideramos o destino das almas. Assim, examinando os testemunhos recolhidos, percebemos a presença de numerosas figuras locais cujo sofrimento ou vida exemplar foram recompensados com uma santificação.

Esses relatos tematizam um fato religioso fundamental, a reivindicação de uma sepultura para os mortos abandonados na hora do trespasse. Assim, após sinais serem percebidos na natureza – no caso da cova de Joana,

[13] Terezinha de Araújo (Tereza de Monteiro), Cornélia Mônica dos Santos e dona Josefa participaram da conversa. Josefa nasceu em Carnaúba, mas morava, na época da pesquisa, em Natal. Ela voltava todos os anos ao santuário de Santa Rita para pagar uma promessa. Entrevista gravada em 22/5/1991 no santuário, o que impediu anotações de informações mais completas.

apareceu um matinho verde ao redor do túmulo e um cheiro de rosas pode ser percebido –, tem início uma "conversa" entre o defunto e o fiel. Estabelecem-se laços de reciprocidade entre os humanos e os representantes do mundo divino. A complementaridade entre os homens e seus mortos tem como meio de comunicação o sonho, a promessa e a reza "pagadora". O estabelecimento de um elo entre as duas ordens do universo parece estar ligado à ambigüidade das almas errantes, situando-se sempre na fronteira entre dois estados: o humano e a figura santa, a vida e a morte, o céu e a terra. Sabe-se que as almas inquietas não repousam no além, e perturbam os vivos para ganhar rezas. Essa ambivalência parece estar presente também no início do processo de criação de novos santos. Desenha-se, então, uma conjunção entre o mundo superior e o outro inferior. No subsolo, nas serras, nas furnas, os espíritos encontram-se prisioneiros. As almas servem de intermediários entre os dois.

Assim, as almas estão presas a um lugar de onde não conseguem sair, pois continuam tendo comércio com os homens e estão ligadas às forças naturais. Nesse sentido, atestam uma autoctonia, como no caso das promessas feitas às almas dos vaqueiros ou aos santos locais. Há muitas histórias que os encenam perdidos na caatinga ou nos matagais, ou ainda atacados por um animal, morrendo sem receber nem sepulturas nem preces. Os vaqueiros, exímios conhecedores da caatinga, morreram, muitas vezes, correndo atrás de uma rês, como é o caso de Maurício, que fora vaqueiro do alferes Manuel Avelino.[14] Missas são celebradas em sua memória, como agradecimento a um favor que veio do além.[15] Uma explicação para essa devoção pode ser encontrada nas circunstâncias trágicas que acompanham a morte dos vaqueiros. Para resolverem seus problemas, os devotos se dirigem ora aos espíritos que, como os dos vaqueiros, permanecem no local de sua morte, ora às almas de familiares que continuam tomando conta das suas casas. Quando ouvimos relatos sobre botijas, são acionados elementos narrativos semelhantes aos presentes nas histórias de santificação. As almas penadas ou, ainda, os espíritos de antigos moradores das casas dos sítios, mesmo mortos, não conseguem descansar. São obrigados a voltar para a terra, pois ainda têm bens materiais. Ficam presos em sua moradia por terem escondido seus tesouros, não conseguiram "salvar" sua alma. Procuram os vivos, visitam os novos moradores para, em sonho, revelar segredos, assopram nos ouvidos, aparecem na forma de vultos ou de um animal. A aparição dos defuntos responde a uma lógica idêntica: são pessoas mortas sem ter recebido o socorro dos vivos no momento de seu trespasse, ou que a morte

---

[14] A alma dos vaqueiros é também eficaz para encontrar dinheiro e objetos perdidos ou roubados, pessoas e animais desaparecidos (CASCUDO, 1962, p.30).

[15] Santo Amâncio e Santo Expedito são igualmente solicitados nesse caso, como me informa "seu" Edgar Xavier de Sousa (entrevistado em 30/3/1991).

surpreendeu ainda com bens materiais, o que explica que continuem ligados ao mundo terreno.

As histórias e as glosas trazem à tona o sofrimento dos antepassados que foram marginalizados e morreram "no mato", conhecendo um traspasse particularmente doloroso: índios, negros, doentes, ladrões, pessoas que conheceram morte violenta e sofrida, queimados, afogados, enforcados, aqueles que se perderam ou que conheceram uma terrível angústia; "morreram aperreados" e ainda procuram a paz. É como se índios e outros defuntos enterrados na natureza coabitassem com os animais "do tempo da inocência", pois sua alma continua vagando e freqüenta os mesmos lugares repletos de aparições misteriosas. Parece que os espíritos dos ancestrais ficaram nas serras e se "encantaram". Assim, encontramos uma lógica que une os elementos da história local, do imaginário e das práticas religiosas.

O MONTE DO GALO, UM REINADO ENCANTADO OU UM SANTUÁRIO?

Figura 3.5 – Monte do Galo.

> *Pedro Alberto Dantas, fundador do monte, daqui de Carnaúba, foi lá no Pará. Teve muita gente daqui que foi para lá. Chamava-se o Norte, nas seringas, para ser seringueiro. Adoeceu lá e fez uma promessa para escapar... já existia a conversa do monte do Galo. Que o monte do Galo, antigamente, apresentou um sinal. Nesse tempo não tinha nem a cidade aqui. Tinha uns fazendeiros. Um galo cantar, é. Não foi só uma vez não. E nem todo dia. Mas lá, um dia, ele cantava em cima do monte, do serrote do Galo, que chamava. Aí começou o povo. Achou que aquilo ali era uma visão. Não sei o que é. Aí foi Pedro Alberto, por conta desse galo cantar no pé do monte, ele se atreveu. Ele teve aquela fé de fazer promessa de botar uma imagem em cima do monte. Que já existia esse milagre, esse galo que cantou, se encantava. Encantou-se em cima do monto do Galo que não existia galinha lá. Não existia, era deserto, era fazenda longe de lá. Não existia moradia, não era povoado ainda. Existia Carnaúba, não existia Carnaúba dos Dantas. Isso foi na era de 1840 para 50. Foi quando meu avô nasceu. Foi nessa era e foi nessa era que se disse que esse galo cantou no serrote do Galo. Foi muito admirado porque era deserto, longe das casas.*
>
> "Seu" Luiz Cruz[16]

O Monte do Galo ocupa um lugar central na elaboração da identidade local de Carnaúba dos Dantas, pois, além de ser próximo ao rio Carnaúba, em cujas margens os colonos da família Dantas Corrêa edificaram fazendas de gado a partir do fim do século XVIII, é também um lugar de romaria e, se não bastasse, um "reinado encantado". Uma lenda explica o nome dado ao "serrote do Galo": antigamente, quando a região era desabitada, os matutos e os tropeiros ouviram o canto de um galo e teriam-no atribuído a um milagre. Esse mesmo acontecimento se repete com vaqueiros. Em outra ocasião, uma cabra teria se perdido e teria pulado do alto da serra sem se machucar; o episódio reforça a tese da existência de um reino encantado. A ocupação do espaço pelos primeiros colonos parece então perturbada pela existência de uma vida animal anterior e sobrenatural.

A narrativa de fundação do Monte do Galo contada pelos moradores de Carnaúba dos Dantas oferece um exemplo da similitude entre as formas de expressão escritas e orais. Há um folheto de cordel que apresenta uma versão escrita e versificada da tradição oral: a *História do Monte do Galo de Carnaúba dos Dantas, Nossa Senhora das Vitórias,* de J. Dantas, vendido, na década de 1990, para os romeiros. Encontrava-se no meio de estátuas e imagens de santos, de almanaques ou rosários. Apresenta a versão oral da fundação desse importante centro de romaria que podemos resumir da seguinte forma: Pedro Alberto Dantas, nascido em Carnaúba, parte para Amazônia como seringueiro. Fica doente de beribéri ou cólera. Num sonho, aparece uma mulher vestida de branco que lhe diz que, se quisesse ficar bom, ele deveria depositar uma imagem no Monte do Galo. Assim que ele

[16] Luiz Nonato da Cruz (1907, sítio Ermo – 2004, Carnaúba dos Dantas), entrevistado em 27/2/1991.

melhora, junta dinheiro para poder fazer a viagem para Carnaúba e procura a imagem da santa. Enfrenta dificuldades para encontrá-la e descobre que a santa vista em sonho é Nossa Senhora das Vitórias. Ele volta para Carnaúba em 1909 ou 1911 – segundo as versões – e funda, em 1928, o santuário do Monte do Galo (Dantas, 2002).

Essa narrativa insiste sobre a aparição noturna da Virgem. Nossa Senhora provoca a volta do seringueiro à sua cidade natal. Note-se de passagem ainda a importância do sonho como meio privilegiado de comunicação com o sobrenatural. Aqui, a trama narrativa é modificada, mesmo que a temática geral esteja presente em outras histórias de fundação das cidades. Nelas, os santos ocupam um papel preponderante, indicando para os recém-chegados o local onde devem instalar-se. Em outros relatos, a construção de uma capela dedicada à Virgem é concebida localmente como provocada pela vontade da santa de retornar a seu lugar de origem. Muitas vezes associada a uma santa, pelo fato de ter vários nomes, emite o desejo de voltar para seu lugar de origem; aqui, o Monte do Galo. O processo segue a lógica de uma promessa, e é o preço que Pedro Alberto Dantas deve pagar para uma cura milagrosa e súbita. Ao mesmo tempo, é uma volta simbólica: a imagem da Virgem funciona aqui como um marcador de autoctonia, pois lembra ao migrante que o Seridó é o "seu" lugar. Em 1928 ergue ali uma cruz. O pagamento da promessa, também, não é explícito – até mesmo porque há versões que indicam que a santa ficou guardada na casa dos pais de Pedro Alberto, no Sítio Xiquexique, logo após sua chegada e em sua própria casa, na Povoação Carnaúba, quando casou em 1911. Esse ato simbólico pode ser associado a outras fundações: o seu idealizador dedicará sua vida ao santuário, como se a promessa ainda estivesse sendo paga. A narrativa de fundação de um lugar santificado, como a do Monte do Galo, pode ser lida como um conto maravilhoso, pois respeita as regras essenciais do esquema narrativo. Também é um exemplo de empilhamento de manifestações do sagrado, pois o santuário foi criado num lugar encantado; a cruz chantada no topo do monte é a metáfora da colonização, porém a santa não conseguiu afastar totalmente os espíritos da natureza.

As narrativas que encenam viagens de volta da Virgem em seu lugar são recorrentes no Nordeste e seguem o mesmo esquema narrativo; o milagre está no centro da narrativa e indica que a Virgem é autóctone. Aqui, Nossa Senhora das Vitórias mostra o caminho de volta a Pedro Alberto; podemos entender que se trata de um retorno (Dantas, 2000). O fato de ter escolhido Monte do Galo como nova morada não é gratuito, pois o lugar já continha elementos sobrenaturais. Nossa Senhora das Vitórias passa então a assumir um sentido local, adquirindo estatuto de santa autóctone. Os santos locais nos são apresentados, nos relatos associados a um elemento natural protetor (árvore, flor, rocha, montanha, fonte, animal) (Cavignac, 2006). Assim, realidades míticas são interpretadas, adaptadas e atualizadas.

Essas atualizações explicam a criação de múltiplas versões locais visando a esclarecer os fiéis a respeito do poder dos santos. Observando os fenômenos em torno dos reinados encantados e os lugares santificados, entenderemos a importância da sua localização e lançaremos mão de uma interpretação.

REINADOS ENCANTADOS

> *Antigamente, eles viajavam aqui. Não tinha casa nem nada. Era desabitado. Aí se arranchava por um pé de pau acolá e dormiu. Aí o povo via quando o carneiro saia lá da Rajada e vinha pro Monte voando. Vinha assim nos ares, que nem uma estrela... O povo dizia que era carneiro de ouro porque vinha iluminado, iluminado como se fosse uma estrela, mas o desenho de um carneiro. Dizia que tem uma mulher que sonha com o carneiro, lá na Rajada, sonha para ir tirar... Na Serra da Rajada, disse que ali é um reinado encantado. O povo conversa isso. Uma pessoa, um rapaz, uma vez sonhou recebendo um molho de chave... ele veio. Quando abriu a terceira porta, aí tinha um leão com a boca muita aberta pelo lado dele... Aí assombrou-se. Quando acordou, ele estava fora da pedra. Ele sonhou como se tivesse entrando na pedra, como se fosse uma casa. Só viu mesmo esse leão. Aí dos lados era assim, que era uma caveira. Aí temeu o leão, no sonho. Aí acordou, nem charme nem nada... Porque antigamente se encantava. Antigamente, muitos e muitos milhões de anos atrás, aí se encantava. Agora não sei se foi quando o mundo começou, aí não se entender.*
>
> Maria José dos Santos

Os reinados encantados são lugares misteriosos situados nas serras, povoados de animais ferozes e de figuras humanas encantadas que remetem a um tempo anterior, o do mito. Pois os reinados encantados existem de fato, pelo menos nos relatos coletados em campo. Além do de Monte do Galo, outros reinados encantados – serras contendo tesouros e mistérios – circunscrevem a cidade de Carnaúba dos Dantas; é como se a ocupação humana tivesse afastado o sobrenatural para fora dos lugares habitados. Nos reinos, aparecem forças subterrâneas junto aos vivos, revelando um mundo oculto pertencente ao passado e ao sobrenatural. No fim da análise, tornam-se os registros fundadores da "história" local.

O subsolo também contém os seres ligados a um mundo adormecido, almas ou seres humanos encantados, no caso das princesas adormecidas. Porém, as aparições manifestam-se aos homens à noite, quando estão perdidos ou sozinhos ou, ainda, em sonho. Da mesma forma, as almas dos ancestrais revelam aos vivos – e nas mesmas condições – a existência de tesouros e botijas, que se autodestroem assim que o segredo é revelado. O relato de Maria José dos Santos sobre o carneiro de ouro da Serra da Rajada deixa claro que se trata de fenômenos de mesma natureza. Assim, a descrição minuciosa desse mundo repleto de monstros, de espíritos e de santos, que surgem como os primeiros colonizadores da região, é relatada pelos moradores das cidades históricas por discursos narrativos: textos míticos, "estórias de almas", milagres, romances de cordel, ou estórias de trancoso. Graças à análise desse conjunto narrativo, pode-se traçar os contornos de uma cosmologia local. Reencontra-se, então, uma representação do mundo onde o espaço sagrado segue de perto os limites do mundo habitado pelos homens. O espaço sobrenatural se iniciaria, desse modo, na fronteira da cidade, ao entrar no cemitério ou numa casa abandonada.

Aparecem temáticas e representações bastante coerentes, no que toca ao passado. É como se houvesse um mundo anterior adormecido a se esconder nas entranhas da terra, nas serras, nos rochedos ou nas águas – lagoas, poços, fontes. Encontra-se a mesma configuração para os sítios arqueológicos ou os monumentos históricos, incluindo as igrejas cujos subsolos contêm túneis e "camas de baleias": são marcos da memória e sinais de resistência de uma história que não foi escrita nem considerada digna de interesse pelos estudiosos. Abre-se diante de nós um universo maravilhoso descrito nas estórias de trancoso, nos relatos de encantamento, nas lendas de fundação das cidades, ou, ainda, nos registros narrativos menores que informam sobre as representações nativas do passado colonial e as configurações simbólicas. Quando se examinam as representações do passado, aparecem os aspectos etnográficos da criação narrativa: a história local é sempre reapropriada por seus locutores e enriquecida de novos registros. Conseguimos perceber a dinâmica das narrativas graças à leitura dos textos escritos, dos que são formalizados em narrativas, bem como avaliando registros ligados ao tema do sobrenatural, disseminados nos discursos cotidianos.

O encantamento, o mistério, o mundo subterrâneo, a escuridão, a natureza virgem são elementos que, uma vez reunidos, formam um conjunto em que se desenha uma configuração simbólica homogênea. Essa se expressa em formas narrativas diversas: os romances de cordel, as lendas de fundação, as estórias de trancoso, as estórias de almas e de botijas ou uma única referência no discurso cotidiano anunciam a entrada para um universo fantástico. Os grandes poetas de cordel – Leandro Gomes de Barros, João Martins de Ataíde, Francisco das Chagas Batista – escreveram os romances reeditados regularmente desde o século passado, que evocam reinos encantados: *A filha dum pirata*, *A louca do jardim*, *Alfredo e Julinha*, *Cidrão e Helena*, *Coco verde e melancia*, *O romance da princesa da Pedra Fina*, *João da Cruz*, *Juvenal e o dragão*, *O capitão do navio*, *O pavão misterioso*, *O príncipe e a fada*, *Pedrinho e Julinha*, *Roberto do Diabo*, *Valdemar e Irene*, *Zezinho e Mariquinha*. No *Romance da princesa da Pedra Fina*, encontramos uma descrição circunstanciada:[17]

[17] *O romance da princesa da Pedra Fina*, Leandro Gomes de Barros, s.d. [1909], Juazeiro (Ed.) J. B. da Silva, 32p.

... Dentro tem lobo, elefante,
Urso e camelo urrando,
Cobra, serpente assanhada,
Leão e leoa rosnando,
Pantera e porco do mato,
Sobre as laranjas avançando... (p.17)

... Quando bateu seis horas
O portão foi se abrindo
Ele entrou e foi vendo
Feras de dente rangindo
Debaixo da tal limeira
Tinha um leão dormindo (p. 21)

A reiteração é um elemento constitutivo da tradição oral. Nos textos coletados, encontramos assombrações que aparecem sob os traços das mesmas figuras humanas e animais (reis, princesas ou sereias, carneiros, serpentes, onças etc.) ou são evocados fenômenos similares de origem sobrenatural (roda de fogo, luzes, estrondos, música, gemidos, cheiros). A onipresença do carneiro de ouro voador em Carnaúba lembra aos moradores a presença dos monstros subterrâneos, impedindo a entrada no reinado, fechado por, no mínimo, três portas. Também as assombrações e os fenômenos sobrenaturais são sinais indicando a localização do tesouro. São temas recorrentes que atestam a existência de uma homogeneidade das imagens mentais relativas à história e ao sobrenatural: fazem parte da paisagem, pois pertencem a outro tempo, o tempo dos antigos, o tempo do mito.

Figura 3.6 – Serra da Rajada (2006). Crédito: Julie Cavignac.

ENCANTAMENTO E LÓGICA CULTURAL

Partimos da investigação das relações entre a historiografia, a memória local, o mito e chegamos à análise dos elementos que compõem o sistema de crenças e de práticas religiosas. As representações do passado e do mundo sobrenatural fazem referência ao encantamento, categoria central no sistema cosmológico. É um processo que revela uma vida sobrenatural, uma energia vital compartilhada por almas – humanas e animais –, pessoas santificadas e imagens santas. A natureza revela os locais onde os fenômenos acontecem. É como se o passado estivesse em estado de hibernação – um mundo subterrâneo pulsa nas serras e nas construções antigas: os reinos são protegidos por animais encantados e monstros, são protegidos por sete portas e sete janelas, os quartos das casas antigas contêm tesouros...

Coletamos também histórias de minas e botijas ainda a serem descobertas, de vulcões prestes a voltar à atividade, da comadre fulozinha ou da caipora atacando os caçadores, de carneiros voadores reveladores de tesouros, de camas de baleias embaixo de igrejas, de cobras-grandes impedindo a entrada em lagoas ou nas serras. Todas essas são manifestações do sobrenatural e de um mundo antigo que remetem à categoria nativa do encantamento. É interessante perceber que o sistema de crença que coloca o encantamento no centro de suas preocupações está presente em alguns grupos indígenas nordestinos, mas integra agentes do panteão cristão e do imaginário europeu. Num estudo realizado por Maria de Lourdes Bandeira (1972, p.79 e 87), encontramos uma descrição fiel do universo evocado nos relatos coletados:

> Os encantados propriamente ditos são seres invisíveis, vivos, dotados de excepcionais poderes sobre a natureza, a vida, a morte, a doença, a prosperidade e a riqueza. São caboclos de várias nações e de vários lugares que escolheram Mirandela para ponto de concentração. Habitam o interior das serras e têm na Toca da Cangalha uma espécie de domicílio comum. Têm no Cavaleiro Encantado um tipo de chefe honorifico. Alguns moram constantemente na Toca. Outros preferem locais diversos, não obstante estarem em permanente contato com a Toca. Embora invisíveis, podem, quando querem, tomar forma material das mais variadas. Aparecem geralmente disfarçados em animais e aves... São donos de riquezas incalculáveis que dão a pessoas de sua simpatia, se tiverem coragem suficiente para vencer as provas... Há riquezas encantadas como o caixão de ouro dos jesuítas que fica no lugar onde se erguia, antigamente, o convento dos jesuítas, à esquerda da igreja e anda pela mão de quatro padres... O caixão se dirige às casas. A pessoa deve fechar a porta quando ele entrar e quebrar-lhe o encanto... Paralelamente à botija o caboclo acredita que encantado também enterra dinheiro, botija ou porrão de ouro dos encantados. ...

As narrativas que evocam o passado de Carnaúba dos Dantas são uma tentativa de legitimar a colonização ou, ao contrário, permitem revelar segredos do mundo antigo ainda não desvendados; o encantamento aparece, então, como uma metáfora da memória. Nessa versão nativa do passado, os portugueses são pouco evocados; os índios e os negros desaparecem da historiografia local, mas ressurgem nas narrativas dos antigos. Essa visão, contendo um apagamento superficial das memórias e dos atores principais da história, corresponde a uma história antiga inscrita na terra e nas águas subterrâneas, pronta para ressurgir a todo o momento; a memória, materializada no espaço, se constitui uma das principais marcas identitárias (Halbwachs, 1990). É o que explicaria por que no Rio Grande do Norte muita gente teve uma tataravó indígena, mas esse fato se revela ao acaso nas conversações com os mais antigos, detentores da memória do grupo. A lembrança escondida, porque vergonhosa, limita-se a um fato brutal e único: a captura e o aprisionamento acompanhado de violência sexual. A referência aos antigos não é expressa em narrativas constituídas num conjunto coerente, mas quase sempre por evocações rápidas que utilizam fórmulas. A "cabocla braba" é caçada como um animal, "pega a casco de cavalo e dente de cachorro"; é a versão explicativa da miscigenação que se constituiu como verdade e, utilizando as armas do mito, lembra a todos a origem da família fundadora do local que deu seu nome à cidade (Carnaúba dos Dantas).[18] O estupro sofrido pela tataravó selvagem dá início a uma nova geração de moradores: uma vez mãe, a ancestral resigna-se e é domada, tornando dócil e até meiga (Macedo, H., 2005, p.148-53). É como se não tivessem palavras para contar essa história demasiadamente cruel. Se as caboclas "se encantaram" nas serras do entorno da cidade, elas ressurgem nas brechas da história oficial, no topo da memória genealógica das famílias fundadoras do Seridó.

Uma vez juntas as peças do quebra-cabeças mítico, desenham-se os contornos de uma representação original do tempo e do espaço. É possível então reconstruir uma lógica de apreensão do mundo, na qual a natureza não habitada se torna o lugar de vida do sagrado e do autóctone, e o revelador de um passado longínquo. A descrição minuciosa desse mundo, onde aparecem espíritos e santos trazidos pelos colonizadores, será relatada pelos sertanejos, cuja vida parece uma *via-crucis*, tanto por textos míticos como por histórias de almas e dos milagres. Esse amplo conjunto narrativo permite traçar os contornos de uma cosmologia local e encontrar as variantes de uma representação original do mundo. Nela, o sagrado traça os contornos do espaço habitado, a autoctonia passa necessariamente por uma reinterpretação da história colonial e verificamos como os homens tecem relações complexas e permanentes com os agentes sobrenaturais, quaisquer que sejam. Também, é a ocasião de mostrar como a história colonial foi

[18] Ver também no sertão de Pernambuco a comunidade quilombola de "Conceição das Crioulas" onde foram coletadas narrativas semelhantes (SOUZA in O'Dwyer, 2002, p.126-7).

reavaliada graças a um empilhamento de eventos históricos, fundindo-se com a história dos homens e das famílias fundadoras do lugar. Importa, finalmente, indicar como a visão do passado termina transformando-se num discurso identitário que se apóia num milagre para se constituir. A análise das narrativas auxilia na compreensão das mudanças históricas. Com isso, esboçamos as vias de explicação do passado e os modelos de apreensão do mundo, comparando as narrativas populares e as versões mais "oficiais" da história.

Com base nas produções narrativas dos habitantes de Carnaúba dos Dantas encontramos os elementos centrais da apreensão do mundo. Aqui, a natureza não habitada torna-se o "lugar de vida" do sagrado autóctone e revela um passado longínquo, mas presente nas memórias com os registros fragmentados de uma antiga cosmologia. O sobrenatural é também associado a um passado esquecido, a um encantamento. Os animais e os humanos encantados são mantidos longe dos homens. É como se o passado, localizado no subsolo e nas águas, fosse "encoberto", aterrado com os testemunhos da história sangrenta: massacres, epidemias, mortes violentas e inumanas. Temos, então, a convicção que essa representação do mundo natural-sagrado se apresenta, de um modo metafórico, como a colonização.

Figura 3.7 – As cruzes.

Se as narrativas legitimam uma presença civilizadora, como a construção de santuários e o afastamento dos elementos nefastos da natureza (monstros, animais ferozes, índios), lembram também um tempo anterior, bem melhor, no qual a crueldade convivia com a riqueza. Porém, esse mundo está só adormecido, esperando ser desencantado. As narrativas nos ensinam, ainda, que a elaboração da autoctonia acompanha-se necessariamente de uma releitura singular da história, apresentando uma versão plausível do passado, mostrando que os homens continuam a levar em conta o sobrenatural nos seus atos cotidianos.[19] É uma reinterpretação local dos eventos, inspirando-se na "tradição". Assim, a oralidade anuncia a entrada do sobrenatural na constituição da história local. A forma narrativa ocupa, então, papel central na elaboração e na reivindicação da identidade autóctone; é a tentativa de uma apresentação do passado em termos locais, introduzindo um imaginário onde a tradição européia foi "trabalhada" e na qual se nota a presença de elementos de uma religiosidade de origem diversa; pedaços de mitos e de rituais reavaliados a cada performance.

Ainda aqui, as técnicas e as figuras narrativas utilizadas nos relatos são comparáveis àquelas encontradas nos outros gêneros orais ou na literatura de cordel, nos quais as viagens aos reinos encantados são freqüentes e os encantamentos correspondem ao sono, por vezes eterno. Reencontramos, assim, os laços estreitos que unem o mundo dos homens à natureza e ao universo sobrenatural.

REFERÊNCIAS BIBLIOGRÁFICAS

BANDEIRA, M. de L. *Os Kariri de Mirandela*: um grupo indígena integrado. Salvador: *Estudos Baianos*, UFBA, 1972, n.6.

CASCUDO, L. da C. *Dicionário do folclore brasileiro.* 2.ed. Rio de Janeiro: Instituto Nacional do Livro, MEC, 1962. v.I-II.

CASTRO, E. V. de. *A inconstância da alma selvagem.* São Paulo: Cosac & Naify, 2002.

CAVIGNAC, J. A índia roubada: estudo comparativo da história e das representações das populações indígenas no sertão do Rio Grande do Norte, *Cadernos de História*, UFRN, 1995.

______. Vozes da tradição: reflexões preliminares sobre o tratamento do texto narrativo em antropologia, *Horizontes antropológicos*, 1999, 12:245-65 (*Mneme – Revista de Humanidades*, www.seol.com.br/mneme).

______. A etnicidade encoberta: "Índios" e "Negros" no Rio Grande do Norte, 2003, *Mneme,* v.5, n.8, maio/julho (www.seol.com.br/mneme). Acesso em: 18 maio 2004.

______. *A literatura de cordel no Nordeste do Brasil.* Da história escrita ao relato oral. Natal: EdUFRN, 2006. Col. Nordestina, trad. Nelson Patriota.

[19] Isso aparece claramente ao observar a importância da devoção aos santos católicos e aos santos locais na vida cotidiana de Carnaúba dos Dantas, com a realização das festas de padroeiro e das romarias no Monte do Galo.

______; LINS, Cyro Holando de Almeida; MOREIRA, Stéphanie Campos Paiva; MAUX, Augusto Carlos de Oliveira. *Uma Sibaúma só! Relatório antropológico da comunidade quilombola de Sibaúma (RN)*, Natal, Instituto Nacional de Colonização e Reforma Agrária (Incra), Departamento de Antropologia da Universidade Federal do Rio Grande do Norte, UFRN, 2006.

CUNHA, M. C. da. O futuro da questão indígena, *Estudos avançados* [on-line], 8, 20 [citado 13-05-2006]: 1994, p.121-36. Disponível em: http://www.scielo.br. Acesso Em: 18 maio 2004.

DANTAS, M. I. 2002. Do Monte à rua: cenas da festa de Nossa Senhora das Vitórias. Dissertação (Mestrado), Ciências Sociais, Natal, UFRN.

HALBWACHS, M. *A memória coletiva.* São Paulo: Revista dos Tribunais, 1990.

JOFFILY, G. I. *Notas sobre a Parahyba. Seleção das crônicas de Irineu Joffily (1892-1901).* 2.ed. Brasília: Thesaurus, 1977.

LEENHARDT, M. [1947] *Do Kamo, la personne et le mythe dans le monde mélanésien.* Paris: Gallimard, 1971.

LÉVI-STRAUSS, C. *Anthropologie structurale.* Paris: Plon, 1974. (réed.).

LIMA, N. [1937-1942]. *Municípios do Rio Grande do Norte.* Coleção Mossoroense, 1990, série C, DXCVI.

MACEDO, H. A. M. de. *Vivências índias, mundos mestiços*: relacionamentos interétnicos na freguesia da gloriosa senhora santa Ana do Seridó entre o final do século XVIII e início do século XIX. Monografia de final de curso, História, Caicó, UFRN, Ceres, 2002.

______. Os documentos do cartório de Pombal e sua importância para o entendimento da história colonial do sertão do Rio Grande do Norte, *Mneme, revista de humanidades*, 2004. v.5, n.12, out./nov. 2004. (www.seol.com.br/mneme).

______. Desvendando o passado índio do sertão: memórias de mulheres do Seridó sobre as caboclas-brabas, *Vivência,* 2005, n.28:34-47.

MACEDO, M. K. *A penúltima versão do Seridó. Uma história do regionalismo seridoense.* Natal: Sebo Vermelho, 2005.

MEDEIROS FILHO, O. de. *Índios do Açu e Seridó.* Brasília: Senado Federal, 1984.

______. *Notas para a história do Rio Grande do Norte.* João Pessoa: Unipê, 2001.

O'DWYER, E. C. (Org.). *Quilombos, identidade étnica e territorialidade.* Rio de Janeiro: Fundação Getúlio Vargas/Associação Brasileira de Antropologia, 2002.

POMPA, C. *Religião como tradução:* missionários, Tupi e Tapuia no Brasil.

PORTO ALEGRE, M. S.; MARIZ, M. da S.; DANTAS, B. G. (Orgs.). *Documentos para a história indígena do Nordeste*: Ceará, Rio Grande e Sergipe. São Paulo: Núcleo de história indígena e do indigenismo, Fundação de Amparo à Pesquisa do Estado de S. Paulo, Secretaria da Cultura e do Desporto do Estado do Ceará, 1994.

PUNTONI, P. *A guerra dos bárbaros. Povos indígenas e a colonização do sertão Nordeste do Brasil – 1650-1720.* São Paulo: Edusp/Hucitec, 2002.

SAHLINS, M. *Ilhas de História.* Rio de Janeiro: Zahar, 1987.

SILVA, R. A. Arqueologia Colonial: as Casas Fortes (de Pedra) como unidades de defesa e ocupação no Rio Grande do Norte no Século XVII, *Mneme, revista de humanidades*, 2005, v.5, n.13, dez. 2004/jan. 2005 (www.seol.com.br/mneme). Acesso em: 26 maio 2008.

WACHTEL, N. *Le retour des ancêtres*: les indiens Urus de Bolivie, XXe-XVIe siècle. Essai d'histoire regressive. Paris: Gallimard, 1990.

4
Catolicismo, religiosidade e cultura popular entre pescadores e camponeses na Amazônia Oriental*

Raymundo Heraldo Maués

INTRODUÇÃO

Este trabalho, como o título indica, refere-se ao catolicismo, como praticado por populações rurais de uma parte específica da Amazônia brasileira, a oriental e, ainda mais particularmente, o litoral do estado do Pará. A ênfase recairá sobre os aspectos referentes às representações populares, embora não estejam esquecidos os rituais e as demais práticas, de tal forma que visões de mundo e éthos possam ser pensados em conjunção. Por sua vez, ao me referir a uma forma de catolicismo popular, não está ausente a idéia de sua ligação com as práticas mais ou menos eruditas e "oficiais", levando em conta o fato de que a oposição entre popular e erudito não deve ser radicalizada (como também no caso de outras oposições desse gênero). Não obstante, embora tratando de uma área específica, com suas particularidades, devo alertar que semelhanças e identidades com outras áreas da Amazônia estão muito presentes, como mostram outros estudos no campo das ciências humanas, sobretudo os de caráter antropológico, histórico e sociológico.

* Trabalho apresentado originalmente em mesa-redonda durante as XIV Jornadas sobre Alternativas Religiosas na América Latina, em Buenos Aires, em setembro de 2007. Agradeço a Alejandro Frigerio pelo convite para participar da mesma, bem como aos participantes que apresentaram questões e comentários a respeito na ocasião da apresentação.

DO PONTO DE VISTA RELIGIOSO: UM MAPA COGNITIVO COMPLEXO

Começo com alguns resultados de pesquisa de campo realizada, durante vários anos, no litoral do Pará, a microrregião do Salgado. Ali estudei, principalmente, o catolicismo popular (em sua relação com o catolicismo "oficial" ou mais próximo da hierarquia eclesiástica) e uma forma de culto terapêutico, muito difundida, que é conhecida, nos meios acadêmicos – mas não só neles –, como pajelança (acrescida do adjetivo "cabocla" ou "rural", para distingui-la da pajelança indígena).[1]

O universo das crenças do catolicismo popular e da pajelança, na região do Salgado, é povoado por um conjunto de personagens que, em suma, pode ser reduzido a duas categorias mais inclusivas: homens e espíritos. Por sua vez, essas duas categorias se resumem numa só, designada pelo termo "vivente", de uma abrangência ainda maior, pois inclui espíritos, seres humanos, plantas e animais, em oposição àqueles seres que não têm vida, isto é, os astros, as nuvens, o mar, as pedras etc. Os espíritos distinguem-se dos demais viventes pelo fato de possuírem substância imaterial. O que fundamentalmente caracteriza os demais viventes é o fato de possuírem "matéria", como ocorre no caso de plantas e bichos. Não obstante, os seres humanos, além de formados de matéria, também possuem um espírito (ou alma) que se separa daquela no momento da morte, prosseguindo sua existência de forma independente.

Entretanto, a categoria espírito inclui outros seres, além daqueles pertencentes aos humanos. Deus é o espírito supremo, sendo também referido como Senhor, Pai, Nosso Salvador Divino e outras expressões: "Deus é Espírito Santo, Nosso Salvador. Deus é nosso Pai divino, Espírito Santo que é Pai, Filho e Espírito Santo. Três pessoas distintas da Santíssima Trindade, um só Deus verdadeiro, poderoso, amado" (o pajé Ramiro, de Itapuá)[2]. Também os anjos são pensados como espíritos, distinguindo-se, entre eles,

[1] Neste tópico, sigo de perto o que se encontra em livro resultante de minha tese de doutorado e em estudo desenvolvido anteriormente no Grupo de Catolicismo do ISER (cf. MAUÉS, 1992, p.221-5); 1995, p.249-58. Devo esclarecer também que uso a expressão "pajelança cabocla" estando consciente da impropriedade do termo "cabocla" e, mesmo, da expressão "pajelança", não empregada por seus praticantes. Trata-se, porém, de uso já consagrado na literatura e é feito para distinguir essa forma de culto xamanístico tão popular na Amazônia, que ocorre principalmente nas áreas rurais ou entre as populações citadinas de origem rural, da chamada (também impropriamente) pajelança indígena.

[2] A dissertação de mestrado de Gisela Macambira Villacorta retomou, 25 anos depois, temas tratados por mim e por Maria Angelica Motta-Maués, minha mulher, em nossa dissertação de mestrado, trabalhando em Itapuá e Colares. Seu objeto de estudo – a mulher na pajelança cabocla – resultou em excelente análise sobre a figura da matintaperera na Amazônia e foi distinguida com menção honrosa no concurso nacional de folclore Sílvio Romero de 2001 (cf. VILLACORTA, 2000).

os "anjos bons", em oposição a Satanás. Os anjos bons se dividem, por sua vez, em duas categorias: "anjos de Deus" ou "anjos do Senhor", que vivem no céu, em companhia divina, e "anjos da guarda", que vivem na terra, acompanhando e guardando cada ser humano. Satanás, concebido como uma espécie de anjo mau, é um espírito conhecido também por vários nomes: cruz-credo, rabudo, fardeta, inimigo.

Até esse ponto percebe-se que as concepções populares dos praticantes do catolicismo e da pajelança não se afastam muito dos ensinamentos do catecismo romano, difundido entre essas populações pelo ensinamento da Igreja oficial. As diferenças começam a aparecer quando se examinam mais de perto as concepções a respeito dos espíritos ou almas dos seres humanos. Aqui, claramente, aparece a influência das idéias kardecistas, mescladas ao ensinamento católico. Distingue-se, por isso, entre espíritos "encarnados" e "desencarnados". Estes, por sua vez, dividem-se em "espíritos de luz" (que alcançaram a salvação, vivendo em companhia divina), "anjinhos" (espíritos de crianças, que também vivem no céu), "espíritos maus" e "penitentes". Não obstante, essa estrutura apresenta algumas dificuldades, quando confrontada com o conjunto das concepções locais, como veremos melhor a seguir. A principal delas, que deve desde logo ser mencionada, é a que não dá lugar aos santos. Embora os santos não se confundam com os espíritos de luz (no discurso explícito dos informantes), são pensados como vivendo no céu, em companhia divina. Essa dificuldade será abordada adiante de forma mais detalhada.

Quanto aos seres humanos, compostos de espírito e matéria, deve ser dito que, na concepção de camponeses e pescadores praticantes do catolicismo popular e da pajelança, eles se dividem em duas categorias: seres humanos "comuns" ou "normais" e "encantados". Segundo um pescador de Itapuá, de 56 anos: "O encantado é um cristão igualmente como nós, então invisíve, porque trabalha já no encante dele. Trabalha no encante dele, então ele, então ele já modificô deste mundo pro ôtro, mas ele é cristão igualmente nós". Perguntado sobre como uma pessoa pode "virar" encantado, o informante respondeu:

> Porque os próprios encantado ele ilude, ilude. Eles levo pro encante. Ilude de a pessoa ficá lôco ali, perdê o pensamento, esqueceu-se de pai, de mãe, esqueceu-se do lugar, da casa, a residência dele, e seguiu o rumo que eles querem. Vai embora com eles. Não acontece antão nada, num vai morrê, não. Passe o tempo que passá, se estivere de ví pra depois visitá a família, ele o ela, vem, vem. Se não fica lá mesmo.

Sendo os encantados seres humanos semelhantes a nós, eles não se confundem com os espíritos e dividem-se em encantados da mata (anhanga e curupira) e do fundo (bichos do fundo, oiaras e caruanas). Para alguns informantes, as oiaras também se dividem em brancas e pretas, sendo estas consideradas ainda mais "malinas" (malignas ou malfazejas). Além disso, numa região litorânea, onde parte muito considerável da população se dedica à pesca, não é de estranhar a preocupação presente com os "astros", "planetas" e "aparelhos" (satélites) que surgem no céu. Por sua vez, vale salientar que o Sol e a Lua têm uma importância especial, já que são capazes de provocar mau-olhado.

Embora se possa notar uma ponta de ceticismo dos mais jovens, além de certo grau de discordância de opiniões entre os camponeses e os pescadores praticantes do catolicismo popular e da pajelança, na área investigada há uma concepção do universo que não aparece desligada de suas crenças de natureza religiosa. Para o pajé Manoel Augusto (pescador, 68 anos) também os astros existem no astral, uma parte do mundo que fica no céu, um lugar muito distante, acima de nossa cabeça. Os espíritos maus e penitentes vivem no "espaço", lugar que fica entre o astral e a terra: "Espírito fica no espaço, vive voando como um pássaro". Por sua vez, em seu depoimento, declarava, a propósito de se recusar a fazer o mal, usando seus poderes xamanísticos: "Num quero que minha arma fique ardendo no inferno e me virando no espaço, não". Quanto aos bons espíritos ou espíritos de luz, segundo ele: "Deus coloca num bom lugar".

Para o mesmo pajé, a morada dos bons espíritos é o "Reino" (céu), lugar que fica mais acima do astral. Os seres humanos moram na terra; sendo que "gente como nós" habita "na superfície", ao passo que os encantados moram "no fundo" (ele omite, no depoimento, os encantados da mata). Para "provar" que a morada dos encantados é no fundo, Manoel Augusto se refere à pesca de camarão feita por redes de arrastão das modernas empresas que, quando içadas, trazem do fundo do mar pedaços de plantas verdes, semelhantes às que existem na terra. Nem todos os depoimentos são, porém, concordantes. Há discrepâncias que vale a pena assinalar, como no caso de um pescador de Itapuá, antigo agricultor em Santa Rosa:

> O espírito está encarnado na matéria. A matéria morre, mas o espírito fica, não morre. Eu acho que eles ficam no meio de nós. Uns dizem que sobe pro Céu e otros dizem que fica aqui na terra, se entrosando. Eu quero acreditá mais que eles ficam aqui mesmo. Porque, pra ficá no espaço, adonde que eles vão ficá? Vai pro Céu? Eu acho que nem todos nós temo esse poder de morrer e ir pro Céu.

Juntando os fragmentos dos depoimentos de diferentes informantes, pajés e não-pajés, a despeito de alguma inconsistência, é possível montar, no entanto, uma espécie de mapa cognitivo, cuja coerência aparentemente se sustenta. Esse mapa constitui, de fato, uma construção analítica, incapaz de ser explicitamente verbalizado, em sua totalidade, por qualquer dos informantes. Embora ele seja "desenhado" com base em diversos depoimentos sobre as crenças, na realidade pretende ser uma espécie de montagem de várias concepções superpostas (sincréticas), como se diferentes "mapas" provenientes de sistemas distintos de crenças fossem representados em papel transparente e colocados uns sobre os outros.

Em primeiro lugar, deve-se dizer que o universo surge como composto de cinco partes distintas: o céu, o astral, o espaço, a superfície e o fundo. Nessas cinco partes (com exceção do astral) se distribuem os seres humanos e espíritos, conforme o disposto no seguinte diagrama:

ALTO: REINO OU CÉU (Deus, anjos de Deus, anjinhos, santos, espíritos de luz)
ZONA INTERMEDIÁRIA: ASTRAL (Sol, lua, estrelas, planetas, atmosfera, "aparelhos") ESPAÇO (Satanás, espíritos maus, espíritos penitentes)
SUPERFÍCIE: TERRA (Seres humanos, anjos da guarda, santos e encantados da mata)
BAIXO: FUNDO (Encantados do fundo)

Somente alguns desses seres têm um lugar fixo, além dos seres humanos normais: Deus, anjos, anjinhos e espíritos de luz. Essas são as entidades que, com exceção dos anjos da guarda, apresentam-se numa posição mais distante em relação aos seres humanos. Os encantados, embora vivam no fundo e na mata (no mundo da natureza), encontram-se permanentemente em contato com os seres humanos, ao se manifestarem sob a forma humana no mangal ou nas praias (como oiaras), sob a forma de animais (bichos do fundo, anhanga e curupira), ou na condição de caruanas, incorporando-se nos humanos durante os trabalhos dos pajés ou em outras situações. Além disso, os espíritos maus e penitentes também podem "assombrar" ou incorporar-se nas pessoas e, ainda, na condição de "almas", surgir em sonhos, revelando tesouros, pedindo orações, missas, cumprimento de promessas etc. Satanás, por sua vez, é temido pelas tentações que pode provocar:

> O Cruz-Credo, o Diabo, ele pediu licença a Deus Nosso Senhor pra tomá conta de uma parte do mundo e Deus, sendo bom Pai, amado e bondoso, disse que não. Deu uma terça ... Ele faz encostar um florido num corpo humano, pra enganar uma menina, seduzir uma esposa (pajé Ramiro, de Itapuá).

Ao lado disso, pensa-se que Satanás se "apodera" das pessoas que não rezam, são rebeldes e não obedecem aos pais e aos mais velhos. Não se admite que ele possa incorporar-se diretamente numa pessoa. Isso só acontece com os espíritos maus (desencarnados) que são seus sequazes, por maldade e, também, com os espíritos penitentes (por incompreensão). Por isso, admite-se que é muito mais fácil afastar um espírito do corpo de uma pessoa em que ele incorpore, caso não se trate de um espírito mau. Admite-se também que certos feiticeiros e feiticeiras fazem um "pacto" com Satanás, de onde lhes vem o "fado" (são então chamados de "labisônios" e matintapereras). Também se admite que a matintaperera possa mandar seu próprio espírito (ainda encarnado) para perseguir e, mesmo, incorporar-se numa vítima.

Considerando esse mapa, onde se procura resumir as concepções cosmológicas dos atores participantes do sistema local da pajelança e do catolicismo popular, torna-se fácil perceber porque Satanás, espíritos desencarnados e encantados são as entidades que mantêm maiores relações com os seres humanos normais. As linhas demarcatórias são tênues, é fácil o trânsito entre o fundo e a superfície, entre o espaço e a superfície. Satanás, espíritos desencarnados e encantados, embora possuam seus próprios locais de morada, também transitam livremente na superfície, em permanente inter-relação com os seres humanos.

Surge, porém, aí, uma dificuldade, para aqueles acostumados a pensar segundo categorias moldadas pela tradição cristã que remonta ao final da Antigüidade e à Idade Média européia. Nessa tradição não há, evidentemente, lugar para os encantados. O lugar do fundo (onde habitam os encantados, na tradição da área investigada) é ocupado, naquela tradição – que, possivelmente, é uma incorporação de uma crença mais antiga, remontando pelo menos aos antigos gregos –, pelos "espíritos das trevas" ou pelo "fogo" de Satanás. Inferno (e purgatório) se localiza nas profundezas, ocupando um lugar simétrico e inverso em relação ao Reino ou ao Paraíso Celeste. Ora, para os praticantes do catolicismo popular e da pajelança, as idéias de inferno e purgatório são incorporadas por um processo seletivo de reinterpretação, mescladas a concepções de fundo indígena tupi e noções kardecistas. Dessa forma, o inferno e o purgatório não podem situar-se, de fato, no fundo.

Diante da pergunta direta a um informante sobre o lugar onde fica o inferno, a resposta nunca é fácil. Alguns preferem dizer que não sabem. Outros respondem de maneira confusa:

> O inferno, os passado dizia que era nos astro. Hoje em dia muitos já dizem que é aqui mesmo ... Otros dizem que é mesmo na atemosfera ... Espírito mau ficam no espaço, vagando, cumprindo penitência". ("Marreteiro" [comprador de peixe, para revenda], em Vigia, 36 anos.)

Embora, para muitos informantes, só os espíritos penitentes tenham a possibilidade de alcançar a salvação, após cumprir sua penitência, alguns deles, como o citado acima, parecem indicar uma possível evolução, em que os próprios espíritos maus seriam capazes de transitar para a condição de penitentes e, afinal, atingir a salvação, tornando-se, também, espíritos de luz.

E, aqui, trata-se do momento de enfrentar a dificuldade colocada pela situação ambígua em que se colocam os santos no mapa cognitivo esboçado linhas acima. Se não se confundem com os espíritos de luz, sendo referidos, mesmo, em contextos e em situações diferentes, vale observar que, nesse mapa, os santos aparecem em duas posições distintas. Eles estão tanto no céu como na terra. Ao lado disso, devo mencionar que os praticantes do catolicismo popular fazem uma distinção entre o "santo do céu" e suas "semelhanças" ou imagens. Ora, o santo do céu é, claramente, um espírito e, na lógica das concepções kardecistas, poderia perfeitamente ser pensado, também, como um espírito de luz. Não o é, porém, nas concepções populares da área pesquisada. O santo do céu é um espírito que passou por um processo especial de santificação, que o distingue dos espíritos de luz que, por outros caminhos, atingiram a morada divina, sem um destaque especial em sua trajetória. Em seu processo de salvação não interveio nenhum acontecimento extraordinário. Ao contrário, os santos, na concepção popular, tiveram de passar por um processo de sofrimento, um processo extraordinário, responsável por sua santificação. Não são, pois, simples espíritos de luz.

Além disso, eles não estão presentes apenas no céu. Por meio de um simbolismo que envolve os processos metafórico e metonímico eles, com suas imagens ou "semelhanças", "deixadas por Deus na terra", estão também presentes na vida dos seres humanos comuns, participando e interferindo nessa vida, como também o fazem os espíritos que vivem no espaço, ou os encantados que vivem no fundo e na mata. Ademais, os santos possuem uma relevância maior do que os encantados, para os camponeses e pescadores praticantes do catolicismo popular e da pajelança, não só pela área maior de abrangência de seu poder, mas ainda – embora sendo entidades homólogas – por serem "milagrosos" e, conseqüentemente, mais poderosos que os encantados, que apelam a eles para fazer suas curas, no decorrer dos próprios trabalhos dos pajés.

Ademais, tais crenças incluem também a noção de que os seres humanos, vivendo na superfície terrestre, podem tornar-se encantados, caso sejam levados para o encante, atraídos por algum dos moradores do fundo que deles se "agrade". Isso, evidentemente, não é pensado como normal, pois o comum é que as pessoas cumpram seu destino na superfície, até a morte, quando seu espírito se "desencarna", passando a viver no espaço, como espírito mau ou penitente, ou no céu, como espírito de luz ou, mesmo, como santo. Por sua vez, os processos de santificação e de encantamento são homólogos, como homólogas são essas entidades que ocupam posições simetricamente inversas no mapa cognitivo e no esquema cosmológico dos camponeses e pescadores praticantes do catolicismo popular e da pajelança.

Entretanto, a maior relevância dos santos no esquema cosmológico das populações rurais e de origem rural do Salgado não é sem razão e não pode ser explicada só pela consideração da hegemonia que o catolicismo exerce na região. É que o verdadeiro destino dos seres humanos é a ligação com o divino e, por isso, os encantados "desejam" desencantar-se, individual ou coletivamente, para cumprir seu destino verdadeiramente humano, enquanto não se concebe que os santos desejem deixar de ser santos, voltando a sua antiga condição. O desencantamento coletivo dos encantados, condição escatológica que, nos mitos e nas lendas locais, é sempre afastada no tempo, importará uma subversão da ordem do mundo, com o afundamento das atuais cidades dos homens e o afloramento à superfície das cidades dos encantados. Desaparecerão as mediações e as ambigüidades, e a ligação dos homens com o divino (num plano superior ao da natureza e da cultura) se fará sem intermediários, sendo, por sua vez, inteiramente domada a natureza.

MUDANÇA IMPORTANTE: PRESENÇA DE CARISMÁTICOS CATÓLICOS EM POVOAÇÃO TRADICIONAL

A entrada dos carismáticos católicos na povoação de pescadores e pequenos agricultores onde iniciei, há 33 anos, meu trabalho de campo na microrregião do Salgado, trouxe um impacto considerável, observado, no campo, pela antropóloga Gisela Macambira Villacorta, na época desenvolvendo pesquisa para elaboração de sua dissertação de mestrado, sob minha orientação, sobre a atuação da mulher na pajelança cabocla. A povoação de Itapuá existe na ilha de mesmo nome e pertence ao município de Vigia, um dos mais antigos da área e de toda a Amazônia. A pesquisa de Villacorta prosseguiu mais tarde, em particular sobre o tema da RCC, na mesma ilha e, como resultado, apresentamos comunicação nas XI Jornadas sobre Alternativas Religiosas na América Latina, realizadas em 2001 em Santiago do Chile e publicamos artigo (Maués; Villacorta, 2005), no qual analisamos os impactos dessa presença. Algumas de nossas conclusões surgiram, então, sob a forma de reflexões, das quais destaco a seguinte:

> Uma primeira reflexão diz respeito à conseqüência evidente da introdução do pentecostalismo em localidade rural (embora já bastante influenciada pelo urbano), anteriormente dominada por uma forma tradicional de catolicismo: trata-se de um processo, em termos weberianos, de "desencantamento do mundo". Isso começou a acontecer com a entrada da Assembléia de Deus que, durante vários anos, tentou ali se implantar, só obtendo êxito mais recentemente; o mesmo certamente acontece com a entrada da RCC, que se apresenta... como movimento dos "renovados", em oposição aos católicos "tradicionalistas". (Maués; Villacorta, 2005, p.94)

Essa reflexão se fundamenta em estudos anteriores desenvolvidos sobre o pentecostalismo, no Brasil, como o de Cecília Mariz (cf. Mariz, 1997, p.57). Esses estudos têm mostrado a substituição da grande quantidade de seres sobrenaturais (santos, espíritos, encantados, orixás etc.) de formas religiosas tradicionais brasileiras pelo par imensamente simplificado de Deus e o Inimigo (demônio, Satanás). Também isso tende a ocorrer, embora de forma modificada (e atenuada), com a RCC, pois os carismáticos, como católicos, não chegam certamente a dispensar o culto dos santos e, sobretudo, a veneração a Maria. Não obstante, mesmo nesse caso, surge também uma explicação mais simplificada para a origem dos males (doenças, infortúnios etc.), que são atribuídos, do mesmo modo, ao chamado Inimigo. Nessa lógica, como, aliás, tem ocorrido historicamente em muitas outras situações, com a penetração de uma forma de cristianismo de caráter sectário, as entidades do panteão de outras religiões – e, no caso brasileiro, sobretudo das religiões de matriz africana –, passam a ser reduzidas a seres diabólicos. Essa mesma constatação pode ser estendida à povoação de pescadores e camponeses objeto dessas reflexões, como dissemos no trabalho citado:

> O mesmo acontece com as entidades (encantados, caruanas) da pajelança cabocla, como é possível constatar, em Itapuá, ... com as interpretações carismáticas para um acontecimento de transe místico que ocorreu em uma das reuniões da RCC, segundo relato feito por informantes de G. M. Villacorta. O processo chega a ser tão radical, em certos casos (fora da área investigada), a ponto de alguns pentecostais passarem a abominar – pelo menos explicitamente – mesmo os relatos tradicionais das lendas ou mitos amazônicos (cobra-grande, matintaperera, boto, curupira e vários outros), como coisas do inimigo, recusando-se a contá-los, pois, a partir daí, só desejam relatar histórias bíblicas. (Maués; Villacorta, 2005, p.95)

É preciso, porém, ter cuidado para não reificar essas constatações, sobretudo no caso da RCC que, sendo católica – embora também pentecostal –, permanece, em muitos aspectos, ainda muito encantada (*magificada*[3]), além do culto dos santos e de Maria: uma miríade de anjos, uma quantidade muito grande de visões proféticas (às vezes com conteúdo extremamente detalhado e complexo) e uma profusão de elementos e de práticas mágicas. A própria Cecília Mariz, a quem estou seguindo principalmente nestas considerações, fala em encantamento e reencantamento, no caso do pentecostalismo, e considera este, de algum modo, manifestação religiosa intermediária entre manifestações de caráter mágico – em que não se faz uma rígida distinção entre o bem e o mal – e as religiões propriamente

[3] A expressão "magificada" está sendo usada com base no termo alemão *Entzauberung der Welt*, utilizado por Weber, que, em geral, é traduzido em português como "desencantamento do mundo". Segundo o sociólogo Flávio Pierucci, o termo *Entzauberung* significa literalmente "*desmagificação*" (cf. PIERUCCI, 2004, p.282).

éticas, como no caso do catolicismo erudito e do protestantismo histórico (cf. Mariz, 1997, p.55-6 e 57-8).

No artigo conjunto com Gisela Macambira Villacorta que estou aqui considerando, concluímos também com uma especulação sobre o futuro do pentecostalismo (no momento representado pela Assembléia de Deus) e da RCC em Itapuá, chegando à suposição de que estes não devem tender a se tornar dominantes nessa povoação de pescadores, nem mesmo na microrregião do Salgado – ou na Amazônia como um todo, acrescento agora –, mas esse não é o aspecto mais importante. Importa de fato considerar que crescimentos ou decréscimos de *magificação* ou encantamento não tendem a alterar substancialmente a feição do cristianismo implantado na região sob etiqueta católica. Em parte porque suas raízes são muito profundas, como resultado de um processo que precede mesmo a chegada dos colonizadores portugueses à região (século XVII). Sem tentar fazer esse mergulho histórico apenas sugerido, desejo, porém, no próximo item, tratar brevemente de uma área próxima, outra ilha (não mais a pequena Itapuá), mas a maior ilha flúvio-marítima do mundo, na foz do maior rio do mundo: a ilha de Marajó (na primeira metade do século passado).

LITERATURA E ETNOGRAFIA: CATOLICISMO E PAJELANÇA ENTRE VAQUEIROS, CAMPONESES E PESCADORES

Em outro trabalho, usando os dados de um romance de Dalcídio Jurandir, ambientado na ilha de Marajó, romance considerado pelos críticos (entre eles Câmara Cascudo) etnográfico; e considerando, também, a minha própria experiência de pesquisa de campo na região do Salgado, tentei construir uma breve etnografia (ou *meta-etnografia?*) a respeito dos principais aspectos religiosos daquela ilha (referentes, na verdade, sobretudo ao município de Ponta de Pedras), na primeira metade do século XX. Tal tentativa, além de uma justificativa teórica, que estabelece um vínculo entre antropologia e literatura (Geertz, 1978; 2005), deve-se à carência de estudos sobre o tema nessa ilha,[4] lócus de grande importância para se entender tais crenças e práticas populares, já estudadas por outros estudiosos em várias sub-regiões da Amazônia. Dalcídio Jurandir (1909-1979) é o mais importante romancista

[4] Apenas agora duas orientandas minhas de mestrado estão desenvolvendo ou desenvolveram trabalho de campo na ilha do Marajó: trata-se de Marinete Silva Boulhosa, que concluiu trabalho a respeito do vaqueiro marajoara (personagem popularizado em todo o Brasil por livros didáticos de geografia de algumas décadas atrás) e Patrícia Carvalho Cavalcante, cujo estudo se volta exatamente para a pajelança cabocla. O trabalho de Boulhosa (2007) foi recém-aprovado como dissertação de mestrado em Antropologia.

paraense e, embora relativamente menos conhecido fora do Pará, merece ser colocado entre os principais romancistas brasileiros.[5]

O romance está cheio de referências às crenças e práticas que compõem o que se chama de pajelança rural ou cabocla. As referências aos elementos que formam o mapa cognitivo dos nativos da região, sobretudo aqueles do interior (vaqueiros, pescadores, camponeses) – e os quais muitas vezes são chamados de caboclos[6] – constituindo a visão de mundo característica da pajelança –, estão em todos os capítulos do livro, às vezes, quase em cada página deste. Trata-se de encantados, bichos do fundo, caruanas, cobras grandes, botos, mães dos rios, dos igarapés, flechadas de bicho, mau-olhado, mundiação, desencantamento e muitos outros. Ao lado disso, a presença conspícua dos pajés e, sobretudo, de dois deles, uma mulher (Nhã Leonardina, madrinha de Orminda, esta a principal personagem do romance) e um homem (Mestre Jesuíno), cujas práticas são extensamente descritas.

Segundo se dizia, quem primeiro conheceu Nhã Leonardina foi o boto. Foi possuída sexualmente pelo boto, quando amarrou seu casco (pequena embarcação) na aninga (vegetal que cresce no lodo do manguezal), perto do Moirim, para esperar a pororoca, que devia estourar nas pedras. Mas, em vez de pororoca, veio o boto e ela "fez vivença" com ele "debaixo das pedras onde nasce a pororoca", o que lhe deu um grande poder: "ela foi esposarona do bicho um verão inteiro". Era "mulher de acabar festa nas fazendas, usava faca americana, dava em homem. O corpo era cheio de tanta curva quanta curva tem o rio Arari ..., ela não escolhia lugar para servir amor ao homem".

Orminda, afilhada de Nhã Leonardina, queria saber mais histórias a seu respeito:

> e um vaqueiro de voz grossa e lenta lhe contou o caso de Ramiro, tocador de viola, violino e violão, [que era] homem de esperar o salto da onça com o terçado na mão. Nos fuzuês do rancho botava o violino de lado, passava a rasteira nos rivais, que se acabavam no chão duro e ficava com a mulher que queria... Um dia reinou que havia de acabar com a fama de Madrinha Leonardina.
>
> – Dou-lhe só no pé do ouvido na sessão. Tiro o encanto de uma vez...
>
> Na sessão, Leonardina, que soubera das intenções do vaqueiro, foi dançando para a ilharga dele, com a faixa atravessada no corpo, o maracá, o taquari fumaçando. Ramiro, meio bêbado, se ergue e atirou o braço... A velha, ágil, desviou a bofetada, tocou o corpo do vaqueiro com o maracá e soprou-lhe a fumaça bem no

---

[5] Dalcídio Jurandir também foi jornalista, crítico literário e poeta. Autor de dez romances, todos compondo um ciclo cuja ação se passa na Amazônia, publicados entre 1941 e 1978; apenas um de seus romances foge a esse ciclo, tendo sua ação no Rio Grande do Sul. Para uma visão mais completa de sua obra e de sua importância como escritor e romancista, cf. Nunes; Pereira; Pereira, 2006.

[6] Para uma apreciação crítica da categoria caboclo, ver, entre outros, o trabalho de Lima Ayres, 1992.

> rosto. Ramiro só deu foi grito, grito feio, o pessoal acudiu. Tombou mole aquele como peixe moído. (Jurandir, 1992, p.226)

Orminda, infeliz por todas as peripécias a que tinha estado sujeita, com a cicatriz no rosto deixada pela faca de um cearense a quem recusou, procurou a madrinha Leonardina para se tratar, menos do corpo do que da alma. A mulher mandou-a entrar no quarto e se despir. E começou a sessão de consulta particular, em que a pajé/feiticeira passou a aplicar sua arte sobre a cliente. Em outra noite Orminda participou de uma "função", trabalho ou sessão xamanística de Nhã Leonardina. A "feiticeira", como diz Dalcídio:

> Tremia o maracá espanado com rabo de ararauara. Nua, com a cinta no corpo ligeiro e batido, fumava o taquari sagrado e lançava o rolo de fumaça sobre os assistentes. Vinha a cachaça para acordar a vidência... O maracá chocalhava estranho como cobra cascavel. A meia-noite desceu, se derramou, com a ronda dos bacuraus sobre o sono dos campos. Madrinha Leonardina dançava e cantava [sua doutrina], evocando caruana, a alma do fundo d'água que esconde no lago os bois encantados e as vacas rainhas do pastoreio... A pajé enrolou-se toda no fumação que traz a misteriosa força do fundo. Era o mundo do caruana onde estariam os vaqueiros e pescadores afogados, apanhados pelas sucurijus e jacarés, as meninas desaparecidas, as mulheres que pariram filhos de bichos e a explicação da feitiçaria. O mundo das tribos mortas onde, nas igaçabas, os velhos pajés se encantaram. (Jurandir, 1992, p.223)

Chamo atenção para o fato de que Dalcídio não deixa de chamar Nhã Leonardina de pajé e/ou de *feiticeira*. Isso não acontece com o pajé Jesuíno, que é sempre referido como *mestre*. A importância desse pajé está também no fato de que é o próprio Coronel Coutinho quem conduz o administrador de suas fazendas, Manuel Raimundo, para ser tratado de uma asma por esse curador. O pajé não estava ainda, mas não devia demorar. Entretanto, a demora foi longa. Quando mestre Jesuíno chegou, o Coronel Coutinho

> Viu um homem avantajado, madurão, calça de mescla e camisa de crochê, os olhos meio murchos, o bigode meio ralo escorria pelos cantos da boca caída, e sem dentes. Suas mãos, como se fossem curtidas, eram uma obscura e rude beleza da terra. Com a mesma voz dos vaqueiros velhos e dois matadores de onça, saudou as pessoas presentes com um quase humilde e vagaroso "boa tarde", inclinando de leve a cabeça. (Jurandir, 1992, p.322)

Começou a consulta, com a apresentação de Manuel Raimundo, o administrador, doente de asma, ao mestre Jesuíno. O pajé mandou também o fazendeiro entrar e perguntou pelo seu próprio filho, que era cego. Uma mulher respondeu que este tinha ido apanhar ervas nos campos ou no mato, o que fazia guiado por alguém, para aprovisionar o pai dos remédios com que tratava seus pacientes. A noite começava. "Com o anoitecer, a plana e morena terra marajoara tinha um cheiro animal, excitante e amolecedor no último sopro do mormaço." Mestre Jesuíno conversava com o doente, Manuel Raimundo, e então o Coronel Coutinho se aproximou, querendo falar sobre doenças, remédios, a possibilidade da cura da asma e, também, sobre a lenda do lago Guajará (onde morava a moça/novilha branca encantada), com que, "supunha, mestre Jesuíno devia ter velhas e misteriosas ligações". Mas o pajé desviou a conversa para outro assunto, sem querer tratar desse lago encantado que, segundo os vaqueiros, "tinha comunicação com o mar, a maré enchia e vazava, boiavam quilhas de barcos, lemes, pedaços de velas, vozes de afogados, bois bufavam no fundo, ninguém ousava pescar ou atravessar à noite". A sessão xamanística ou trabalho começou às dez horas da noite, "no copiar, sob aquele jirau onde as redes rangiam" e, nesse momento, "o pajé deu ao fazendeiro a impressão mesma do lago" (Jurandir, 1992, p.324).

Ele atendia muitos doentes. Como todo curador que se preza, incorporado por seus caruanas, realizava feitos extraordinários, que impressionavam a assistência:

> Os doentes se amontoavam. Aquelas caras chupadas e, às vezes, inesperadamente belas carregavam-se de contrição e silêncio suado na sala escura sob o fumo do taquari. Nos oratórios, os santos sufocavam. Esquecida deles, volvia-se para o pajé aquela humanidade marajoara com todos os cheiros suados de seu trabalho, de sua imundície e de sua pureza. Mestre Jesuíno fumava o seu cachimbo e o fumo espalhava o cheiro de alfazema e alecrim. Uma mulher ajuntou gravetos no meio da sala e fez um braseiro.
>
> Mestre Jesuíno, com seu calção, a faixa nas coxas, saltou no braseiro e o fogo não o queimou. Subia do braseiro a força que o alumiava. Depois foi a toada triste, triste, de sua invocação, o fazendeiro ouvira a voz do primitivo terror, do espanto do homem diante do primeiro fogo e da sua primeira imagem informe de Deus. (Jurandir, 1992, p.324)

Ao final da sessão, as diferentes receitas: leite de peito para a agonizante, puraqué seco para o corpo, banha de urubu para inchação na perna, emplastro, purgante de mamona simples, "maçã" de gado torrada, chifre de veado moído, noz-moscada, clara de ovo, café torrado sem açúcar; fomentação com banha de anta, banha de tartaruga, amêndoa doce e alho cozido, tudo misturado; azeite doce, banha de paca, banha de bode preto... e muito mais (Jurandir, 1992, p.325).

NATUREZA AMAZÔNICA E SEMELHANÇAS CULTURAIS

É notável a semelhança encontrada entre as representações e práticas religiosas e de medicina popular entre camponeses e pescadores nos diversos lugares estudados por antropólogos, na Amazônia, em épocas mais recentes, desde 1940, até nossos dias, e aquelas descritas por Dalcídio Jurandir para a ilha do Marajó, no início do século XX (o romance terminou de ser escrito em 1939). Esses estudos começaram com Eduardo Galvão e Charles Wagley, em Gurupá, Baixo Amazonas, no final década de 1940; prosseguindo com Napoleão Figueiredo e Anaíza Vergolino no Alto Cairari, no final dos anos 1960; com Napoleão Figueiredo, em Bragança, na década de 1970; com Chester Gabriel nos anos 1980, em Manaus; com Déborah de Magalhães Lima nos anos 1990, em Coari e Tefé; com Mark Cravalho, também nos anos 1990, no interior de Óbidos; e com Gisela Macambira Villacorta, no final dos anos 1990, em Colares e Itapuá, no litoral paraense. Meus próprios trabalhos de campo foram desenvolvidos no litoral paraense, na região do Salgado (incluindo Itapuá e Colares), a partir dos anos 1970 (cf. Galvão, 1955; Wagley, 1956; Figueiredo; Vergolino e Silva, 1972; Figueiredo, 1976; Gabriel, 1980; Lima-Ayres, 1992; Cravalho, 1993; Villacorta, 2000; Maués, 1977; 1985).

Tudo isso parece indicar um padrão que é seguido pelas populações rurais (e de origem rural) amazônicas, o qual tem relações com representações e práticas importadas da Europa e da África, desde o período colonial, tem também muito a ver com a influência cultural indígena, sobretudo Tupi, como é facilmente percebido. Mas tem a ver, ainda, com a natureza amazônica, suas grandes florestas, seus grandes rios, seus grandes espaços e, no litoral, a relação entre as águas fluviais, imensas, do maior rio do mundo – o Amazonas, em cuja desembocadura está situada a ilha de Marajó, a maior ilha flúvio-marítima do mundo, repito – e o oceano Atlântico. Há uma construção cultural própria da Amazônia, que é influenciada, em grande parte, por essa mesma natureza, no que se deve considerar, também, as particularidades locais. Em nenhum outro lugar se descreve a existência de uma novilha encantada, como na ilha de Marajó, espaço tradicional de criação de gado na Amazônia. E isso deve ser levado, altamente, em conta.

Assim, por sua vez, a despeito de um padrão comum, amazônico, dessas crenças e representações, que não deixa de ser influenciado, fortemente, por elementos culturais externos, há uma construção local, idiossincrática, que permite certa identidade amazônica, mas, ao mesmo tempo, em cada área amazônica – como ocorre, também, no caso do Marajó –, há uma construção cultural particular, daquilo que Clifford Geertz chamou de "saber local" (Geertz, 1998), que caracteriza uma identidade, uma cultura mais particular. Uma *cultura marajoara*, como a que tentei mostrar com o romance de Dalcídio Jurandir, que também não é só local, mas universal, e que se relaciona com o universal pela música e literatura, como no exemplo bem claro que o mesmo Dalcídio nos dá, ao construir seu romance com base no romance medieval da princesa Silvana.[7]

[7] Esse romance medieval, bem conhecido, aparece como um acalanto muitas vezes entoado pela mãe de Orminda (esta, como foi dito, a personagem principal do livro de Dalcídio Jurandir). Originalmente, o romance conta a história da princesa Silvana, que atrai os desejos incestuosos do pai, o qual, sendo recusado pela filha, manda prendê-la como castigo numa

PARA CONCLUIR: "RELIGIÃO" E "CATOLICISMO" ENTRE PESCADORES E CAMPONESES NO CONTEXTO CULTURAL AMAZÔNICO

A despeito do avanço do pentecostalismo no Brasil e na Amazônia, o catolicismo – com sua feição própria, tal como aqui se constituiu – continua sendo dominante, ainda que tenha sido nessa região, como é bem conhecido, que surgiu uma das igrejas mais importantes do movimento pentecostal brasileiro. Mesmo ela, a Assembléia de Deus, ao ter sido fundada na cidade de Belém (na Amazônia oriental, em pleno *boom* do chamado ciclo da borracha) e daí se expandido pelo Brasil, continuou tendo, por um longo período – e creio mesmo que não perdeu, apesar das mudanças sofridas nestes quase cem anos de existência –, aquilo que Paul Freston chamou de "éthos sueco-nordestino" ou o que Francisco C. Rolim caracterizou como aspectos mágicos, ligados ainda a certo *background* cultural do catolicismo popular (Freston, 1994, p.112 e 117; Rolim, 1987, p.30-1).

A isso se acrescente o que diz Pierre Sanchis, quando nos fala do desafio pentecostal à tradicional cultura católica brasileira, desafio, de certo modo contraditório, já que os próprios pentecostais incorporam muitos elementos dessa cultura que explicitamente rejeitam:

> O fenômeno pentecostal é de bom tamanho. Ele implica um desafio a uma tradição cultural, precisamente porque desta tradição ele sabe reencontrar algumas das linhas mestras. O que fica é faca de dois gumes, tanto para esta cultura quanto para ele próprio. Estamos no início do seu estudo, mas, dentro do campo religioso do Brasil contemporâneo, ele está longe de ficar isolado. É preciso continuar, por meio dele e também ao lado dele, a detectar e a analisar, na nossa sociedade e em relação à sua cultura, as formas, ao mesmo tempo novas e articuladas com o antigo, que uma modernidade "situada" impõe ao fenômeno "religião". (Sanchis, 1994, p.169)

Catolicismo dominante, portanto, mas construído culturalmente, com especificidades próprias, em todo o Brasil e, claramente, também, na Amazônia, entre populações rurais (camponeses, vaqueiros, pescadores) e urbanas (sobretudo de origem rural e que também incluem pescadores). E é para essas especificidades que pretendo chamar atenção agora, nesta conclusão. Em primeiro lugar, desejo, pois, colocar ênfase sobre a maneira como esse catolicismo se constituiu na Amazônia, após ter apresentado, alguns resultados de três experiências de pesquisa:

torre. Orminda é filha do todo poderoso fazendeiro Coronel Coutinho (uma espécie de "rei" marajoara), que, no entanto, não conhece esse fato. O acalanto, certamente popular na ilha do Marajó na época em que foi ambientado o romance, foi também recolhido em outra versão pelo folclorista Vicente Salles na ilha de Mosqueiro, no estado do Pará, que fica do outro lado da baía do Marajó (SALLES, 1992, p.375).

1) o mapa cognitivo, no plano das representações populares, que busca retratar a visão de mundo religiosa de populações rurais e de origem rural na microrregião do Salgado, partindo do estudo de uma povoação de pescadores no litoral paraense, mas que expressa bem – em sua particularidade – uma concepção bastante típica dessa região brasileira;
2) o choque dessa concepção ou visão de mundo e do éthos correspondente a ela com a penetração do pentecostalismo e, mais particularmente, com o pentecostalismo católico da RCC, a despeito de certas aproximações e recorrências, no plano das incorporações (por espíritos e outras entidades) e do êxtase;
3) e, finalmente, um breve retrato dessa mesma concepção tal como se apresentava em uma área próxima – a ilha de Marajó – há quase um século, com breve mergulho num passado um pouco mais distante, pela experiência e sensibilidade de um romancista local de projeção nacional.

Essas três experiências podem contribuir para um debate fecundo a respeito das categorias "religião" e "religiosidade", num contexto específico da Amazônia brasileira, onde estão presentes não só as tradições indígenas (sobretudo dos antigos tupinambás), mas também dos descendentes de escravos de origem africana que trabalhavam em plantações e fazendas de gado e, obviamente, dos antigos colonizadores portugueses, que para ali transplantaram as tradições do catolicismo medieval ibérico, desde o início da colonização européia (a partir do século XVII).

Esse catolicismo mantém sua identidade, sendo possível sua existência exatamente como católico, no interior de características específicas dessa configuração religiosa que se constituiu exercendo sempre a virtude do encompassamento, da inclusão. E numa forma de existência em que a distinção e a oposição entre o erudito e o popular (a construção cultural mais específica do leigo) não deve se opor radicalmente àquela do sacerdote. De tal sorte que o catolicismo popular (no sentido daquele que é praticado pela maioria), apesar de permanecer em oposição ao catolicismo "oficial", mantém também, com ele, uma relação de complementaridade. Temos aí uma relação que é de permanente tensão – e muitas vezes de conflito –, mas de uma espécie de tensão constitutiva, pois é ela justamente que permite a existência dessa forma de religião que, no interior do cristianismo, pode chamar-se de *católica* (no seu sentido próprio de *universal*).

O exemplo da Amazônia é, pois, aqui trazido em consideração justamente para permitir entender essa construção cultural de um catolicismo que, na sua faceta "popular", pode incluir, sincreticamente, outras formas de construção cultural de caráter mágico-religioso. O catolicismo medieval ibérico transplantado para o Brasil e para a Amazônia era já, claramente, uma construção sincrética, não só nas representações e práticas trazidas pelos colonos (a maior parte de origem rural), como também pelos próprios sacerdotes (seculares e religiosos). Nele se incluía, por exemplo, a tradição popular de personagens (príncipes, princesas, reis) encantados e, mais particularmente, a lenda famosa e de caráter quiliástico do rei Sebastião, exatamente num momento em que Portugal se encontrava sob domínio espanhol (a idéia da volta ou do desencantamento do rei famoso estava muito presente no final do século XVI e no início do XVII, quando se completou a conquista portuguesa do litoral nordestino e se iniciou a colonização da Amazônia). Essa noção, juntando-se com tradições indígenas tupis e africanas, certamente contribuiu para a constituição da crença nos encantados ou bichos do fundo, típica da pajelança cabocla, em que personagens como Cobra Norato (uma "cobra grande", portanto, encantada) se juntam com a figura do rei famoso, a quem se atribuem filhas (princesas também encantadas que, eventualmente, podem receber os nomes de personagens de um panteão de matriz "africana": Jarina, Mariana e Erundina, mas que também são vistas como "turcas"). E, por sua vez, para o católico popular do interior da Amazônia (e mesmo para um número bem considerável de citadinos), essas representações não colidem com a afirmação de uma identidade católica que, no entanto, pode ser transmutada, em outros contextos, para assumir outras formas identitárias: de praticante da pajelança, da mina, da umbanda ou mesmo do espiritismo (inclusive o kardecista).

REFERÊNCIAS BIBLIOGRÁFICAS

BOULHOSA, M. da S. *Entre a sela e o santo*: um estudo sobre a identidade do vaqueiro marajoara. Dissertação (Mestrado) Ciências Sociais – Universidade Federal do Pará, 2007.

CRAVALHO, M. An Invisible Universe of Evil: Supernatural Malevolence and Personal Experience Among Amazon Peasants. Dissertação (Doutorado) Antropologia – University of California, San Diego, 1993.

FIGUEIREDO, N. Pajelança e catimbó na região bragantina. *Revista do Instituto Histórico e Geográfico de Alagoas*, ano 32, p.41-52, 1976.

FIGUEIREDO, N.; VERGOLINO E SILVA, A. *Festas de santos e encantados*. Belém: Academia Paraense de Letras, 1972.

FRESTON, P. Uma breve história do pentecostalismo brasileiro: a Assembléia de Deus. *Religião e Sociedade*, ano 16, n.3, p.104-29, 1994.

GABRIEL, C. E. *Communications of the Spirits*: Umbanda, regional cults in Manaus and the dynamics of mediumistic trance. Dissertação (Doutorado) Antropologia – McGill University, 1980.

GALVÃO, E. *Santos e visagens:* um estudo da vida religiosa de Itá, Baixo Amazonas. Coleção Brasiliana. São Paulo: Nacional, 1955.

GEERTZ, C. *A interpretação das culturas*. Rio de Janeiro: Zahar, 1978.

GEERTZ, C. *O saber local.* Novos ensaios em antropologia interpretativa. Petrópolis: Vozes, 1998.

______. *O antropólogo como autor.* Rio de Janeiro: UFRJ, 2005.

JURANDIR, D. *Marajó.* Belém: Cejup, 1992.

LIMA-AYRES, D. de. *The Social Category Caboclo*: History, social organization, identity and outsider's social classification of the rural population of an Amazonian region (The middle Solimões). Dissertação (Doutorado) Antropologia – University of Cambridge, 1992.

MARIZ, C. L. O demônio e os pentecostais no Brasil. In: BIRMAN, P.; R. NOVAES; S. CRESPO (Orgs.). *O mal à brasileira.* Rio de Janeiro: Eduerj, 1997.

MAUÉS, R. H. *A ilha encantada:* medicina e xamanismo numa comunidade de pescadores. Dissertação (Mestrado) Antropologia – Brasília: UnB, 1977.

______. Catolicismo popular e pajelança na região do Salgado: as crenças e as representações. In: SANCHIS, Pierre (Org.). *Catolicismo:* unidade religiosa e pluralismo cultural. São Paulo: Loyola, 1992.

______. *Padres, pajés, santos e festas:* catolicismo popular e controle eclesiástico. Belém: Cejup, 1985.

MAUÉS, R. H.; VILLACORTA, G. M. Xamanismo e renovação carismática católica em uma povoação de pescadores no litoral da Amazônia Brasileira: Questões de religião e de gênero. *Antropolítica,* Niterói, ano 18, p.79-101, 2005.

NUNES, B.; PEREIRA, R. P.; PEREIRA, S. R. (Orgs.). *Dalcídio Jurandir, Romancista da Amazônia.* Belém: SECULT; Rio de Janeiro: Fundação Casa de Rui Barbosa/ Instituto Dalcídio Jurandir, 2006.

PIERUCCI, F. Glossário. In: WEBER, Max. *A ética protestante e o "espírito" do capitalismo.* São Paulo: Companhia das Letras, 2004.

ROLIM, F. C. *O que é pentecostalismo.* São Paulo: Brasiliense, 1987. (Col. Primeiros Passos)

SALLES, V. Chão de Dalcídio. In: JURANDIR, D. *Marajó.* Belém: Cejup, 1992.

SANCHIS, P. O repto pentecostal à "cultura católico-brasileira". *Revista de Antropologia,* ano 37, p.145-82, 1994.

VILLACORTA, G. M. *As mulheres do pássaro da noite*: pajelança e feitiçaria na região do Salgado (Nordeste Paraense). Dissertação (Mestrado) Antropologia – Belém: UFPA, 2000.

WAGLEY, C. *Uma comunidade amazônica.* Coleção Brasiliana. São Paulo: Nacional, 1957.

5
A festa de Nossa Senhora do Rosário: identidades construídas, identidades em construção

Isabel Botelho

Aqui na Chapada tem uma estrada
Que o Sol e a Lua alumeia
É uma estrada tão bonita
Por onde Nossa Senhora passeia.

Madrugada de junho, segunda quinta-feira do mês, *Quinta-feira do Angu*. Inicia-se um dos eventos da festa da santa dos negros em Minas Novas, pequena cidade localizada no vale do Jequitinhonha (MG). Centenas de fiéis encontram-se na porta principal da pequena Igreja de Nossa Senhora do Rosário, localizada em uma extremidade da cidade. Quase todos trazem nas mãos potes de barro, latas e baldes plásticos com os quais se dirigem até o rio Fanado, formando um enorme cordão pelas pequenas ruas. O som dos rojões, as batidas de caixa e a cantoria acordam aqueles que porventura não acompanham o cortejo. Chegando ao rio, é hora de apanhar a água e levá-la até a Igreja, que será lavada. Durante algumas horas, todos se empenham em lavar e secar o pequeno recinto sagrado. Logo em seguida, do lado de fora, a comida é distribuída, gratuitamente, a todos os participantes. Os doces acondicionados em pequenos pratos de barro, alguns com garfos e colheres também de barro, são servidos em grande quantidade. Os festeiros do ano responsabilizam-se por organizar o cardápio e a quantidade de alimento a ser preparado. A refeição termina por volta das vinte horas, quando a igreja é fechada e todos se recolhem à sua casa ou às pensões onde estão instalados. Começam as comemorações em homenagem à santa, na cidade de Minas Novas. A vinte quilômetros dali, em outro município, em Chapada do Norte, a Quinta-feira do Angu coincide com o quinto dia das festividades, iniciadas no domingo anterior, quando começam as novenas realizadas durante as noites na Igreja de Nossa Senhora do Rosário. Todos os participantes da festa contam, com entusiasmo, os detalhes de todo o ritual festivo, invocando a memória e recordando lembranças de um tempo antigo. O angu, por exemplo, "faz parte da tradição, era a comida dos escravos, depois de labutar nas roças e na extração"; além disso, foram eles que construíram a igreja, "dizem que tem mais de duzentos anos". Ao terminar obra tão importante para os irmãos, confraternizaram-se comendo do alimento a que estavam acostumados. Por isso, depois da limpeza da igreja, "e para manter a tradição", o angu é servido àqueles que trabalharam durante todo o dia. Após a ida ao rio em busca de água, lavam a pequena capela, lustram os pequenos objetos de prata, cuidam do lugar sagrado. A esses servidores da fé, irmãos na cor e nas condições de vida, é servido o angu, alimento dos homens pobres.

Entretanto, em alguns lugares, não há mais esse costume, substituído por pratos mais sofisticados, como o "arroz à grega", macarronada, maionese etc., "comida refinada, de gente rica", como diz um membro da irmandade.

ORIGEM DAS IRMANDADES

A organização de leigos em irmandades, sob a devoção de determinado santo ou santa católico, proliferou por todo o território brasileiro. Cada povoado que se constituía tinha templo próprio. As simples capelas foram o núcleo e o eixo vital dos arraiais e delas emanaram as normas de comportamento para as pequenas comunidades.

As irmandades estiveram presentes, no Brasil, desde o início da colonização. Em Minas Gerais, proliferaram por todas as vilas e arraiais. Conforme observa Holanda:

> a proliferação das Confrarias e Irmandades ultrapassa tudo o que podemos imaginar. Somente na Matriz de Nossa Senhora do Pilar de Vila Rica albergavam-se dez irmandades, fato que nos oferece uma boa imagem da composição e de certa rivalidade recíproca – portanto construtiva – que estimulara sobremaneira o desenvolvimento dos templos e de sua vida religiosa. (1977, p.124)

Difundiram-se, largamente, santos e santas de devoção portuguesa, como a Virgem Maria, representada por Nossa Senhora do Carmo, do Pilar, da Conceição, do Bom Sucesso, da Piedade, da Boa Viagem, do Amparo, da Expectação do Parto, das Dores e do Desterro, e outros santos igualmente importantes, como São Francisco, Santo Antônio, São José. Alguns deles tinham por devotos setores sociais bem definidos. Nossa Senhora do Rosário foi a padroeira dos negros escravos e forros, assim como Santa Ifigênia e São Benedito. Por sua vez, Nossa Senhora das Mercês foi protetora dos mulatos e dos crioulos.

As festas em homenagem aos santos eram, portanto, o espaço de manifestação pública dos diversos setores sociais. Se as festas de Nossa Senhora do Rosário eram realizadas por escravos e negros forros, a festa do Divino Espírito Santo era dos devotos mais abastados, que detinham riqueza e poder.

A existência de número tão expressivo de irmandades deve-se, em grande parte, à forte resistência da Coroa Portuguesa em permitir a entrada e permanência de padres regulares, sobretudo nas regiões mineradoras, os quais eram vistos como elementos perturbadores e corrosivos (Mello e Souza, 1986). Para eles estava proibida a extração de diamantes; entretanto, várias foram as reclamações contra os padres que extraíam diamantes nas regiões produtoras. Scarano (1978) observa que, em Vila do Príncipe, era grande o número de membros da igreja. Em 1767, um mapa da população da mesma vila confirma a existência de 29.538 almas, das quais cinco eram vigários e 85, clérigos, um número bastante elevado para uma região onde não havia convento ou comunidade religiosa. Para a autora, esse número elevado, por si só, levantava suspeitas. No Distrito Diamantino, o número de eclesiásticos também era expressivo, o que levou a coroa portuguesa a pedir ao bispo de Mariana que avaliasse quantos eclesiásticos seriam necessários para ali administrar os sacramentos, expulsando o restante.

Freqüentemente, os padres estavam envolvidos em negócios ilícitos de contrabando e extravio de ouro. As sucessivas ordens de expulsão, desde os primeiros anos de 1700, demonstram a intolerância com os atos considerados em desacordo com os votos religiosos. As ordens condenam os frades que acorriam às Minas "levados por interesses temporais", e não por princípios religiosos (Mello e Souza, 1986). De acordo com Caio Prado Júnior, principalmente no século XVIII, havia extremo controle sobre a atuação dos padres nas Minas Gerais, restringindo-se o número destes em todo o território (ibidem, 1978). Em decorrência disso, os leigos organizavam-se em confrarias e irmandades, ocasião em que podiam colocar em prática a fé cristã e os atos religiosos, sem a presença de um padre. Eram os responsáveis pela implantação da fé.[1]

[1] A devoção a Nossa Senhora do Rosário, ao que parece, tem origem em 1282. São Domingos de Gusmão, fundador da ordem dos pregadores, devoto do Rosário, fundou muitas confrarias em Portugal, França e Espanha, sob essa invocação (MARQUES, 1981). Após sua morte, a devoção foi abandonada. Dois séculos depois, no ano 1400, dois padres dominicanos tiveram a visão de seu fundador, que lhes deu o encargo de restabelecer a devoção, justamente na época em que a Ordem se preocupava, de corpo e alma, com os trabalhos de propagação de fé em terras da África. Na Europa, a organização dos leigos em confrarias, meio de participação mais intensa na atividade eclesiástica e estágio intermediário entre a vida cristã e a vida religiosa em comunidade, é uma característica da Idade Média. Em princípio, a confraria reunia católicos de todas as origens sociais, sob a devoção de um mesmo santo ou com participação num mesmo ato de fervor religioso. A confraria dirigia-se a um fim quase sempre bem determinado e utilizava, na maior parte das vezes, fatores de solidariedade

Divulgada na Península Ibérica, a imagem de Nossa Senhora do Rosário logo se tornou protetora de inúmeros grupos, em especial entre os homens do mar, no Porto, pois era considerada milagrosa entre os marinheiros. A irmandade dessa santa tinha regras similares às de outras irmandades européias. Seus associados tinham, como obrigação, a função de reunir cativos e presos, casar os órfãos, praticar boas obras (Castanho e Nunes, 1980).

Segundo Frei Agostinho de Santa Maria, a origem do culto deveu-se ao resgate de uma imagem de Nossa Senhora, em Argel, o que fez que os negros se identificassem com a santa, erigindo-a em padroeira. A tentativa de integrar o negro escravo recém-chegado da África à sociedade portuguesa católica e branca pode ter sido viabilizada pela incorporação paulatina deste nas irmandades já existentes dos brancos. Posteriormente, os negros que foram sendo incorporados tornaram-se numerosos e criaram irmandades autônomas. Nesse sentido, a Irmandade de Nossa Senhora do Rosário dos Pretos surgiu, em Portugal, de uma transformação gradativa das irmandades dos brancos, que já tinham a mesma devoção (idem, 1980).

Inicialmente, em Portugal, a Irmandade de Nossa Senhora do Rosário era exclusividade dos dominicanos. Outras ordens, como os jesuítas, franciscanos e agostinianos, divulgaram nas conquistas de ultramar a devoção ao Rosário. Ademais, os negros tiveram contatos com esta santa já na África, assim como com diversos outros santos da religião católica (Fernandes, 1972).

No Brasil, a devoção ao Rosário foi trazida, sobretudo, pelos jesuítas e teve, desde o início, os negros como a maioria de seus adeptos. Segundo Scarano (1978), as irmandades brasileiras, vinculadas à tradição medieval das confrarias, davam muito mais importância às categorias raciais e sociais, não se integrando em qualquer finalidade profissional. Das mais antigas do Brasil, as associações do Rosário espalharam-se por todo o litoral e, posteriormente, para o interior.[2]

econômica ou profissional que estariam na base das corporações. As primeiras confrarias portuguesas são do século XIII – uma de ferreiros, de 1229, uma de mercadores, do mesmo período; e outras ainda sob a invocação do Espírito Santo e de São Francisco (MARQUES, 1981). Cada ofício, ou grupo de ofícios afins, tinha sua confraria e invocava seu santo. Cada confraria era mais ou menos abastada, em consonância com o grau de opulência de seus componentes. Algumas delas possuíam muitos bens, e a renda, que auferiam com as festas ou aluguéis de seus imóveis, ajudava a sustentar hospitais e prestava assistência aos confrades doentes e idosos (MARQUES, 1981).

[2] Em Minas Gerais, tornaram-se presentes em diversas localidades. Segundo Boschi, as primeiras irmandades nesse estado datam dos primeiros anos do século XVIII. Por volta de 1711, havia três irmandades em Sabará; uma em Santo Antônio do Bom Retiro; duas em São João Del Rei, sendo uma de Nossa Senhora do Rosário e outra do Santíssimo Sacramento. Tanto em Mariana como em Vila Rica existia a irmandade de Nossa Senhora do Rosário dos Pretos que foi a segunda documentada em território mineiro. Até então, eram numerosas as irmandades do Santíssimo Sacramento (BOSCHI, 1994).

Alguns autores salientam que a grande aceitabilidade dessa devoção em território brasileiro se deve a seu conhecimento anterior tanto em Portugal quanto na África (Castanho e Nunes, 1980). Sabe-se que, em 1550, perto de 10% da população de Lisboa era composta de escravos negros. Nessa nova terra foram incorporados às práticas religiosas portuguesas (Bastide, 1979). Ainda na África, a colonização portuguesa introduziu seus santos e imagens, além das práticas católicas, como o batismo. Provavelmente, muitas das identificações feitas posteriormente, no Brasil, entre os santos da Igreja Católica e as divindades das religiões africanas, foram percebidas e gestadas ainda em continente africano, partindo dos primeiros contatos com a religião dos portugueses, como se verá mais adiante.[3]

Apesar de certa autonomia de ação das irmandades no que se refere à edificação das igrejas e a compromissos a serem cumpridos pelos irmãos, todas necessitavam de uma licença régia para funcionar. As decisões deliberadas internamente passavam pelo crivo da coroa. Tudo, ao que parece, estava sob o controle da metrópole. Em Mariana, por exemplo, os pormenores da construção da Sé foram enviados a Portugal, a fim de serem avaliados pelas autoridades. Era, na visão de Scarano (1978), a maneira de se fazer presente a autoridade real nas pequenas coisas.

Além disso, as irmandades tomavam para si os encargos de caráter assistencial, que, nas sociedades modernas, são desempenhados, quase sempre, pelo Estado, como amparo nas doenças, na velhice e até no funeral. Durante a escravidão, funcionavam também como veículos de libertação de seus integrantes, ao alforriá-los (Boschi, 1994). Um estudo sobre a origem da Irmandade de Nossa Senhora do Rosário, em Porto Alegre, ressalta a amplitude de suas ações:

> Além das preocupações de ordem espiritual, a Irmandade, em diferentes épocas, cuidou do bem-estar de seus membros, tomando iniciativas de grande louvor como, por exemplo: sorteio para libertar pretos cativos, curso de alfabetização para os filhos dos irmãos, diária para o irmão doente, pensão para o irmão inválido e assistência social e educacional para os filhos dos irmãos, até a idade de 14 anos. (Castanho e Nunes, 1980)

---

[3] No Brasil, as irmandades leigas desempenharam papel fundamental tanto na consolidação dos princípios católicos e constituição da estrutura elementar para seu funcionamento como significava, de fato, as únicas possibilidades a quem os pobres associados poderiam recorrer para obter ajuda em momentos em que se encontravam em dificuldades materiais. De certa maneira, detinham bastante poder nas localidades. A esse respeito, Sérgio Buarque de Holanda chama atenção para a existência de capelas e igrejas, todas elas custeadas, erigidas e adornadas pelas irmandades. As deliberações aconteciam nas Mesas de Irmãos ocorridas regularmente onde todos votavam e decidiam as ações a serem implementadas, desde a discussão sobre a planta de um templo, sua localização em um povoado e sua distribuição e características de cada um dos altares, do coro, das imagens, da sacristia até a contratação anual ou esporádica da música, com a participação dos irmãos (HOLANDA, 1977).

Dessa forma, ser um irmão, pertencer a uma irmandade, era uma segurança até após a morte, porque as irmandades eram também responsáveis pela encomenda da alma e pelo sepultamento do irmão (idem, 1980).[4]

As procissões faziam parte das comemorações das irmandades. Desde a Idade Média, em Portugal, como em outras partes da Europa, as festas em homenagem aos santos católicos desdobravam-se em procissões, missas, cânticos e músicas. Algumas procissões com representações teatrais e atores de folias seguiam o cortejo festivo.[5]

As festas religiosas foram, dessa forma, os poucos espaços públicos de comemoração que contavam com a participação de setores sociais distintos. Nem todos com o mesmo efetivo envolvimento, mas pode-se dizer que, para alguns, eram as únicas possibilidades de vislumbrarem eventos inusitados, principalmente quando se tratava de celebrações e festividades das irmandades freqüentadas por membros das elites locais, porque as irmandades no Brasil estiveram, em sua origem, vinculadas a determinados grupos sociais com interesses bastante específicos. O preconceito racial era extremamente rigoroso no século XVIII, fazendo que os homens de cor reunissem em irmandades próprias, o que implicou um mesmo movimento de aglutinação dos outros grupos brancos, aristocratas e comerciantes. Esses eram membros das irmandades do Carmo, de São Francisco de Assis, do Senhor dos Passos, e nessas irmandades era vetada a entrada de homens de cor, judeus, mulatos, hereges, mouros. Mesmo para os brancos nascidos no Brasil, a filiação à Irmandade do Carmo e de São Francisco só ocorria após uma sindicância sobre sua vida (Salles, 1963).

Mesmo para os grupos sociais diretamente vinculados a outras irmandades, esses momentos festivos se tornavam lugares apropriados para uma pequena roda de batuque, danças e cantos que seguiam noite adentro, pelas ruas das pequenas vilas. Algumas dessas manifestações foram consideradas, por parte dos observadores, desacostumadas com tais práticas, obscenas e até estimulantes dos maus hábitos (Saint-Hilaire, 1975).

---

[4] As irmandades que não tinham templo próprio e lugares especiais para o sepultamento de seus irmãos podiam contar com a solidariedade de outras irmandades nos momentos de celebração de atos religiosos, quando eram necessários um altar ou uma imagem, e lugar para o enterro dos irmãos nas naves de várias igrejas alheias à sua própria corporação (HOLANDA, 1977).

[5] A grandiosidade das festas religiosas também se reproduziu no Brasil colônia. Uma delas causou impacto por sua pompa, ocorrida em maio de 1733, em Vila Rica, quando da transferência do Santíssimo Sacramento da Igreja de Nossa Senhora do Rosário para a Matriz do Pilar (MELLO E SOUZA, 1986). Na época, as Minas Gerais estavam vivendo seu apogeu. As festas e as processões religiosas eram um dos grandes divertimentos da população. A elas eram destinadas quantias exorbitantes de dinheiro, demonstrando o apreço pelo aspecto externo do culto e da religião que se manifestou desde sempre entre a população brasileira (ibidem).

As várias perseguições desencadeadas contra os negros, com vistas a eliminar e controlar seus hábitos, forçaram a constituição de espaços eminentemente negros, muitos dos quais permaneceram na clandestinidade por muitos anos. É o caso dos terreiros de candomblé, erigidos, sobretudo, nos centros urbanos coloniais. Essa evidência se deve, segundo Ribeiro, às condições mais favoráveis ao estabelecimento dos cultos afro-brasileiros nesses espaços.

> A maior massa de negros e mestiços, escravos ou libertos, as melhores condições econômicas por estes atingidas nos ofícios mecânicos e no artesanato, o anonimato facilitado pelas condições da vida urbana, as facilidades maiores para o contato com a África e a Bahia, a própria diluição do poder individual dos senhores de escravos em função do governo, teriam permitido a necessária solidariedade grupal, o proselitismo, o apoio econômico, a adoção de disfarce, ou evasão às atividades repressoras e o constante aprovisionamento de matérias rituais, ou a revisão periódica da ortodoxia mediante o contato com especialistas ou simplesmente com os novos africanos escravos chegados ao porto. (Ribeiro, 1978)

Utilizando as entranhas das redes sociais estabelecidas nos meios urbanos foi possível a propagação de vários cultos africanos. Para as populações negras acondicionadas nas zonas rurais, tais práticas se tornaram extremamente difíceis de serem reproduzidas. O controle dos proprietários sobre seus escravos, determinando atividades e horários, impedia a propagação de ritos considerados profanos e contrários ao catolicismo. Até o batuque foi fortemente reprimido em algumas regiões.

A essas populações, distantes dos centros de constituição das práticas afro-brasileiras, restavam as festas religiosas católicas com seus vários santos e respectivos rituais. O sincretismo faz-se sentir de forma mais intensa, pois se torna a única maneira possível de garantir rituais, ainda que de maneira incompleta, propiciando que as crenças e os mitos permaneçam e garantam a coesão do grupo. A criação das irmandades religiosas, especificamente de negros, torna-se uma alternativa efetiva para que estes possam reproduzir aí parte de seus rituais, pelo menos para aqueles considerados "católicos" pelas autoridades responsáveis. Com isso, verifica-se um emaranhado de situações em que se reproduz parte do ritual oficial católico e do ritual dos povos negros. Nas festas em homenagem a Nossa Senhora do Rosário, permanecem até os dias atuais assimilações das duas origens, uma das quais é a identificação da santa, em algumas regiões, com a divindade africana Iemanjá. Apesar da ausência quase total de referências a essa ou a outras divindades cultuadas na África e no Brasil, em algumas cidades localizadas na faixa litorânea, as assimilações são evidentes, porque, assim como Iemanjá, a imagem do Rosário tem sua origem na água, visto que, segundo relatos locais, foi em um rio que ela apareceu. Em Portugal, no século XIII, Nossa Senhora do Rosário era a protetora dos marinheiros. As cores da vestimenta da santa são idênticas às de Iemanjá. De azul e branco é feita inclusive a indumentária de parte dos personagens que representam o confronto de mouros e cristãos, conforme já dissemos.

Em Chapada do Norte e em Minas Novas, as músicas e os versos entoados não fazem reverência a Iemanjá. Entretanto, a cerca de 300 quilômetros, no município do Serro, também no vale do Jequitinhonha, um pequeno verso lembra a divindade africana: "Viva a rainha no céu, viva a sereia no mar".

Outro elemento de origem africana é o tambor que, aparentemente, é outra denominação para o batuque. Presente também nos terreiros de candomblé, é utilizado para, nos dizeres de Ribeiro, trazer as divindades para brincar. Ao som do toque, com batidas rítmicas especiais, iniciam-se as danças e as possessões. Cada forma diferenciada de toque traz uma divindade específica, e, para cada divindade, um tipo de dança. As dedicadas à Iemanjá imitam, ritmicamente, o ondular do oceano; curiosamente, assemelham-se aos movimentos dos dançadores de tambores na festa de Nossa Senhora do Rosário, imitando o movimento das ondas, tocam o chão, num contínuo vaivém. Mantêm, durante a dança, o litro de pinga sobre a cabeça. Inadequada para o consumo, a aguardente serve para lavar as mãos e molhar o couro dos tambores. Com as mãos molhadas, fazem movimentos de limpeza do corpo, lembrando encenações e gestos característicos dos terreiros de candomblé.

Os fragmentos de rituais afro-brasileiros nas festas em homenagem à santa, que ainda hoje permanecem em algumas regiões, devem-se, segundo informa Bastide, não ao esquecimento de natureza psicológica, provocada pelo tempo destruidor, mas sim à falta de pontos de referência para ligar as lembranças. Não é o uso continuado, mas a mudança social, que explica o desaparecimento das imagens (Bastide, 1978, p.336). Ademais, a dispersão de grupos inteiros, recém-chegados, para regiões diversas do país abortou vínculos e relações necessárias, porquanto fundamentais, à reprodução de ritos africanos. Dispersos, tornaram-se insuficientes para reavivar a memória coletiva sedimentadora das práticas culturais.

Os focos, localizados nas regiões interioranas rurais, foram os quilombos, que, enquanto permaneceram fora do alcance das perseguições das autoridades competentes, possibilitaram aos negros aí exercerem livremente seus ritos, contribuindo para cristalizar práticas deixadas para trás em sua terra natal. Nesse sentido, é provável que, nas regiões onde houve grande número de quilombos, os seus remanescentes tenham tido condições de garantir a reprodução dos hábitos das populações negras. Com o passar do tempo, com o contínuo desmantelamento desses focos, e com a eliminação de enorme número de negros quilombolas, restaram apenas os fragmentos. Por meio deles, um mundo distante no tempo e no espaço é freqüentemente relembrado durante as festas, em Chapada do Norte:

A máquina apitou
E o navio evêm
Eu vou chamar Maria
Prá embarcar também.

Ao mesmo tempo, os costumes europeus incorporados por negros e índios transpareciam nos ritos religiosos. A cerimônia da lavagem da igreja, na madrugada da "Quinta-feira do Angu", é tipicamente portuguesa. Foi introduzida por um soldado da Guerra do Paraguai, o qual prometera a Jesus que, se saísse incólume, lavaria o átrio de sua Igreja (Bastide, 1979, p.381). Os negros adotaram esse costume, mas, ao adotá-lo, transformaram seu significado; rendem uma homenagem à Santa. A água é retirada de um rio que se distingue dos outros: é o lugar onde os negros foram buscá-la ao som dos tambores. A composição da corte, encenada pelos negros durante a festa de Nossa Senhora do Rosário, é baseada nos moldes da monarquia portuguesa, com reis, rainhas, damas e outros elementos que representam figuras católicas, como os anjos. Utilizam-se, também, membros dos diversos postos do Exército, como guardas coronéis (Fernandes, 1972, p.240). Durante o cortejo, um enorme rosário, símbolo católico, delimita o espaço real, distinguindo-o do restante dos participantes. A pompa dos reis lembra aquela representada pelos membros oficiais incumbidos de resguardar a magnitude da corte portuguesa no Brasil colônia. Imagina-se que, na África, a presença ostentatória de Portugal tenha sido da mesma expressão, causando na população local o mesmo impacto.

Apesar da incorporação de costumes e hábitos dos portugueses pelos negros no Brasil, alguns deles, inclusive, reproduzidos nas festas cujo público era eminentemente homens e mulheres negras, vários estudos salientam a existência de eleição de uma corte ainda na África, prática comum, sobretudo, entre os povos bantos. Oneyda Alvarenga escreve que as festas e danças realizadas por ocasião das cerimônias de coroação dos reis negros, no Brasil, eram exatamente as mesmas praticadas pelos conguenses que cercavam a eleição de um novo rei ao poder, cujo hábito, também dos reis dos povos bantos, era realizar excursões cercados de sua corte entre cantos e danças guerreiros (Alvarenga, 1950, p.91).[6]

[6] Reforçando essa idéia, Mário de Andrade afirma que as primeiras manifestações do bailado datam do primeiro século, lembrando que o jesuíta Antônio Pires dá notícia de que em 1552 os negros africanos de Pernambuco estavam reunidos numa confraria do Rosário, e se praticava na terra procissões exclusivamente compostas por homens de cor. Prosseguindo, Mário de Andrade acredita ser essa tradição provavelmente trazida da África, onde "o primeiro rei legítimo do Congo assistido pelos portugueses foi João I, morto em 1492, continente em que passados pouco mais de cem anos, já os reis negros eram apenas titulares, que nem os daqui". Ademais, esse autor afirma que, em certas colônias e estados tributários, ingleses e franceses e outros, essa falsificação permanecia, aceitando a existência dum rei de pura ilusão pros nativos (ANDRADE, 1976, p.189)

As festas em homenagem aos santos católicos de cor negra, São Benedito, Santa Ifigênia e Nossa Senhora do Rosário, constituíram espaços efetivos de reprodução de um conjunto de manifestações festivas, algumas delas de cunho religioso, praticadas pelos negros em seu país de origem. Nesse sentido, pode-se perceber que o que se tornou conhecido no Brasil como Congado, Congada ou simplesmente Dança do Congo, é a representação de cerimônias e festejos que incluem a coroação do rei e da rainha, desfiles e cortejos por ruas e praças das cidades, encenação de lutas entre mouros e cristãos, teatralização de lutas entre um rei do Congo e uma rainha Ginga, encenação de embaixadas com encontros guerreiros, nos quais a autoridade máxima é o rei eleito.

A cidade de Chapada do Norte é atualmente, ao que parece, a única no vale do Jequitinhonha que realiza, durante suas comemorações em homenagem a Nossa Senhora do Rosário, a representação do conflito entre cristãos e mouros. Isso faz que o público, nesse evento da festa, seja bastante expressivo, proveniente de várias localidades.

CONCEPÇÕES LOCAIS SOBRE A ORIGEM DO MITO

Para um membro da irmandade

"Essa festa aqui é uma tradição dos pretos velhos, do povo antigo; foi começada em 23 de junho de 1810; começou com os brancos, os gravatas finas; a santa apareceu lá no rio, na lapa no rio (rio Fanado). Os brancos foram buscar ela com muita festa, com muita coisa, ela veio por ali, naquela rua do lado, ela veio num dia no outro dia ela voltou pra trás. Aí os negros, os pés rachados, cheio de bichos, os cativos, foram buscar com as caixas, as bandeiras, o pontão e o tambor e ela tá lá (na igreja) até hoje. É por isso que chama Nossa Senhora do Rosário dos pretos... As cidades todas por aqui em volta, que eu conheço, têm a festa de Nossa Senhora do Rosário... Antes ela era só dos negros; hoje os brancos tomaram conta de tudo, eles participam de tudo; eles são o rei ou a rainha."

Para uma irmã da irmandandade

"Eu sei uma partizinha assim: que ela morava assim na beira de um rio e depois juntaram um pessoal branco e disse que ia fazer o possível para trazer ela da beira desse rio pra um alto, assim igual Chapada mesmo, por exemplo, porque a Igreja aqui é assim num alto. Então esses brancos disse: – Não, nós vamos ter que buscar aquela mocinha prá cá, moço! Nós temos que buscar ela prá cá porque tem que trazer. Trouxe. Ó gente! Foi só enquanto eles trouxe ela e pôs lá, quando eles virou as costas ela cambou para o mesmo lugarzinho. – Ehim! Mas a moça foi embora! Que que faz? Ela foi embora, e ela foi embora; vamo buscar ela de novo!

Tornou ir buscar. Aí tudo bem; botou no mesmo lugar. Quando eles virou as costas de novo ela tornou a cambar pro mesmo lugarzinho. Foi ele outra vez. Teimoso! Foi esses teimoso outra vez buscar e tornou a colocar lá. E ela tornou a fugir lá para o córrego. Aí eles disse assim: será que é porque ela não gosta de nós? Por que será que ela não queira ficar cá?

Aí foi quando apareceu um senhor moreno e disse assim: – Eu vou buscar ela prá vocês vê se ela vem ou se ela não vem.

Esse senhor juntou mais pessoa e foi lá e buscou. Ô! Não deu outra; ela veio tranqüila nessa hora que já se apresentou até com uma boneca e de tão satisfeita que ela ficou, que disse que ela ficava assim na beira do rio que nós temos até um canto pra ela que é assim:

– Nossa Senhora na beira do rio, lavando os paninhos de seu bento filho (canta a música e ao mesmo tempo bate com a mão na mesa para dar o ritmo).

Porque ela arrumou uma bonequinha e eles disse assim:

– Ela já tem até nenê, ela já tem até nenê, porque ela já tem até nenê. E aí era uma boneca que ela tinha. E esse senhor moreno arrumou esses pessoal e trouxe ela e ela ficou no lugar. Aí eles já pegou dizer assim que no caso era Nossa Senhora mas, dos homens pretos. Porque ela não aceitou o branco. O que ela mais gostou foi justamente dos negros. Porque eles saíram assim esmorecidos porque o branco já tinha ido três vezes e não conseguiu e era nós que vai conseguir? E quando chegou lá que ela veio tão tranqüila com eles, que veio satisfeita e eles também, que disse que eles animou mesmo e aí eles danou a cantar:

– Nossa Senhora olha lá, você roda com nós devagar!

Porque eles ficaram satisfeitos dela vir. Quando eles chegou lá para buscar ela, disse que em volta dela já se apresentou muitas plantas, que eles já deram o nome de lágrima de Nossa Senhora. Porque dizem que ela chorou muito do caso dos brancos ter tirado ela do lugar, da onde que ela não queria e não aceitou. Dizem que ela chorou muito e aonde ela chorou nasceu essas plantas que dá muito fruto e onde ela nasce dá muito fruto mesmo, que ela dá. Por isso que nós tratamos de lágrima de Nossa Senhora. É por isso que o colar que eu uso é de lágrimas de Nossa Senhora, a minha coroa também."

A FESTA E SUAS PARTICULARIDADES

Todos os anos, a celebração de Nossa Senhora do Rosário, comemorada em dias diferentes em várias cidades do interior mineiro, renova um ritual do tempo "dos pretos velhos", contando com a participação da população rural dos pequenos municípios e de antigos moradores da região que migraram para outras terras, para a cidade grande. A festa é feita pelos membros da irmandade que têm a santa por devoção. Por meio de sorteio e, atualmente, por escolha entre os interessados, são designados os festeiros da santa, que mesmo morando, em outros lugares responsabilizam-se por todos os gastos e detalhes a serem implementados na festa. Em Minas Novas, a festa começa na segunda quinta-feira do mês de junho e estende-se por onze dias. Dois dias após a Quinta-feira do Angu, quando ocorre a lavagem da igreja, são realizados os leilões, à noite, destinados a arrecadar verbas para a irmandade. Outra fonte de arrecadação são as contribuições feitas durante o ano pela corte escolhida pela irmandade.

Na realidade, as diversas comemorações em homenagem a Nossa Senhora do Rosário são diferentes, guardando, em alguns casos, pouca semelhança entre si. Parece que, ao longo do tempo, elas sofreram, e ainda sofrem, alterações, decorrentes, sobretudo, da forma de atuação dos párocos e dos festeiros, que têm certa autonomia para implementar novos adereços a ela. Os membros da irmandade que não mais residem na região, mas que, durante as festas, retornam, também são fortes fomentadores das alterações nas festividades. Os padres, por sua vez, desempenham papel fundamental no processo de mudança das festas. Muitos, recém-chegados aos municípios, nem sempre concordam com a maneira como a festa é implementada e, não raramente, condenam parte do ritual, impondo, muitas vezes, novos roteiros às procissões, novo ritmo nas caminhadas. Enfim, imprimem, também, suas marcas no ritual religioso.

A BATIDA QUE DEFINE O RITMO E CHAMA PARA A FESTA

Um personagem imprescindível na festa em Chapada do Norte é o tambor. Feito de madeira, aproveitada do cerrado, e tocado apenas por homens adultos, ele define o ritmo da festa e é esperado com ansiedade por todos.

Ser tamborzeiro e, principalmente, ser Capitão do Tambor tem um significado coletivo muito forte entre os moradores locais. Trata-se de um cargo de extrema importância no ritual e, além disso, é um espaço público de explicitação de certas qualidades pessoais, fundamentais para assegurar a manutenção da alquimia da festa. Provoca alegria e empolgação, mas, ao mesmo tempo, precisa perceber os momentos adequados para envolver a todos na emoção da perda de pessoas queridas; na tristeza provocada pelos ausentes que não puderam vir para a festa porque estão fora trabalhando; nos sentimentos vivenciados por todos e que, durante a festa, encontram espaços para se manifestar. Com a festa à santa, homenageia-se os ausentes.

Os mecanismos utilizados para envolver grande número de pessoas num sentimento coletivo são sutilmente trabalhados pelo capitão. Apesar de morar fora, ele acompanha todos os acontecimentos locais, como as mortes, os incidentes, as saídas e o retorno dos moradores, os nascimentos, os casamentos.

Essa capacidade do capitão foi percebida durante vários momentos da festa. Em um deles, quando o cortejo passava pela casa do rei, a fim de buscá-lo para depois seguir em direção à casa da rainha, e em sua primeira aparição vestido como tal, ou seja, com coroa, terno e cetro, os tamborzeiros que seguiam à frente entraram pelo interior da casa do rei e, na recepção a ele, entoaram um verso que lembrava o antigo Capitão do Tambor:

> Maribondo virou passarinho
> Meu Deus onde anda Agostinho?

Agostinho era o pai do rei atual que eles estavam buscando naquele momento. A emoção tomou conta de todos e mesmo aqueles, como as pesquisadoras que estavam ali assistindo as comemorações, que não sabiam de quem se tratava envolveram-se naquele sentimento coletivo, e só depois pôde-se saber que era uma homenagem ao pai do rei, falecido meses antes e que havia sido, durante muitos anos, o capitão do tambor. A família do rei, extremamente emocionada, mostrou-se valorizada e agradecida.

A capacidade de improvisação do capitão reproduz-se, em relação aos conflitos transcorridos durante as celebrações, principalmente com as autoridades locais. Alguns deles, inclusive, quando não se permitiriam criar constrangimentos, por se tratar de situações em que estão em jogo pessoas às quais se deve respeito e que não poderiam ser questionadas ou contrariadas, como um padre. Numa situação de conflito, muitas vezes gerando ressentimentos, entra a habilidade do capitão do tambor. Em Chapada do Norte, em 1997, o padre recém-chegado havia proibido os rojões, considerados por ele inadequados a uma festa cristã. Assim, logo pela manhã, durante o ritual de Buscada da Santa no córrego, quando o padre, com centenas de pessoas, chega ao local onde a santa estava, aguardando o cortejo e, deve-se lembrar, ao som dos rojões, contrariando, dessa forma as deliberações do padre, o capitão lança, logo após as reverências à santa, um verso:

> O foguete estoura no ar, viva o padre Itamar.

Em meio à brincadeira quebra-se a resistência do padre, e lhe fazem, ao mesmo tempo, uma crítica e uma homenagem. O verso, improvisado naquele instante, foi, em outros momentos, novamente repetido, causando risos e novos comentários.

Às vezes, os versos dirigiam-se a outros membros do ritual. Como o padre queria o tempo todo controlar o ritmo das caminhadas, para não alterar o horário dos eventos programados, o rei e a rainha, eleitos e responsáveis diretos pelo bom desempenho da festa, eram pressionados a exercer sua autoridade no andamento das celebrações. Por meio deles, o padre cobrava suas exigências, principalmente com relação aos horários. Assim, pressionados, o rei e a rainha, querendo atender ao padre, buscavam acelerar o ritmo dos eventos. Percebendo a pressa do rei, o capitão logo lançava um verso que, ao ser cantando, imprimia, efetivamente, uma lentidão no cortejo. Como alguns versos são para serem cantados sem sair do lugar, esses eram os preferidos. Além disso, faziam provocações questionando a autoridade do rei:

> Se Seu rei tá com pressa, Eu não tô não
> Se Seu rei tá com pressa, Eu não tô não.

Como a festa em homenagem a Nossa Senhora do Rosário, em alguns municípios, transcorre ao longo de vários dias, quase sempre nove dias, que é o período de uma novena, a própria festa é espaço para o surgimento de conflitos e acontecimentos que servem para alimentar a capacidade inusitada de improvisação dos diversos participantes com papel expoente no ritual.

Pode-se perceber os vários significados da festa. O fato de ser uma celebração religiosa não elimina, ou mesmo minimiza, os desentendimentos entre os diversos participantes. O sagrado pressupõe a existência concreta de pessoas que encontram, nesse espaço coletivo, a possibilidade de, por um lado, fazer uma homenagem à santa de devoção e, de outro, se for possível, agradar aqueles que são o principal destaque na festividade, o rei e a rainha, eleitos pelos membros da Irmandade para ostentarem a coroa e "fazerem a festa".

É necessário esclarecer esse processo. Os escolhidos para realizarem a festa de Nossa Senhora do Rosário têm de preencher alguns requisitos estipulados pelos regimentos da Irmandade. Precisam estar em dia com os anuais pagos uma vez por ano, durante a festa, em seu último dia. Precisam ser irmãos há, pelo menos, quatro anos. Apesar de não constar dos regulamentos, precisam estar dispostos a arcar com gastos significativos com a população. Por mais que haja contribuição, mediante doações pela comunidade, o custo de uma festa coletiva, dessa natureza, é sempre muito alto. Por isso, todos alimentam o desejo de fazer uma festa para a santa. Porém, ao mesmo tempo, sabem das implicações decorrentes. Ter condição para fazer a festa é um *status* que muitos gostariam de alcançar. Para uma população pobre, fazer a festa torna-se uma possibilidade muito remota. Tem-se, portanto, uma dupla finalidade: homenagear a santa e mostrar sua condição social. Nesse sentido, é bastante comum as pessoas se referirem a alguém como aquele que já fez uma ou mais festas para a santa. Por se tratar de uma festa anual, com data prefixada, e quando os festeiros têm mais de um ano para organizar todos os preparativos, mantendo os contatos e colhendo doações e, de certa forma, assumindo características reais, todos guardam na memória aqueles que já fizeram a festa e por quantas vezes.

A presença de comida e bebida em diversos momentos da festa tem um significado bastante particular para a população em questão. Sabe-se que nos rituais afro-brasileiros a comida, sob diversas formas, é uma oferenda às divindades celebradas em seus cultos (Ribeiro, 1978). Oferecer comida à divindade é um ato em que se reconhece sua superioridade, está acima dos entes humanos, os quais produzem materialmente suas condições prementes, ao mesmo tempo que se reconhece sua característica humana de alimentar-se como todos os seres vivos.

Ao oferecer alimento aos convidados, o festeiro ou aquele que recebe a visita, como no caso da folia de reis, está ofertando o que há de melhor para as populações de baixa renda, ou seja, comida farta e, às vezes, diferente daquela ingerida cotidianamente. Torna-se, portanto, um ato de pagamento da dívida, permeado de benevolência e, ao mesmo tempo, de sacrifício quando se trata de famílias pobres, com dificuldades de garantir sua própria sobrevivência. Dessa maneira, se paga aos santos, concretamente, por meio da comida, pelas graças alcançadas.

Na distribuição do alimento, chama atenção a maneira como as pessoas se apropriam da comida sem nenhum constrangimento. Durante os dias de festa, famílias inteiras circulam pelas ruas carregando doces, licores e, na quinta-feira, o angu. Essa apropriação pode suscitar duas possibilidades que justificariam a maneira de agir das pessoas. Por se tratar de uma festa na qual a organização fica ao encargo da Irmandade, uma entidade na qual praticamente todas as famílias têm, pelo menos, um membro associado e, como irmão, dá sua contribuição monetária todos os anos. Embora parte insignificante dos gastos seja coberta pela Irmandade, pode-se imaginar que existiria um direito de todos os convidados, membros diretos ou indiretos, sobre o alimento servido. Mas, como já dissemos, trata-se de uma quantidade extremamente módica em relação a todos os gastos despendidos pelos festeiros. Outra possibilidade para se entender a maneira, muito à vontade, como as pessoas apropriam-se do alimento servido parece encontrar ressonância nas reflexões de Mauss, a propósito da dádiva. Para esse autor, as trocas estabelecidas entre as coletividades apresentam sempre, entre as partes que trocam, obrigações de receber e retribuir. Ademais, o que trocam não são exclusivamente bens e riquezas, móveis e imóveis, coisas economicamente úteis.

> Trata-se, antes de tudo, de gentilezas, banquetes, ritos, serviços militares, mulheres, crianças, danças, festas, feiras em que o mercado é apenas um dos momentos e onde a circulação de riquezas constitui apenas um termo de um contrato mais geral e muito mais permanente. (Mauss, 1974)

Essas trocas estabelecidas são feitas sobretudo de forma voluntária, embora sejam rigorosamente obrigatórias, o que o autor chamou de sistema de prestações totais.[7] Pode-se perceber, então, que todas as coisas possuem uma alma e que o vínculo entre as pessoas, concretizado pelas coisas trocadas, estabelece um vínculo de almas. Disso segue, continua Mauss, que presentear alguma coisa a alguém é presentear alguma coisa de si. Aceitar alguma coisa de alguém é aceitar alguma coisa de sua essência espiritual, de sua alma (ibidem, 1977). Há, portanto, uma mistura de vínculos espirituais entre as coisas, que são, de certa forma, a alma e os indivíduos e os grupos que se tratam, em certa medida, como coisas. Tudo vaivém como se houvesse uma troca constante de uma matéria espiritual compreendendo coisas e homens, entre os clãs e os indivíduos, subdivididos em categoria, sexo e geração (Mauss, 1974, p.59).[8]

Nesse sentido, e recuperando as reflexões sobre o *hau*, tudo que advém da terra resguarda sua espiritualidade, a qual, por sua vez, estabelece ligações entre tudo e todos. Os bens ofertados durante a festa são, de alguma forma, provenientes da terra/território. São, portanto, de propriedade comum a todos, já que esses estão prenhes de espiritualidade. Nessa perspectiva, poder-se-ia pensar que, ao consumir os alimentos ofertados, os donatários acreditam ter o direito sobre eles, à medida que, por um lado, os bens seriam provenientes da terra/território e, portanto, sobre seus frutos, que são de todos e, por outro, porque a alma dos bens estaria à procura de seu destino, que poderia ser qualquer um, como também poderia ser a própria terra.

---

[7] Uma dessas prestações totais, designada *potlatch,* que significa alimentar, consumir, apresenta um caráter agonístico, à medida que as trocas estabelecidas entre as coletividades estariam impregnadas de rivalidade. Nesse sistema de troca, os presentes dados devem ser ulteriormente trocados ou retribuídos. A obrigação da retribuição deve-se, segundo Mauss, à existência do *hau,* do poder espiritual de todas as coisas. Sendo assim, todo presente dado e trocado cria uma obrigação, pelo fato de que toda coisa doada ainda mantém algo de seu doador. As coisas são animadas pelo *hau,* que persegue todo detentor. Se a coisa dada passa por diversos proprietários, todos eles serão perseguidos pelo *hau* de cada bem. No fundo, diz Mauss, é como se o *hau* desejasse regressar a seu local de nascimento, ao santuário da floresta e do clã e a seu proprietário. É, portanto, o *hau* que liga todos os usuários, até que estes retribuam, com seus próprios objetos, suas propriedades, seu trabalho ou comércio por meio de banquetes, festas, presentes etc., um valor equivalente ou superior, que, por sua vez, dará aos doadores autoridade e poder sobre o primeiro doador, transformado em donatário.

[8] A existência de um vínculo espiritual entre pessoas e coisas, o que, de certa forma, destitui de propriedade de todos sobre tudo, vai ao encontro de dimensão já trabalhada, em outro estudo, sobre a dimensão da terra como território, desprovida de limites geográficos, de cercas, que garantem a propriedade. A terra, nessa dimensão, é um lugar de significados, onde é possível reproduzir mitos e ritos utilizando tudo que ela oferece. É assim que se garante a continuidade da vida em toda a sua acepção, concretamente, mediante os produtos que ela oferece, mas também simbolicamente, pelos frutos que ela oferece para a realização do sagrado (BOTELHO, 1999).

Além disso, todos são, potencialmente, prováveis festeiros e poderão retribuir o alimento recebido fartamente na mesma magnitude. Por mais que cada um tenha consciência de suas limitações, todos acreditam que poderão "fazer a festa" algum dia.

Ademais, pelo alimento oferecido gratuitamente a todos os convidados, faz-se uma oferenda, de forma indireta, à santa de devoção. Também a comida dada produz, como afirma Mauss, sua recompensa nesta vida e na outra. O doador encontrará, em outro momento, a mesma coisa aumentada. Dessa forma, ela não é perdida; ao contrário, se reproduz para aquele que ofertou.

> A comida dada é comida que voltará neste mundo ao doador; é comida para ele, a mesma, no outro mundo; e é ainda a mesma comida na série de seus renascimentos: a água, os poços e as fontes que se dão asseguram contra a sede; as vestes, o ouro, as sombrinhas, as sandálias que permitem andar sob o sol abrasador regressam à pessoa nesta vida e na outra. A terra que alguém doou e que produz os seus frutos para outrem faz, entretanto, crescerem os seus interesses neste mundo e no outro, bem como nos renascimentos futuros... A terra engendra meses, rendas e impostos, minas, gado. A dádiva, com ela feita, enriquece com esses mesmos produtos o doador e donatário. (Mauss, 1974)

A entrada do Congado nas festividades de Nossa Senhora do Rosário é bastante elucidativa para se perceber a maneira como a festa foi-se modificando, ao mesmo tempo que foi incorporando certas práticas ritualísticas do meio rural, originalmente destituídas de seu aspecto religioso, ainda que sagradas, que referendavam a boa colheita, garantidora da comida durante o ano. No início da década de 1980, vários estudos, relativos ao vale do Jequitinhonha, sobre temas diferenciados começaram a ocupar espaço na agenda de intelectuais, professores e estudantes das universidades. Um desses estudos procurava identificar cantigas e danças da zona rural mineira. Segundo informações dos moradores da região, algumas pesquisadoras estiveram em Chapada do Norte com esse intuito. Lá chegando, contataram a Prefeitura, que se responsabilizou por ir buscar as pessoas em seus povoados para fazerem uma apresentação para as estudiosas na sede do município. Durante dois dias, cantaram e dançaram. Eram danças bastante antigas, comuns em diversas localidades rurais da região e realizadas em várias épocas do ano, em festividades como o Natal, o regresso de pessoas ausentes e, principalmente, em determinados períodos do ciclo agrícola. Desde pequenos todos iam se familiarizando com os ritmos e cantos e, nas épocas propícias, os exercitavam.

Era a maneira que a população encontrava de celebrar a vida. A terra, ainda não tão enfraquecida, permitia uma colheita que assegurava a reprodução do grupo, sem necessitar de saídas tão freqüentes para trabalhar em outras regiões. O milho, a mandioca, o feijão e a cana-de-açúcar eram alguns dos produtos mais plantados. Com eles, pessoas e animais resistiam aos períodos mais secos, quando a pequena horta dava os primeiros sinais de exaustão, o pasto ressecava e a água diminuía.

A carpa e a colheita eram feitas, em outros tempos, por meio da troca de dias. Para tanto, vizinhos, parentes e amigos revezavam-se para dar conta das atividades em tempo hábil, organizando-se em mutirões, conhecidos também por maromba em algumas localidades do vale do Jequitinhonha. A maromba não se distinguia, aparentemente, das outras formas normais de trabalho coletivo experimentadas pelo grupo – "trabalho familiar" e a troca de dia – a não ser pela reunião de um conjunto maior de "camaradas" e pela atmosfera impregnada de colorido festivo. Os participantes reuniam-se para o trabalho, por mais ou menos uma semana, até terminarem a capina de todo o grupo. A remuneração podia ser em dinheiro ou em espécie, mas, independentemente do caso, tratava-se de uma troca entre trabalhos iguais, porque o "camarada" que recebia os serviços de um sabia que faria, posteriormente, serviço idêntico. Nesse caso, a maromba era promovida por lavradores em condições econômicas semelhantes, mas podia também ser promovida pelos fazendeiros, para quem muitos desses camaradas trabalhavam, durante parte de seu tempo normal, num regime de subordinação econômica. Os fazendeiros, no entanto, não trocavam dia de serviço. Pagavam em espécie ou em dinheiro e, em alguns casos, forneciam camaradas para trabalharem nas marombas promovidas pelos mais fracos (Luz, 1998).

IDENTIDADES CONSTRUÍDAS, IDENTIDADES EM CONSTRUÇÃO: UM MOVIMENTO INCESSANTE

Por meio de alguns fragmentos de memória inseridos na ritualização da festa de Nossa Senhora do Rosário, pôde-se perceber o contínuo processo de construção de identidade social forjado ao longo da história desse grupo. O relato inicial de duas maneiras distintas sobre a origem do mito retrata a junção de alguns fragmentos sobre o aparecimento de Nossa Senhora do Rosário. A identificação da santa com os negros está presente em ambos. Porém, o segundo relato, o da rainha do Congado, traz uma série de detalhes, possivelmente insertos de fragmentos retidos em sua própria memória, mesclados com particularidades surgidas em momentos posteriores, no processo de remodelação da festa, quando as danças que festejam os ciclos agrários passam a ser encenadas na festa em homenagem à santa. Dessa forma, cada um tem pequenos detalhes que, pouco a pouco, constituem-se em uma história coletiva que irá direcionar e moldar a festa. A rica descrição do aparecimento da santa no pequeno córrego da cidade confunde-se com detalhes da vida humana, terrena: a pequena criança no colo, as roupas lavadas, o choro. Tudo isso faz lembrar o que foi analisado por Mircea Eliade a respeito das tradições que falam de um tempo mítico em que o homem se comunicava diretamente com os deuses celestes, subindo numa montanha, numa árvore, num cipó. Por sua vez,

> os Deuses desciam regularmente à terra para misturar-se aos humanos. Devido a um acontecimento mítico qualquer (geralmente a falta de um ritual), as comunicações entre o Céu e a Terra foram rompidas (a Árvore, o cipó foram cortados etc.), e o Deus retirou-se para o fundo do céu. (Eliade, 1997)

Os contatos provisórios com os deuses só se tornam possíveis, nos tempos atuais, com técnicas muito próprias. O xamã, mediante uma técnica mantida em segredo, restabelece, temporariamente, as comunicações com o Céu e retoma o diálogo com Deus.

> Em outros termos ele consegue abolir a história (todo o tempo que se passou com após a "queda", após a ruptura das comunicações diretas entre o Céu e a Terra); ele volta para trás e reintegra a condição paradisíaca primordial. (Ibidem, p.167-68)

Essa condição primordial só fora experimentada pelos primeiros humanos, que não estavam separados de Deus. Os relatos sobre a origem da aparição da santa parecem retomar esse contato cotidiano com os deuses celestes. Apesar das diversas interpretações locais sobre o aparecimento, não se modificou a estrutura de um simbolismo imanente. A história acrescenta continuamente novos significados, sem que esses últimos destruam a estrutura do símbolo (ibidem, p.161).

Falar sobre a origem da festa, bem como revivê-la anualmente, seria a maneira de "reatualizar" o tempo sagrado no qual os acontecimentos se sucederam. Além disso, homens e mulheres esquecem sua condição profana, histórica e inserem-se em um tempo sagrado que, segundo as interpretações de Eliade, seria um "tempo intemporal".

De certa forma, mediante a ritualização do mito, ao festejar Nossa Senhora os camponeses locais reatam contatos com o Céu e, dessa forma, recuperam o sagrado, instância fundamental para assegurar a manutenção de suas condições concretas, reais, fundantes de sua identidade.

Entretanto, assim como não há uma fixidez das identificações das divindades cultuadas pelos negros no Brasil com os santos da Igreja Católica, a festa e a própria identidade desses indivíduos estão sujeitas a constante mudança. Elementos novos incorporados à festa, como o show pirotécnico, os novos adereços e a música eletrônica, configuram novas formas de comemoração que, ao longo do tempo, podem alterar completamente o ritual festivo. Em Minas Novas, por exemplo, o angu foi substituído por "arroz à grega", "macarronada", pratos que, se consumidos pela população local, restringem-se a um número muito pequeno de pessoas. Trata-se de uma comida considerada especial, para dias de festa e, principalmente, consumida por populações urbanas pertencentes a camadas sociais de poder aquisitivo mais elevado. Já não relembra, nesse momento, a comida secular dos pobres submetidos ao trabalho penoso na terra ou nas lavras. Agora, a comida, servida gratuitamente na festa, deve ser aquela ingerida pelas pessoas de melhor condição econômica, demonstrando, àqueles que fazem a oferenda, suas possibilidades de agradar a todos, ao servir uma comida mais cara, mais sofisticada e, atualmente, mais valorizada. A substituição deveu-se à maior aceitação, por parte da maioria da população, das comidas condizentes com a vida moderna. "Hoje ninguém come mais angu", disse um antigo morador de Minas Novas, "ela foi a comida do povo pobre, dos cativos; agora os mais moço, pelo menos daqui de casa, não quer mais saber dessas coisas".

A mudança do cardápio tem sido uma constante nas festas de Nossa Senhora do Rosário. Hoje, há necessidade de inovar, acrescentando comidas consideradas tipicamente mineiras e que atraem o público até de outras regiões do país. Ocorre, assim, uma sofisticação dos costumes, reproduzida até mesmo na comida servida (Ortiz, 1991). No entanto, em algumas localidades fez-se um esforço para resguardar determinados costumes que têm sido considerados fortes elementos de identificação de uma cultura tradicional, autêntica, em que os atuais protagonistas, remanescentes dos negros originários da África, tentam manter todo o ritual o mais próximo possível daquele realizado por seus antepassados. A manutenção do ritual do angu insere-se nessa perspectiva. Existe a possibilidade de que as populações locais, eminentemente camponesas, celebrassem a colheita do milho não apenas da maneira como ocorria nos mutirões de trabalho no roçado, quando os camponeses, no fim do dia, colhiam um exemplar sadio, cheio de frutos e, com ele, seguiam até a casa do proprietário, cuja mulher recebia a todos com bebida e comida e juntos dançavam e cantavam a noite toda, conforme já relatamos. É provável que, nesse ritual, o angu fosse servido a todos os participantes do mutirão. Ao milho rendiam uma homenagem sagrada, pelo fato de ele ser o alimento básico que garantia a sobrevivência de homens e mulheres, mas também de animais. Com o passar do tempo, ele foi incorporado às celebrações em homenagem a Nossa Senhora do Rosário.

Um fato bastante curioso no processo de mutação da festa diz respeito à imagem da Santa do Rosário. As leituras feitas anteriormente à ida ao campo para acompanhar a festa, em junho de 1997, faziam referência a uma imagem negra, assim como de São Benedito e Santa Ifigênia, todos santos negros, indicando, inclusive, uma aproximação, pela identificação da cor, entre os devotos e seus santos de devoção. Saint-Hilaire, em suas viagens pelas províncias de Rio de Janeiro e Minas Gerais, exatamente quando de sua passagem por Santa Cruz da Chapada, atual Chapada do Norte, registra a existência de duas igrejas; uma paroquial e outra pertencente aos negros.

Esta "pertence aos negros, e, segundo o costume, é dedicada à Nossa Senhora do Rosário, cuja imagem é sempre negra" (idem, 1976).

Também Dario Augusto Ferreira da Silva (1927), em suas *Memórias sobre o Serro antigo*, refere-se ao costume dos negros em homenagear uma santa negra, conhecida por Nossa Senhora do Rosário. Apenas após a primeira aparição da imagem da santa na festa é que se pôde perceber que ela já não era mais negra, e sim branca. Todos conheciam a mesma imagem há vários anos. O entrevistado mais idoso, com 96 anos, morador da região desde seu nascimento, assegurou ter sido sempre aquela mesma imagem que presidia a festa. Com certeza, a mudança ocorreu ainda no século passado, após o período em que Saint-Hilaire percorreu a região. Atualmente, todas as cidades visitadas do vale do Jequitinhonha, em que há uma Igreja do Rosário, têm sempre uma santa branca, vestida com roupa também branca e manto azul, com uma criança no colo. Assim, intui-se que, no processo de mutação da festa, a santa mudou de cor.

As reflexões de Durkheim sobre as religiões sugerem alguns indícios para o entendimento desse processo de mudança de cor. Para esse autor, as representações têm uma força motora e uma eficácia capazes de transformar as situações de fato. As representações são, portanto, relativamente autônomas e constitutivas do tecido social. Para ele, uma sociedade não pode criar-se nem recriar-se sem, no mesmo instante, criar um ideal (ibidem, p.500). Dessa forma, as sociedades, para existirem, criam representações que lhes são estruturalmente necessárias; assim, as ideologias são constitutivas do processo social.

Com essas observações de Durkheim, pode-se pensar que, enquanto a cor da santa foi necessária para arregimentar e controlar os negros trazidos para o Brasil, manteve-se, em toda a região, como ainda em outras partes de Minas Gerais e do país, a imagem de cor negra. Era necessário assegurar uma identificação de cor entre a santa e seus devotos. Com o passar do tempo e com a cristalização da crença em torno da Virgem do Rosário, a cor passou a ser secundária; já existia toda uma estruturação que garantia a representação dos negros em relação à santa com seus ritos religiosos definidos no bojo da prática católica cristã. Além disso, a festa foi gradativamente incorporando outros setores sociais e não era mais apenas uma festa de negros pobres. Como representação coletiva precisava criar novos mecanismos para assegurar a participação de outras camadas sociais.

Com vistas a propiciar as mudanças, os próprios compromissos das irmandades são alterados. Margarida Moura, em estudo sobre a festa do Rosário na cidade do Serro, observa que o compromisso original da Irmandade do Rosário foi revogado em 13 de maio de 1979. As mudanças feitas têm dois significados: por um lado, a secularização do poder e do controle social destituiu a irmandade do significado religioso e político que dispunha no passado. Por outro, percebe-se aí a absorção de ideologias, emanadas não só do Estado como da sociedade atual, que impulsionam e magnificam as pequenas tradições como parte de novas formas de valorização e controle dos chamados fatos folclóricos. O fato de a festa de Nossa Senhora do Rosário estar inscrita no calendário turístico do estado demonstra esse novo significado (Moura, 1983, p.239).

Porém, a outra face da mesma moeda, ou seja, os protagonistas originais da festa, também imprimem sua atuação no mesmo processo de mudança. Agem no sentido de preservar muito mais uma memória e identidade coletivas, fundamentais para seu reconhecimento social. A festa à santa, momento sagrado por excelência e de grande reconhecimento social, é resultado, sempre o foi, das práticas religiosas dos negros ancestrais. Sua origem pobre, submissa e de cor sempre foi sua marca constante. Atualmente, quando a festa se insere no calendário religioso e turístico da cidade, todos sabem que essa nova identificação se deve ao esforço de seus efetivos participantes, os membros da Irmandade, quase todos negros.

A crescente participação de brancos e de pessoas dos setores médios da cidade deve-se ao real espaço de reconhecimento social que a festa passou a representar no bojo da sociedade em questão. A repercussão não é mais apenas local; muitos vêm de fora e levam consigo as impressões causadas por uma festa bem organizada, cheia de surpresas. A freqüente presença de jornalistas, fotógrafos e pesquisadores, interessados em conhecer a festa e que a divulgam em outros lugares, é grande fator de novas incorporações.

A importância adquirida não se restringe à festa apenas. Os seus efetivos participantes é que a fazem e são eles os reconhecidos. Dessa forma, pode-se pensar na coexistência de duas identidades: uma vinculada à construção de uma identidade nacional, concretamente representada por pessoas, em geral pobres, que se enquadram nos "setores populares", e que fazem a festa, em seus diversos momentos, e adquirem perante a sociedade, como um todo, reconhecimento social; e outra identidade coletiva, orientadora de práticas sociais dos sujeitos inseridos numa realidade que coaduna situações pautadas, muitas vezes, em diferentes formas de envolvimento, mas que é fundamental para assegurar o sentimento de pertencimento no processo de construção da identidade. Um imprescindível personagem da festa é o capitão do tambor. Conforme pôde-se perceber, trata-se de uma pessoa de reconhecido valor social nos âmbitos da festa e da sociedade local. No entanto, a festa em homenagem a Nossa Senhora do Rosário não se restringe apenas aos nove dias de comemoração. Envolve também um grupo significativo de pessoas durante boa parte do ano; além disso, é um momento de extremo significado coletivo, quando os participantes se alegram com danças, músicas e bebidas, mas também relembram, com tristeza, os ausentes. Forja-se um sólido sentimento coletivo que se propaga para além da festa.

O capitão do tambor, apesar de morar longe, em outro estado, retorna todos os anos para a festa. Aí, em seu lugar de origem, é um homem de enorme respeito, todos o conhecem, é como ele diz: "pode perguntar prá qualquer um quem é o João Preto, que todos vão saber". Ao contrário, em São Paulo, em meio à multidão, é apenas um "mineiro", "pau-de-arara", que vai para a cidade grande fugindo da fome, da seca, sem família, um "joão-ninguém". Perambula pelas construções, conhece muita gente, mas não tem nenhum reconhecimento social. Muito ao contrário, os de fora, os baianos, os mineiros, são sempre os identificados com os marginais, os baderneiros. Pode-se imaginar o que significa para ele participar efetivamente da festa. Como ele, milhares de outros mineiros fazem o mesmo trajeto todos os anos e têm, nas festas e nos reencontros por elas proporcionados, a força alimentadora de sua identidade. É como afirma Silva em seu vídeo, resultado de uma pesquisa realizada com camponeses migrantes do vale do Jequitinhonha para a região de Ribeirão Preto (SP):

> Se a migração provocou a despossessão destes camponeses, a festa, a religiosidade, o mundo simbólico, este mundo invisível constituem-se no elo da contradição desenraizamento-reenraizamento. A migração desenraíza. A festa, o mundo simbólico reenraízam. Este mundo invisível parece ficar na terra, parece não migrar. É em busca deles que as andorinhas voltam. É para mantê-lo vivo que elas partem. (Silva, 1991)

A conjunção de duas maneiras distintas de inserção no mundo, uma como um líder de supra-importância, fundamental para o bom desempenho da festa em seu "lugar de origem", e outra fora, como pedreiro, mestre-de-obras, bóia-fria nas fazendas de café, laranja, cana, em seu "espaço de passagem", conforma uma identidade que, necessariamente, refaz-se durante o percurso da vida. Se se pensa a identidade como um processo de construção compreensível na dinâmica que rege a vida de um grupo social em relação com outros grupos distintos, percebe-se que a identidade não é uma coisa estática, que permanece sempre igual, seja nos indivíduos, seja nas sociedades e nas culturas.

Para os camponeses do vale do Jequitinhonha, migrantes temporários ao longo de sua existência, poder-se-ia pensar na possibilidade da migração de suas festas para outros espaços, à medida que muitos deles são os protagonistas da festa, como o sr. João Preto. Entretanto, a identidade desses camponeses, que congrega a dimensão festiva, só encontra poder de realização, nessa perspectiva, em suas pequenas cidades do vale. É aí que a festa encontra significação. Os elementos constitutivos dessa identidade precisam da terra, dos frutos da terra para a feitura de doces e licores, das danças que traduziam um agradecimento à continuidade da vida, dos cantos guardados na memória por todo o grupo, dos ritmos impressos nos corpos prontos a agitarem-se ao primeiro toque do tambor; enfim, precisam de tudo aquilo que está ali, em seus lugares de origem, e que não pode ser colocado em sua bagagem no momento da partida.

REFERÊNCIAS BIBLIOGRÁFICAS

ALVARENGA, O. *Música popular brasileira*. Porto Alegre: Globo, 1950.

ANDRADE, M. de. *Danças dramáticas do Brasil*. São Paulo: Livraria Martins, 1959.

ANTONIL, A. J. *Cultura e opulência no Brasil*. Belo Horizonte/São Paulo: Itatiaia/ EDUSP, 1982.

BASTIDE, R. *As religiões africanas no Brasil:* contribuição a uma sociologia das interpenetrações de civilizações. São Paulo: Pioneira/EDUSP, 1971. 2v.

BOTELHO, M. I. V. B. *O eterno reencontro entre o passado e o presente*: um estudo sobre práticas culturais no vale do Jequitinhonha/MG. Araraquara, 199. 365p. Tese (Doutorado) – Unesp.

BOSCHI, C. C. *Achegas à história de Minas Gerais:* século XVIII. Belo Horizonte, 1994.

CASTANHO, M. R.; NUNES, M. R. *A confraria de Nossa Senhora do Rosário e São Benedito*. In: FLORES, Moacyr (Org.). *Cultura afro-brasileira*. Porto Alegre: Escola Superior de Teologia São Lourenço de Brindes, 1980.

DURKHEIM, E. *As formas elementares da vida religiosa*. São Paulo: Abril Cultural, 1978.

ELIADE, M. *Imagens e símbolos:* ensaios sobre o simbolismo mágico religioso. São Paulo: Martins Fontes, 1991.

______. *O mito do eterno retorno*. Lisboa: Perspectivas do Homem/Edições 70, 1988.

FERNANDES, F. *O negro no mundo dos brancos*. São Paulo: Difusão Européia do Livro, 1972.

HOLANDA, S. B. de. *História geral da civilização brasileira*. São Paulo: Difel, 1977. v.II.

LUZ, L. A. *Tempo de festa – tempo de trabalho*: uma sociedade às voltas com a modernidade. 1988. Dissertação (Mestrado) – Universidade Federal de Juiz de Fora.

MARQUES, A. H. de O. *A sociedade medieval portuguesa*. Lisboa: Livraria Sá de Costa, 1981.

MAUSS, M. *Ensaio sobre a dádiva. Sociologia e antropologia*. São Paulo: EDUSP, 1974. v.II.

MELLO e SOUZA, L. *Os desclassificados do ouro*. São Paulo: Brasiliense, 1986.

MOURA, M. M. A morte de um rei do Rosário. In: MARTINS, J. de S. (Org.). *A morte e os mortos na sociedade brasileira*. São Paulo: Hucitec, 1983.

ORTIZ, R. *Cultura brasileira & identidade nacional*. São Paulo: Brasiliense, 1986.

PRADO JÚNIOR, C. *História econômica do Brasil*. São Paulo: Brasiliense, 1978.

RIBEIRO, R. *Cultos afro-brasileiros do Recife*: um estudo de ajustamento social. Recife, MEC/Instituto Joaquim Nabuco de Pesquisas Sociais, 1978. (Série Estudos e Pesquisas)

SCARANO, J. *Devoção e escravidão*. São Paulo: Companhia Editora Nacional, 1978. (Col. Brasiliana)

SAINT-HILAIRE, A. de. *Viagens pelas províncias do Rio de Janeiro e Minas Gerais*. Belo Horizonte: Itatiaia, 1975.

SALLES, F. T. de. *Associações religiosas no ciclo do ouro*. Centro de Estudos Mineiros. Belo Horizonte: UFMG, 1963. v.I.

SILVA, M. A. M. *As andorinhas. Nem cá. Nem lá*. (Audiovisual/vídeo) Direção Maria Aparecida Moraes Silva. Sonoplastia de Marcos Pícolo. Araraquara: CEDIC, 1990, 40 min, VHS, v. português.

6
DOCE DÁDIVA: A FESTA DO CHOURIÇO*

Maria Isabel Dantas

Sangue e doce são ingredientes da culinária do Seridó norte-rio-grandense e de outras regiões. Cozidas, assadas, torradas, aferventadas, misturadas, transformadas, muitas comidas dessa região, além de significativas para seus comensais, nos mostram muito do modo de ser característico desse lugar. Informam uma organização social e econômica, um estilo alimentar e um sistema simbólico. A feitura de algumas delas, como o chouriço, requer o envolvimento da família extensa – parentes, amigos e vizinhos –, em clima de festa e de trabalho.

Para aguçar a memória e o imaginário do leitor, servimos aqui um relato da festa da "matança de porco" "regada" a muita gente, a carne "torrada", a farra e a cachaça, e, para completar o dia, um bom chouriço de sangue de porco que, saboreado puro ou com um pouquinho de farinha de mandioca, torna-se o ponto culminante do evento. Quer mais? Então, convidamos para uma breve viagem imaginária pelo estilo alimentar seridoense, com direito a uma parada para explicarmos como se cria porco e como se faz o tão falado chouriço de sangue de porco. Você verá como se combina sangue e doce, mistura inusitada para a maioria das culturas humanas. O objetivo de se relatar essa festa está em discutirmos os significados socioculturais atribuídos pelos sertanejos ao chouriço.

Vale a pena salientar que o chouriço, além de pertencer ao estilo alimentar do Seridó, encontra-se em outras regiões do Rio Grande do Norte e do Nordeste brasileiro. É um doce feito de sangue e de banha de porco,

* Este capítulo faz parte de nossa tese de doutorado que se encontra em fase de conclusão junto ao Programa de Pós-Graduação em Ciências Sociais – UFRN, intitulada *Sangue e doce: uma análise sociocultural do chouriço sertanejo.*

garapa de rapadura, farinha de mandioca, leite de coco, castanha-de-caju, água e especiarias (cravo, canela, gengibre, erva-doce e pimenta-do-reino).[1] O sangue de porco é uma substância perigosa e polissêmica na concepção dos sertanejos. Tal substância, que em princípio é apontada como suspeita por representar a vida e perigosa por conter a impureza do porco, por meio do "rito" de feitura do chouriço, é transmutada em comida. Assim sendo, aquilo que está inscrito na natureza sofre a interferência da cultura, o sangue transforma-se em doce e passa a ser comestível com restrições para uns e não comestível para outros.

Pertencendo ao espaço da cozinha rural o chouriço foi integrado à vida urbana. Seja no campo ou na cidade, fazer um chouriço é, quase sempre, um ato social pleno em que a família extensa reúne-se para trabalhar, para comer e para festar. Em torno desse prato, percebido como "comida carregada" até mesmo por aqueles que o aceitam, são promovidas relações envolvendo os que o consomem e os que o repudiam. A rede de sociabilidade constituída em volta do doce abrange desde o processo de criação de porco até as ocasiões de sua feitura, de sua distribuição e de seu consumo.

Há uma lógica simbólica e temporal relacionada à "festa" do chouriço que pode ser expressa da seguinte forma: para o sangue perder sua "naturalidade" e um pouco do carrego[2] atribuído ao porco e transformar-se em comida é necessário à experiência técnica de uma mulher "madura" e de bons e confiáveis mexedores e, no mínimo, seis horas de fogo doméstico. Tempo esse disponível e ideal para estar junto e festejar. O tempo cronológico tem uma importância menor na produção do chouriço, comparado ao tempo cíclico, da festa e do prazer. É nesse momento que a feitura do doce envolve um número significativo de pessoas conhecidas que reunidas mexem e compartilham da festa, do trabalho, do porco, da comida e externam um sentimento de pertencimento e de identificação a um lugar

---

[1] A mistura da rapadura (ou do açúcar, como acontece em algumas regiões) com o sangue de porco, pelo menos da forma como se apresenta no chouriço, parece ser atividade particular à região nordestina do Brasil. Malgrado a "singularidade" desse chouriço na culinária brasileira, na gastronomia tradicional portuguesa há algumas receitas que misturam sangue e doce, como as *morcelas doces* da região de Trás-os-Monte e do Auto Douro e os *bolos de sangue* e as *papas de moado* da região de Figueira. A mistura inusitada é encontrada, também, em alguns pratos da cozinha oriental incorporados pelos europeus. Na Itália temos o *sanguinaccio* que como *as papas de moado* guardam semelhanças consideráveis com o doce sertanejo. A combinação de sangue e sal está presente em diversas culinárias, inclusive na própria região do Seridó. O picado ou o sarapatel, a buchada, a panelada, a frissura (fressura) são exemplos de alguns pratos feitos com sangue, sal, miúdos e temperos. Diferentemente do chouriço, em que ele é o elemento principal, na feitura dessas comidas a colocação do sangue é opcional.

[2] O carrego é uma espécie de substância danosa que os sertanejos acreditam existir em um alimento e que ao ser ingerida pode desestruturar a saúde do comensal.

e a uma cultura. O universo de abrangência do chouriço envolve diversas categorias de atores, a saber: criadores de porco, mestres de chouriço, donos do chouriço, mexedores de chouriço, marchantes, juntadores de restos de comida, comerciantes, comensais e não-comensais, entre outras.

O universo de pesquisa do chouriço é o Seridó Potiguar. Encravada em pleno Sertão, a região está situada no semi-árido do Nordeste brasileiro, mais precisamente na porção centro-meridional do Rio Grande do Norte. Entre o século XVII e a segunda metade do século XX, a economia e a sociedade seridoenses foram estruturadas em um sistema de produção baseado na trilogia pecuária-algodão-lavouras alimentares e na atividade de extração mineral. Com a tríade surge um sistema produtivo que constitui, durante um longo tempo, as bases de sustentação de um modelo de "família ampliada",[3] não auto-suficiente. A "família" era composta por grande parentela de humanos, por animais domésticos e por plantas que praticamente viviam e usufruíam o mesmo espaço geográfico e as mesmas condições ambientais. Para a historiografia, essa sociedade foi construída em torno das fazendas de gado.[4] Estas, os sítios e seus entornos – os currais, os cercados, os chiqueiros, os terreiros, os roçados, as vazantes e as hortas – funcionavam como lugares de convivência entre os diferentes homens e animais. A despeito da invisibilidade nos registros oficiais, supomos que foi entre o terreiro[5] e a cozinha das fazendas e dos sítios que surgiu a festa da matança com a feitura do chouriço.

De certa forma o trabalho da família ampliada garantiu o "sucesso" da tríade durante mais de um século e com isso o surgimento e uma organização socioeconômica. A desestruturação e o declínio dessa sociedade agropastoril e de sua base econômica – ocorrido entre os anos de 1970 a 1990 (Araújo, 2006)[6] – foram provocados por crises climáticas, como secas e grandes

[3] A noção de família ampliada que discutimos neste capítulo tem uma certa relação com a idéia desenvolvida por Crosby (1993), quando discute o papel da convivência entre humanos, animais e plantas no imperialismo europeu no Novo Mundo em suas dimensões ecológicas e biológicas. Os animais domésticos que faziam parte desse modelo de "família" conviviam com os humanos, compartilhavam a mesma água, o mesmo ar, o mesmo ambiente e também muitas doenças. No entanto, não estamos interessados em mostrar como se deu esse imperialismo na região do Seridó. Nosso interesse está em mostrar que, no princípio da colonização européia, animais, plantas e humanos formavam uma espécie de grande "família" não auto-sustentável que se desestruturou nas últimas décadas do século XX.

[4] Para saber mais a respeito da região do Seridó, consultar Macêdo (2007, 2005), Morais (2005), Araújo (2006), Cascudo (2002, 2001), Medeiros Filho (2002, 1983), Augusto (2002, 1961) e Faria (1980) entre outros.

[5] O terreiro é todo o espaço que circunda as residências dos sítios e das fazendas, cujo limite é a limpeza feita pelas mulheres, o monturo e o "mato".

[6] A tese defendida por Araújo (2006) é de que esse modelo de sociedade, consolidado durante o século XIX, desaparece na segunda metade do século XX, mais precisamente entre as décadas de 1970 e 1990, provocando o desmoronamento das fazendas agropecuaristas.

estiagens e por problemas estruturais, como a falta de políticas públicas e privadas para incrementar as atividades agropastoris e industriais na região. A conjugação desses fatores produziu sérios problemas econômicos, políticos, socioculturais e demográficos. Nas últimas décadas do século XX surge uma nova organização socioeconômica e produtiva da região, em processo de estruturação. Com o desmoronamento do sistema econômico, permanece o sistema de valores e o estilo alimentar.

Na atualidade, conformam a base socioeconômica da sociedade seridoense os segmentos do comércio, de serviços e da indústria (cerâmica, agroindústria e de massas), coadunados com a pecuária bovina (principalmente, a leiteira), de caprinos e de ovinos; com a piscinicultura; com a fruticultura; com a atividade mineral, em processo de revitalização; com as lavouras alimentares e com outras pluriatividades.[7] Apesar disso, o retrato socioeconômico e geográfico dessa região não difere de outras imagens dos espaços nordestinos do semi-árido submetidos às inconstâncias das chuvas. Suas linhas marcantes apontam para vulnerabilidade ambiental, insustentabilidade econômica e variabilidade do clima. Os fortes traços dessa insustentabilidade são causados por problemas de ordem econômica e sociocultural e apontam para baixos níveis de renda, altos índices de desemprego (situação crônica) e um intenso êxodo rural (Rio Grande do Norte, 2000).

O SABOR DA MESA SERIDOENSE

Para falamos do chouriço na região do Seridó é fundamental que façamos uma passagem rápida por seu estilo alimentar. Nesse estilo estão prescritas as normas e as práticas[8] que regulam e orientam os comportamentos alimentares. Nele são definidas, também, as combinações entre os ingredientes e as técnicas; os alimentos comestíveis e os não-comestíveis; as comidas

[7] Segundo Carneiro (1998), essa noção pretende compreender a dinâmica das mudanças que vêm se dando em situações e processos heterogêneos que engendram as relações entre o mundo rural e a sociedade industrial.

[8] Comungamos com a idéia de Contreras e Gracia (2005, p.183) de que "uma norma é um modo generalizado de comportamento que tem sido convencionado ou aceito por toda (ou por uma boa parte de) uma população e cuja função principal é a de atuar de guia ou modelo para quem compartilha uma mesma sociedade ou cultura". Já as práticas são as ações concretas dos sujeitos e se dividem em práticas reais e em práticas declaradas. As primeiras são aquelas que se observam, e as segundas as que estão interiorizadas pelos sujeitos. É claro que nem sempre as práticas reais correspondem às práticas declaradas. Dependendo do contexto, pode haver diferenças significativas entre o dito e o feito. Tais idéias também são defendidas por Poulain (2004).

carregadas e as descarregadas;[9] as fortes[10] e as fracas e as ocasiões, as faixas etárias e os estados de saúde ou de doença adequadas para consumo de cada alimento. Há as comidas consumidas no dia-a-dia, as dos dias santos, as dos feriados e aquelas que têm cheiro e gosto de festa, como carnes, doces e outras guloseimas.

No princípio da colonização eram dos animais que provinham os principais produtos da alimentação do seridoense, aliados aos cereais produzidos na própria região, as frutas silvestres, a caça e a pesca. O que encontramos na mesa seridoense nos primeiros tempos de sua existência é um cardápio pouco variado em produtos, mas com certa diversidade em termos de comidas. A predominância é para as derivadas de carnes de animais domésticos e selvagens, de leite (de vaca e de cabra), de milho, além dos feijões, de raízes (mandioca, macaxeira e batata-doce), das frutas, de verduras (maxixe, a cebola, o tomate da "peste" e o coentro), dos doces, em especial, a rapadura e os de frutas. A alface, o pimentão e os legumes, a cenoura e o chuchu e as frutas, como a banana, a laranja, o mamão, o abacaxi não eram comuns ao dia-a-dia. Muitos desses produtos só aparecem na alimentação da população quando passam a ser cultivados nos sítios e/ou vendidos nas feiras livres.

Conforme Maria de Lourdes Dantas, de Carnaúba dos Dantas, no passado à alimentação do dia-a-dia era constituída de quatro refeições mais institucionalizadas, a saber: café, almoço, janta e ceia. O relógio solar (sombra e réstia), que demarcava o dia de doze em doze horas, orientava o horário para cada refeição (Melo, 1954). O café era servido sem "mistura",[11] mas, no período da safra, podia ser acompanhado de batata-doce, bolos, pão de milho com leite, canjica, pamonha, esses feitos no dia anterior. O almoço era servido por volta das nove horas e, dependendo das condições socioeconômicas das famílias, consistia em uma pequena variedade de comidas. A feijoada ou o feijão macassa (como é comumente conhecido) enfarofado com farinha de mandioca ou com pão de milho e a rapadura ti-

[9] Essas idéias explicam e regulam entre os alimentos comestíveis (incluindo cereais, leguminosas, frutas e animais) os que são saudáveis e os que são considerados perigosos para os indivíduos. O alimento carregado (com *carrego*) é interditado tanto às pessoas que estão com a saúde fragilizada ou com o corpo "aberto" (recém-operados, enfermos, mulheres paridas e menstruadas, entre outras situações) como àqueles que têm medo de consumi-lo mesmo não estando doentes. Esse tipo de alimento, por causar males ao organismo humano, termina desordenando o mundo social e individual, uma vez que traz doenças ou males para os indivíduos, assinala Cavignac (2006). O alimento descarregado (sem *carrego*) é aquele que faz bem à saúde, mas não pode ser consumido em todas as ocasiões, nem de forma deliberada.

[10] São as comidas que dão sustância e tanto podem servir para melhorar como piorar o estado de saúde frágil de uma pessoa.

[11] Uma porção de carne ou de outra comida que pode substituí-la, como ovo, salsicha, mortadela, queijo, presunto, que compõe uma refeição. Podemos dizer que a mistura é um símbolo de prestígio e de diferenciação social, sendo, portanto, uma das porções mais significativas de uma refeição, e também conhecida, na região, por prova, provinha, pedaço, beira ou beirinha.

nham presenças marcantes. Podia acompanhar estes "pratos" a batata-doce, o jerimum, o arroz de leite, o pirão ou angu de leite de queijo, a cabeça de galho, os ovos estralados, o queijo de manteiga, a carne seca de boi assada, a carne de criação torrada ou a carne de caças. A janta era feita por volta das duas horas da tarde e era praticamente composta do mesmo cardápio do almoço. Por volta das seis e meia da noite era servida a ceia que podia ser coalhada, imbuzada adoçada com rapadura, xerém ou mungunzá com leite. A comida mais comum na ceia era a coalhada. No período da colheita de milho, aparecia a canjica e a pamonha.

Segundo a mestra de chouriço Angelita Maria Dantas, de Carnaúba dos Dantas, havia também a merenda dos intervalos do trabalho no roçado e a merenda servida em casa, antes e/ou após as refeições principais. No primeiro caso, podia deliciar-se rapadura raspada ou açúcar com farinha de mandioca ou com coco raspado. Em casa consumia-se a rapadura pura, com mistura ou em forma de mel; fubá de milho e de castanha; doce de goiaba, de imbu, de coco, de caju; chouriço; cocadas; biscoitos e bolachas "comum"; bolos; frutas, dentre outras comidas. É importante registrar que esse cardápio e, de certa forma, a abundância de alimentos fazia parte da mesa das famílias com melhores condições socioeconômicas e dependia da disponibilidade dos produtos na comunidade. A dieta das famílias mais pobres era bem mais restrita em termos de quantidade, variedade e diversidade, sobretudo no que diz respeito a carnes, leites e derivados. "Antigamente tinha muita comida para quem podia, mas para os pobres, não era assim, não", assinala Maria de Lourdes Dantas. Isso não significa dizer que as famílias mais pobres não se importassem em ter uma mesa farta, sobretudo em quantidade e nos momentos de festas. Ora, nos "tempos bons" não faltavam pretextos para festar e comer, acentuado ainda mais a relação ambígua entre fartura e escassez.

Aliás, a combinação prefeita entre festa e comida em demasia não faltaram nessa terra. Antigamente as mais animadas eram as festas de matança de porco – em que havia a feitura do chouriço – e as festas juninas. Ambas eram realizadas com muita freqüência nos sítios e fazendas, agregando toda a vizinhança. Com a festa da matança de porco comemorava-se noivado, casamento, batizado, dias santos, festas de fim de ano e outras excepcionalidades. E o interessante é que havia, assim como hoje, as comidas especiais para cada ocasião. A galinha-caipira, as carnes de criação (bode e carneiro), de porco, de pato, de peru, de guiné (todas elas torradas ou guisadas), a panelada, a buchada, a lingüiça de porco e de gado, o picado ou sarapatel, os queijos, os doces, os bolos, os sequilhos e o arroz-doce e de graxa foram outrora e ainda continuam sendo excepcionalidades apreciadíssimas durante as festas. Com algumas exceções, os peixes e o bacalhau aparecem apenas na Semana Santa, pois a maioria da população local é cristã. Exceto isso, poucos seridoenses "enchem a boca d'água" para falar de tais comidas.

AS COMIDAS POR EXCELÊNCIA: CARNE, QUEIJO E DOCE

Na atualidade, a cozinha seridoense é diversa e variada e ainda apresenta muitos traços do estilo alimentar de outrora. Há comida do cotidiano e os mais requisitados nos momentos de festividades e de outras excepcionalidades. Contudo, o acesso a essa "abundância" está diretamente relacionado com as condições socioeconômicas da população e, em situações particulares, a questões territoriais. Os que residem em localidades rurais mais distantes ou de difícil acesso têm, de certa forma, menos acesso à diversidade de alimentos ofertados pelo mercado local e regional. Sua base é formada por comidas derivadas de produtos da atividade pecuária, da agricultura de subsistência e irrigada e da agroindústria. É importante salientar que com o processo de importação de produtos alimentícios industrializados e/ou manufaturados de outras regiões a população passou a ter acesso a maior diversidade de alimentos. Tais aspectos terminaram interferindo no processo de produção, nas técnicas, nos saberes culinários e nos comportamentos alimentares. As mudanças são motivadas principalmente pelas migrações campo-cidade, e vice-versa, pela introdução de novos produtos e de outras tecnologias na cozinha. Hoje, grande parte dos produtos consumidos na alimentação seridoense é importada de outras regiões. A exceção são as carnes bovina, caprina, suína, ovina, galinácea (principalmente as de galinha-caipira), de peixes de água doce; grande parte de leite e derivados; as hortaliças; algumas frutas, como manga, caju, goiaba, melancia, pinha, jerimum, melão; alguns cereais, como milho e feijão macassa; algumas raízes, como batata-doce, macaxeira e mandioca; algumas massas industrializadas na região, como bolachas secas; e doces caseiros, entre outros. Entretanto, muitos desses produtos já vêm sendo importados de outras regiões, como é o caso da carne bovina e do leite industrializado e derivados.

Como o gosto é uma construção sócio-histórica é possível dizer que as preferências e as aversões que os seridoenses têm pelas comidas disponíveis em sua "mesa" tenham-se transformando ou se reafirmado ao longo dos tempos. Nesse ínterim, alguns pratos típicos da culinária local não foram desprezados em proveito das novas aquisições e dos outros hábitos alimentares. Ao contrário, muitas comidas de "antigamente" permanecem e a elas vêm sendo atribuído significados na nova modelização socioeconômica. Entre outras, assumem posição relevante e estratégica no estilo alimentar local a carne de bode, de carneiro, de porco, de galinha-caipira; os feijões de "arranca" e macassa; os queijos de manteiga e de coalho; a farinha de mandioca; milho e derivados; os doces caseiros e a rapadura; o arroz; as massas, como macarrão, bolachas e biscoitos e algumas frutas. Excetuando-se o feijão, que não pode faltar, a carne, o queijo e o doce são comidas bastantes significativas para os sertanejos.

O apreço ao açúcar na sociedade sertaneja não se justificava tão-somente por conferir sabor aos alimentos, sendo uma propriedade intrínseca e subjetiva a ele. A sensação de doçura propiciada por ele e sua posição especial no estilo alimentar precisam ser compreendidas em termos de suas razões utilitárias e simbólicas. O doce é considerado comida saborosa e forte; sobremesa ou lanche; um complemento ou um acompanhamento seqüencial ao sabor salgado e acepipe ideal à obtenção do prazer. Vale a pena lembrar a valoração positiva do doce na dieta das parturientes, sendo usado para otimizar a produção do leite materno. Na qualidade de doce substancioso e descarregado a rapadura permanece em primeiro lugar, a despeito de já ter seu estatuto de sadio posto em xeque, após a interiorização, por parte de muitos sertanejos, de normas "dietéticas". Além de ser ideal para subsidiar o esforço despendido no trabalho do roçado e do gado, ainda é uma espécie de comida-remédio à cura de males que atingem homens e animais, como anemias e fraquezas. Nas palavras de Maria de Lourdes Dantas e José Emídio Dantas estão explícitos os poderes nutricionais e simbólicos atribuídos a esse doce que chega a ser comparado ao sangue do homem. Para a primeira, "a garapa da rapadura levanta tudo. É o doce que levanta tudo. Levanta animal, como cavalo e gado. A rapadura mais forte é a preta. Hoje ainda muita gente usa pra animal". Seu José é enfático ao dizer que "a rapadura é a comida mais forte do homem. O sangue do homem é a rapadura, ela é superior à carne, porque tem vitaminas. O sangue do animal é o milho". Por sua vez, diz Maria do Carmo Freitas que "a borra da cana dá saúde ao porco. Ele não cria lombriga, caroço, bexiga". A potencialidade sadia da rapadura, segundo alguns sertanejos, é também observada pelos médicos. O marchante Avelino Virgínio dos Santos contou-me que está proibido de comer carne de porco por ser diabético. Mas, paradoxalmente, pode ingerir rapadura, que, segundo ele, é um doce muito sadio porque é natural. Foi o que orientou seu médico, garante seu Avelino. Idéia semelhante tem o mecânico de Acari, José Augusto Garcia, ao dizer que "a rapadura é um doce natural, não tem misturas químicas" e por isso pode ser consumido sem restrições.

Aliada aos usos descritos, a rapadura ainda é consumida como um acepipe doce durante e/ou após as refeições principais e nos lanches. O hábito agrega a comestibilidade de outros doces. O costume recebeu de Cascudo (2004, p.308) a seguinte máxima: "nunca um brasileiro dispensou o adoçar a boca depois de salgar o estômago". O imaginário foi tão longe com a mania do doce complementar o salgado que juntou dois sabores e duas comidas, a princípio, antônimas, em uma sobremesa inusitada: o queijo com o doce. No contexto em estudo, este último, tanto pode ser a rapadura como qualquer doce caseiro ou industrializado, exceto o chouriço. Dizem que este não combina com queijo, mas sim com farinha que é para retirar seu gosto enjoativo devido ao excesso de gorduras. Aqui os sabores doce e salgado não são complementares e seqüenciados, mas sim literalmente misturados e degustados juntos, possibilitando inúmeras sensações gustativas ao prazer do comensal. Sem pretensão de negar a função nutricional atribuída pelos sertanejos aos doces, outrora e, ainda hoje, a maioria dessas iguarias parece ser feita muito mais para propiciar prazer estético aos "olhos" e ao paladar do que para alimentar o estômago. A rapadura, mesmo tratando-se de um doce comum e substancioso, é vista como bastante apetitosa, até mesmo pelas crianças. No chouriço, ela adoça os ingredientes e os sabores acres e ardorosos das especiarias (tornando-as mais degustáveis), ajuda a camuflar o sangue, devido à sua coloração escura e a dar o ponto e o sabor peculiar ao doce. Para isso não importa muito se ela é utilizada em forma de garapa derretida no fogo ou na água fria; o efeito adoçante é o mesmo, garantem as mestras. Apesar de ter encontrado registro do uso do açúcar no chouriço, a predominância é para a rapadura. É pelo seu sabor doce que o chouriço torna-se comida e é lembrado como tal.

O queijo e a carne, mesmo não estando presentes em todas as mesas, são símbolos aos quais são atribuídas grandes significações. Os seridoenses têm forte apreço pelas comidas derivadas do leite, como os queijos de manteiga e de coalho. Todavia, as "comidas de rico" – como muitos se referem a estes produtos – estão presentes, diariamente, apenas em poucos lares. Para a maioria da população, as festas – como ocasião em que podem receber visitas de parentes distantes e de convidados – são as poucas chances de consumirem um "pedaço" de queijo. A anfitriã sente-se na "obrigação" de oferecer a seus convivas as melhores comidas disponíveis na localidade, mesmo estas estando ausentes na sua mesa em outras épocas do ano, o que também acontece com a carne.

A história da ocupação do Seridó pode nos informar sobre a eleição da carne como alimento predileto. Isso pode estar ligado ao fato de que o processo de colonização da região foi marcado fortemente pela atividade pecuarista, da qual provinha parcela dos alimentos que compunha a mesa seridoense. No entanto, tal predileção não se justifica apenas por se tratar de uma região de criatório, mas porque subjacente às questões ecológicas, pecuárias e econômicas percebe-se uma lógica simbólica que expressa forte determinação da população pela carne: a carne é percebida como um alimento que propicia às famílias e às pessoas *status* e prestígio social, dá sustância e é considerado saudável. A exceção é para a carne de porco, de algumas caças e aves percebidas como carregadas e, portanto, devem ser consumidas com restrições.

Não ter uma prova ou uma pequena porção de carne na mesa ou no prato é forte sinal de pobreza ou até de miséria, situação que nenhum seridoense deseja vivenciar e/ou estar submetido. Aquele que não pode comer uma "beira", como muitos denominam uma porção de carne "boa", sabe que sua condição socioeconômica e nutricional não vai bem. Vejam as contradições no discurso de Maria de Lourdes Dantas quando tenta justificar seu desejo pela carne, chegando a descumprir as orientações médicas: "Carne hoje eu como pouco, os médicos dizem que faz mal. O povo conta mais eu como! A comida só é boa se tiver uma pontinha de carne para 'mistura'. Um prato sem mistura não cabe na boca da gente. A gente foi criada com muita carne". Ainda sobre a influência dos discursos médicos sobre os hábitos alimentares a narrativa da criadora de porco Raquel da Silva, de Carnaúba dos Dantas, é emblemática da resistência que muitos seridoenses têm pelas dietas orientadas e pela restrição ao consumo de carnes, sobretudo as gordurosas. O desabafo de Raquel é expressivo na tentativa de burlar tais prescrições. "Pelo povo daqui eu não comia nada não (risos), só comia verdura cozida, aferventada na água e sal. Mas eu me governo ainda, eu gosto de comer o que eu gosto. Agora, muitas coisas sou eu que não quero comer." Ademais, no imaginário a carne é uma comida forte que dá sustância e, por isso, deve ser consumida diariamente. Nesse caso, a carne de gado bovino, percebida como descarregada, é uma das mais significativas para a população, inclusive é uma comida do dia-a-dia. Já a galinha-caipira, a carne de criação e a de porco são comidas mais apreciadas em períodos de festa e em fins de semana.

A carne de porco é considerada uma comida carregada, que, ao ser ingerida, pode desintegrar a saúde do comensal. Contudo, mesmo sendo perigosa ela é bastante desejada, até mesmo para aqueles cujo consumo está interditado. O discurso de Angelita Maria Dantas que tem receio de ingerir a comida, em virtude de já ter-se submetido a procedimentos cirúrgicos, é representativo dessas posições ambíguas. "Eu morro de medo e de vontade de comer carne de porco." A mestra de chouriço de Caicó, Maria das Dores de Almeida, reforça a ambigüidade com relação ao consumo da carne de porco.

> Eu comia muito. Hoje em dia eu não como muito pro mode' problema de saúde. O povo diz, né? Mas eu acho que nada faz mal a ninguém, não. Eu tenho coragem. Ah, como eu acho bom (risos). Agora que devido os problemas que eu tenho. Aí eu tenho receio, assim ....

Nesses depoimentos e no do comensal de Carnaúba dos Dantas, Alcindino Gabriel da Silva, descrito a seguir, fica explícito um "poder desintegrador" que é atribuído à carne de porco. "Ela é tão forte que faz mal a todo tipo de doença. Até remédio se você tiver tomando perde seu efeito." O agricultor de Cruzeta, Expedito Barbosa, é mais enfático quanto aos perigos dessa carne, sobretudo quando é de animal fêmea. "A carne de porca, Ave Maria! Porco é ruim e a porca ainda é pior. Se tiver em cio. Nossa Senhora! É veneno puro. Pra velho é de matar."

Mesmo encarnando ambigüidades, a carne de porco sempre foi considerada uma comida de festa, o que faz pensarmos que o momento festivo é a ocasião ideal ao consumo de um alimento carregado. Muitos daqueles que se encontram impossibilitados de consumir essa carne, por questões de doença, nos contaram que, durante uma festa de matança de porco, não resistem ao sabor e ao cheiro e terminam arriscando-se a "provar" da carne. Para muitos, ela é uma carne das mais bonitas e mais gostosas. E a beleza dela está na gordura, no sabor e no cheiro. O receio em consumir essa carne reside, sobretudo, no medo de incorporar simbolicamente a impureza ou o carrego do porco. Afinal, esse animal é considerado um animal "suspeito", ao qual ninguém deseja ser comparado. Comer sua carne e seu sangue (mesmo tornados chouriço) é uma atitude arriscada que pode pôr em risco a integridade e a própria identidade do comensal (Fischler, 1995). Ele vive dos restos das comidas dos humanos, de seus "sobejos", atitude intolerável para o ser humano e tem uma aparência considerada feia para os padrões de beleza vigente. Em outros termos, ao porco atribuía-se um valor moral, estético, alimentar e higiênico incompatível com os esquemas conceituais que definem as noções de limpeza, de beleza e de espécies saudáveis. Nesse sentido, o porco é classificado como um animal doentio e sua carne e seu sangue alimentos que podem provocar males à saúde dos comensais. Como ele não se enquadra no perfil de um animal "perfeito", limpo e sadio no imaginário, sua situação é decerto muito complicada e seu destino muito incerto. Não é por menos que o porco ocupa uma posição liminar (Douglas, 1990) no imaginário e no espaço propriamente dito do "terreiro" da mulher e é pouco valorizado no mercado local. É ainda por isso que as comidas derivadas de sua carne e de seu sangue, entre essas o chouriço, são consideradas carregadas. No Seridó, como em outros lugares, percebe-se uma atualização relativa do simbolismo associado ao porco. A despeito disto, o criatório de porcos revela formas de organização socioeconômica e de sociabilidade em que as relações comerciais convivem com as relações por dádiva (Mauss, 2003; Caillé, 2002; Goudbout; Caillé, 1999).

CRIATÓRIO DE PORCO: UMA AÇÃO COMPARTILHADA

Afirmei que o porco é pouco valorizado socioeconomicamente e ocupa uma posição marginal (Douglas, 1990) no imaginário local. Mas, de forma contraditória, na condição de carne e de chouriço ele passa a ser uma moeda significativa nas mãos das famílias menos abastadas. Por si só, não tem tanto valor, mas quando está "representado" nessas comidas ganha outras dimensões e transforma-se num bem rentável e, sobretudo, simbólico. Assim, o processo de seu criatório é uma ocasião para transformar um animal "suspeito" em algo mais valorizado socialmente. Por sua vez, durante o criatório, sua condição de liminaridade é reafirmada, pois sua performance comportamental e estética torna-se mais explícita e a aversão a tudo que lhe concerne é mais exacerbada. Neste momento, sua carne e seu sangue tornam-se alimentos doentios que devem ser consumidos com restrições por uns e para outros se tornam não comestíveis.

No criatório de porco há relações de cooperação fundadas em laços de sociabilidade tendo como base a família extensa e a vizinhança. As mulheres desempenham papel fundamental nesse processo, pois em geral são elas as encarregadas de reunir a comida para o porco e alimentá-lo. No Seridó e em outras regiões do Rio Grande do Norte, esse tipo de criatório é uma atividade desenvolvida nas zonas urbanas e rurais. Na maioria dos casos é realizada em uma ação entre as criadoras e as juntadoras de restos de comida, que denomino aqui de compartilhada, por envolver a participação efetiva dessas duas categorias. No geral, as primeiras criam os porcos com a ajuda generosa desses dois últimos que doam "voluntariamente" seus restos de comidas e o soro do queijo para esses animais.

Razões instrumentais, sociais e simbólicas estão implicadas na atividade. Todas as criadoras engordam os animais com o pretexto de um dia eles lhes darem lucro e comida. A atividade é fonte de renda para diversas famílias, chegando a garantir a sobrevivência de muitas. Para Maria de Fátima Silva Santos, criadora de porco em Carnaúba dos Dantas há mais de trinta anos, criar um porco "ajuda muito, tira a gente do sufoco... Serve demais a pessoa, para comprar uma roupa para um filho, calçados. Dá trabalho, mas serve para tudo no mundo". É, também, uma oportunidade para as criadoras compartilharem um pouco de comida com a família estendida. Maria da Guia Dantas, criadora e mestra de chouriço, mesmo reconhecendo o valor econômico da atividade, sente-se satisfeita em poder repartir um pedaço do porco e do chouriço com sua grande família.

> É uma renda boa, né? Quando a gente vende, a gente pega no dinheiro. É bom. Aí o povo acha bom quando a gente mata o porco. Eu pego, eu dou. Toda vida quando eu mato, eu dou ou o chouriço ou o torrado pra o pessoal que junta e que tão aqui na hora do chouriço.

Uma evidência de que o criatório é uma ocasião (ou um período) propícia para a construção, a reafirmação e o rompimento de vínculos em uma comunidade. A rede de sociabilidade constituída na atividade abrange os processos de comercialização, distribuição e comensalidade de sua carne e seu sangue e envolve diversas categorias de atores sociais que, de alguma forma, têm laços de parentesco e de amizade. No que diz respeito às relações por aliança, as trocas acontecem em clima conflituoso, envolvendo ao mesmo tempo liberdade e obrigação. Estão presentes nesse "jogo" sociocultural bens como os restos de comidas, a carne, o chouriço e outras gentilezas e generosidades.

COMER DE PORCO: UM BEM ECONÔMICO E SIMBÓLICO

Muito embora a forma de criar cooperada com base na junta dos restos de comida doméstica seja mais expressiva da prática de criação nas cidades, ela migrou para a zona rural nos últimos tempos, anunciando forte dinâmica entre o mundo urbano e o rural, e vice-versa. A criação feita à base de soro de queijo é mais recorrente no campo. Em todos os casos, a criação dá-se de forma intensiva, encontrando-se os animais confinados em pequenos chiqueiros ou pocilgas de madeira, de alvenaria ou mistas. Na zona rural eles são construídos nos quintais ou terreiros das residências e, na urbana, em áreas das periferias destinadas pelo poder público para tal atividade ou em terrenos particulares. Neste último caso, é mais comum a presença de pocilgas comunitárias, onde cada criadora possui um ou mais chiqueiros.

Seja no campo ou na cidade, a engorda dos porcos é feita com o popular "comer de porco" ou "lavagem" que pode ser composto de restos de comida doméstica, de restolhos de pia, de hortaliças, leguminosas e frutas (em sua maioria, estragadas), de resíduos agrícolas, ramas verdes, de soro de queijo e de ração balanceada. Na zona rural, a alimentação dos animais, muitas vezes, tem o reforço dos resíduos agrícolas e do soro de queijo. Nos sítios em que há produção de queijo, o soro pode ser a única fonte alimentícia ou associada à ração balanceada. Todavia, há criadoras que não têm roçados nem produzem queijo e, assim como procedem as que residem na rua, são obrigadas a recolher comida da casa dos vizinhos do sítio e, às vezes, dos parentes e conhecidos da "rua" para alimentar os porcos. No geral, as criadoras afirmam ser inviável economicamente o uso da ração balanceada em pequenas criações. O que as faz aderir à prática, preexistente na região, de juntas de lavagem de residências; de mercados e mercadinhos; de bancas e barracas de feiras-livres; de lanchonetes, de bares, quiosques e restaurantes; de pousadas e hotéis.

Excetuando-se as situações particulares, é o sistema de criação compartilhado que torna viável a criação doméstica de porco na região. Os pequenos criadores – constituídos de famílias pobres – não dispõem de comer de porco o suficiente para engordarem seus animais. De qualquer forma, poucas famílias podem engordar um bicho sem a colaboração de outras pessoas. Além do mais, é preciso ter uma "mão boa" para criar e engordar o porco, segundo nos disse dona Raquel da Silva. Nas palavras dela: "Eu tenho uma mão boa para criar porco, para cuidar de porco. Minha mão não é de arruinar muito as coisas, não". Sem tecnologia e com uma escassa assistência especializada o criatório está subordinado aos saberes práticos e rudimentares das criadoras, às suas "mãos" habilidosas e à substância do comer de porco, que tanto cria como engorda os animais.

Mesmo tendo uma "mão boa" para criar os porcos se faz necessária a generosidade de pessoas da comunidade que se disponham a abrir sua casa e sua intimidade para doar seus restos de comida. É tão-somente para alguém conhecido que o seridoense abre sua cozinha e permite que suas comidas – mesmo sendo seus restos – tornem-se bens públicos pelas "mãos" das criadoras e nos carrinhos que transportam a lavagem. Para que haja um mínimo de sigilo, por parte da criadora, algumas regras instrumentais e simbólicas são essenciais à constituição do pacto social, que, por ser obrigatório e voluntário, constitui-se em uma relação instável e conflituosa. Ademais, a criadora tem acesso direto à intimidade, em termos de fartura e escassez, da mesa da juntadora.

O pacto entre criadora e juntadora é firmado da seguinte forma: a primeira solicita da segunda a junta da lavagem. Havendo acordo, a criadora assume o compromisso de "tirá-la" todos os dias ou em dias alternados, dependendo da quantidade de restos de comida que a família produza. No acordo fica implícito o compartilhamento do animal, seja em forma de participação no almoço festivo no dia do abate, seja com uma lata de chouriço ou com a oferta de um "torrado" do porco. O torrado, nesse caso, é uma pequena porção de carne de porco crua – em torno de um quilo –, formada de pedaços de fígado, bofes, espinhaço, cabeça, coração, mocotós e vísceras, designado no contexto seridoense por arrasto.

Excetuando-se o apurado com a venda, o arrasto é o que resta do porco à criadora, o qual poderá ser compartilhado durante o almoço ou na festa do chouriço, assim como entre os parentes, os vizinhos e as juntadoras. Nesse sentido é importante assinalar que, nesse tipo de criatório, o comer de porco – de substância desprezível e suja – transforma-se e multiplica-se pelas "mãos" da mulher e, às vezes, do homem em bens materiais e simbólicos. O momento da venda do porco se constitui numa oportunidade excelente à obtenção de lucro, mas, também, para se fazer vizinhança, para partilhar e para se solidarizar.

FORMAS DE COMERCIALIZAÇÃO: O DESTINO DO ARRASTO

A prática de venda e de compra de um porco no Seridó é uma transação comercial subordinada quase sempre a relações preexistentes entre as criadoras (ou seus maridos e filhos) e os marchantes. A escolha de um comprador é fundada nos princípios da confiança, da honestidade e da credibilidade, e é escolhido aquele em que vale a pena confiar, cuja índole entre a comunidade é de quem salda seus débitos conforme o acertado no momento da negociação. Em outros termos, o mais comum é a transação ser feita com um marchante conhecido, preferencialmente com aquele com quem já se tenha feito acordos dessa natureza anteriormente. Na medida do possível, os marchantes também procuram comprar animais de criadoras conhecidas. No passado eram praticamente os maridos dessas que ofereciam e negociavam a venda do porco aos marchantes, sendo aqueles que também recebiam o apurado. Apesar de os homens ainda tomarem a frente nas negociações, as criadoras estão ocupando seu espaço no mercado e, muitas delas, já realizam a venda com ou sem a interferência dos homens. Seja ele ou ela, é sempre o dono do animal que procura o marchante para lhe oferecer o bicho, e não vice-versa. A transação é realizada quando o animal está pronto para o abate ou quando está do agrado do marchante. Contudo, a venda raramente está subordinada aos interesses das criadoras, mas aos dos marchantes e, conseqüentemente, a do mercado consumidor.

A negociação do porco é feita muito antes do dia do abate, quando a criadora o oferece ao marchante. A transação está apalavrada ou acertada quando é formalizado entre ambos o preço a ser pago pelo quilo do animal, a forma de venda, o dia e o local do abate e a data de pagamento. Em geral o acordo é firmado no chiqueiro e após o marchante certificar-se de que o animal está conforme o que foi descrito pela criadora no momento da oferta, em relação à estimativa de peso, à qualidade da carne e às condições de saúde. O prazo estipulado pelo marchante para "tirar o porco" varia de quinze a trinta dias e, dependendo da oferta no mercado local e regional, pode chegar a até três meses. Quanto ao local do abate, as regras são ditadas pela vigilância sanitária que proíbe terminantemente a sua realização fora dos abatedouros públicos. Dessa forma, a criadora não pode exigir o dia em que deseja matar seu animal, nem que ele seja abatido em sua própria residência. Todavia, muitas criadoras conseguem dar um "jeitinho" e abatem seus animais em casa, fora do âmbito de atuação da vigilância sanitária. Fato este que é mais comum na zona rural e nas situações em que a carne do animal será consumida pela própria família, vendida diretamente ou rifada entre os vizinhos.

Atualmente, há duas maneiras de se comercializar um porco no Seridó; uma é a venda "em pé" e a outra é "em bandas". Em ambas, o animal é negociado arrobado, ou seja, por quilo. Há, ainda hoje, quem prefira vender os porcos na arroba, sem usar de fato o peso, prática que era recorrente no passado. No caso da venda em pé, o marchante compra o porco inteiro, preferencialmente no peso, e na venda em bandas a criadora negocia apenas as bandas – partes mais nobres do porco – e fica com o "arrasto". Este é formado de espinhaço, fígado, bofes, coração e mocotós. A cabeça e o fato podem também fazer parte dele. A venda "em pé" pode ser feita na forma arrastada, em que o marchante fica com o arrasto ou na venda sem menção a este. Na forma de venda por bandas o marchante compra o animal sabendo que, quando for abatê-lo, está comprometido a entregar à criadora o arrasto, a cabeça, o fato sujo ou tratado e, se esta for produzir o chouriço ou o picado, o sangue. Excetuando-se o apurado com a venda das bandas, são apenas essas partes do porco que restam à criadora. É com pequenos pedaços de todas as partes do arrasto e, às vezes, da carne da cabeça que as criadoras formam o "torrado", que nesse caso significa uma pequena porção de carne de porco crua, aproximadamente um quilo e meio, que as criadoras distribuem com as juntadoras e com outros membros da família extensa.[12] A carne que sobra após a retirada dos torrados é consumida durante o "almoço festivo" ou pode ser congelada ou salgada. Muito embora sejam os coxões e as costelas as partes mais valorizadas pelo mercado, as criadoras atribuem grandes significações ao arrasto. Enquanto os marchantes têm preferência pela compra do animal em pé, as criadoras preferem a venda em bandas, pois sabem que é imprescindível à existência da criação compartilhada e a reafirmação dos laços de amizade e de parentesco.[13] As palavras de Maria da Guia Dantas são elucidativas desse paradoxo. Ao lhe perguntarmos se os marchantes preferem comprar seus porcos inteiros ou por despencados, ela respondeu: "Eles preferem inteiro, mas eu não gosto, não. Eu não vendo de jeito nenhum, eu não vendo, não. Porque eu não gosto, não. Que eu vou fazer o chouriço. Tem que ter o torrado... pra dá ao povo que vem, que ajuda". Segundo ela, a não retribuição é motivo de conflito. "Se não der, Ave Maria, se não der o povo fica falando. E aí vai ser difícil pra criar. Ah, eles não vai juntar mais... eles são capaz de dizer: eu não vou arranjar mais lavagem pra você, não, porque você não me deu nenhum torradinho." Como se vê neste depoimento, a preferência pela venda do porco em bandas é motivada tanto pela distribuição dos torrados entre as juntadoras como pela realização da festa da matança de porco com ou sem a feitura do chouriço, em que os pratos principais são a carne desse animal e o chouriço.

Contudo, o ritual do abate do porco não representa tão-somente um momento extraordinário e ideal ao prazer, a comezaina, a partilha e ao lucro. Ele é também uma ocasião propícia à resolução simbólica do ato de tirar a vida de um membro da família ampliada e de tentativa de expurgo do perigo que ronda esse animal, sua carne e seu sangue. No ensejo do abate há os processos de desumanização, de insensibilização e de desanimalização do porco. Por outro turno, o cumprimento do ritual da morte não é suficiente para expurgar totalmente os perigos associados ao porco e seus derivados. Ele continua sendo percebido como um animal suspeito.

---

[12] Vale a penar registrar que esse modelo de distribuição não é universalizado na região. Ele é mais recorrente na prática da criação compartilhada.

[13] Enquanto a venda das bandas do porco é mais recorrente entre os pequenos criadores, a comercialização dos animais em pé é mais praticada pelos grandes produtores. A forma de venda por arrobas, sem conferência do peso, ou seja, "no olho", pode ser encontrada em pequenas proporções na região.

MATAR O PORCO: DESUMANIZAR, INSENSIBILIZAR E DESANIMALIZAR

O ritual de abate dos porcos no Seridó é uma atividade técnica, simbólica e social, para a qual estão prescritas normas e práticas tradicionais. No momento do abate podemos perceber como se realizam os processos de desumanização e de insensibilização do animal e de desanimalização de sua carne. Por meio deles os seridoenses resolvem, simbolicamente, paradoxos: matar e comer um animal doméstico. O abate propriamente dito começa com insensibilização do animal, seguido da sangria e termina com o despencamento da carne. Somente após a realização desses processos – quase sempre realizados pelos marchantes e sob os olhares e a ajuda dos membros da família – a carne e o sangue podem ser consumidos.

Além da resolução simbólica de problemas como a morte e o perigo do sangue, o ritual do abate ainda informa sobre a organização social do trabalho e a distribuição dos papéis sociais na sociedade sertaneja. As tarefas masculinas e as femininas são bem definidas. Os homens esforçam-se para preservar uma imagem de masculinidade e de não complacência para com seus animais domésticos, mesmo quando há atitudes de simpatia para com aqueles que fazem parte de sua vida cotidiana, como os membros da família ampliada. As mulheres se compadecem diante da morte dos animais criados, mas, mesmo assim, consentem aos homens o direito de tirar a vida dos animais. As crianças são socializadas para não o eternizarem. Elas vão aprendendo que um dia ele será morto. E não há muito constrangimento nisso.

A matança do porco constitui-se, a nosso ver, em um evento prenhe de contradições. Dar-lhe festa não é o bastante, é preciso dividi-lo com os outros, em festa ou não. É assim que faz a grande maioria das criadoras de porco. O ritual é um "espetáculo" paradoxal; nele o porco morre para celebrar a vida. Isso acontece com um animal que tem laços de familiaridade com os humanos. Durante o processo de criação ele recebe das criadoras cuidados, comida e até carinho. No dia da matança é preciso desumanizá-lo, tratando-o como um animal qualquer, entregando-o a um "desconhecido" para que se torne um objeto de consumo desanimalizado. A exigência da participação dos familiares é uma norma que regula a necessidade de todos conhecerem de que forma um ser vivo/animal se torna comida, como nos lembra Descola (1998). A morte do porco e de outros animais suscita sentimentos ambivalentes e, por isso, quanto mais distante ela estiver da idéia de assassinato, melhor. Além do ato principal do abate, é o sangue que perturba os humanos, uma vez que ele remete à imagem da vida humana, o que contribui para a criação de tantas interdições e aversões a ele, observa Rousseau (2005).

O ritual do abate é composto basicamente de quatro etapas, obrigatórias e consecutivas, cuja finalidade maior é a desumanização do porco e a desanimalização de sua carne. Apenas com o expurgo dos vestígios de humanidade presentes no animal é possível torná-lo um objeto de consumo desanimalizado. Os abates realizados nos abatedouros públicos ou na própria residência da criadora acontecem da seguinte forma: primeiro os porcos são deslocados de seu chiqueiro até o local do abate, depois são insensibilizados e, em seguida, sangrados e depois esquartejados. Todo o ritual é realizado pelo marchante, com auxílio dos magarefes, do dono do animal (no caso, o esposo ou o filho da criadora) e de outros familiares, inclusive das crianças. A presença da dona da casa ou da mestra do chouriço é requerida na hora de aparar o sangue, o que acontece quando vai ser feito o chouriço. No "rito" de transformação do sangue do porco em comida, essa substância continua seu ciclo da vida.

A FESTA DO CHOURIÇO

Há uma significação especial atribuída ao "rito" de feitura do chouriço; nele o porco morre para celebrar a vida. Seu sangue, no tacho e pelas "mãos" de uma mestra experiente e madura,[14] pela colaboração de bons e confiáveis mexedores e de ajudantes, pela mistura equilibrada de especiarias e de ingredientes e pelo calor e energia do fogo doméstico[15] é tornado doce. A transição requer tempo e sabedoria, uma vez que seu cozimento é lento e gradual e chega a durar até oito horas. Nessa permuta simbólica, a sociedade sertaneja elabora uma forma "singular" de organização social. A "festa" pode durar um dia inteiro ou uma noite; tempo ideal também ao trabalho coletivo e à convivência social. Ela pode ser organizada para comemorar aniversários, casamentos, batizados, boa colheita, o Natal, a passagem de ano, a visita de parentes que residem distante e outras ocasiões especiais. Homens e mulheres assumem papéis sociais distintos na atividade. Normalmente, o abate do porco e a mexida do tacho são tarefas reservadas aos homens e a preparação do doce às mulheres, que recebem o auxílio de ajudantes. O mexedor em geral é um homem de confiança da mestra, podendo ser

[14] O chouriço é uma comida quase exclusivamente preparada por mulheres. No entanto, temos verificado a inclusão dos homens na fabricação do doce em alguns municípios seridoenses.

[15] Lévi-Strauss (2004) lembra que é o fogo que transforma o alimento natural em cultural, o cru no cozido. Contudo, essa força destruidora atribuída ao fogo é também ambígua, porque mesmo domesticado ele conserva seu caráter perigoso, tanto destrói como renova. Isso acontece, segundo Perlis (1998, p.279), "porque queimar é destruir, mas é, também, fertilizar; queimar é desfigurar, mas, é também, purificar". Mas o fogo doméstico não tem apenas a função utilitária e simbólica de queimar e purificar o sangue de porco. Ele também se constitui um elemento em torno do qual são promovidas relações. Nos termos de Bachelard (1999), o fogo é um ato socializador que garante os laços de solidariedade e de comunhão entre os indivíduos.

da família ou amigo. São exigidas dele técnica e perícia para mexer o doce e não deixá-lo pegar ou queimar no fundo do tacho, o que significa uma grande desfeita com a mestra e com todos os presentes. Isso sem contar o sentimento de vergonha que ambos terão de vivenciar perante todos e por muito tempo. Apesar de a participação de todos ser imprescindível para a sua eficácia simbólica e social, a mulher desempenha um papel fundamental na multiplicação do sangue em comida, assim como na distribuição e na comercialização do doce entre os membros da família extensa.

Nas práticas do chouriço vigentes, o tempo misto de festa, de trabalho e de comilança e o aspecto coletivo e ritual – características tradicionais marcantes na prática do doce – podem ser experienciados de diversas maneiras. Encontramos no Seridó e em outras regiões no mínimo três práticas coletivas em que o chouriço pode ser feito: na Festa da Matança de Porco, na Festa da Chouriçada e na Feitura do Chouriço.[16] Na primeira, há o ritual do abate do porco e a comensalidade de parte de sua carne, sendo a produção do doce e a festa os pretextos maiores. Na segunda, não há abate do animal, mas a festa é um elemento imprescindível para a produção do chouriço. Já na última experiência, o que acontece é apenas a feitura do doce sem a festa. O interesse maior da mestra é a produção da iguaria e, conseqüentemente, sua comercialização. Excetuando-se algumas experiências, a maioria das mestras faz o doce com o pretexto de comercializar uma parte que seja suficiente, pelo menos, para cobrir as despesas com a aquisição dos temperos e dos ingredientes. De qualquer modo, não há chouriço sem matança de porco, uma vez que o sangue deste é por excelência a substância principal do doce.

Para nossa descrição do chouriço tomaremos como exemplos três festas de matança de porco realizadas no município de Carnaúba dos Dantas. As observações aconteceram nas residências dos casais: Maria Daluz Dantas e Pedro Sancho Dantas, Inácia Ferreira Dantas e Ernano José Dantas e Maria da Guia Dantas e Inácio Medeiros Dantas, realizadas, respectivamente, em janeiro e maio de 2005 e em outubro de 2006. Apesar de singulares, as experiências vivenciadas em torno do tacho do chouriço revelaram-nos peculiaridades e semelhanças.[17] Pudemos perceber a preparação minuciosa

[16] O modelo apresentado é apenas operatório, não fixo. Só os termos Festa da Matança de Porco e Festa da Chouriçada correspondem a categorias empíricas.

[17] Os "caminhos do sangue" pelo Sertão nordestino levaram-nos a muitos lugares e a vivenciarmos momentos significativos e inesquecíveis. Percebemos que as variações no chouriço sertanejo de estado para estado, de município para município, de mestra para mestra, de tacho para tacho dizem respeito à técnica empregada em sua feitura, às formas de uso do sangue, aos ingredientes e os temperos, a tempo de cozimento, às maneiras de comercialização e as regras de comestibilidade e aos modos de comensabilidade. Nos estados do Rio Grande do Norte, da Paraíba e de Pernambuco, geralmente o chouriço é feito com o sangue em estado *in natura*, ao passo que no Ceará, no Piauí e no Maranhão primeiro ele é aferventado para

e requintada do chouriço, a habilidade e a parcimônia na colocação dos temperos e ingredientes, o esmero, a dedicação e os cuidados das mestras. Mesmo em se tratando de um saber-fazer centenário, os mistérios e os encantos do doce permanecem em todas as experiências. O aroma e o sabor do doce parecem conspirar para que ele se torne uma guloseima mais agradável aos olhos e ao paladar do que ao estômago.

O cenário da chouriçada é a casa da mestra, sendo o terreiro (ou quintal) e a cozinha os locais em que se realizam seus preparativos e seu cozimento. A grande maioria delas cozinha seu doce embaixo de uma cobertura, designada popularmente de latada ou de teeiro ou no próprio terreiro e ao ar livre, mais precisamente na parte de trás da residência, próximo à cozinha. Um espaço de grande convívio familiar e onde a vida doméstica se desenvolve de forma bastante intensa, geralmente sob a organização feminina. Nele ainda são realizadas diversas tarefas domésticas, como o abate dos animais, o trato das carnes e o preparo de refeições. Em geral, não há um fogão apropriado e permanente nesse local para o cozimento do doce, sendo necessária a preparação de uma trempe para fogo à lenha. A exceção é para as residências em que há uma cozinha com fogão reservado a essa atividade ou para a feitura do queijo. Uma construção delimitada ao padrão dos tachos para cozimento do doce. Mesmo assim, a maioria das mestras tem preferido fazer seu chouriço ao ar livre, seja embaixo de uma latada ou de uma árvore, seja no meio do terreiro. As motivações para tal escolha são de ordem utilitária e de sociabilidade. A feitura do doce demanda uma série de tarefas que, para serem executadas, requerem espaço amplo – o que nem sempre existe nas cozinhas –, horas de exposição à quentura do fogo e o trabalho coletivo de muitas pessoas. Nesse espaço social que ainda agrega o alpendre ou a área e a parte interna da casa, os participantes aproveitam o tempo da festa, ou melhor, do cozimento do doce e das outras comidas para o almoço, para palestrar, "fofocar", brincar, beber e comer o porco assado e torrado e o picado. É nessa "grande" cozinha que o cru se torna cozido. Todavia, a "cozinha extensa" não é apenas um lugar de "pensar" a comida e, depois, de comer, mas, acima de tudo, um espaço de vida, de vivências, de experiências, de relações.

---

depois ser transformado em doce. Apesar de não dispormos de dados etnográficos e históricos a respeito do chouriço nos estados de Alagoas, Sergipe e Bahia acreditamos que ele faz parte de seus estilos alimentares. Alguns relatos informais tratam disso. Outras variações marcam a prática do chouriço no Nordeste brasileiro. Tais peculiaridades são expressivas do simbolismo que cada realidade social constrói a respeito do chouriço. Enquanto no primeiro caso são necessárias mais de oito horas de cozimento para o sangue tornar-se comida (perdendo assim, suas impurezas), no segundo, o doce está pronto em menos de duas horas. Contudo, sua feitura sempre acontece em um clima de festa, de comilança e de trabalho, com exceção para as experiências em que o interesse maior é para sua comercialização.

FAZER UM CHOURIÇO É UM GRANDE ALVOROÇO!

O cenário da chouriçada é de muita gente em alvoroço e começa a ser preparado com muita antecedência. São vários dias de envolvimento coletivo que culminam em uma festa familiar regada a trabalho, a carne do porco assada e torrada, a picado, a cachaça, a música e muita conversa, tudo isso enquanto o sangue se transforma em comida, o doce. No fim do dia (ou da madrugada) é a hora de provar o doce ou, melhor dizendo, é hora de raspar o tacho. As tarefas do chouriço são iniciadas durante a semana e, porque não dizer, há meses, quando o porco é engordado, as castanhas são colhidas e as latas (depósitos usados de leite industrializado ou de margarinas vegetais) são arranjadas com vizinhos e parentes. Contudo, a fixação da data certa para a realização do evento – isso para o caso da realização da Festa da Matança – só acontece quando é acertado com o marchante o abate do porco. No caso da dona da casa não saber fazer o doce, é preciso tratar o serviço com uma mestra conhecida. Esse foi o caso de Daluz Dantas que precisou contratar a mestra (de sua família) e reconhecida na comunidade, Terezinha Dantas da Silva.

Nas semanas que antecedem a feitura do chouriço, a mestra (ou a dona do chouriço) precisa tomar algumas providências, entre as quais a compra, no mercado local, das rapaduras (que devem ser escuras e não salobras) e das especiarias (geralmente em estado bruto), da farinha de mandioca, das castanhas e dos cocos secos. Alguns dias antes da festa são tarefas da dona do doce e de seus familiares: moer ou pilar os temperos; peneirar ou moer a farinha, dependendo de que tipo seja (grossa, fina ou massenta); assar e despelar as castanhas; lavar os depósitos para armazenar o doce; providenciar lenha e água doce; alugar ou tomar por empréstimo um tacho, uma vez que poucas pessoas o possuem; limpar os terreiros e a casa; convidar as participantes e preparar o local para a matança e para o chouriço. Enfim, com tudo pronto no terreiro e na cozinha chega o tão esperado dia da chouriçada, que pode começar longo pela manhã indo até o início da noite, como acontece na maioria das situações, ou à tarde, adentrando pela noite e pela madrugada.

O trabalho da mestra é uma herança cultural transmitida de mãe para filha e de mestra para dona de casa. O chouriço não é um doce que todas as mulheres se atrevem a fazer. Aquelas que têm mais idade (de preferência as que estão na menopausa)[18] e experiência acumulada estão mais aptas a

[18] Encontramos pouquíssimas situações em que a feitora de chouriço é uma mulher nova, ainda em idade fértil, ou seja, menstrua normalmente. Excetuando-se o caso de Maria Goreti dos Santos, de Carnaúba dos Dantas, que tem 46 anos, todas as mestras de chouriço pesquisadas no sertão nordestino têm mais de cinqüenta anos de idade. Muitas delas têm receio de fazer o chouriço quando estão menstruadas. Ademais, a grande maioria das feitoras de chouriço nasceu, residiu ou ainda reside na zona rural; é agricultora e dona de casa, e é ou já foi criadora de porcos.

assumirem a responsabilidade. A mestra cuida de tudo para que nada de inesperado ocorra na feitura do doce, e para isso alguns cuidados são essenciais. A escolha de lenha boa que queime lentamente produzindo mais brasa e menos labareda e fumaça; a escolha de um mexedor responsável que não ingira muita bebida alcoólica durante o trabalho; a ajuda de mulheres experientes no chouriço e na cozinha; e o cuidado para que nem as mulheres menstruadas nem os homens inexperientes mexam o doce, entre outros. Maria da Guia prefere que os homens mexam o chouriço, "porque uma mulher se tiver menstruada e mexer um chouriço, aí desmantela. Aí quando entra uma mulher, eu pergunto logo: 'tá menstruada', se tá, daí pra trás". A narrativa da mestra Inácia Celina, de Carnaúba dos Dantas, reafirma as incompatibilidades entre estados fisiológicos e sociais, ou seja, entre menstruação e cozinha. "Mulher menstruada não pode fazer chouriço porque ele desunera. Eu não faço e não aceito ninguém botar nem a mão; pode desmantelar. É por isso que os homens mexem!" O discurso da mestra de Cruzeta, Rita Paulina de Araújo, expressa o quanto é difícil tornar-se uma mestra reconhecida.

> Eu passei a fazer chouriço depois de casada. Porque, eu casei e fiquei morando perto com mamãe. E ela era quem fazia. Quando queria fazer um chouriço ela era quem fazia. Então, eu via ela fazer, né? Aí mudei pra mais distante dela. Pra aqui. Fiquei mais distante. Aí eu digo: eu faço! Eu via mamãe fazer e agora sou eu que faço.

Mesmo em se tratando de um ofício considerado difícil para muitas mulheres, todas as mestras têm sua receita na "cabeça". O depoimento de Maria da Guia Dantas é emblemático de uma sabedoria cultural que vem sendo transmitida de geração a geração, de mãe para filha, de amiga para amiga.

> Minha receita tá na memória. Nunca precisei de caderno pra anotar. O sangue é o produto de fazer o chouriço é o sangue. Porque mode o sangue. Se você não cozinhar o sangue, você tem que ter, olhe, tem que botar [...] é doze horas de fogo. Eu boto quatro horas da tarde no fogo e só tiro uma e meia, duas horas da madrugada. Isso com tudo quente, com a garapa quente, tudo quente, tudo que a gente vai botar dentro é quente, tá ouvindo? É um fogo cozinhando o chouriço e o outro fogo já cozinhando, já fazendo a garapa da rapadura. Eu faço de cem rapaduras. Ai eu coloco cem xícara de farinha, uns cinco a seis litros de sangue, depende do sangue que tiver, mas o certo mesmo é cinco litros de sangue. Aí a cem xícara de farinha e eu boto dez cocos, o leite do coco. O bagaço, não. Aí eu pego castanha, castanha eu boto muito, castanha eu boto o que tiver, aí compro o tempero. Eu compro meio quilo de cada. Meio quilo, setecentas gramas, depende. Gengibre a gente coloca mais, porque eu não gosto de botar pimenta, porque tem gente que bota muita pimenta, eu não boto pimenta, eu só boto só um pouquinho, só pra dizer que tem pimenta. Eu coloco mais a gengibre, o cravo, a erva-doce. São os temperos que dão sabor ao chouriço. Tempero é assim, você usa, por exemplo, canela, eu comprei meio quilo de canela, aquela a canela, eu faço a canela pra três vez, eu boto a canela no começo,

logo quando você bota o fogo, aí coloco no meio da, do... eu coloco de dez horas da noite outro bocado, aí quando eu vou tirar, faltando uma hora pra eu tirar, eu coloco o resto. A banha a gente tem que colocar pra não queimar...

A preparação propriamente dita do doce começa quando o sangue é derramado em um tacho de cobre e pelas mãos da mestra vai sendo misturado à farinha de mandioca, a uma parte da garapa de rapadura, ao leite de coco, à castanha moída, à banha e às especiarias. Os ingredientes e os temperos serem misturados ao sangue é hora de levar o tacho ao fogo a lenha para o doce começar a cozinhar. O restante dos temperos e dos ingredientes vai sendo colocado aos poucos, quando o doce já está no fogo cozinhando. Na mistura alquímica, no princípio o sangue preserva sua cor e se sobressai diante dos outros ingredientes, mas pela ação do cozimento ele vai perdendo sua condição de alimento da vida para tornar-se comida. O chouriço só pode sair do fogo quando o sangue de porco é complemente transformado em doce, momento em que este não apresenta nenhum vestígio da substância da vida. Quando o doce "chega no ponto" é aquele alvoroço, todos querem prová-lo ainda quente. É preciso esperar o enchimento de inúmeras latas de leite, de depósitos de margarina e outras vasilhas decoradas com castanhas assadas, em bandas, pelas ajudantes. Enfim chega a tão esperada hora de raspar o tacho. É aquela lambuzeira, todos correm para provar do chouriço.

A festa pode terminar com o jantar servido com o restante das comidas do almoço e com a prova do chouriço. No fim os participantes recebem de "agrado" da anfitriã uma lata de doce. A distribuição do chouriço mostra essa prestação quando a mestra é agraciada com elogios à gostosura do doce e a sua "generosidade". O mesmo acontece na "rifa do chouriço".[19] Nesse evento seu prestígio cresce ainda mais. O capital simbólico acumulado por ela lhe garante a legitimação de sua atividade e seu reconhecimento social (Bourdieu, 1992). Assim se refere o comensal Alcindino Gabriel da Silva à gostosura do "doce muito danado de bom" feito por Terezinha Dantas da Silva: "Terezinha é uma mestra do chouriço. Faz gosto você comer um chouriço dela. Ela deixa o chouriço bem cozinhado, ele fica bem pretinho que você não nota de maneira nenhuma o sangue". Tudo isso e muito mais são demonstrações de que o chouriço é uma doce dádiva. O relato da mestra de chouriço Rita Paulina de Araújo mostra a dimensão socializadora que percebemos em torno do chouriço. Quando ela mata um porco e faz o doce a família extensa está reunida.

[19] Um acontecimento festivo que reúne a família e a vizinhança em clima de grande excitação e de espírito de competição. Geralmente acontece à noite. É realizada desde tempos imemoriais na região do Seridó e em outros municípios do sertão nordestino. Nela uma mestra e sua família rifam (ou bancam, como eles preferem dizer) uma quantidade determinada de latas desse doce em jogo feito com dados ou com baralhos, conhecidos, respectivamente, por jogo de bozó e pacará.

> Eu sempre não faço pra vender. Pra dar, pra comer, a família é grande. Eu mando, assim, pra... a família. Os filho' morando mais perto, mais por perto. Até lá em Parnamirim é mais perto. Eu mando. Eu não gosto de fazer pra vender. Pra vender tem de fazer de muito. Aí as despesas. Eu faço, negócio assim, 40, 50 rapaduras. É só pra gente comer.

No entanto, nem todas as "tachadas" (ou latas) de chouriço são doadas e consumidas pela família. Uma grande parte do chouriço produzido na região é comercializada na própria comunidade ou em outras cidades. Algumas pessoas costumam enviá-lo para parentes que residem fora da cidade. A rifa do chouriço é ainda uma forma de venda do doce, mesmo acontecendo em menores proporções do que antigamente.

A produção e a comensalidade do chouriço constituem-se uma ocasião de adesão social. O ato de cozinhá-lo não está restrito apenas à forma de prepará-lo, mas também a um modo de organizar o grupo social em torno de um alimento bastante perigoso como o sangue de porco, que depois de misturado a ingredientes da cozinha sertaneja, a temperos e a especiarias e, cozido, pode-se tornar um alimento comestível. O chouriço, mesmo diante de visões adversas, ainda integra o estilo alimentar local e serve para representar a organização e a lógica simbólica da sociedade sertaneja: é a ocasião de trocas, de pedidos, de distribuições e de retribuições em que se realiza o exercício da dádiva, apesar de estar no jogo sociocultural uma comida revestida de perigos e de interdições.

A festa da partilha do porco ou da chouriçada pode ser lida como um grande acontecimento festivo, uma *forma lúdica de sociação* (Simmel, 2006) e como um grande *Potlatch* (Mauss, 2004), durante a qual os bens materiais e simbólicos são trocados. Também podemos entendê-la como um ato essencialmente cultural em que a natureza (sangue) é superada e transformada em comida (Lévi-Strauss, 2004), sendo um pretexto para a alegria e a vida. O chouriço coloca em foco práticas, saberes, normas, valores, representações, memórias, formas de partilhas e de comercialização, técnicas culinárias e de uso do corpo, regras de comensalidade, imagens, arranjos sociais e individuais que expressam o modo característico de ser dessa sociedade e, certamente, de muitas outras.

REFERÊNCIAS BIBLIOGRÁFICAS

ARAÚJO, D. *A morte do sertão antigo no Seridó*: o desmoronamento das fazendas agropecuaristas em Caicó e Florânia. Fortaleza: Banco do Nordeste do Brasil, 2006.

AUGUSTO, J. *A região do Seridó*. Natal: Cactus, 1961.

______. *Famílias seridoenses*. Natal: Sebo Vermelho, 2002.

BACHELARD, G. *A psicanálise do fogo*. Trad. Paulo Neves. 2.ed. São Paulo: Martins Fontes, 1999.

BOURDIEU, P. *A economia das trocas simbólicas*. Trad. Sergio Miceli. 3.ed. São Paulo: Perspectiva, 1992.

CAILLÉ, A. *Antropologia do dom*: o terceiro paradigma. Trad. Ephraim Ferreira Alves. Petrópolis: Vozes, 2002.

CARNEIRO, M. J. *Camponeses, agricultores e pluriatividade*. Rio de Janeiro: Contra Capa, 1998.

CASCUDO, L. da C. *História da alimentação no Brasil*. 3.ed. São Paulo: Global, 2004.

______. *Nomes da terra*: geografia, história e toponímia do Rio Grande do Norte. Natal: Sebo Vermelho/Fundação José Augusto, 2002.

______. *Mouros, franceses e judeus*: três presenças no Brasil. 3.ed. São Paulo: Global, 2001.

CAVIGNAC, J. *A literatura de cordel no Nordeste do Brasil*: da história escrita ao relato oral. Trad. Nelson Patriota. Natal, RN: EDUFRN/Editora da UFRN, 2006.

CAVIGNAC, J.; DANTAS, M. I. Sistema alimentar e patrimônio imaterial: o chouriço no Seridó. *Sociedade e Cultura*. v.8, n.2 (jul./dez./ 2005). Goiânia: Departamento de Ciências Sociais, FCHF/UFG, 2005.

CONTRERAS, J.; GRACIA, M. *Alimentación y cultura*: perspectivas antropológicas. Barcelona: Ariel, 2005.

CROSBY, A. W. *Imperialismo ecológico*: a expansão biológica da Europa, 900-1900. Trad. José Augusto Ribeiro e Carlos Afonso Malferrari. São Paulo: Companhia das Letras, 1993.

DANTAS, M. I. *O chouriço no Seridó*: transformação de sangue em doce. HOLOS (Centro Federal de Educação Tecnológica do Rio Grande). Natal, ano 20, dezembro, 2004. Disponível em http://www.cefetrn.br/dpeq/holos/.

FARIA, O. L. de. *Sertões do Seridó*. Brasília: Centro Gráfico do Senado Federal, 1980.

FISCHLER, C. *El (h)onivoro*: el gusto, la cocina y el cuerpo. Barcelona: Editorial Anagrama, 1995. (Colección Argumentos).

GODBOUT, J. T.; CAILLÉ, A. *O espírito da dádiva*. Trad. Patrice Charles F. X. Wuillaume. Rio de Janeiro: Ed. Fundação Getúlio Vargas, 1999.

IBGE. Censo demográfico 2000. Rio de Janeiro, 2001.

LÉVI-STRAUSS, C. *O cru e o cozido* (Mitológicas, v.1). Trad. Beatriz Perrone-Moisés. São Paulo: Cosac & Naify, 2004.

MACÊDO, M. K. de. *A penúltima versão do Seridó*: uma história do regionalismo seridoense. Natal: Sebo Vermelho, 2005.

______. *Rústicos cabedais*: patrimônio e cotidiano familiar nos sertões do Seridó (Séc. XVIII). Natal, 2007. Programa de Pós-Graduação em Ciências Sociais. Tese (Doutorado) em Ciências Sociais.

DOUGLAS, M. *Pureza e perigo*: ensaios sobre as noções de poluição e tabu. Trad. Sónia Pereira da Silva. São Paulo: Perspectiva, 1990.

MAUSS, M. *Antropologia e sociologia*. Trad. de Paulo Neves. São Paulo: Cosac & Naify, 2003.

MEDEIROS FILHO, O. de. *Velhos inventores do Seridó*. Brasília: Centro Gráfico do Senado Federal, 1983.

______. *Cronologia seridoense*. [S.I]: Fundação Guimarães Duque, 2002.

MÉLO, M. R. de. *Patriarcas e carreiros*: influência do coronel e do carro de boi na sociedade rural do Nordeste. 2.ed. revista, aumentada e anotada pelo autor. Rio de Janeiro: Irmãos Pongetti, 1954.

MORAIS, I. R. D. *Seridó norte-rio-grandense*: uma geografia da resistência. Caicó: Ed. do autor, 2005.

PERLÈS, C. Fogo. *Enciclopédia Einuadi*, v.16, Homus-Domesticação. Cultura material – Casa da Moeda, 1998.

POULAIN, J.-P. *Sociologias da alimentação*: os comedores e o espaço alimentar. Trad. Rossana Pacheco da Costa Proença, Carmem Silva Rial, Jaimir Conte. Florianópolis: Ed. da UFSC, 2004.

RIO GRANDE DO NORTE. Secretaria de Planejamento e Finanças. Instituto Interamericano de Cooperação para a Agricultura. Conselho de Desenvolvimento Sustentável do Seridó. *Plano de desenvolvimento sustentável do Seridó*: Diagnóstico. v.1. Caicó: [s.n.], 2000.

ROUSSEAU, V. *Le goût du sang*: croyances et polémiques dans la chrétienté occidentale. Paris: Armand Colin, 2005.(Collection L'histoire à l'oeure).

SIMMEL, G. *Questões fundamentais da sociologia*: indivíduo e sociedade. Trad. Pedro Caldas. Rio de Janeiro: Jorge Zahar, 2006.

7
AGRICULTORES DE ORIGEM ALEMÃ: TRABALHO E VIDA

Renata Menasche
Leila Claudete Schmitz

Ao se instalarem em regiões rurais do Rio Grande do Sul, os imigrantes alemães trouxeram consigo costumes e tradições que seriam transmitidos às gerações que os sucederiam. Mas já na chegada à nova terra seus saberes e práticas começaram a passar por modificações. Do mesmo modo que o chapéu de palha seria adotado para o trabalho em lugar do de feltro e as grossas roupas de lã e pesados vestidos escuros seriam substituídos por vestimentas fabricadas com tecidos mais leves e claros (Roche, 1969), aspectos referentes às várias dimensões relacionadas ao trabalho e à vida passariam por mudanças.

As colônias alemãs foram formadas em mutirão: os colonos uniam-se para abrir picadas e estradas, erguer casas e organizar as comunidades religiosas, associações recreativas e culturais. Nas localidades, eram logo construídos a capela, o cemitério, a escola[1] e a moradia do pastor ou padre. Muitas vezes, nos primeiros tempos, a capela era utilizada também como sala de aula e salão de festas. Também havia a casa comercial, a "venda", em que os agricultores comercializavam (ou trocavam) seus produtos e adquiriam os itens que não produziam – como sal, café, querosene, louças – ou aqueles que eventualmente não produzissem em quantidade suficiente ou de tipo semelhante ao oferecido na venda – como feijão, açúcar, farinha, chapéus e calçados (Fundação..., 2003). Vizinhos e parentes compartilhavam o trabalho nas colheitas, as festividades e o luto.

[1] O professor era escolhido entre os moradores da comunidade e seu trabalho era pago pelos pais dos alunos, em salário, em mantimentos e/ou em trabalho em sua lavoura (RICHTER, 1994).

Com o passar dos anos, enquanto entre esses agricultores reduzia-se o tamanho das famílias e crescia a demanda por bens de consumo, as antigas formas de cultivar a terra iam sendo transformadas por maquinários e insumos químicos.

Este estudo se propõe a analisar as mudanças ocorridas nos costumes – em especial aqueles concernentes às práticas de sociabilidade e à alimentação – de camponeses descendentes de imigrantes alemães da localidade de Fazenda Lohmann (Roca Sales, Rio Grande do Sul) ao longo do processo de transformação do meio rural e dos modos de fazer a agricultura.

Mas antes, cabem algumas palavras a respeito de como foi realizada a pesquisa.

DA PESQUISA

Os dados aqui analisados foram obtidos em pesquisa de campo realizada, em 2004 e 2005, no âmbito do projeto de pesquisa "A multifuncionalidade da agricultura à mesa: hábitos alimentares e produção para autoconsumo; identidade e estratégias de reprodução social de famílias rurais"[2] que teve por ponto de partida o entendimento de que o estudo das práticas alimentares das famílias rurais (e das representações sociais a elas relacionadas) constitui-se caminho interessante para a apreensão de suas percepções a respeito da agricultura, da natureza e do rural, bem como do modo como suas vidas têm sido afetadas pelas mudanças recentes nele ocorridas.

No processo de pesquisa, em uma perspectiva complementar ao trabalho etnográfico realizado pelas autoras deste artigo, foi empregado como instrumento de coleta de dados um formulário, que, ao possibilitar a caracterização de um grupo de vinte famílias rurais da localidade estudada com base em aspectos referentes ao perfil familiar e da unidade de produção, buscava identificar suas práticas de produção e consumo de alimentos. Nas visitas às famílias para aplicação dos formulários,[3] previamente agendadas,

[2] Assim é que uma versão anterior deste artigo consta do livro *A agricultura familiar à mesa*: saberes e práticas da alimentação no Vale do Taquari (MENASCHE, 2007), que apresenta os resultados do projeto de pesquisa mencionado, que contou com o apoio do CNPq (MCT/MESA/CNPq/CTAgro 503566/03-09).

[3] Participaram da aplicação do formulário com as famílias rurais estudadas os pesquisadores Flávia Charão Marques (Pgdr/UFRGS), José Antônio Kroeff Schmitz (UERGS), Leonardo Beroldt (UERGS), Margarita Rosa Gaviria Mejia (PPGS/UFRGS), Renata Menasche (PGDR/UFRGS, UERGS e Fepagro) e Saionara Araujo Wagner (Fepagro); os então estudantes do curso de graduação em Desenvolvimento Rural e Gestão Agroindustrial da UERGS/Encantado Alex Genessini, Cândida Zanetti (IC/CNPq), Cristiane Tonezer, Eduardo Mariotti Gonçalves, Evander Eloí Krone, Everton Mundeleski, Ivan Cesar Tremarin, Karin Inês Lohmann Terhorst, Leila Claudete Schmitz (IC/CNPq) e Silvane Maria Pezzi.

com duração aproximada de duas a três horas, a conversa seria registrada em fitas cassete, de modo a garantir que não se perdesse a riqueza das histórias contadas, que não poderia ser contida em um formulário. Essas visitas seriam, ainda, oportunidade para tomar um chimarrão; experimentar um queijo, um bolinho frito ou uma cuca; olhar o livro de receitas; conhecer as ervas medicinais utilizadas pela família; ver a horta e as criações; comer frutas; observar a casa e a cozinha; escutar histórias. Essas experiências e observações viriam a enriquecer os relatórios correspondentes a cada família, elaborados a partir das fitas gravadas, que, por sua vez, dariam vida aos dados sistematizados com base nos formulários.

Seriam, assim, observadas as práticas de produção e de consumo de alimentos, a produção de alimentos voltada ao autoconsumo, os itens alimentícios habitualmente adquiridos, bem como as manifestações de sociabilidade de que fazem parte os alimentos. Ainda, as práticas atuais de produção e de consumo de alimentos e variedades vegetais e animais empregadas na alimentação seriam confrontadas com as de período precedente, anterior ao processo de erosão das biodiversidades e culturas locais, decorrente, em boa medida, da intensificação da produção agropecuária.

Para isso, situações de festas comunitárias ou de práticas de sociabilidade entre vizinhos e parentes, mas também de cotidiano das famílias rurais, seriam etnografadas; informantes-chave, em particular pessoas idosas, portadoras das histórias locais, seriam entrevistados;[4] assim como o seriam jovens e mulheres, cujas perspectivas específicas procurava-se apreender.

FAZENDA LOHMANN

Situada a cerca de nove quilômetros da sede do município de Roca Sales, na região do Vale do Taquari, a localidade de Fazenda Lohmann foi povoada por descendentes de imigrantes alemães. A área de terras que corresponde atualmente à comunidade estudada pertenceu a Cláudio José Monteiro, que, em 1870, venderia as 24 colônias que a constituíam para George Karl Lohmann[5] (Ferri, 1998).

[4] Vale comentar que, com o objetivo de preservar o anonimato dos informantes, os nomes adotados ao longo deste estudo são fictícios.

[5] Tendo nascido de uma família de comerciantes, em 1821, em Harderode bei Braunschweig (Alemanha), George Karl Lohmann chegou ao Brasil em 1846. Após permanecer no Rio de Janeiro por quase um ano, o patriarca da família Lohmann instalar-se-ia em São Leopoldo (Rio Grande do Sul), onde se tornaria agricultor e se casaria com Barbara Wingert (Lohmann, 1987), com quem, entre 1850 e 1873, teria doze filhos. Mais tarde, se mudaria para Picada Lenz, no interior de Estrela, vindo a falecer em 1899 (ROCHE, 1969). Cinco de seus filhos viriam a residir em Fazenda Lohmann (FERRI, 1998).

Figura 7.1 – Vista do cemitério da comunidade da Fazenda Lohmann. Ao fundo, a Igreja Evangélica.

Atualmente, marcando o centro da vida comunitária, de um lado da estrada que, seguindo paralelamente ao rio Taquari, atravessa a localidade, encontra-se, ladeada pelo cemitério, a Igreja Evangélica – cujo sino anuncia, diariamente, o nascer e o pôr-do-sol, o meio-dia, bem como acontecimentos locais, como falecimentos e cultos. Do outro lado da estrada está o Salão Comunitário, espaço em que reuniões, festas e bailes são realizados, construído junto à escola, que teve suas portas fechadas há poucos anos, logo após a comemoração do centenário de seu funcionamento. Segundo narra uma agricultora entrevistada,

> terminaram com cinco, seis crianças por ano... não valia mais a pena vir a professora prá cá, então levaram para a cidade... o número de filhos era sempre menor, e também o pessoal saía muito do interior, foi mais prá cidade.

Ao longo da mesma estrada, num raio de cerca de cinco quilômetros de distância da Igreja Evangélica, encontra-se a Igreja Católica e seu salão. Ainda próximo ao núcleo da comunidade, está a antiga construção que, agora abandonada, um dia abrigou uma casa comercial, cujo salão, em revezamento com o de outro estabelecimento comercial, sediava os bailes da localidade na época em que não havia ainda sido erguido o Salão Comunitário.

Figura 7.2 – Antigo estabelecimento comercial Fersteinseiffer. Sua construção data de 1924.

Também à beira da estrada, há uma serraria, uma oficina mecânica, duas casas comerciais e um bar. Em uma das casas comerciais e no bar há canchas de bocha, o que lhes confere característica de ponto de encontro de moradores da localidade. Os jovens ali se reúnem nos fins de semana e, durante o verão, nos inícios de noite, depois do futebol. Paralela ao rio e à estrada, ao longe, a ferrovia.

Membros de muitas das famílias da localidade são associados à Cooperativa dos Suinocultores de Encantado (Cosuel), que abrange vários municípios da região. Já em relação ao Sindicato dos Trabalhadores Rurais de Roca Sales, comumente ao menos um dos membros da família é associado, mas em muitas delas ambos os cônjuges e/ou algum(ns/as) dos(as) filhos(as) o são.

A maior parte das famílias que vive em Fazenda Lohmann é associada à comunidade da Igreja Evangélica, que até há alguns anos agregava os jovens da localidade em um grupo de jovens e que conta com uma organização específica de mulheres, a Ordem Auxiliadora de Senhoras Evangélicas.[6]

Atualmente, as mulheres casadas mais jovens da Fazenda Lohmann parecem privilegiar a participação no Clube de Mães – animado pela Emater[7] –, ao passo que os rapazes, casados e solteiros, organizam-se no Futebol, que também tem uma diretoria.

Há, ainda, o coral. A Sociedade de Cantores Alegria foi fundada em 1914, tendo por finalidade, conforme consta em seus Estatutos, "proporcionar aos seus associados reuniões sociais e principalmente o cultivo do Canto".[8] Em depoimentos coletados durante a pesquisa de campo, várias foram as manifestações indicativas do atual pouco interesse e participação dos jovens na vida da comunidade, sendo mencionada como exemplo a dificuldade de incorporá-los ao coral local.

---

[6] Nas reuniões da Oase, as senhoras da Fazenda Lohmann realizam estudos bíblicos e organizam ações voluntárias, como visitas a doentes e idosos.

[7] Empresa de Assistência Técnica e Extensão Rural.

[8] A Sociedade de Cantores Alegria reúne atualmente pouco mais de vinte cantores, contando com cerca de uma centena de sócios. Aos sócios, de qualquer religião, cabe contribuir com anuidade que corresponde a 10% do valor do salário mínimo, cobrada a casais e a jovens maiores de dezoito anos e da qual maiores de setenta anos estão isentos. Esses recursos, somados aos angariados com a realização do baile anual promovido pela Sociedade, são utilizados na remuneração do regente e no custeio de viagens do Coral para a realização de apresentações. Os sócios têm como direitos a participação em eventos e bailes promovidos pela Sociedade, bem como a apresentação do Coral em seu enterro ou no de seus familiares menores de dezoito anos. Conforme consta nos Livros de Atas da Sociedade de Cantores Alegria, à exceção do período da Segunda Guerra Mundial, quando os descendentes de imigrantes alemães viram-se proibidos de expressar-se no idioma que usavam cotidianamente, em seus mais de noventa anos de existência o Coral da Fazenda Lohmann manteve ensaios regulares, realizou bailes, cantou em cultos e enterros, cobrou mensalidades de seus sócios, promoveu assembléias e participou de atividades de intercâmbio com outras sociedades de canto da região.

Como nas demais regiões de agricultura colonial do Sul do país, a migração de famílias e de jovens, bem como a marcada diminuição do número de filhos por família, gerou, nas últimas décadas, envelhecimento e redução da população.[9] Atualmente, vivem na Fazenda Lohmann cerca de 120 famílias, das quais aproximadamente trinta são católicas e as demais evangélicas.

De modo a evidenciar o processo de envelhecimento dos moradores da localidade estudada vale mencionar que, à exceção de um único casal mais jovem, a idade média dos componentes dos casais que constituem as vinte famílias rurais estudadas da Fazenda Lohmann, cujos dados foram coletados dos formulários, encontrar-se-iam, à época de realização da pesquisa, entre 55 e 60 anos (homens) e entre 50 e 55 anos (mulheres). Também, em mais de metade dessas famílias verificou-se a ausência de jovens no trabalho agrícola, mesmo quando algum dos filhos reside na casa paterna. Além disso, em mais de metade dessas famílias constatou-se a ocorrência de aposentadoria(s) como componente da renda familiar.[10]

A recuperação da vegetação dos morros – repetidamente afirmada por moradores da localidade – é indicadora de que também as áreas cultivadas vêm se reduzindo, o que poderia ser atribuído ao êxodo rural, mas talvez sobretudo à crescente absorção da força de trabalho de jovens residentes na localidade em empregos urbanos, especialmente atividades fabris instaladas nas últimas duas décadas na região, em particular nos setores de calçados e agroindústrias. Do mesmo modo que, desde alguns anos, ônibus levam crianças e jovens da localidade para as escolas situadas na sede do município, diariamente ônibus transportam trabalhadores moradores da Fazenda Lohmann para fábricas e ateliês da região.

PLANTAR, CRIAR, COMER

Ainda na Alemanha, aqueles que migrariam para o Rio Grande do Sul conheciam trigo, cevada, repolho, batata inglesa, lentilha, videira, leite, carne de porco e defumados.[11] Aqui, muitos alimentos seriam incorporados à sua cozinha, como feijão, milho, aipim, amendoim e diversas frutas que

[9] Este processo tem sido evidenciado em vários estudos (ver, por exemplo, CAMARANO E ABRAMOVAY, 1999). No que se refere à localidade estudada, o encerramento das atividades da Escola, motivada pela redução do número de crianças, pode ser tomado como indicador.

[10] Aqui cabe sugerir que, ao assegurar aos agricultores idosos renda própria, que garante sua manutenção, as aposentadorias venham tendo como efeito a desobrigação da permanência de algum dos filhos na propriedade ou no trabalho agrícola, trazendo alterações nos padrões sucessórios anteriormente vigentes.

[11] Na Alemanha, era comum o agricultor possuir sua casinha de defumar pernil de porco, lingüiça, toucinho e costelas, assim como viria a ocorrer na região estudada (RICHTER, 1994).

antes não conheciam[12] (Richter, 1994). Também o chimarrão e a cachaça (*schnaps*[13]) seriam por eles adotados (ibidem, 1969).

Na Fazenda Lohmann, os agricultores entrevistados contam que, desde o início da colonização, eram cultivados arroz, trigo, batata, feijão, milho e as mesmas verduras que existem hoje, destinados principalmente ao consumo da família. O preparo da terra e o plantio eram manuais. Vendiam carne de porco, banha, torresmo, ovos e manteiga, e com isso compravam o que não produziam.

> Com seis ou sete dúzias de ovos se fazia o rancho para uma semana, isso foi uma época muito boa. Levava os ovos e pegava açúcar, sal, querosene e ainda sobrava um dinheirinho para comprar uns dois ou três quilos de carne de rês fresca. (Dona Ilse)

Quando indagados sobre os itens que estavam presentes na alimentação diária, os entrevistados mencionam arroz, feijão, aipim e batata-doce. A batata-doce, assada no forno a lenha,[14] era habitualmente levada para a roça como lanche. Também costumavam levar pão, *Käschmier*[15] e melado, ou se alimentavam das frutas que encontravam.

Atualmente, a maioria dos agricultores de Fazenda Lohmann produz para seu consumo, entre outros itens, aipim, milho, batata-doce, amendoim e pipoca, criam galinhas e vacas, e alguns comercializam leite. A cana-de-açúcar, antes utilizada para fabricar açúcar mascavo, hoje é plantada para fazer melado, comercializado por algumas famílias. Os poucos agricultores que ainda cultivam feijão, o fazem em pequena quantidade. Eles afirmam que, hoje em dia, os cultivos produzem bem menos, e acreditam que uma das causas da redução da produtividade seja o uso intenso de agrotóxicos nas lavouras. Muitos agricultores aposentados arrendam parte de suas propriedades para vizinhos, que nelas cultivam soja de forma mecanizada. Quando indagada a respeito dos motivos de terem deixado de plantar muitas variedades antes cultivadas, uma agricultora entrevistada explica que, além

---

[12] Em sua terra natal, costumavam preparar a *schmier* (doce de frutas utilizado para passar no pão) de pêra, maçã, cereja ou ameixa, cozidas com açúcar, enquanto que aqui passariam a utilizar frutas locais, tais como goiaba, banana e moranga, cozidas com melado em vez de açúcar (RICHTER, 1994).

[13] Cabe mencionar que algumas expressões em alemão que aparecem neste estudo pertencem ao dialeto Hunsrück.

[14] Atualmente, várias das famílias rurais estudadas continuam utilizando o forno a lenha e quase todas cozinham em fogão a lenha.

[15] O *Käschmier* é elaborado do leite talhado, em que se acrescenta água quente e sal. A mistura de leite e água é colocada em uma espécie de saco de algodão e pendurada por cerca de 12 horas, de modo a deixar escorrer o líquido. O que fica retido no saco é o *Käschmier*, que pode ser misturado com nata para passar no pão. O nome do produto é uma construção vocabular própria da colônia alemã do Rio Grande do Sul, tendo origem na junção das palavras *Käse* (queijo) e *schmier*, também uma construção vocabular regional, oriunda do verbo *schmieren* (lambuzar, espalhar).

Figura 7.3 – Fogão a lenha. No canto, uma cuca cresce antes de ir ao forno.

de não produzirem mais como antigamente, "tem os outros que plantam o suficiente para vender... como as batatinhas... se nós plantarmos aqui, apodrece a metade, e hoje em dia é tão fácil comprar". Assim foi que o arroz deixou de ser cultivado. Ainda, teriam deixado de plantar trigo pelo alto investimento em insumos demandado e as baixas produções obtidas, fatores que teriam contribuído para o fechamento dos moinhos nas redondezas.

A produção de leite sempre esteve presente em praticamente todas as propriedades estudadas. As vacas leiteiras, assim como o gado bovino em geral, eram tratadas com pasto e, no inverno, também com mandioca e batata-doce. O recolhimento do leite, desde o momento em que começou a ser vendido, era realizado com uma carroça, que passava todos os dias pela comunidade.

As galinhas, criadas para carne e ovos, ficavam soltas durante o dia, retornando ao galinheiro apenas à noite e sua alimentação se limitava a milho e ao que encontravam ciscando pelo pátio. Atualmente, a criação intensiva de frangos de corte está muito presente na localidade. O sistema de confinamento requer manejo alimentar totalmente distinto do tradicional, à base de rações e medicamentos. A família que tem aviário em sistema de integração é proibida pela empresa integradora, que alega risco de contaminação dos aviários, de criar outras galinhas.

A criação de suínos no sistema tradicional era comum até a década de 1970. Segundo um agricultor entrevistado, "naquele tempo, o negócio era banha", pois, "a banha valia o dobro da carne, carneavam o porco e vendiam a banha". Este era o principal produto comercializado pelos colonos: o porco devia ser gordo para dar bastante banha. Os comerciantes compravam banha ou porcos vivos, que vendiam a algum dos muitos frigoríficos localizados na região.

Além do valor comercial, a banha também era muito importante no dia-a-dia dos colonos, pois era utilizada para cozinhar e para conservar a carne. A carne de porco era assada ou frita e guardada na banha, podendo assim ser conservada por meses. A banha era armazenada em enormes latas e era a necessidade de banha que determinava quando seria necessário abater outro porco, mesmo que ainda houvesse armazenado carne, lingüiça e torresmo. Alguns entrevistados contam que destinavam a lingüiça que sobrava aos cachorros, e daí teria surgido a expressão bem-humorada, de uso corrente na região, "no tempo em que se amarrava cachorro com lingüiça".

Já a carne bovina era de conservação mais difícil, uma vez que, diferentemente do que se dava com a carne suína, não mantinha suas qualidades quando conservada na banha. Assim, as práticas para conservá-la consistiam em defumar ou fazer charque.[16] Mas a carne bovina não era consumida com

[16] A carne era salgada e, durante uma semana ou mais, virada todos os dias e salgada novamente. Depois de estar bem curtida, era colocada ao sol.

muita freqüência. Para que tivessem carne fresca de modo mais constante, quando um animal era abatido, sua carne era distribuída entre os vizinhos, que, por sua vez, retribuiriam em outra ocasião, costume que assegurava às famílias não apenas o abastecimento de carne, mas também a manutenção dos laços de sociabilidade. Mais tarde, o açougueiro forneceria, às sextas-feiras, a carne bovina que os colonos adquiriam para o fim de semana. E, ainda mais tarde, a chegada da geladeira e do congelador tornaria, por um lado, mais freqüente o abate e cotidiano o consumo de carne bovina entre os colonos e, por outro, menos comuns as trocas de carne entre as famílias.

A expansão do mercado mundial de óleos vegetais traria à região o cultivo da soja e a desvalorização comercial da banha.

> Depois que entrou a soja, vocês vêem como a banha decaiu, a banha não tem mais preço. ("seu" Egon)

Com isso, as antigas raças seriam substituídas pelo porco branco, em cuja produção prioriza-se a carne. O porco comum, tipo banha, era criado solto, na mangueira, sendo tratado com mandioca, milho (também em espiga) e lavagem, cozido feito à base de batata-doce, abóbora e restos de comida. Esse sistema de criação modificar-se-ia com as novas raças, que passariam a ser criadas em confinamento e à base de rações adquiridas. Antes, contam os agricultores entrevistados, o porco era preso para engordar depois do sexto mês, sendo necessários mais de seis meses para estar pronto para o abate. Hoje, no sistema de integração, os animais são comercializados a partir de cinco meses de idade.

Mesmo sendo proibida pelas empresas integradoras, é comum, entre as famílias que trabalham em sistema de integração, a criação de outras aves e suínos para o autoconsumo, feita escondida ou em propriedade de vizinho. Alguns dos entrevistados contam que os próprios criadores integrados de suínos não consomem a carne dos animais criados em sistema intensivo de produção, considerada de sabor menos agradável do que a dos porcos alimentados de modo tradicional. No caso dos proprietários de aviários, muitos consomem os frangos que criam, mas para que sirvam de alimento à família as aves são separadas das demais e, durante um período, alimentadas de modo diferenciado, à base de milho.

Os laços de vizinhança e parentesco eram também atualizados em empréstimos de dinheiro para a compra de terras, no trabalho conjunto – na construção da igreja ou da escola, mas também nas colheitas –, nas freqüentes visitas noturnas e no exercício da religiosidade. Nos cultos, as famílias – que tinham também por costume rezar à mesa, antes de cada refeição – deviam estar representadas ao menos pela metade de seus membros, sob pena de não serem bem vistas pela comunidade.

No trabalho nas colheitas, de milho ou soja, os entrevistados contam que a família cuja área estivesse sendo colhida oferecia às famílias que vinham ajudar uma galinhada,[17] regada a vinho. Os dias de colheita são lembrados como dias de confraternização, de muita conversa e animação. Com a chegada das primeiras trilhadeiras, aquele da vizinhança que tivesse uma prestava serviço aos vizinhos. A trilhadeira era puxada por bois até o local da colheita, para debulhar a soja, e todos colhiam juntos e trilhavam. Mais tarde, com as colheitadeiras mecanizadas, esse trabalho passaria a ser realizado isoladamente, cada família *per se*.

As famílias eram grandes, com dez, doze filhos, e todos trabalhavam. "Seu" Guilherme conta que "o primeiro serviço que a criança tinha que fazer era levar água para a cozinha e ajuntar gravetos para fazer fogo de manhã". Os rapazes, ainda adolescentes, lavravam a terra com a junta de bois, cabendo às meninas retirar o inço da roça depois de lavrada, para que secasse. Auxiliada pelas meninas e moças, a mãe realizava o trabalho da casa e arredores e, principalmente nos períodos de plantio e colheita, também ia para a roça. Eram muitas crianças, e o trabalho nem sempre é recordado pelo que exigia em esforço. Um dos entrevistados lembra com saudades das brincadeiras infantis – as mais comuns eram esconde-esconde, pega-pega, balanço, carrinho de lomba e brincadeiras de roda, sendo que os brinquedos eram comumente confeccionados pelas próprias crianças –, contando que "antes da noite, quando vinham para casa, brincavam de esconder, até o pai, às vezes, ajudava... que festa!".

Foto 4 – Casa antiga. As casas eram grandes, para abrigar famílias numerosas.

[17] Prato preparado em um grande tacho, do cozimento conjunto de pedaços de galinha, arroz e temperos.

A COMUNIDADE

Nas colônias alemãs, entre as associações com fins recreativos e culturais, destacavam-se as sociedades de canto, de ginástica e de tiro. O coral tinha grande importância, pois era com as canções – que relembravam a pátria distante e expressavam suas saudades, tristezas e esperanças – que os colonos afirmavam sua identidade (Fundação..., 2003). Anualmente – como ainda ocorre na Fazenda Lohmann –, os corais promoviam um baile, para o qual eram convidados outros grupos de cantores da região.

Com a Segunda Guerra Mundial, o uso do idioma alemão foi proibido no Brasil. Nas colônias alemãs, os cultos e missas, bem como as reuniões das sociedades, que sempre haviam sido realizados em alemão, tiveram de passar a ser em português. Muitas das escolas de comunidade foram fechadas, pois os professores passaram a ser considerados suspeitos (Fundação..., 2003).

"Seu" Guilherme, hoje com 75 anos, conta que nos primeiros dois anos em que freqüentou a escola da Fazenda Lohmann aprendeu a ler e escrever em alemão. E que com a proibição, na época da guerra, do uso desse idioma, a primeira tarefa da aula seria traduzir palavras do alemão para o português. Muitos eram os colonos (em especial os mais idosos) que não sabiam se expressar em português, mas que agora viam-se obrigados a deixar de falar, rezar e cantar na língua de seus antepassados. "Essa foi uma época ruim, meu pai ficou dois dias na cadeia porque falava alemão", narra o entrevistado, evidenciando a aflição vivida pelos descendentes de imigrantes alemães no período.

Como já mencionado, analisando os registros da Sociedade de Cantores Alegria, da Fazenda Lohmann, pode-se notar que, durante o período que corresponde à Segunda Guerra, há um hiato em que deixariam de ser realizadas assembléias e demais atividades. Pode-se intuir que esvaziamento semelhante tenha ocorrido nas demais expressões da organização comunitária.

Mas, especialmente dentro de casa, o alemão continuava sendo o idioma vivenciado no cotidiano dos colonos. Até a chegada da televisão, era comum que as crianças apenas viessem a ter contato com o português quando iniciadas na escola. Atualmente, muitas crianças pequenas aprendem português com os pais, como seu primeiro idioma, o que dificulta o aprendizado do alemão, em particular quando passam a conviver, na escola, com crianças da cidade.[18] Isso porque o idioma de seus antepassados é identificado como característico dos colonos/agricultores. As crianças do meio rural sentem-se

[18] Como já mencionado, há poucos anos, a escola da Fazenda Lohmann foi fechada. Com isso, as poucas crianças da comunidade, mesmo as menorzinhas, passaram a ser diariamente transportadas de ônibus às escolas da cidade.

envergonhadas ao falar alemão diante das crianças da cidade, discriminadas por serem filhos(as) de agricultores(as).

Os bailes desempenhavam papel importante na sociabilidade desses camponeses, pois neles não apenas se encontravam para conversar e dançar, mas também, muitas vezes, para arranjar casamentos ou fechar negócios.[19] Os jovens conheciam-se, comumente, nos bailes e festas de *Kerb*.[20] Como narra Woortmann (1995, p.160), até a década de 1960, o *Kerb* era a ocasião propícia para os arranjos matrimoniais:[21]

> eram três dias de festejos e era a melhor oportunidade para "atiçar" os incautos jovens, pois era uma das poucas oportunidades recorrentes que possibilitavam encontros entre jovens de distintas "picadas".

Um dos agricultores entrevistados conta que conheceu a esposa em uma festa de *Kerb*, em casa, pois a irmã dele era casada com um irmão dela. Eram comuns os casamentos que uniam vários dos filhos e filhas de uma família com os de outra.

A cerimônia de casamento ocorria pela manhã e a festa à tarde. Após a cerimônia religiosa, os convidados iam para a casa da noiva, onde era realizada a festa. Nesse dia, a batata frita, redondinha, era um prato especial. Também havia salada de batatas com farinha temperada (com cebola), frita na banha. Nos primeiros tempos, era comum que as noivas casassem vestindo preto. Mais tarde, o vestido das noivas seria branco, sendo o preto apenas utilizado pela noiva que estivesse em luto por algum familiar. A festa era animada por uma banda. Quando os noivos chegavam em casa, era costume que a filha menor de um vizinho jogasse pétalas de flores no casal.

Os jovens costumavam também ir – a pé, em grupos – aos bailes de outras comunidades. Mas na Fazenda Lohmann, como nas demais localidades, os bailes não eram freqüentes como são hoje. Os principais bailes que ocorriam a cada ano na comunidade eram, além do baile de *Kerb*, o baile do coral, o baile de chita – em que as moças que quisessem dançar deviam trajar vestidos de chita – e o baile de damas, em que, excepcionalmente, cabia às moças a prerrogativa de convidar os rapazes para dançar. Em um baile, quando o rapaz convidava a moça para dançar, ela devia aceitar o convite ao menos para uma "peça", pois, como conta um dos entrevistados, "uma moça decente não podia dar carão [recusar o convite para a dança]".

Nos bailes, dançava-se a *Polonese* – em que um casal vai à frente e os demais repetem seus movimentos – e outras danças alemãs, como a dança

---

[19] É interessante notar que o termo *Geschäft* era usado tanto para designar casamentos como para transações comerciais (WOORTMANN, 1995).

[20] O *Kerb*, que adiante será abordado em detalhes, marca o aniversário da igreja da comunidade.

[21] Também os cultos e missas eram oportunidades de encontro para os jovens, ou, mais especificamente, o trajeto percorrido até a igreja e na volta para casa, uma vez que dentro da igreja homens e mulheres sentavam-se separados (WOORTMANN, 1995).

das fitas (*Bändertanz*), do moinho (*Mühlradl*), a dança do tecelão (*Webertanz*) e Sr. Schmidt (*Herr Schmidt*), muito comum nas festas de casamento, em que homens e mulheres dançam frente a frente, de mãos dadas (Richter, 1994).

Alguns dos entrevistados contam que o baile era "o" acontecimento, e que não era fácil para um(a) jovem obter permissão do pai para participar. A obtenção da autorização devia ser mediada pela mãe, com até dois meses de antecedência. Quando dois jovens dançavam juntos durante todo o baile, conta Dona Ilse, "aí já era começo do namoro". Namoro escondido, sempre houve, mas para que o rapaz pudesse freqüentar a casa da namorada, era necessário que pedisse autorização ao pai dela.

O *KERB*

O *Kerb*[22] era a principal festa da comunidade. Como na Alemanha, comemorava o aniversário da igreja (para os evangélicos), ou o dia do padroeiro da paróquia (para os católicos) (Moraes, 1981). A festa tinha início com o culto ou missa (respectivamente, para evangélicos e católicos), pela manhã. Durante o dia, eram realizadas refeições em família – os parentes, em grande número, vinham de lugares próximos e distantes – e à noite, havia o baile. O salão de baile era enfeitado com palmas, guirlandas de papel e flores (Sommer, 1986). No baile, as moças trajavam vestido e sapatos novos e os rapazes, terno (Roche, 1969).

Na Fazenda Lohmann, os entrevistados contam que, até a década de 1980, o *Kerb*, que ali se realiza em fevereiro, durava três dias, começando no domingo e terminando na terça-feira. Nesse período, o trabalho na propriedade era interrompido, sendo realizado apenas o estritamente necessário, como a ordenha. Com antecedência, tempo era dedicado ao preparo de alimentos e à organização da casa para receber os visitantes. Não era pouco o trabalho necessário para preparar as refeições oferecidas às dezenas de pessoas recebidas, assim como para alimentar os animais que as transportariam.

Moradores da localidade entrevistados contam que recebiam entre vinte e trinta pessoas, a cada dia. Alguns visitantes ficavam hospedados por uma noite, partindo no dia seguinte, quando chegavam novos parentes e amigos. Outros chegavam já na sexta-feira, enquanto alguns partiriam apenas na quarta-feira. Vinham famílias inteiras, de carroça ou charrete, ao passo que outros vinham a cavalo. Vinham do interior e também das cidades. Dona Noeli conta que se sentia envergonhada diante das pessoas da cidade – "nós, uns bobos, coitados" –, mas que "eles gostavam de vir".

22 O termo *Kerb*, uma corruptela de *Körbe* (cestos ou balaios, em alemão), daria o nome aos bailes na colônia alemã do Rio Grande do Sul, uma vez que alimentos e decorações eram trazidos para o local do baile em cestos, amarrados sobre o lombo de animais de carga.

O culto de *Kerb* era realizado na manhã de domingo. Os entrevistados relatam que exigia-se de rapazes e moças que estreassem suas roupas novas no culto, pois, caso contrário, seriam proibidos pelos pais de ir aos bailes. Em geral, era costume comprar roupas novas uma vez por ano, por ocasião do *Kerb*. Um ou dois meses antes da festa, o alfaiate passava de casa em casa, com amostras de tecidos, para tirar as medidas e receber as encomendas das fatiotas para os homens. As mulheres usavam vestidos, pois "se uma mulher colocava uma calça... aí se apontava com os dedos" ("seu" Guilherme). A mãe ou a vizinha fazia o vestido, já que, como conta dona Rose, "uma máquina de costura a mulher tinha que ter".

Após o culto, todos eram recepcionados na porta da igreja pelos músicos. Em seguida, antes que fossem para casa receber seus visitantes, dirigiam-se, precedidos pelos músicos, ao som de marchinhas, ao salão, onde o coral cantaria algumas canções e, ao som da banda, dançariam algumas "peças", uma pequena mostra do que seriam os bailes, que teriam início ao anoitecer e término no raiar do dia.

Na noite de domingo realizava-se o "baile dos jovens" e na de segunda-feira, o "baile dos velhos" (os casais). Do baile da noite de terça-feira todos podiam participar. Nos bailes, além das danças animadas pela banda,[23] eram organizadas várias brincadeiras. Aquele que conseguisse subir no "pau-de-sebo" seria premiado, geralmente com uma dúzia de cervejas. Já o que arrancasse alguma das garrafas enfeitadas penduradas no teto do salão, as *Kerbflasch* (garrafas de Kerb), deveria pagar seis cervejas.

Nos dias de *Kerb*, segundo Richter (1994), eram servidos massa, arroz, batatas, porco assado, assado de gado, galinha recheada, tripa e bucho recheados, bolinhos de carne, chucrute, sopa e saladas. O café da tarde, preparado pelas mulheres enquanto os homens jogavam carta, era composto por cuca,[24] morcilha, lingüiça, rosca de polvilho com *schmier*, mel e requeijão.

Uma das bebidas de *Kerb*, relatam moradores da Fazenda Lohmann, era o *Spritzbier*, uma espécie de cerveja caseira preparada, pelos próprios colonos, à base de gengibre. Cada família produzia entre quarenta e cinqüenta garrafas, mas muitas eram perdidas, pois, devido à pressão, freqüentemente estouravam. Os colonos também produziam seu próprio vinho. Com o tempo, passaram a comprar, em engradados, a cerveja e a gasosa. A gasosa era a alegria das crianças, pois eram raras as ocasiões em que tinham oportunidade de saboreá-la. A cerveja era produzida em uma fábrica situada em uma localidade próxima, Costão, no município de Estrela. Uma semana antes do *Kerb*, vendedores passavam de carroça, oferecendo engradados de cerveja. Outra bebida bastante comum era a framboesa, elaborada de uma essência

[23] Havia músicos na comunidade, mas, muitas vezes, para animar os bailes, era contratada banda de outra localidade.

[24] Espécie de pão doce com recheios e coberturas diversos, característico da culinária alemã.

adquirida em farmácia, fervida com água e açúcar, transformando-se em xarope que, depois de esfriado, era misturado com água e servido como refresco.

Os almoços, contam os informantes, realizavam-se no porão das casas. Os alimentos eram dispostos em uma grande mesa, rodeada por bancos de madeira em que se acomodavam os convivas. Os preparativos começavam cedo. A carne bovina era rara, mais comuns eram a carne suína e a galinha. Os porcos eram abatidos na manhã de sábado. As carnes eram assadas no forno a lenha, no pátio. Também eram servidos lingüiça, bolinhos de carne e massa, prato reservado às datas especiais, assim como as batatas fritas. Quando colhidas, as batatas menores eram separadas, para que viessem a ser descascadas e fritas na banha, inteiras, nos dias de *Kerb*. Como conta "seu" Guilherme, "as mulheres se juntavam dois dias antes para descascar".

Em algumas casas, costumava-se servir como entrada um prato de sopa, sendo este trocado por outro, limpo, para os demais alimentos. Com o passar do tempo, a galinha recheada passou a ser também uma das opções presentes à mesa dos almoços de *Kerb*. Nas saladas, eram servidas as diversas verduras produzidas na horta. O chucrute, que não podia faltar, há meses vinha sendo armazenado no porão, tendo sido preparado à base de repolho picado acrescido de sal, colocado em um recipiente de barro, no qual era prensado por uma pedra, colocada em cima.

Foto 5 – As hortas comumente ficam na frente das casas. Verduras e flores estão lado a lado.

Também com antecedência as mulheres produziam as bolachas caseiras (*toss*), de diversos tipos: de farinha (*mehl toss*), de merengue com polvilho (*schnee toss*), de melado ou mel (*sirop toss*) e de nata (*ram toss*). Do mesmo modo, eram preparadas muitas cucas, bolos e doces de frutas em calda, feitos à base de açúcar, ingrediente utilizado apenas em ocasiões especiais. Uma sobremesa que não podia faltar era o sagu de vinho.[25] O leite condensado era feito em casa. Segundo os entrevistados, apenas mais tarde as tortas doces e os cremes de leite seriam incorporados ao cardápio de *Kerb*.

O FUTURO DAS TRADIÇÕES

Atualmente, o *Kerb* da Fazenda Lohmann continua sendo realizado, mas apenas durante o fim de semana. O culto é no sábado à noite e o baile (agora um único, em que as bandinhas foram substituídas por concorridos conjuntos musicais e já não se dança a *Polonese)* ocorre logo em seguida. No domingo, os visitantes são recebidos pelas famílias, mas isso já não se dá em todas as casas. Agora os visitantes não são muitos e raramente pernoitam na casa de seus anfitriões. Os poucos que vêm de fora da localidade, de centros urbanos próximos ou distantes, são filhos(as) migrados(as), que trazem suas famílias em visita à terra natal, à casa paterna.

Para algumas famílias, as festas de aniversário (que antes não eram comuns, sendo realizadas apenas por alguns poucos colonos mais abastados) passaram a ser as ocasiões privilegiadas para as reuniões familiares. Assim, o *Kerb*, festa comum a toda a comunidade, parece ceder lugar àquelas que privilegiam datas comemorativas individuais.

No almoço de domingo de *Kerb*, atualmente as famílias comem churrasco (salsichão, carnes suína, bovina e galeto), maionese e outras saladas. Como sobremesa, costumam servir sagu, doces em calda, torta doce e pudim. As cervejas e refrigerantes, agora já não ausentes do cotidiano dessas famílias, são servidos fartamente. Na mesa do café da tarde, além das sobremesas, mantêm-se presentes a cuca e o bolo, agora acompanhados de diversos tipos de salgados, como pastéis e coxinhas. Os ingredientes agora utilizados no preparo dos pratos são, em boa medida, adquiridos, o que, destaca dona Noeli, tornaria excessivamente dispendiosa a realização de uma festa de dimensões como as que eram realizadas antigamente, quando "tu vendia vinte litros de leite e fazia o *Kerb*".

Para os jovens da comunidade, o baile de *Kerb* já não é "o" acontecimento, uma vez que a cada fim de semana são realizados eventos – em

[25] Essa sobremesa, atualmente entre as mais presentes na mesa dos gaúchos, é preparada do cozimento em vinho (ou suco de uva) e açúcar de pequenas bolinhas de fécula de mandioca, que no processo tornam-se transparentes e macias, assumindo a cor e o sabor do vinho ou suco.

que se encontram, bebem, dançam, "ficam" – em comunidades e sedes de município em um raio de distância que, agora percorrido de carro ou motocicleta, passou a ser considerado pequeno.

A redução do número de jovens na localidade e de seu interesse em participar das atividades comunitárias, reiteradamente mencionada por moradores entrevistados da Fazenda Lohmann, é evidenciada por sua pouca participação nos bailes de *Kerb*, ou, ainda, pela mudança ocorrida no modo de servir os alimentos nas festas da comunidade. Até há alguns poucos anos, quando se organizava um jantar (ou almoço) no salão comunitário, era necessário o trabalho de um grande grupo de voluntários que, percorrendo, durante horas, o trajeto entre as dezenas de mesas dispostas no salão e a cozinha e a copa, garantiam que pratos e copos das centenas de comensais estivessem sempre abastecidos. Os que trabalham voluntariamente nesse tipo de evento são, com seus familiares, os membros da diretoria da sociedade promotora da festa, responsáveis por sua organização, divulgação, preparação e realização. Uma vez que as diretorias vêm envelhecendo e os jovens já não são tantos (e menos ainda aqueles que se dispõem a participar), a comunidade buscaria uma solução para substituir o grande número de pessoas necessárias para dar conta de servir as mesas em suas promoções. Assim é que, em 2004, o *self-service* chegaria à Fazenda Lohmann. Agora, nas festas ali realizadas, para servir-se, cada pessoa deve dirigir-se ao centro do salão, fazendo fila em torno do equipamento de bufê que, adquirido pela comunidade, mantém a comida aquecida.

Membros da diretoria do coral identificam na pouca participação dos jovens na vida comunitária a principal dificuldade para a adesão de novos cantores. Na opinião de "seu" Roque,

> daqui há alguns anos, eu acho que não vai ter mais nada, porque os jovens não se interessam mais com isso. Como no coral, faltam cantores, mas pode pedir para quem quiser, ninguém não quer mais compromisso com isso. Eles querem estar livres, fazer o deles, e essas coisas sempre caem mais para o lado.

Mas na agenda de apresentações do coral pode ser encontrada uma importante limitação para a adesão de jovens ao grupo de cantores, uma vez que grande parte deles, diferentemente de seus pais, mantém relações de trabalho em que as jornadas são estabelecidas fora da unidade familiar, alheias à sua dinâmica. Como poderia um operário ausentar-se da fábrica dez a doze vezes num ano para, em horário de trabalho, comparecer a velórios que não de seus familiares? Como um servidor público justificaria tais ausências? Ou um comerciário? Como poderia o responsável por um aviário não estar disponível nos horários estabelecidos pela empresa integradora para a entrega de insumos ou o recolhimento das aves? O tempo, para esses jovens, não é o mesmo que o daqueles que plantam e colhem, que regram suas atividades segundo as mudanças climáticas, a variação de extensão dos dias, os ciclos dos cultivos e criações. É o tempo marcado pelo relógio, o do horário do ônibus, o do apito da fábrica, o do livro-ponto, tempo acordado em contrato.

A jornada que delimita um número fixo de horas diárias de trabalho e o tempo livre nos fins de semana, bem como a possibilidade de obtenção de uma renda autônoma em relação à unidade familiar – ou, mais especificamente, o acesso ao consumo que essa renda possibilita – parecem ser, para os jovens da Fazenda Lohmann entrevistados, os principais atrativos exercidos pelas ocupações não agrícolas. Mas não é apenas para evitar gastos com aluguéis que tantos jovens permanecem residindo na casa de seus pais. Atualmente, com as facilidades existentes de comunicação e transporte, muitos deles afirmam que o meio rural é o local de moradia desejado, seja por ser tido como mais calmo e menos violento do que a alternativa urbana, seja porque ali têm acesso a alimentos que consideram mais saborosos e saudáveis, ou, mais importante, porque ali estão sua famílias e seus amigos. Ao contrário do que parecem acreditar seus pais e avós, para esses jovens é intenso o sentimento de pertencimento à comunidade e muito valorizada a rede de sociabilidade de que fazem parte. Vários foram os jovens entrevistados que afirmariam vislumbrar na Fazenda Lohmann seu futuro, colocando-se como continuidade do que seus antepassados realizaram. É o que se pode apreender do depoimento do rapaz que, aos 22 anos, trabalha fora e mora na casa dos pais:

> nós temos 18 hectares e pouco de terra, o dia que o pai e mãe não puderem mais, é certo que eu vou voltar para casa. ... Eu falei em casa, já. ... Por enquanto, até que o pai e a mãe podem ainda, eu estou fazendo minha vida, comprei moto e tudo, mas o dia que o pai e a mãe não puderem mais, aí eu volto para casa. ... A terra do meu bisavô, do meu avô, do pai, e chegar na minha vez, pegar e vender, sem mais nem menos, também não dá. ... Eu me criei na roça, com sete, oito anos estava dirigindo trator e trabalhando na roça, chegou uma hora que eu vi que não dava mais, chegou a hora de eu ganhar meu próprio dinheiro, me virar, não depender mais de casa... mas quando chegar na minha vez... (Heitor)

Ainda que na agricultura, na alimentação e nas práticas de sociabilidade, assim como nas demais dimensões do trabalho e da vida desses colonos, muita coisa tenha-se alterado, com os novos hábitos convivem saberes e práticas herdados.

Se, em boa medida, o churrasco substituiu os pratos tradicionais nas comemorações realizadas em família, nas festas comunitárias podemos observar que ainda estão presentes. No baile de *Kerb* da Fazenda Lohmann, são servidas lingüiças cozidas, acompanhadas por cucas. Enquanto as cucas são preparadas por um grupo de mulheres, em mutirão, as lingüiças são produzidas por um grupo de homens da comunidade – responsáveis pela seleção dos animais a serem abatidos, pelo abate e pela preparação das carnes e sua transformação em lingüiças –, detentores dos segredos referentes às misturas de carnes e aos temperos empregados, portadores, assim, do saber-fazer reconhecido como resultante em embutidos considerados apropriados, atualmente produzidos para a ocasião festiva e, desse modo, culturalmente valorizados.

Vimos que, nas últimas décadas, as dinâmicas de trabalho e vida das famílias rurais da localidade estudada modificaram-se profundamente.[26] De um lado, o emprego intensivo de insumos e maquinários na produção agropecuária e o aprofundamento da integração dessa produção ao setor agroindustrial, e, de outro, a redução do tamanho das famílias e as facilidades de acesso aos bens e valores urbanos são alguns dos aspectos que evidenciam essa transformação. Compõem esse quadro, ainda, o envelhecimento da população rural, diretamente relacionado à crise dos padrões sucessórios anteriormente predominantes entre esses agricultores; bem como a crescente presença das ocupações não-agrícolas. Temos, assim, que a esse processo poderia estar associada a degradação do saber-fazer agrícola e alimentar desses colonos, bem como de suas práticas de sociabilidade.

Entretanto, observamos que, entre esses agricultores, os cultivos e as criações que empregam intensivamente as ditas tecnologias modernas coexistem, lado a lado, com técnicas tradicionais e expressiva produção de alimentos voltados ao autoconsumo das famílias, associada à garantia de sua segurança alimentar e, desse modo, às suas estratégias de reprodução social. Do mesmo modo, a troca de dias de trabalho com parentes e vizinhos – que lembra os antigos mutirões –, em especial em épocas de colheita e em dias em que as empresas integradoras vêm às propriedades para recolher os animais produzidos, é prática comum entre esses agricultores. E ainda que muitos jovens rurais vejam na combinação entre emprego urbano e moradia rural uma etapa que antecede a migração definitiva, outros consideram-na situação transitória, que lhes permite acesso à renda autônoma que não seria possibilitada pela unidade de produção familiar, a vigorar até a ocasião em que o pai transmitirá ao herdeiro a condição de responsável pela propriedade e pela família.

Assim podemos observar na estrada que corta a Fazenda Lohmann, de onde hoje são vistos grandes aviários industriais, passar o carro de boi que leva o pasto para as vacas; ou à mesa do café da manhã das famílias que ali vivem, a mortadela e a margarina, mas também o salame e o *Käschmier*.

O rural aqui focado é, assim, mais complexo do que algo que deixou de ser o que era para transformar-se em seu contrário.

---

[26] O processo aqui descrito, guardadas as devidas especificidades, poderia, no que se refere ao Sul do país, caracterizar genericamente o ocorrido no segmento que vem sendo nominado "agricultura familiar", em que predomina uma agricultura modernizada, realizada em boa medida por descendentes de imigrantes europeus.

O sino da igreja, a cada dia, marca a vida do lugar. Afinal, como ensina Woortmann (1990, p.17), "a tradição... não é o passado que sobrevive no presente, mas o passado que, no presente, constrói as possibilidades do futuro".

REFERÊNCIAS BIBLIOGRÁFICAS

CAMARANO, A. A.; ABRAMOVAY, R. Êxodo rural, envelhecimento e masculinização no Brasil: panorama dos últimos 50 anos. *Texto para discussão*, 621. Rio de Janeiro: IPEA, 1999.

FERRI, G. *Roca Sales*: Cidade da Amizade. Roca Sales: Grafen, 1998.

FUNDAÇÃO OSWALDO CARLOS VAN LEEUWEN. *Sociedades de canto no Vale do Taquari:* história e tradição. Lajeado: Fundação..., 2003.

LOHMANN, E. *O Lohmanismo no Brasil.* IV Simpósio de história da imigração e colonização alemã no Rio Grande do Sul – 1980. [São Leopoldo]: UFRGS, 1987.

MENASCHE, R. (Org.). *A agricultura familiar à mesa*: saberes e práticas da alimentação no Vale do Taquari. Porto Alegre: EdUFRGS, 2007.

MORAES, C. de S. *O colono alemão*: uma experiência vitoriosa a partir de São Leopoldo. Porto Alegre: EST, 1981.

RICHTER, W. L. *Nossas origens*. Lajeado: Cometa, 1994.

ROCHE, J. *A colonização alemã no Rio Grande do Sul*. 2 vs. Porto Alegre: Globo, 1969.

SOMMER, A. *Von Teutônia in die welt.* [Teutônia]: Federação dos Centros Culturais 25 de julho, 1986.

WOORTMANN, E. *Herdeiros, parentes e compadres*: colonos do Sul e sitiantes do Nordeste. São Paulo: Hucitec, 1995.

WOORTMANN, K. Com parente não se neguceia: o campesinato como ordem moral. *Anuário Antropológico*, Rio de Janeiro, 87, 1990.

Parte II

IDENTIDADES E TERRITORIALIDADES

8
METAMORFOSES DE UM CAMPESINATO NOS BAIXO AMAZONAS E BAIXO XINGU PARAENSES

Edma Silva Moreira
Jean Hébette

INTRODUÇÃO

Ao falar de campesinato, nos referimos a um modo de vida específico, amplamente estudado nas disciplinas como a Economia, a Sociologia e a Antropologia, e, em particular, nesta História Social do Campesinato no Brasil. Um modo de vida marcado, principalmente, pela relação direta de determinados grupos rurais com a natureza como base de sua produção material e de sua reprodução social, e por sua organização social baseada na família nuclear, no parentesco e na convivência coletiva em vizinhança (Galeski, 1977, p.133-62; Shanin, 1976, p.15-39). Um modo de vida, portanto, que, pela mediação de suas características materiais, sociais e simbólicas, fundamenta uma identidade específica.

Em nosso entendimento, esse modo de vida camponês abrange uma variedade de atividades produtivas; não só as ligadas à agricultura ou à criação de animais, como também à pesca dita artesanal e a tantas outras formas de extrativismo (Hébette; Magalhães; Maneschy, 2002).

Por metamorfose do campesinato entendemos uma mudança significativa nesse modo de vida coletivo, e não uma simples mudança de denominação, como "agricultura familiar" em substituição, por comodidade pragmática, a "campesinato" (Carvalo, 2005, p.24-5). Trata-se de uma mudança vivida pelos camponeses em seu cotidiano, expressa na mudança multiforme de autodenominações identitárias, com freqüência traduzidas e até traídas no respectivo léxico teórico dos estudiosos. O objetivo deste capítulo não permite, nos limites de seu propósito e de nossa competência, uma análise antropológica minuciosa dessas autodenominações; as limitaremos às mais clássicas de: "negro", "crioulo", "escravo" ou "neto(a) de escravo(a)", de "descendentes de quilombos", de "trabalhador da seringa" ou "da roça", de "castanheiro", de "morador de beira de rio", de "criador da várzea", de "vaqueiro", de "remeiro" e de "piloto", que compõem a linguagem de nossos interlocutores. Como se verá, essas denominações identitárias fazem referência tanto à atividade e à localização geográfica quanto à condição jurídica e à etnia.

Ao falar de um campesinato do Baixo Amazonas e do Baixo Xingu paraenses, isto é, dos atuais municípios localizados a oeste do arquipélago de Marajó (Gurupá, Almeirim, Senador Porfírio e, mais particularmente, Porto de Moz, no centro desse conjunto) (Mapa 1), estamos, na verdade, reordenando, em nível abstrato, vários campesinatos históricos distribuídos em espaços e tempos diferenciados, como se constituíssem uma amostra representativa da diversidade campesina amazônica, da mesma maneira em que se fala "da" floresta amazônica ou "da" Amazônia, como se fossem uma só e não plurais.

Como muitas outras populações amazônicas não primordiais,[1] as populações mestiças daquela área sofreram, no decorrer dos dois últimos séculos, profundas transformações em sua organização social, seu modo de vida e sua identidade. Nossa hipótese é que, por meio daquelas alomorfias, é um verdadeiro campesinato que, em suas diversas modalidades no espaço e no tempo, sucede às populações primordiais.

O nosso interesse pela história social daquele campesinato surgiu de contatos diversos, estendidos ao longo de dez anos, com as populações que ali vivem; é a preocupação de entender a vida delas que nos levou a ouvir os anciãos contarem suas memórias, e seus descendentes lembrá-las para nós como as tinham ouvido deles – e, eventualmente, as tinham reelaborado: como tinham chegado àqueles lugares, até então ainda ocupados pelos povos primordiais? Em que lugar e momento precisos? Para fazer o quê? E como o tinham feito? E o que os levava a se manterem distantes da civilização urbana? Como escreve Braudel (1969, p.56, tradução nossa) a propósito da *longue durée*: "o tempo de hoje data ao mesmo tempo de ontem, de anteontem, de outrora". É assim que aqueles testemunhos, acrescidos de documentos locais e de algumas leituras muito valiosas, formam as fontes deste artigo.

É, possivelmente, pouco material para falar de cerca de um século e meio do que chamamos um campesinato regional; mas, como enfatiza Duby (1975, p.15), é muitas vezes com base em simples "indícios", "traços", dispostos "cada um no seu lugar nas duas dimensões do espaço e do tempo", que se recompõe a história. Como ele, muitos outros tiveram de trabalhar mais com hipóteses do que com evidências, em razão do material documental deficiente, "cuja descoberta está sujeita ao acaso e a distribuição é muito irregular e fragmentada" (Duby, 1980, p.15). Mas, decididamente, a

[1] Usamos essa designação de preferência à de indígena.

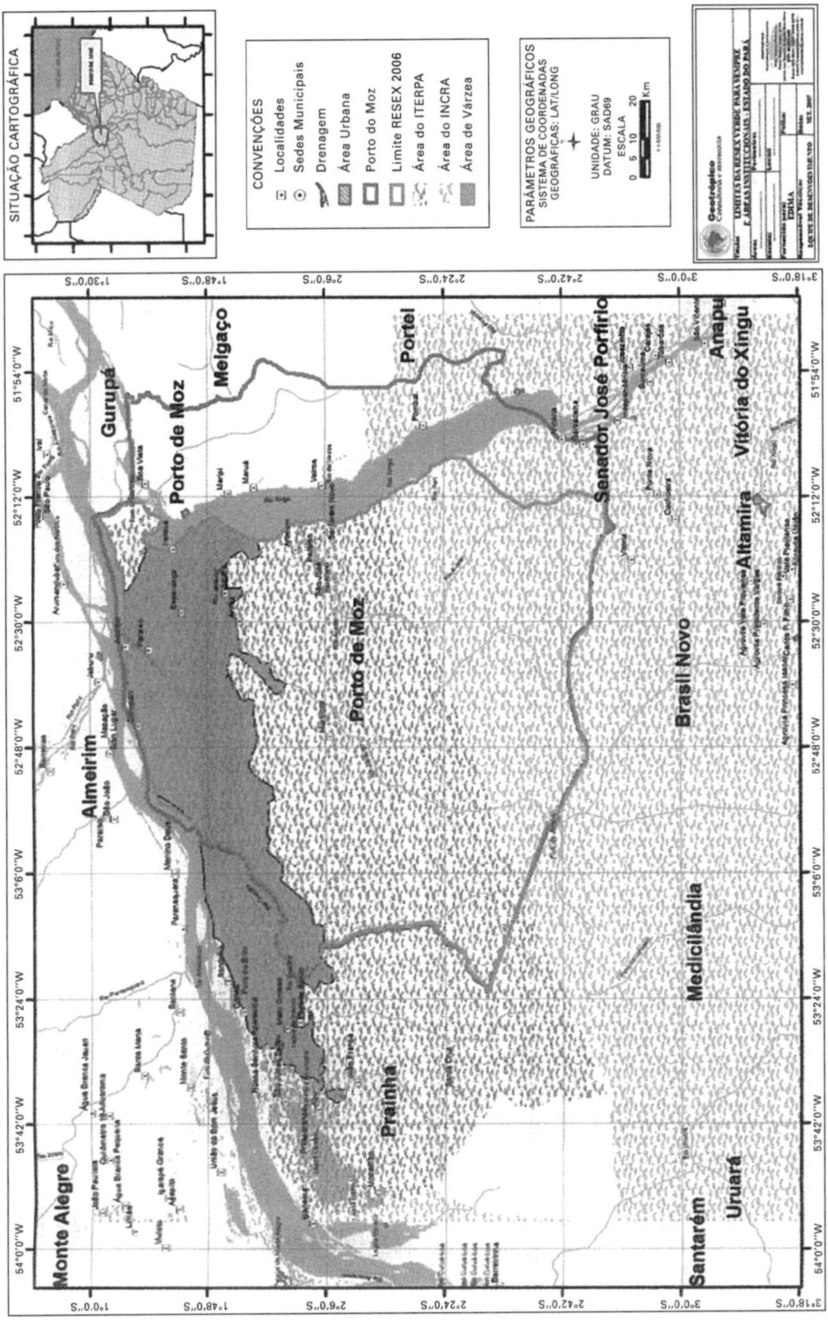

Mapa 1 – Localização das microrregiões do Baixo Amazonas e do Baixo Xingu, no Pará, com destaque para Porto de Moz com sua Resex.

melhor justificativa do uso de informações fragmentárias nos foi dada pela importância que tiveram no discurso que sustentou a luta recente dessas populações pelo reconhecimento de sua identidade camponesa e pela conquista de sua Reserva Extrativista Verde Para Sempre, em Porto de Moz.

LEMBRANDO ALGUNS GUIAS TEÓRICOS

Na caracterização do campesinato das sociedades ocidentais modernas há certo consenso, além das mencionadas na introdução, sobre algumas outras características fundamentais, como sua inserção num contexto que, geralmente, o transcende: "O campesinato sempre existe dentro de sistema maior" (Wolf, 1976, p.22); uma inserção, porém, que não o priva de certa autonomia: a "autonomia relativa das comunidades camponesas frente a uma sociedade envolvente... que as domina" (Mendras, 1978, p.14). Shanin (1976, p.16; tradução nossa), por sua vez, ressalta não somente o caráter relativo, como também o caráter histórico e, portanto, variável, dessa autonomia, que pode ser quebrada pelas "redes mais ou menos centralizadoras de dominação que penetram o campo, unindo a hegemonia política e cultural com a exploração por parte dos terratenentes, do estado e da cidade". Interessante essa menção aos aspectos político e cultural da inserção do campesinato e sua dominação na sociedade envolvente, que contrasta com a visão economicista mais corrente que enfatiza a inserção através, principalmente, do mercado. A respeito desse caráter histórico das sociedades camponesas, Wolf (1976, p.27) observa que, conforme os contextos históricos, o papel do camponês foi "relegado a um segundo plano", enquanto, em outros contextos, os camponeses tradicionais constituem "a esmagadora maioria da população", conferindo-lhe um papel importante na estrutura social. Essa observação, aliás, pode ser considerada tanto em relação à inserção em nível macro de um país ou de uma cultura específica de uma época, como se faz em geral, quanto em nível local, como verificado no caso de Porto de Moz, onde o campesinato, apesar de não dispor de "maioria esmagadora", conseguiu vencer as resistências violentas dos madeireiros e de todo o governo local em sua luta pela conquista da reserva extrativista. Ao caráter histórico e variável do campesinato, Shanin (1976, p.42) acrescenta e exemplifica a heterogeneidade regional das sociedades camponesas: "As diferenças entre 'campesinatos regionais' têm suas raízes em disparidades de condições naturais, na história passada e no marco social mais amplo". A esta heterogeneidade regional, há de acrescentar certa heterogeneidade interna constituída por pessoas (letrados, oradores, poetas e cantores) e por funções (comerciante, ministro de cultos, padre, pajé, curador, parteira, que se sobressaem pelo prestígio e poder que os habilitam a mobilizar o povo e representá-lo perante instituições civis e políticas) (Mendras, 1978, p.120-1).

É nessa perspectiva de inserção e enraizamento em contextos globais, com seus condicionantes, que desenvolvemos esta análise. Nesse sentido, a originalidade das transformações no campesinato do Baixo Amazonas e do Baixo Xingu diz respeito, em primeiro lugar, ao brusco e violento choque físico (dizimação de populações) e cultural (organização tecnológica e social) e, em segundo, à origem desse choque, resultando de intervenções institucionais, de ordem econômica e política, externas à região amazônica e, com freqüência, sob pressão externa.

CONDICIONANTES HISTÓRICOS DAS METAMORFOSES E MEIO ENVOLVENTE

Geralmente inserido numa determinada sociedade abrangente, o campesinato não deixa de interagir com ela e reagir aos impactos, positivos ou negativos, que dela vem recebendo. Pode-se aqui propor algumas datas significativas no caso em estudo:

a) as primeiras décadas do século XIX no Pará. Cedo, naquele início de século, nos anos 1820, mais precisamente, fizeram se sentir as contradições de uma sociedade originada em etnias de pelo menos três continentes: povos primordiais, colonizadores europeus e escravos africanos. Os europeus dominando. Tornavam-se freqüentes as fugas dos dominados. Na ocasião da convocação das Cortes portuguesas para deliberar sobre o estabelecimento de um regime constitucional reclamado pela revolução de Porto de 1820, e que resultou na independência do Brasil, afloraram na arena pública da província essas contradições sociais e políticas da província, dividida em campos antagônicos. Não resolvidas, essas contradições ressurgiram com maior violência na década de 1830. Modestos e pequenos proprietários rurais, trabalhadores mestiços e tapuios (índios) e escravos se levantaram contra a dominação portuguesa, chegando a conquistar temporariamente o poder, o que ficou conhecido como Cabanagem.[2] Seguiu-se uma repressão selvagem que se estendeu ao longo de muitos anos, até o fim dos anos 1830, obrigando os revoltosos a fugir e se esconder, formando quilombos (Prado Jr., 1947, p.135-48);
b) os anos de 1870 em diante, com a exploração crescente das matas de seringueiras a serviço do capital industrial e financeiro europeu e norte-americano, alimentada pelo êxodo de nordestinos famintos, vítimas de secas sucessivas;

[2] Prado Jr. chama a atenção, em nota de rodapé: "Não confundir com as agitações de igual nome no sertão de Pernambuco e Alagoas, e que se estenderam de 1832 a 1835".

c) os anos de 1942 a 1945, com uma nova campanha da borracha pela incorporação compulsória de recrutas militares – "os soldados da borracha" – na extração do látex. Tratava-se de abastecer de borracha as tropas "aliadas" após a ocupação das ilhas do Pacífico, então as maiores produtoras mundiais, mas em mãos das tropas japonesas associadas ao Eixo Roma-Berlim;
d) os anos de 1990 a 1995 abriram a região a novas modalidades de interação com o meio envolvente. Uma delas, de natureza política nacional: o enfraquecimento do regime militar. Outra, de natureza religiosa internacional: a penetração no campo das idéias do Concílio Vaticano II.

Ao contrário do que aconteceu no Nordeste, Centro-Oeste e Sul do país em relação a suas respectivas transformações econômicas, políticas e culturais, as mudanças entre as populações rurais tradicionais amazônicas pouco foram, até hoje, divulgadas e conhecidas em nível nacional, inclusive no ensino, do fundamental à universidade; como referência exemplar nesse sentido a grande Coleção de História Geral da Civilização Brasileira. Foram necessários os alarmes econômicos e tecnológicos do relatório Meadows (1972) e das Conferências Internacionais sobre Meio Ambiente de Estocolmo, em 1972, e do Rio de Janeiro, em 1992, para que essas populações despertassem a atenção do país. Salvo a luta dos seringueiros da década de 1980 e do assassinato do seu líder Chico Mendes, em 1988, a literatura de maior difusão nacional se restringia a alguns clássicos literários, como Tavares Bastos no seu *O Valle do Amazonas* (1866) e de Euclides da Cunha em seu *Um paraíso perdido* (1977).

A CEPA NEGRA DO CAMPESINATO REGIONAL (1820-30)

Pela proximidade de Belém, capital da província e foco principal da revolta cabana, e devido ao fraco povoamento e à frágil organização política da região em estudo, esta foi escolhida tanto por escravos fugitivos das fazendas desde o final do século XVIII (Weinstein, 1993, p.59) quanto por foragidos da repressão anticabanos dos anos 1830, caboclos e escravos negros. A historiadora Weinstein, que pesquisou exaustivamente jornais, cartórios de Belém e registros de posse do Instituto de Terras do Pará (Iterpa), afirma que:

> segundo relatos da época, a maior parte desses fugitivos não precisou ir para tão longe; parece que muitos se reagruparam nas partes mais atrasadas das regiões das Ilhas, ou ao longo dos trechos menos acessíveis dos rios Xingu, Trombetas ou Tapajós. (1993, p.60)

Acrescenta que "seus novos habitantes puderam dedicar-se a atividades de subsistência como o plantio da mandioca, a caça e a pesca, sem qualquer ameaça maior de serem perturbados"; e, ainda, "... na década de 1840, muitos caboclos e escravos começaram a dedicar parte de seu tempo à extração [do látex]" (ibidem). A propósito do estatuto social desses trabalhadores, a autora faz comentários que contrastam com as representações, hoje correntes, sobre a economia dos grandes seringais mais distantes, explorados nos anos posteriores, como no Acre. Naquela época e naqueles lugares mais próximos, escreve:

> a extração da borracha contribuía para criar uma população relativamente autônoma de produtores semi-independentes, não sujeitos diretamente a qualquer forma de controle ou coerção... (ibidem, p.60)

Os negros eram tão bem integrados nessa população predominantemente indígena e mestiça que, só no ano de 2007, as organizações rurais de Porto de Moz, apesar de toda a luta por sua própria autonomia e pelo reconhecimento de sua identidade camponesa, despertaram pelo reconhecimento da identidade particular de alguns (são cinco) desses núcleos de quilombolas no município. Há, pois, indícios claros dessa presença negra. Um ancião de oitenta anos, relembrando as origens de sua família em Souzel, na segunda parte do século XIX, bem antes da emancipação dos escravos, testemunha:

> A minha vó é dos crioulos, preta velha, do cabelo pixaim, e meu avô era um mineiro, dos olhos azuis; veio de Minas e casou-se com ela, né. Aí ela foi produzir e, dessa produção, é aquela..., aquele povo que tá lá naquela vila [de Bom Jesus, no rio Quati]: todos são a parentagem. (Manoel, 1997)

Segundo o atual coordenador do Comitê de Desenvolvimento Sustentável de Porto de Moz (CDSPM), o quilombo de Maria Ribeira, no município de Gurupá, já foi reconhecido legalmente pelo estado do Pará (Jomaba, 2007). Em Porto de Moz, é o que contou um idoso de noventa anos, por nome Cabo Verde, morador da cidade, no bairro do Praião, quando este veio de Maria Ribeira com idade de dez anos: "Havia três famílias de pretos bem-pretos no Praião; casaram entre si e ficaram todos parentes" (ibidem). São citadas a sra. Diolanda, curandeira, e dona Umbelina, ambas com noventa anos, dona Penhona, dona Romana, que, conforme se conta, "tava marcada nas nádegas como escrava e nunca aceitava se desvestir diante de ninguém" (ibidem). Uma memória, portanto, transmitida de pais para filhos e netos, da presença de um campesinato local mesclado de ex-escravos camponeses.

Um militante de comunidade afirmou numa reunião recente com o Iterpa:

> Conseguimos 27 pessoas para vir aqui. É um problema. No Maripi, [lado oriental do rio Xingu], somos descendentes de quilombos; temos orgulho disso e não escondemos. Trazemos a mais velha pessoa da comunidade aqui, com a gente, de

> 94 anos, que nasceu e criou-se na nossa terra. Nós temos 70 famílias em 500 de frente, 2000 de fundo – imprensada pelos grandes. Não estávamos preocupados e agora estamos imprensados. Estou aqui acompanhado pelos companheiros; não vamos sair desta terra dos nossos pais. Lá existe um povo humilde que quer que é seu. Nós vamos lutar pelo que é nosso. (Zacarias, 2007)

Uma senhora muito idosa confirma:

> Meu pai era mariscador e tinha muita fartura. Hoje a gente se acha fraco porque chegou muita gente e as coisas se acabaram. Minha mãe é muito orgulhosa porque criou os seus filhos sem vender terra. Hoje não temos mais terra para produzir. Meu vizinho vendeu a terra dele e ainda vendeu parte da nossa terra. Nós mesmos fomos fazer o serviço pra cortar o pique [do patrimônio], porque a gente era fraco. Mas nós não queremos deixar perder mais terra. Porque nós somos quilombos, também sou filha de índia, também sou caboclo, com pele cor da terra. A terra é nossa mãe, dali é que tiramos tudo pra viver. Nós estamos pedindo, nós estamos lutando para pedir pela nossa terra. (dona Santa Vieira)

O POVOAMENTO SERINGUEIRO (1850-1920)

Foi com a exploração econômica do látex extraído da seringueira e da maçaranduba que, a partir dos anos 1850-70, os seringais nos municípios estudados foram procurados por trabalhadores independentes. Segundo Weinstein (1993, p.60-1), a elite econômica tradicional do Pará desprezava a atividade extrativista, julgada inferior à agrícola e digna, apenas, de pessoas de baixa extração, genericamente assimilados a bandidos e desordeiros. Cita a autora o seguinte pronunciamento feito pelo vice-presidente da Província, em 1846:

> Existem muitos criminosos, e alguns destes invadidos das prisões, desertores, escravos fugidos e outros indivíduos que, embora applicados, como se diz, no fabrico da seringa, vivem todavia como independentes. (Pará,1946, apud Weinstein, 1993, p.61)

Eram os primeiros camponeses a adquirirem sua plena autonomia econômica, por desprezo das elites econômicas e políticas. Vale observar que, até hoje, prevalece esse preconceito em relação à coleta dos frutos da natureza, pois, quem valoriza a terra, entende-se, é o lavrador e, muito particularmente, o fazendeiro.

Mal conquistada, porém, sua liberdade, os seringueiros passaram a vê-la restringida por sua dependência de novos "patrões", os donos de seringais e castanhais. De novo, essa transformação se deu por pressão econômica do capital industrial e financeiro do exterior, que só pensava na valorização do "Ouro Negro" (Vianna Moog, 1975). A Praça de Belém foi ocupada por homens de negócios, comerciantes, donos de casas aviadoras e banqueiros estrangeiros, e os seringais entregues a elementos empreendedores "responsáveis" e "inteligentes", nacionais e estrangeiros, como destaca Weinstein (1993, p.66), citando a consideração do presidente Araújo Brusque em 1862.

As áreas paraenses de seringueiras mais distantes da capital e de acesso mais difícil foram, então, apropriadas por nacionais de tino dinâmico e comercial, vindos, principalmente, de Ceará, Pernambuco e Minas Gerais. É assim que, já no 1º de fevereiro de 1875, era empossado como primeiro presidente da Câmara Municipal de Souzel o major José Leocadio de Souza: "Homem de acção, muito enérgico, trabalhador e empreendedor, foi o primeiro que iniciou a exploração da borracha no Alto Xingu" (Campos e Abreu, 1909, p.17). Tinha migrado de Vigia, no litoral paraense, com seus nove irmãos, entre os quais um sacerdote, padre Torquatro Antônio de Souza, cuja presença já era mencionada em 1846. Leocadio, por sua vez, lançou o Coronel Gaiozo, agricultor no Maranhão, mas natural do Piauí, à exploração da borracha e à abertura de uma estrada de 40 quilômetros para contornar a volta encachoeirada do rio Xingu. Na composição da Câmara municipal, encontram-se, também, os nomes de Luis Carlos Barbosa, vindo de Minas Gerais e Virgílio Jesus Tenório (ibidem). Possivelmente seja também o caso de João Teixeira e de Posidónio Frois, citados na ocasião. Sabe-se que os seringalistas empregavam índios e mestiços aos quais arrendavam estradas de seringueiras e dos quais comercializavam a produção com generosos lucros.

A posse legal da terra, segundo as leis de terra de 1850 e 1854, era condicionada à comprovação de sua exploração, mas sob essa figura técnica de "exploração", entendia-se a produção agrícola e não a coleta, como a do látex da seringueira nativa (Weinstein, 1993, p.53-4) – o que pode explicar o plantio dessa árvore por velhos pequenos produtores ainda vivos. Esclarece, sobretudo, os enormes rebanhos possuídos por seringalistas naqueles anos em todos os municípios das ilhas da Baía do Marajó e dos municípios já mencionados (Montenegro, 1908, passim) e, portanto, os serviços de vaqueiros em fazendas, aos quais se referem velhos moradores (Simão, 2005). As variações climáticas do Trópico Úmido levavam, também, seringueiros independentes e seringalistas a alternar os tempos fortes de suas atividades entre a coleta do látex, de outubro a março, e a coleta da castanha, também abundante na região, de março a maio (Weinstein, 1993, p.75).

Com o desenvolvimento da indústria nos países hegemônicos, a exploração da borracha disparou no final do século XIX e se expandiu para o Amazonas e o Acre, dando origem às formas mais cruéis de exploração do trabalhador, bem conhecidas pelos estudos de Tavares Bastos (1866) e pelo romance famoso *La selva*, de Ferreira de Castro (1977). Na área em estudo, destacaram-se dois nomes de seringalistas, gravados na memória em traços bem contrastados.

O primeiro deles foi o coronel José Porfírio de Miranda Jr., cujo nome substituiu o do município de Souzel. Nascido na Bahia, exerceu a magistratura e o comércio em Teresina, no Piauí; veio ao Pará, onde comprou, em 1896, as terras de seu tio, tornando-se já em 1898 intendente de Souzel e deputado da província, quase sem interrupção, de 1904 a 1916. Chegou a controlar comercialmente toda a produção de borracha daquele município e do Alto Xingu, acima das cachoeiras.

José Porfírio estabeleceu um típico burgo rural semimedieval no meio daquela floresta cortada pelo rio Xingu, onde este faz uma grande volta, cheia de cachoeiras, que divide seus cursos médio e alto. No lugar chamado Vitória, no atual município desse nome, o coronel José Porfírio possuía um porto para o transporte de passageiros e cargas e grande centro comercial. Lá, possuía uma de suas residências, onde morava quando vinha ao município, pois suas atividades políticas exigiam sua presença na capital do estado e nos municípios de sua influência. Possuía neste centro, "um elegante palacete... tudo illuminado a gaz acetylino, tendo água canalizada em todos os aposentos e dependências", puxada por bomba de um poço. "Uma larga avenida, arborizada com mangueiras, illuminada a gaz" levava para o "um aperfeiçoado engenho, por vapor, para fabrico de cachaça e assucar de canna [produzido em] "extensos cannaviaes". Nesse local, estavam localizados, também, a sede de sua fazenda com avestruzes e pavões reais, acomodações para de cinqüenta a 150 trabalhadores e uma loja, onde "o passageiro encontrará... quase tudo o necessário aos reclamos do passadio, da vida das gentes" (Campos, Abreu, 1909, p.86-7).

A população de Souzel era estimada, em 1908, em 8 mil pessoas.

> Os moradores de Souzel ou dos outros pequenos centros povoados, espalham-se, acompanhados de suas famílias, pelas ilhas, igarapés e outros pontos da zona, para a faina de cortar seringueiras, defumar o leite d´estas e ganhar a sua existência. (ibidem, p.89)

Além dos seringueiros e dos trabalhadores das fazendas devem ser mencionados ainda vaqueiros, guias de muares, remeiros de montaria e pilotos de batelões, além, com certeza, de mecânicos. Os autores explicam que "escolas, só na sede do município" – um prédio imponente, como convinha; havia uma igreja, e se conhece os nomes do padre Torquato de Souza, e, posteriormente, do padre Theodozio Canovas Nogueira.

Após citar duas dezenas de afluentes do Xingu onde se encontram moradores, Campos e Abreu (1909, p.51) escrevem: "Em todos os cursos d´agua citados, há borracha...; vão sendo pouco a pouco invadidos pelo seringueiros", sugerindo que se trata de seringueiros autônomos. Acrescentam:

> ... agora é que começam os denodados seringueiros a procurar as localidades distantes ..., desenvolvendo com uma simplicidade grandiosa tantos actos de energia, de audácia, sendo realmente herões, obscuros embora e mesmo inconscientes. (ibidem)

Embora se fale de plantios de seringueiras, o seringalista na época não organizava a produção; seu lucro vinha da renda da terra e do comércio com esses heróis. Do comércio, porque trocava com eles o látex, cotado localmente em preços aviltantes, por mercadorias de seus barracões espalhados ao longo do rio: alimentos enlatados, querosene, fósforos, fumo, fazendas, redes de dormir e ferramentas, tudo vendido a preços elevados. Em 1907, existiam no município de Souzel 59 desses estabelecimentos comerciais (Campos e Abreu, p.84). De renda da terra, além do comércio, quando esses seringueiros tinham de arrendar as estradas de seringueiras situadas nas terras que o seringalista a si atribuía. É o que Wolf (1976, p.23-4) descreve como fundo de aluguel e os clássicos chamam a renda de terra, analisada por Marx. Martins (1989, p.140, n.7), nesse sentido fala de "mediação mais ampla que mescla lucro e renda fundiária".

O segundo nome famoso foi do coronel José Júlio de Andrade. Veio do Ceará em 1882, bem antes de José Porfírio, e concentrou suas atividades na margem esquerda do rio Amazonas, penetrando pelos rios Parú e Jari, em direção à atual Guiana Francesa, mas tendo terras, também, no Aquiqui, ao Norte do município de Porto de Moz. Instalou seu porto e seu centro comercial num lugar chamado Arumanduba, próximo à atual cidade de Almeirim. Tinha como gerente um cunhado conhecido como Duca Nena. Como o coronel José Porfírio, o coronel José Júlio elegeu-se deputado da província de 1889 a 1915. Explorava a seringueira, mas comercializava também a castanha, abundante naquelas terras conhecidas hoje como terras do Jari, conseguindo montar um verdadeiro império. Segundo um informante:

> Na década de 1920, chegou a dominar quatro municípios: Almeirin, Porto de Moz, Prainha e Gurupá. Ele morava no Arumanduba, atual município de Almeirim e concentrava-se nas suas mãos a maior riqueza. ... As propriedades dele se estendiam no rio JARI e nas terras do Aquiqui – latifúndios enormes ... léguas e léguas de terra, onde criava mais de 15.000 cabeças de gados. (Relatório..., 1985, p.3)

As representações populares relativas a ele divergem. Os depoimentos recolhidos por Cardoso (2006) fazem dele uma pessoa generosa que "adotava crianças", arranjava casamentos para seus trabalhadores, dava emprego. Diferentemente, e às vezes com os mesmos argumentos, os depoimentos recebidos em Porto de Moz de pessoas que trabalharam na castanha naquelas bandas falam do terror que José Júlio disseminava; alguns, entretanto, ponderando que, pessoalmente, "era homem bom; ruim era o seu gerente". Em comunicação pessoal, um bom conhecedor daquela história, faz a média:

> José Júlio era um déspota feroz, mas esperto. Reprimia os trabalhadores, que extraíam para ele, principalmente, castanha e látex, usando capangas, e aparecia pessoalmente como padrinho, acolhendo os afilhados – e fazendo filhos nas jovens incautas. (informação verbal)[3]

[3] Comunicação anônima.

Sob as aparências de tranqüilidade e submissão a seus exploradores, os trabalhadores do campo sabem esconder a revolta que ferve em seu peito, mas, no dia certo, explode, como se sabe pela história rural do país e, mais próximo de nós, pela história dos camponeses migrados no Sudeste do Pará (Hébette, 2004, p.203-20, 221-44).

> Em torno dos anos 1930, um cearense [Cesário] liderou uma revolta nos castanhais dele; se apoderou do barracão, pegou equipamentos e safra de castanha e levou para Belém, denunciando ao Governo a exploração do barracão. Abalou o prestigio de Zé Júlio. (Antônio, 1997)

Outro informante apresenta outra versão, possivelmente, já reelaborada:

> O Cesário, nesta altura, mentalizou os companheiros seringueiros e, quando o navio Almeirim subiu até lá, o Cesário ocupou o navio; armou uma parte dos trabalhadores e juntos baixaram até Arumanduba, chegando lá à meia-noite. Ficaram presos os capangas e Duca Nena foi levado amarrado para Belém. Este, depois, morreu de desgosto. O Zé Júlio conseguiu ficar no Arumanduba, mas, daí para frente, acabou o regime de escravidão no Jarí. (Relatório..., 1985, p.4)

Fazendo referência ao grande guerreiro libertador dos índios, moradores ainda têm na memória o hino da vitória:

> *A revolução do Jari arrebentou,*
> *José Cesário foi o chefe que mandou.*
> *Ajuricaba, Ajuricaba e Amapá,*
> *O vapor fazia a manobra*
> *Onde foram se encontrar.*
> *Avança, rapaziada,*
> *Que o caso está para tudo*
> *Avança, vamos embora*
> *Da Vila de Arumanduba (Anônimo).*

Essa história foi contada em romance por um homem político paraense e escritor, Jarbas Passarinho (1959) contemporâneo dos fatos. Era sob o regime de intervenção federal de Getúlio Vargas, sendo interventor no Pará o general José Magalhães Barata, um dirigente populista, que legitimava seu poder com a simpatia do povo... Foi o fim do prestígio e a ruína de José Júlio.

TEMPO DE TRANSIÇÃO (1920-1942)

Com a decadência da economia gomífera, muitos trabalhadores saíram daqueles municípios. Segundo o recenseamento do Brasil de 1920 (Brasil, 1928), a população de Gurupá tinha caído de 17 mil para 10.900 habitantes, chegando, em 1940, a 7.080; a de Porto de Moz caiu de 6 mil para 3.070; a de Souzel, de 8 mil para 2.400; a da capital de 277.500 para 236.400. Esses números, principalmente os mais antigos, devem, entretanto, ser tomados com cautela, por diversos motivos – inclusive por possíveis remanejamentos municipais –, mas, com certeza, refletem um êxodo importante. No caso de Porto de Moz, pelo menos, deve-se levar em conta um agravamento à crise econômica: uma epidemia da gripe espanhola, em 1918.

Nesse ponto da reflexão, pode-se perguntar: mas, está-se falando, naquelas diversas datas, das mesmas famílias camponesas? A título de resposta... Por um lado, os descendentes de algumas personalidades públicas citadas por Campos e Abreu (1909, passim) e encontrados hoje em Porto de Moz, como os Barbosa, Tenório, Sanches, Carreira, Soares e, possivelmente, os Teixeira e Frós. Por outro lado, os depoimentos recentes de várias testemunhas locais com mais de oitenta ou noventa anos de idade. Juntos, esses dados representam um indício mínimo para pensar, pelo menos, a hipótese de que não são poucas as famílias que se fixaram na região. Mas, de qualquer maneira, não é de indivíduos ou unidades familiares que estamos falando; é de certa coletividade vivendo num determinado território e, como tal, persistente, independentemente de imigrações e emigrações. Em 2005, ao participar pessoalmente de um levantamento organizado pelas entidades populares de Porto de Moz em algumas comunidades rurais ribeirinhas de oito rios e igarapés, foram entrevistadas 228 famílias, em 31 comunidades ou lugares rurais. Desse total, foram registradas onze famílias com membros ali residente há entre setenta e 78 anos; onze famílias com membros residentes há entre sessenta e 69 anos e onze famílias com membros residentes há cinqüenta e 59 anos, num total de 33 famílias permanentes na mesma localidade desde, pelo menos, 1945 – alguns, desde o final da década de 1920.

Com a crise econômica e o desgaste político sofrido, José Júlio viu seu império desmoronar; vendeu uma quantidade de terras espalhadas; de mãos em mãos, 82 glebas descontínuas foram registradas artificialmente como uma só propriedade de 950 mil hectares no Laranjal do Jarí, adquirida posteriormente pela Jari Celulose (*Jornal Pessoal*, 2004, p.9). Outras foram adquiridas por um grande comerciante, pecuarista e industrial, Michel de Mello e Silva, cuja família dominou a política do município de Porto de Moz, ocupando a Prefeitura e a Câmara Municipal durante mais de trinta anos, com poucas interrupções. Em 1972, o filho dele, Alfredo, declarava no Cadastro de Terras Instituto de Colonização e Reforma Agrária (Incra) nada menos do que 22 mil hectares (Incra, 1972). Má administração o levou à falência. A família Burlamarqui, do ex-juiz de direito da Comarca de Porto de Moz, Newton, adquiriu também sua parte de latifúndio.

Enquanto isto, por sua vez, pequenos seringalistas e funcionários de seringais abandonados, e, provavelmente, ex-seringueiros, tomaram posse de terras onde moram e trabalham até hoje; não as ocuparam com o mesmo intuito dos empreendedores "responsáveis" e "inteligentes" cuja meta era o lucro máximo mediante exploração humana. No molde camponês, esses novos moradores definiram o espaço de terra, mata e água necessário à vida de suas famílias, numa perspectiva intergeracional, pensando sempre no futuro de seus filhos e netos, como fazem questão de ressaltar. É nessa perspectiva familiar e bem pragmática que desenvolveram seu sentido da preservação de seus recursos naturais. Lembram a esse respeito as normas de moderação ditadas pelo patriarca Antonico, importante comerciante do rio Cupari que, à preocupação familiar, acrescentava seus interesses comerciais, sobretudo em relação a prática moderada da pesca e da caça que alimentavam seu comércio (Moreira, 2003, p.114-7). Não enriqueceram.

Na falta de mercado para a seringa, essas famílias adaptaram seu modo de vida às novas circunstâncias, como foi o caso do velho Simão, neto de funcionário de seringalista. De pai vindo de Minas Gerais, tinha nascido em Souzel em 1924, num tempo, portanto, de crise da borracha. Com doze-quinze anos (isto é, nos anos 1930), trabalhava numa estrada de seringal de umas 150 a 180 árvores plantadas pelo avô e pelo pai. Simão lembra também, espontaneamente, a data de 1942, quando, com dezoito anos, trabalhava com seringa. Sua filha, Socorro, nascida em 1950, lembra que com dez anos ela via o pai voltar de sua jornada no seringal, a camisa toda rígida de látex, quase impermeabilizada (informação pessoal). Era o início da segunda fase da grande exploração do látex, sob a pressão dos países então "Aliados" na Segunda Guerra Mundial, de certo como recrutado compulsoriamente na qualidade de "soldado da borracha". Comenta: "A seringa era um produto que dava dinheiro" (Simão, 2005). Simão mudou-se para o rio Quati, na várzea; foi cuidar do gado daquele grande pecuarista Mello e Silva; ao deixar desse serviço, cobrou dele e conseguiu – o que não era comum – indenização pelo trabalho feito, e comprou... duas vacas! Desenvolveu seu pedaço de terra com agricultura e pecuária, plantou tabaco, feijão, cana para fazer mel: "tinha fruta, tinha tudo tipo; tinha cafezal, laranjal, milho, muito jerimum, batata, melancia" (ibidem). Não comprava feijão, mas o vendia; hoje, o compra. O gado crescendo, teve de deixar a lavoura. Hoje, seu filho tem uns duzentos búfalos na várzea, uma atividade introduzida no Pará em meados do século XX, e uma nova identidade, a de criador. Um documento cartorial de 26 de junho de 1942 cita, pois, "Cândido Corrêa Soares e seus irmãos... todos criadores e residentes no rio Quati", uma família, ainda presente, de pioneiros da borracha.

O DESPERTAR POLÍTICO (1980-1995)

Chegaram à região no início da década de 1980 religiosos católicos vindos da Itália, formados no espírito de abertura religiosa do Concílio Vaticano II e adeptos da Teologia da Libertação promovida por teólogos latino-americanos. Os militantes de Porto de Moz evocam freqüentemente a figura dos padres Carlos e Nicolau. Para darem conta dessa imensa paróquia de 17 mil quilômetros quadrados, montaram um esquema complexo de organização territorial: localidades e comunidades, setores definidos pelos rios e igarapés, região pastoral (essa integrando as paróquias de Souzel e Gurupá); tal divisão permanece até hoje como base organizacional das entidades tanto civis quanto públicas. Ao mesmo tempo, organizaram sua pastoral por idade (crianças, jovens, adultos), por gênero e por eventos rituais (batismos, missas e casamentos). Um denso calendário de reuniões e encontros proporcionou aos militantes discussões, avaliações e propostas de ação relativas à sua vivência. Os religiosos introduziram em sua catequese e em sua pregação o léxico bíblico e a linguagem crítica das Comunidades Eclesiais de Base (CEBs), que resultaram em demarcar ideologicamente os setores politicamente conservadores – principalmente urbanos e minoritários – e os setores politicamente "avançados" – sobretudo rurais e majoritários.

Padre Nicolau era particularmente crítico, e criticado por seu radicalismo político. Uma avaliação da pastoral registra: "Algumas comunidades da cidade acham que o padre Nicolau faz colocações pesadas na igreja (fala claro demais)" (Relatório..., 1990, p.4). Comentava-se que sua pregação afastava muitos fiéis das cerimônias religiosas.

Os padres discerniram alguns jovens promissores que enviaram a diversos cantos do país para participar de encontros de cunho religioso, é certo, mas, sobretudo, do campo social e político: Central Única dos Trabalhadores (CUT), Coordenação Nacional das Classes Trabalhadora (Conclat), Comissão Pastoral da Terra (CPT), Partido dos Trabalhadores (PT). Lembram:

> Foi na época que era pra nós tomar esse sindicato. Então, P. é um cara que pegou muitas formações, em Santarém, no Rio, em Brasília, em Belo Horizonte. A. foi um cara que saiu aí pra fazer vários cursos. (Idalino, 1997)

Nessas ocasiões, iniciaram-se a uma nova linguagem e a um novo discurso, o dos "movimentos sociais", que pouco a pouco se impôs, expressão da consciência de seu ser fundamental de camponês. Daí vieram a criação de um diretório do Partido dos Trabalhadores (PT), em 1985, a conquista em 1986 do sindicato pelego criado pela Prefeitura dois anos antes, e a Associação dos Pescadores Artesanais (Aspar) em 1994. Trocaram sua referência de "lavradores", expressão ideologicamente unificadora de fazendeiros e trabalhadores, pela referência classista e sindicalista de "trabalhadores rurais"; num certo momento, passaram a se chamar também "camponeses", termo que evocava as lutas camponesas dos anos de 1960 no país.

Foram anos de formação, de contestações sociais e de ação coletiva pela defesa de seus territórios tradicionais de vida – águas de pesca e matas.

A LUTA PELOS TERRITÓRIOS E PELO MODO DE VIDA CAMPONÊS (1995-2004)

Os primeiros anos de 1990 foram o início da entrada, no município de Porto de Moz, de empresários madeireiros expulsos dos municípios vizinhos, já despojados de suas madeiras nobres. À diferença dos modestos comerciantes-madeireiros locais, esses novos empresários vinham com seus equipamentos pesados que lhes permitiam a derrubada de árvores no coração mesmo da floresta e seu transporte mecânico para suas enormes balsas. Instalaram dezenas de canteiros madeireiros espalhados pela mata. Era também uma fase de pujança da exploração comercial e "mineira" do pescado.

O avanço de madeireiros na floresta e a entrada nos rios internos dos barcos "geleiros" equipados de grandes malhadeiras assustaram os moradores que sentiram ameaçados seus territórios tradicionais e seu próprio modo de vida – um modo de vida construído e reconstruído ao longo do tempo e em espaços diversos. Conforme sua prática de reflexão e de planejamento coletivo e sob uma inspiração mais conciliadora de um novo pároco, brasileiro, diversas igrejas locais e as organizações populares programaram, em 1995-96, uma série de seminários abertos a todos, até mesmo às instituições públicas, que tomaram os nomes de "Seminários sobre recursos naturais" e de "Seminário sobre recursos naturais: madeira e pescado". Chamaram para assessorá-los lideranças mais organizadas do Movimento pela Sobrevivência da Transamazônica (MPST) e uma equipe de pesquisadores do Laboratório Agro-Ambiental da Transamazônica (LAET), ambos de Altamira. Nesses seminários, algumas comunidades apresentaram e aprimoraram um projeto de delimitação, não mais virtual como era, mas física, de seus territórios de vida. Nos anos seguintes, quatro comunidades abriram piques em torno de seus respectivos territórios, identificando por GPS suas referências geofísicas, então registradas por marcos no meio da floresta; faziam ao mesmo tempo um levantamento amostral dos recursos naturais disponíveis. Outras comunidades seguiram a iniciativa.

> Nós fomos com os técnicos pra o mato e lá fizemos uma parcela, né. Medimos um quarto de uma hectárea e ali fizemos um levantamento do potencial daquele quarto de hectárea... do LAET, e um técnico também florestal do movimento. Então, acho que foi um grande avanço. (Idalino, 1998)

Nos seminários e nessa prática de campo, os camponeses incorporaram à sua experiência novos vocábulos e novas noções que lhe deram maior autoconfiança, segurança e desenvoltura para dialogar – ou brigar – com os "intelectuais", como diziam, do governo ou das ONGs. Foi uma grande aprendizagem. Foram generosos na medição de seu território, variando de 7 mil a 13 mil hectares, incluindo reserva coletiva, áreas comunitárias e pedaços de chão para uso familiar em torno das residências, numa perspectiva de longo prazo:

> [Uma] terra que será suficiente para todas as famílias que fazem parte da comunidade, trabalharem e retirarem o sustento para sua sobrevivência, e ainda garantir um pedaço de chão às gerações futuras. (Socorro, 1997)

Não bastava delimitar; precisava também organizar a exploração. O contato com sindicalistas e pesquisadores da Transamazônica, muito preocupados com o desmatamento descontrolado nos lotes dos colonos ou nas fazendas de gado, inculcaram nos camponeses o conceito de recurso limitado e esgotável. Algumas comunidades já se tinham sensibilizado, fazia tempo, com esses conceitos, e mais, com a percepção ecológica da interdependência e do concatenamento do conjunto desses recursos.

O tratamento da questão da pesca foi mais complexo: fizeram alguns seqüestros de equipamentos e até de barcos invasores de seus territórios pesqueiros tradicionais; houve alguns acordos internos de pesca (proibição de uso de redes malhadeiras, respeito ao período de piracema, proibição de entrada de barcos geleiros no lago do Urubu, mas interesses divergentes tornaram difíceis acordos mais amplos.

> Meus pais, os meu tios nunca usaram rede pra jogar no rio pra pegar peixe, não senhora; nunca nós adotemo essa, esse tipo de pesca aqui nesse rio Quati. Todo tempo, nós temo isso, que, quando nós cisma, que passou um barco pra querer roubar peixe com esse tipo de pesca, se junta é muito homem, e vai lá. E nós tem que jogar pra fora, de qualquer maneira, porque nunca nós adotemo esse tipo de pesca. Então, é por isso que, aqui nós ainda temos fartura, é. (Neidi, 1997)

UM GOLPE DE GRAÇA À DESTRUIÇÃO DE SEU MODO DE VIDA

Desde os seminários, o projeto de uma reserva extrativista (Resex) germinava na mente de moradores, que já tinham ouvido falar dessas Resexs, em reuniões e encontros, e tinham visitado algumas das primeiras no Acre. Fizeram mil reuniões com os órgãos oficiais e receberam o apoio do Ministério Público. Mas as empresas madeireiras continuavam cercando as áreas comunitárias e estavam organizando-se, também, local, regional e nacionalmente, inclusive, por sua Associação de Indústrias Exportadoras de Madeira (Aimex) do Pará. A luta contra os madeireiros e geleiros destruidores foi dura, e nem sempre a mais adequada. Instigados pela ONG Greenpeace, resolveram fazer, em 2002, um audacioso ato de impacto: fechar o largo rio

Jaraucu às balsas ilegalmente carregadas de madeira nobre, inclusive as do prefeito e de sua família. Por pouco, a operação não virou drama: à noite o irmão do prefeito da época tentou lançar sua balsa, já apreendida pela polícia, contra as centenas de pessoas, adultos e crianças, dormindo em barcos ligados uns aos outros por correntes. Como Cesário em Arumanduba, os camponeses subiram no barco do madeireiro e o dominaram. Poucas horas depois, no retorno à cidade, as tropas dos madeireiros, avisadas e lideradas pelo próprio prefeito, fizeram do centro da cidade um campo de guerra, agredindo, com incrível violência, camponeses e repórteres convidados. A cena foi divulgada no dia seguinte pela imprensa e televisão nacionais. Os camponeses, nem por isso, esmoreceram. Apesar de interesses pessoais às vezes diversificados, mantiveram sua coesão. Pressionaram, com muito vigor, o Ministério Público, o Iterpa, a Secretaria de Ciência, Tecnologia e Meio Ambiente (Sectam), o Instituto Brasileiro do Meio Ambiente e Recursos Renováveis (Ibama) e o Conselho Nacional de Populações Tradicionais (CNPT), fazendo deles aliados.

Em novembro de 2004, o presidente da República decretou a criação, no município, da Reserva Extrativista Verde para Sempre com extensão de 1.300.000 hectares – a maior do país – com cerca de 1.500 famílias, expulsando de vez as empresas madeireiras. Uma nova metamorfose garantindo àqueles camponeses maior segurança no território e mantendo, dentro dele, a áreas comunitárias já estabelecidas. Ao preço, talvez, da concessão ao estado de uma parcela de sua autonomia. Cabe-lhes agora planejar seu plano de uso.

Com o tempo, o panorama físico e social tem se diversificado, em conformidade com o meio físico e em função do dinamismo das comunidades. De 1970 a 2000, a população rural de Porto de Moz tinha duplicado, mantendo-se majoritária no município. Os tipos e as formas de produção evoluíram. A pecuária de búfalos dominou nas áreas de várzea; algumas comunidades estão tateando no uso sustentável da madeira e na produção de artesanato; outras se mantêm num extrativismo diversificado; os pescadores estão se organizando.

CONSIDERAÇÕES FINAIS

Este artigo partiu do pressuposto de que o campesinato atual das áreas amazônicas ditas tradicionais é formado por produtores rurais diferenciados, incluindo agricultores, pescadores, extrativistas vegetais. E adotou como hipótese um processo de diversificação de um campesinato regional do Baixo Amazonas e do Baixo Xingu, ao longo do tempo e em ecossistemas e lugares diversos, em geral impostos por interesses alheios à região (de seringalistas, latifundiários, empresas madeireiras e pesqueiras).

Verificou-se que, nas duas últimas décadas, a pressão crescente desses interesses econômicos sobre os territórios camponeses constituídos e consolidados após a segunda campanha da borracha colocou para esses camponeses a alternativa de perder o acesso, o controle e o uso de seus recursos naturais – base de sua produção material e de sua reprodução social – ou de se organizar e resistir. Foram escolhidas como caso relevante de resistência as comunidades rurais de um dos municípios mencionados, o de Porto de Moz.

Trata-se de uma luta camponesa típica da Amazônia moderna, por razões ecológicas e históricas, cuja referência simbólica foram os empates dos seringueiros do Acre. Uma luta cujas armas foram e são a vontade de autonomia e a organização coletiva camponesas. A originalidade de Porto de Moz consiste no fato de a resistência não ter sido de um só grupo profissional – os seringueiros –, mas de uma diversidade de produtores e de organizações rurais unidas, no ponto de partida, pelo pertencimento comunitário e identitário à Igreja Católica, na linha da Teologia da Libertação e, posteriormente, identificados por referências seculares a suas próprias organizações.

À diversificação camponesa verificada no tempo e no espaço no Baixo Amazonas e no Baixo Xingu chamamos de metamorfose. Por essa metáfora, por um lado, excluímos a idéia de uma ruptura entre condições e modos de vida e, por outro, sugerimos um processo transitivo de condições e modos de vida camponeses para outros, portadores de identidades específicas. Essas entidades foram forjadas tanto pelos ecossistemas (terra firme e floresta, rios e várzea), que condicionam o tipo de produção do camponês, quanto pelas representações que nascem dessa interação com a natureza, pela linguagem e pela referência à etnia e ao estatuto jurídico (escravo-livre; subordinado-autônomo; arrendatário-posseiro-proprietário; gestor individual-coletivo de seus bens e recursos). A Resex de Porto de Moz é o resultado – e isso pode se dizer, também, do município de Gurupá – de uma reforma agrária original que conjuga em sua gestão campesinato e estado – uma forma de autonomia, na verdade, tutelada.

REFERÊNCIAS BIBLIOGRÁFICAS

BRASIL. *Recenseamento do Brasil 1920*. IIª Parte, Rio de Janeiro: Typ. Estatística, 1928. v. 4.

BRAUDEL, F. *Écrits sur l'histoire*. Paris: Flammarion, 1969.

CAMPOS, A. ABREU, L. *O Município de Souzel*. Belém: Typ. da Livraria Escolar, 1909.

CARDOSO, D. M. *O processo decisório de políticas públicas para o desenvolvimento local*: Rio Arraiolos – Almeirim/Pará. Belém, 2006. Tese (Doutorado) – Desenvolvimento Sócio-Ambiental, Universidade Federal do Pará, Núcleo de Altos Estudos Amazônicos.

CARVALHO, H. M. de. *O campesinato no século XXI:* possibilidades e condicionantes do desenvolvimento do campesinato no Brasil. Petrópolis: Vozes, 2005.

CASTRO, F. de. *A Selva*. 29.ed. Lisboa: Guimarães & Cia., 1977.

CUNHA, E. da. *Um paraíso perdido*. Petrópolis: Vozes, 1977.

DUBY, G. *Guerreiros e camponeses*: os primórdios do crescimento econômico europeu. Séc. VII-XII. Lisboa: Editorial Estampa, 1980.

______. Avant-propos. In: DUBY; G.; WALLON, A. (Dirs.). *Histoire de la France rurale*. Paris: Seuil, 1975. v.1.

GALESKI, B. *Sociologia del campesinado*. Barcelona: Ediciones Península, 1977.

HÉBETTE, J. Os grandes projetos. In: HÉBETTE, J. *Cruzando a fronteira:* 30 anos de estudo do campesinato na Amazônia. Belém: EdUFPA, 2004. v.3.

______. A resistência dos posseiros no Grande Carajás. In: HÉBETTE, J. *Cruzando a fronteira:* 30 anos de estudo do campesinato na Amazônia. Belém: EdUFPA, 2004. v.3.

______. O grito dos posseiros no Grande Carajás. In: HÉBETTE, J. *Cruzando a fronteira:* 30 anos de estudo do campesinato na Amazônia. Belém: EdUFPA, 2004. v.3.

HÉBETTE, J.; MAGALHÃES, S.; MANESCHY, C. Contemporaneidade do campesinato na Amazônia Oriental. In: ______ (Orgs.). *No mar, nos rios e na fronteira:* faces do campesinato no Pará. Belém: EdUFPA, 2002.

INSTITUTO NACIONAL DE COLONIZAÇÃO E REFORMA AGRÁRIA. Relação de cobrança relativa ao Imposto Territorial. Pará. Município de Porto de Moz. Brasília: INCRA, 1972.

JORNAL PESSOAL, ano XVII, n. 321, abril 2004.

MARTINS, J. de S. Impasses políticos dos movimentos sociais na Amazônia. *Tempo social.* Rev. Sociologia. USP, São Paulo, 1(1):131-48, 1. sem. 1989.

MENDRAS, H. *Sociedades camponesas*. Trad. M. J. da Silveira Lindoso. Rio de Janeiro: Zahar, 1978.

MONTENEGRO, A. (Org.). *Álbum do Estado do Pará:* oito anos de governo 1901-1908. Paris: Imprimerie Chaponet, 1908.

MOREIRA, E. da S. *Tradição em tempo de modernidade:* reprodução social numa comunidade varzeira do rio Xingu/PA. Belém: EdUFPA, 2003.

PARÁ (Província de). *Discurso do Vice-Presidente João Maria de Moraes*, 15.08.1946.

PASSARINHO, J. G. *Terra encharcada (Romance)*. Belém: [s.n], [1959?].

PRADO JR., C. *Evolução política do Brasil:* ensaio de interpretação dialética da história brasileira. São Paulo: Brasiliense, 1947.

RELATÓRIO DE AVALIAÇÃO PAROQUIAL, Porto de Moz, 1990. 7p. Mimeografado.

RELATÓRIO DO III ENCONTRO DOS LAVRADORES EM PORTO DE MOZ, Porto de Moz, 1985. 9p. Mimeografado.

SHANIN, T. *Naturaleza y lógica de la economia campesina*. Barcelona: Anagrama, 1976.

TAVARES BASTOS, A. C. *O Valle do Amazonas*. Rio de Janeiro, 1866.

VIANNA MOOG, C. *O ciclo do ouro negro*. 2.ed. Belém, 1975.

WEINSTEIN, B. *A borracha na Amazônia:* expansão e decadência. São Paulo: Hucitec/ Edusp, 1993.

WOLF, E. *Sociedades camponesas*. Trad. L. L. de Oliveira. 2.ed. Rio de Janeiro: Zahar, 1976.

Entrevistas

Antônio, 1997 (secretário de Agricultura)
Idalino, 1997, 1998 (presidente do STR)
Jomaba, 2007 (coordenador do Comitê do Desenvolvimento Sustentável de P. de M.)
Manoel, 1997 (morador de Bom Jesus)
Neidi, 1997 (moradora de Bom Jesus)
Socorro, 1997; 2008 (militante do rio Quati)
Simão, 2005 (morador de Bom Jesus)
Santa Vieira, 2007 (moradora do Quilombo Tauerá)
Zacarias, 22007 (moradora do Quilombo Maripi)

9
QUILOMBOLAS NA ILHA DE MARAJÓ: TERRITÓRIO E ORGANIZAÇÃO POLÍTICA

Rosa Elizabeth Acevedo Marin

INTRODUÇÃO

Estudar a sociedade da ilha de Marajó significa reconhecer, em sua formação histórica e no presente, a existência de indígenas e negros como os grupos étnicos mais importantes. No entanto, esses têm sido invisibilizados por narrativas centradas numa figura prototípica em uma região de pecuária, de reduzida ocupação humana. Salles (1971, p.124) observa criticamente esse "modelo" de sociedade colonial, caracterizado por população escassa, com dominância do "tipo humano do vaqueiro". Ao questionar esse modelo, aponta a diversidade tanto ecológica como social e econômica da ilha, dividida em duas grandes regiões: a do criatório e a da economia extrativista. A diversidade social, menos relevada nesse estudo, é representada por grupos – ocupando territórios etnicamente configurados – que emergem com força no tempo presente, como os quilombolas.

Ao analisar a sociedade gerada em torno das fazendas de gado, sustentadas na instituição da escravidão, Salles (ibidem) afirma que o negro constituía a maior parcela da população na ilha, apoiando-se nos trabalhos escritos por José Veríssimo e frei Caetano Brandão. Este observou, no século XVIII, grande número de escravos negros encontrados nas fazendas dos carmelitas e dos mercedários. Verificando as estatísticas citadas por Baena do ano 1832, para a Comarca de Marajó calculava-se em 10.689 o número de "moradores livres",[1] enquanto o total dos escravos chegava a 2.040 (Baena,

[1] O censo menciona "moradores livres" produzindo uma categoria majoritária, que não pode ser confundida com os 367 identificados como brancos em 1822. Estes livres não identificados constituem uma incógnita, sem estar claro o critério de sua diferenciação.

1839, 2004, p.284). As freguesias de Cachoeira, Muaná, Chaves, Monsarás e Soure tinham a maior quantidade de escravos.

Estudo histórico recente escrito por Gomes (2005) incorpora farta documentação sobre os quilombos formados na ilha de Marajó. Os movimentos de fugitivos e a organização de quilombos são descritas para os séculos XVIII e XIX. O historiador argumenta que "para além dos saques, razias e roubos de gado, os quilombos tentavam constituir uma base econômica com pequena agricultura, visando sua subsistência e trocas mercantis" (Gomes, 2005, p.53). As fazendas e engenhos dos séculos XVIII-XIX se valeram do trabalho de indígenas e de escravos africanos e foi nas fímbrias das fazendas que se formaram as comunidades de fugitivos na ilha de Marajó.

Na presente década, pesquisadores de diversas áreas de conhecimento enfocam os grupos negros na ilha e estabelecem uma relação entre os modos de existência social e cultural dos que se identificam como quilombolas com antigas formas de territorialização de escravos fugitivos, de indígenas e de trabalhadores livres (Acevedo, 2005; 2006; 2007; Nogueira, 2005). O novo é a identidade coletiva de quilombola assumida pelo grupo, as formas de organização política para reivindicar direitos territoriais e étnicos (Acevedo, 2005).

Neste artigo se elabora uma síntese das experiências sociais dos quilombolas na ilha de Marajó e para isso são sistematizadas interpretações feitas com base em estudos etno-históricos no município de Salvaterra. Situam-se aqui argumentos a propósito do que significa ser quilombola e sobre a orientação das ações políticas de agentes do movimento social que demandam há pelo menos sete anos a titulação coletiva do território quilombola no município de Salvaterra. Dificilmente essa realidade social e política protagonizada pelos quilombolas poderá ser negada.

ÍNDIOS E NEGROS NA ILHA DE MARAJÓ

A ilha de Joannes, ou Marajó, foi ocupada por grupos indígenas que aperfeiçoaram artefatos de cerâmica pelo menos em 3.400 a.C. (Meggers; Danon, 1988), atingindo alta densidade populacional antes do contato com os europeus (Roosevelt, 1992). Nheengaíba[2] e Aruã distribuíram-se na ilha; os primeiros ocupavam as florestas, as margens de rios e o centro da ilha de Marajó e alguns pontos do litoral; os Aruã, em processo de expansão à época do contato com os europeus, dominavam na costa norte e ocidental da ilha, provenientes das ilhas Caviana e Mexiana (Lopes, 2006). As formas de existência social e cultural desses grupos foram destruídas com a chegada de colonizadores e missionários.

[2] Nheengaíba foi uma denominação atribuída a diversos grupos indígenas que habitavam a ilha de Joannes.

Martins (2006) destaca a singularidade do projeto de missões no estado do Grão-Pará e apresenta com destaque a missão dos jesuítas na ilha de Joannes. O padre Vieira, superior das Missões, ordenou aos padres Souto Maior e Salvador Vale para instalar a aldeia Nheengaíba ou Ingaíba, reunindo as nações Sacaca, Aruã, Mapuá, Mamianá, Pauxis e Boca. De uma fase de "boa amizade" desses grupos com os "portugueses" derivou uma relação de conflitos. Para defender-se da escravização, captura e "mau tratamento" por parte dos "portugueses", os Nheengaíba utilizaram uma estratégia de desmembramento e divisão das povoações pelo território a grandes distâncias, além de privilegiarem em suas trocas de tabaco e pescado os comerciantes holandeses; assim, Martins interpreta que a missão entre os Nheengaíba teve duplo "sentido de estabelecer a paz, mas com a eminência de uma guerra declarada" (2006, p.71-2). Em 1655, quando o governador declarou a "guerra defensiva" contra essa nação, advogava o direito de "livrar o Estado de qualquer inimigo". Como resultado, diversas nações indígenas foram "legitimamente" escravizadas e descidas[3] sem existir condições para estabelecer a paz entre "portugueses" e Nheengaíba. Os missionários e os efetivos militares utilizaram a estratégia de nomear um principal Nheengaíba para o convencimento das outras nações da promessa de paz e amizade e as vantagens de sua vassalagem ao rei português. A questão da pacificação foi enfrentada dando as cartas para a Ordem dos franciscanos, que tinha experiência com os Aruã; estes estabeleceram suas aldeias missionárias na ilha durante os treze anos (1666-1679) em que vigorou o primeiro decreto de expulsão dos jesuítas (Lopes, 2006, p.27-8).

Nesse novo momento missionário na ilha de Joannes, os jesuítas[4] na ilha se tornariam a ordem "mais pujante" (Vianna, 1904), pois competia a eles a administração temporal e espiritual dos indígenas, reduzindo o poder dos franciscanos, mercedários e carmelitas (Lopes, 2006, p.28). O pequeno número de missionários de São Inácio de Loyola e a pressão das

[3] Tropas de resgate, descimentos foram mecanismos de fornecimento de mão-de-obra indígena para os aldeamentos, de caráter diferente. Segundo Ravena (1999), as tropas de resgate se guiavam por um roteiro e os índios se tornavam escravos dos que patrocinavam a expedição – colonos, Estado e missionários. No descimento se realiza a troca. "A obtenção de trabalhadores índios significava, num primeiro momento, a troca de determinados gêneros (principalmente objetos de metal) entre leigos... e lideranças indígenas que se deslocavam juntamente com as populações para as áreas onde seria estabelecida uma infra-estrutura mínima para o escoamento dos produtos oriundos da extração das drogas do sertão ou para aumentar a população de uma vila já estabelecida." Ravena elabora outras considerações sobre o caráter político distinto entre o descimento e o resgate. O primeiro era destinado ao estabelecimento de uma vila ou aumento da população de um antigo aldeamento missionário para desenvolver atividade de coleta, assim como era regulado e custeado pelo Estado. No período pombalino, o resgate era atividade de iniciativa particular, marcada pela captura violenta (RAVENA, 1999, p.79-80).

[4] Os jesuítas foram expulsos pela primeira vez em 1666 e retornaram em 1679 ao estado do Grão-Pará.

outras ordens fizeram que, em 1693, fossem repartidas as missões. Por esse ato, os padres de Santo Antonio passaram a administrar a área leste do Marajó. Lopes (2006) interpreta que a administração das missões religiosas de franciscanos de Santo Antonio e da Conceição conduziu a um período de desenvolvimento das missões do Leste e da Piedade em Gurupá. Os indígenas eram repartidos como mão-de-obra na agricultura, no extrativismo e nos pesqueiros reais de Joannes e Soure e em outros trabalhos de manutenção interna das missões. Diversos documentos indicam que Mondim, próximo de Soure, Villar, nas cercanias de Ponta de Pedras, e Rebordello, na ilha Caviana eram povoados exclusivamente indígenas (Baena, [1839] 2004).

As unidades da "indústria pastoril" missionária contavam com milhares de cabeças de gado vacum e cavalar. Os jesuítas desenvolveram a atividade agrícola e pastoril na região dominada pelo lago Arari e ali concentraram grande número de escravos. Vianna (1904) complementa o Catálogo de Sesmarias, publicado no III volume dos Anais da Biblioteca e Arquivo Público do Pará, com a relação dos "Contemplados" com as fazendas de Marajó, em atenção ao aviso de 2 de agosto de 1758, do marquês de Pombal, que assina o decreto de expulsão dos jesuítas e seqüestra os 22 "quinhões" da ordem "sob o pretexto de não possuírem título legal de posse". Por ordem de dom José I, pela carta régia de 18 de junho de 1760, estas foram distribuídas entre os

> *oficiais militares e pessoas casadas vindos do reino e estabelecidas no Pará, pelas pessoas distintas, também casadas, residentes no Estado que não possuíssem bens de raiz competentes, excluídos os que tivessem terras próprias sem benfeitorias e as que não mostrassem capacidade para a cultura.* Coube ao governador Manoel Bernardo de Mello e Castro reunir a junta governativa em casa do bispo, para distribuir o patrimônio dos fazendeiros jesuítas. (Vianna, 1904, p.155)

De acordo com estatísticas do Pará colonial, em torno de 1822, na ilha, os escravos (2040) eram 5,5% mais numerosos que os brancos (p.367). Os escravos representavam 16% do total da população (Acevedo Marin, 1985, p.138).

Outro dado sobre o poder econômico de mercedários, jesuítas e carmelitas é sobre o tamanho do rebanho. Segundo Ferreira Penna, os frades das Mercês detinham 80 mil reses, a Companhia de Jesus, 60 mil, e os carmelitas, 18 mil. Esses números seriam subestimados e somente a Companhia de Jesus possuía 134.465 cabeças (Vianna, 1904, p.159). Com a expansão pecuária, aumentou o desmatamento, alargando a região de campos e, em conseqüência, provocando a redução da diversidade ambiental (fauna e flora) nos lugares onde existiram as aldeias de Joannes, Monsarás, Condeixa, Soure, Salvaterra e Gurupá (Lopes, 2006). As terras da ilha de Gurupá, ricas em cacau (nativo), estavam francas para os "moradores" que colhiam esse fruto na condição de pagarem o imposto conhecido como "oitava do cacau".[5]

Desde a primeira metade do século XVIII foram introduzidos escravos para o trabalho na agricultura, preponderantemente nos primeiros anos da colonização. O cacau era cultivado nas terras inundáveis, assim como arroz, milho, algodão, café, mandioca e cana-de-açúcar. O dinamismo das plantações de cana favoreceu o estabelecimento de alguns engenhos. A ilha tornou-se um dos centros da produção canavieira do estado do Grão-Pará e Maranhão. Mas foi a pecuária que se impôs como atividade típica. O governador Francisco de Souza Coutinho decretou que se devia dar maior importância aos pecuaristas do que aos produtores de algodão e de arroz. A pecuária ficou concentrada, adotando a forma extensiva.

Nos engenhos e fazendas ocorriam fugas coletivas e aumento dos mocambos. A concessão de sesmarias elevou-se a 32 entre 1750 e 1780 e a treze entre 1781 e 1800, mais dezesseis que se somaram até 1822. Segundo Baena, havia 226 fazendas em 1803. Nos campos onde ocorreu a concentração dessas unidades contavam-se 92, ao passo que na costa setentrional somavam 56 fazendas em 1825, o que indicava a decadência da pecuária no Marajó.

Mocambos formados por índios e negros distribuíram-se em todos os quadrantes da ilha. Os mocambos de negros foram registrados em Joannes, Soure, Chaves, Caviana, Mexiana, Maguari, Melgaço, Cachoeira, rio Prúucuba, Ariri e Muaná (Gomes, 2005, p.50-81). Já os índios de Soure seguiam os "caminhos do Arauari, a donde se acham grandes mocambos". Na vila de Monsarás noticiava-se a existência de fugitivos, ao passo que nos "matos de Ponta de Pedra encontravam-se quarenta pessoas amocambadas". O mulato Narcizo, escravo dos padres da Companhia de Jesus, era acusado de dirigir "um mocambo de índios, mulatos e criminosos" (ibidem, p. 67). Duas escoltas seguiram pelos rios "Anaveju, Tauhá, Atujá e outra pela foz do rio Atuá, por todas aquelas ilhas adjacentes, Muaná, Prúucuba" para impedir as ações de "índios, pretos e desertores". Esses ajuntamentos preocupavam sobremaneira as autoridades e os fazendeiros.

O arquipélago de Marajó foi, em boa parte, ocupado por "fazendas" no fim do século XVIII e início do XIX, o que significou que indígenas e ex-escravos, homens livres, ficariam "sem terra" e essa restrição seria o mecanismo que, em alguns casos, os tornaria dependentes e submissos dos fazendeiros. Esses trabalhadores dispersaram-se nos sítios que se formaram às margens das fazendas ou em terras mais longínquas, com grau de dependência variável do fazendeiro, do patrão.

[5] Bando de 31 de janeiro de 1754, assinado por Francisco Xavier de Mendonça Furtado (ABEP, 1904, p.91).

A atividade econômica das fazendas foi instável, com fases em que ficaram reduzidas ou abandonadas, com os fazendeiros estabelecendo residência em Belém. As fases de "crise" da pecuária extensiva estiveram relacionadas às contestações políticas, como as ocorridas durante as lutas da Independência (Soares, 2006) e a Cabanagem. Quilombolas, indígenas e mestiços conseguiram ocupar as chamadas "sobras de terra", fazendas e sítios abandonados. Outros as receberam em doação ou as compraram.

Baena aponta cinco "causas específicas" para a falência da criação do gado na ilha: 1) as onças, que preiam o que podem; 2) os atoleiros, que sorvem as reses; 3) a falta de aplicação de medicamentos ao gado; 4) os salteadores, que fazem excursões para rapinar e gado e preparar couro. A quinta causa critica asperamente os agentes econômicos:

> os *fazendeiros*, uns que banqueteiam com manjares de quantas reses podem agadanhar, ou que chacinam para vender, submergindo nos rios a cabeça e o couro para ofuscar a veracidade do latrocínio, o qual sem essa submersão ou outro qualquer sumiço seria logo reconhecido pela simples inspeção ocular da marca estampada, que é o índice demonstrativo do dono; **outros** que são assíduos na fabricação de carnes secas, couros vacarias e de boi, lançando os escravos por aqueles campos para matarem os touros e todas as mais reses, quando deveriam mandar fazer esta chacina nos touros amontoados e difíceis de ferra; e **outros**, que freqüentemente extinguem as novilhas bienais, chamadas aralhas para seu regalado repasto, e que vendem novilhos denominados garrotes por não terem bois em número que contente as grandes e reiteradas vendas que o seu interesse desmesurado traça efetuar. Um tão extraordinário bovicídio desfalcou as fazendas de tal sorte que a máxima parte das que existem só apresenta armentinhos. (Baena (1839), 2004, p.275)

Baena descreve a "roça São Macário", no século XVIII, "aderente" à fazenda São Lourenço ou Paracauari que pertenceu aos padres mercedários e, no ano de 1794, foi-lhes seqüestrada. Essa informação é um elo importante dos povoados negros de Salvaterra, pois nas terras dessa ordem surgem as terras de Santa Mercês ocupadas pelos "pretos velhos" de Bacabal, do Bairro Alto. Miguel Antonio Sapucaia, nascido em Joannes, "serviu a dom Pedro I que lhe deu em troca um terreno no Bom Jardim". O fato foi narrado por sua neta, Marcionila Gonçalves dos Santos, de oitenta anos, que vive no Bairro Alto. Na ilha de Marajó existem essas famílias, descendentes dos antigos mordomos régios. Em 1914, o alferes Luiz Antonio de Sousa fez doação a seus herdeiros de uma sorte de terras conhecida por Nossa Senhora de Natividade, ou Boi Gordo, e que recebeu a denominação de Deus me Ajude.

TERRITÓRIO QUILOMBOLA NA REGIÃO DE CAMPOS

No presente, descendentes de índios e negros desenvolvem estratégias de vida como roceiros, extratores e pescadores, lutando por permanecer em territórios ocupados centenariamente. Em Soure, Salvaterra, Cachoeira do Arari, Gurupá, Muaná, Afuá e Chaves, essas situações sociais e políticas estão em evidência. Nesses municípios, os povoados negros revelam origens diferenciadas, assim como uma diversidade de formas de acesso à terra, o que compreende ocupações, doações, posses registradas, compras e heranças. A transmissão desse patrimônio para as gerações atuais organizou as bases de um regime de usufruto das ilhas de vegetação, campinas, campos, várzeas, varja, igapós, igarapés, lagos e rios, enraizado nos sistemas de herança (Acevedo; Nogueira, 2007). Garantir esses domínios é a luta principal desses grupos, em face do avanço das fazendas com suas cercas elétricas, do movimento dos especuladores urbanos e da indústria do turismo, que pressionam e tecem ameaças sobre o território.

Quilombolas de Salvaterra produziram um processo de territorialização que experimenta mudanças devido à existência de condições limitantes à sua existência, aos modos de produzir e de organizar a vida social. As cercas construídas pelos fazendeiros, cujo primeiro significado é de identificação e de relação com um "dono, proprietário", privatizam os recursos (igarapés, lagos) e estabelecem impedimento, coerção, restrição de deslocamentos, de gozo da liberdade de movimentar-se livremente no território. Assim, quando se estudam as mudanças nas comunidades quilombolas, provocadas pelo cercamento, surgem perguntas: quais os momentos e as condições em que ocorreu sua construção? Quais têm sido as reações do grupo? Que limitações criam as cercas no modo de existência em comunidade? Essa categoria é compreendida teoricamente transcendendo a um grupo de moradia, compreendendo relações sociais com a vizinhança, situação comum de interesses, identidade e formas de ação comum que podem ser lidas como "relações comunitárias étnicas" (Almeida, 2006, p.18).

Na Audiência Pública[6] realizada em Salvaterra, em 10 de maio de 2005, a senhora Tereza Santos do Nascimento[7] tomou a palavra para posicionar-se a respeito da existência social da comunidade sob o regime da cerca:

> Eu sou filha natural de Bacabal. Que dificuldades encontramos? Em Bacabal temos 44 anos prisioneiros dentro de um curral. Nossa comunidade tem dificuldade. Isso ocorreu quando venderam o terreno de São Macário. Eu sou negra. Eu tenho orgulho de ser negra. Eu sou quilombola de sangue verdadeiro. E nós sofremos com essa decadência porque não temos terra, precisamos de terra para o plantio. As mães se deslocam para outros lugares para fazer roça. Precisamos uma libertação. E eu falo com razão. No fundo de minha casa ali sofri uma "bonita" queda com paneiro de farinha na cabeça, foi ali onde está a cerca. E eu passei algum tempo fora, e quando

[6] Na citada Audiência Pública reuniram-se aproximadamente duzentas pessoas e a mesa era presidida por autoridades da esfera federal, estadual e municipal. A convocação foi feita pela Comissão Pastoral dos Pescadores (CPP).

[7] Tereza Santos do Nascimento é professora e parteira, nasceu em Bacabal e reside no povoado.

> chego lá tem agora a porteira, e, agora, tem uma escada. Não é só isso. A fazendeira foi lá, levou polícia e foi quando a comunidade foi jurada de receber uma cerca elétrica. Quando esse pessoal chegou lá, já nós estávamos há muito tempo lá. São 44 anos de cerca.

No discurso é possível destacar a temporalidade e a processualidade das mudanças. Ela aponta que há 44 anos o grupo de famílias ficou prisioneiro "dentro de um curral", e nesse sentido representa o tempo do cercamento. As terras estão cercadas em Bacabal, o que também ocorre em Paixão, Deus Ajude, Bairro Alto. Esse é o início da "decadência", pois as famílias não têm lugar para abrir roças. Esse depoimento enuncia a dificuldade da reprodução social por essa falta e a necessidade de deslocamento em busca de terras de cultivo. Atualiza, ainda, o confronto, pois se não bastasse a cerca antiga e a porteira, a fazendeira, acompanhada pela polícia, ameaçou as famílias da comunidade de colocar uma "cerca elétrica". Dessa forma, o conflito é reforçado por um ato de uma escala de maior violência.

Em Bacabal, a cerca da fazenda São Macário circunda o povoado e obriga os que moram dentro a reinventar a vida, sem liberdade, sem terras e sob ameaça permanente. As cercas construídas pela fazendeira são a prova de uma série de atos autoritários. Cada trecho cercado fecha o espaço do povoado, que fica encolhido e sem liberdade.[8]

Algumas administrações têm sido coadjuvantes por aprovar e consentir decisões e ações dos que consideram ter direitos de proibir a circulação, de fechar povoados e fluxos de águas, de impedir a construção de casas. Esses trechos dos territórios de comunidades, separados pelas fazendas, levam a pensar que está em prática uma estratégia para romper uma unidade preexistente, baseada no processo de construção histórica e social de um território e sistemas de uso comum.

Essa ação teve início com a compra de benfeitorias de antigos moradores, a expansão dos domínios com base em documentos forjados, a destruição de casas, escolas, roças; as ameaças às pessoas, a construção de cercas, justificadas pelo movimento incontrolável do gado. Esses atos convergem para a fragmentação e a privatização do território e têm como corolário a expansão das fazendas, o que produz o controle, a imobilização dos trabalhadores, mas também a procura de alternativas individuais e familiares, como ocorre com a saída de algumas pessoas de seus povoados para viver nas cidades. Os familiares na cidade mantêm laços de reciprocidade que se materializam no envio de dinheiro, roupa, medicamentos. Na direção povoado-cidade, com a remessa de frutas, farinha, açaí.

[8] Estudo realizado por Almeida e Sprandel (2003), analisa o processo de fechamento no município de Santa Cruz do Arari, realizado no bairro do Jenipapo, próximo ao lago Arari, fechado pelas fazendas.

O primeiro Encontro de Mulheres Quilombolas do Estado do Pará se realizou em Bacabal,[9] em 2002, e constituiu um fato político para as mulheres participantes. Elas receberam representações das comunidades do território quilombola de Salvaterra e de fora da ilha. Esse tempo dos "primeiros encontros" foi o momento de emergência da identidade coletiva – de quilombola, do "ser negra". Teresa Santos do Nascimento relata, pausadamente, e interpreta o ato de contar e como o grupo se interrogou sobre sua história:

> não conhecia a gente bem... e cada um começou a contar e através da conversa foi surgindo a história. Cada um conta uma historia. As pessoas eram capazes de contar.
>
> Ninguém sabia que era quilombola. A gente começou a falar que era nossa identidade. Logo, em Babacal ... só brega, só isso dizem. Eu sou negra e tenho o maior orgulho dessa terra.

Mediante falas múltiplas, o grupo estabelece uma relação com diversos fatos históricos, como a necessidade expressa de identidade e pertencimento no plano comunitário. Se as narrativas buscam no passado as terras de santa, dos pretos velhos, esse trajeto é feito a fim de fundamentar direitos no presente. Por meio de memórias coletivas dos "antigos", mais ou menos difusas, a entrevistada retoma os fatos:

> Contam meu pai, meu marido e meus sogros que os antigos ... que teve uma história longa ... quando tinha os escravos ... Nossa terra lá, onde eles estavam foram invadidas. As pessoas que perseguiam os escravos que iam atacá-los. Eles correram e foram ficando.
>
> Foi na época de Nação. Existe um poço antigo que é o poço Nação. Existe para atrás da capela na Central. Poço da Nação eram coisas antigas. No tempo que tratavam gritando de: "Preto" ! "Sim, Meu Senhor".

Bacabal, definido por seus ocupantes como sítio e, mais recentemente, povoado, tem "pelo menos duzentos anos de idade", afirma o sr. Francisco Dias que, com seus 78 anos, reconstrói a memória da ocupação e identifica o território que está na origem. Ato que simultaneamente aciona as moti-

[9] O I Encontro de Mulheres Negras Quilombolas foi promovido pelo Centro de Defesa e Estudos do Negro no Pará (Cedenpa). Uma militante dessa ONG, em entrevista realizada em Bacabal, no dia 15 de julho de 2003, relatou o início dos contatos em Salvaterra e a materialização do projeto do Encontro de Mulheres Negras, quando fez o pedido junto à Presidente do Cedenpa, para "não esquecer de colocar as de Salvaterra". A professora Teresa Santos do Nascimento foi a primeira contatada. A agenda do encontro incluía, prioritariamente, relações raciais, discriminação do negro, direitos, relações de gênero, saúde, questões de terra e luta pela titulação, economia, renda, organização e mobilização política. Esse temário foi seguido durante o II Encontro, realizado em Deus Ajude. No decorrer desta pesquisa se observou que os grupos ampliam e aceleram o controle de sua identidade social e de estratégia política durante estas mobilizações e discussões, como mostraram os três Encontros de Mulheres Negras quilombolas, realizados em Bacabal (2002), Deus Ajude (2003) e Mangueira (2004), no município de Salvaterra.

vações coletivas para sua defesa diante das situações de conflito aberto e de usurpação que têm experimentado.

A formação original de Bacabal responde por uma noção nativa de "terra de Santa", que representa um domínio reconhecido para uma área fora do controle de grandes proprietários, pois essa era a "terra de Nossa Senhora das Mercês". O sr. Francisco Dias narra, ao ser indagado sobre a origem e quem era "dono" dessa terra, que:

> Muito antes essa terra era dos negros, dos pretos velhos. A Santa que era dona de todo isto, de todo São Macário era Nossa Senhora das Mercês. Era a classe negra que era dona. (Entrevista do sr. Francisco Dias, em janeiro de 2005.)

"Terras de santa" e também "terras de santo" constituem modalidades do sistema de uso comum. Almeida expõe que esses sistemas de ocupação estão

> fundados historicamente no processo de desagregação e decadência de plantations algodoeiras e de cana-de-açúcar. Representam formas que emergiram da fragmentação das grandes explorações agrícolas, baseadas na grande propriedade fundiária, na monocultura e nos mecanismos de imobilização da força de trabalho (escravidão e peonagem da dívida).
> ... consistiu no afrouxamento dos mecanismos repressores da força de trabalho e na formação de um campesinato, congregando segmentos de trabalhadores rurais que viviam escravizados ou imobilizados naquelas unidades produtivas. (Almeida, 1989, p.171-2)

Os sistemas de uso comum representam soluções elaboradas historicamente. Nesse sistema o controle da terra e dos recursos não é exercido de forma livre e individualmente por um grupo doméstico de pequenos produtores diretos ou por um de seus membros. Para Almeida, tal controle é feito mediante "normas específicas instituídas para além do código legal vigente". As normas são acatadas de maneira consensual "nos meandros das relações sociais estabelecidas entre vários grupos familiares que compõem uma unidade social". Esses sistemas têm sido incorporados nas estratégias de organização social e de sobrevivência de grupos camponeses, por meio dos quais se asseguram

> ...o acesso à terra, notadamente em situações de conflito aberto. Para tanto foram sendo erigidas normas de caráter consensual e consoantes crenças mágicas e religiosas, mecanismos rituais e reciprocidades econômicas positivas. A sua aceitação como legítimas não pressupõe qualquer tipo de imposição. Não constituem, portanto, resultado de injunções pelo uso da força, da persuasão política, religiosa ou do saber. (Almeida, 1989, p.168)

Essas formas organizativas seguem os ditames de uma cooperação ampliada e de formas de uso comum da terra e dos recursos hídricos e florestais. Acrescenta o autor que esse "campesinato não procedeu a uma divisão das terras em parcelas individuais". A categoria "terra de santo", conforme Almeida, refere-se à "desagregação de extensos domínios territoriais pertencentes à Igreja". O Maranhão do século XIX é considerado exemplo desse processo histórico. Com a desorganização das fazendas de algodão, imensas extensões exploradas por ordens religiosas (jesuítas e, depois, carmelitas, mercedários) foram abandonadas ou entregues a moradores, agregados e índios e submetidos a uma condição de acamponesamento, que ali já cultivavam. É nesses domínios em que passam a prevalecer as formas de uso comum, como expõe Almeida, ainda que seu controle tenha sido transferido das autoridades eclesiásticas para a administração do estado, o que ocorre no fim do século XIX. Essa continuidade tem significado para a identificação com o santo e a relação com os limites do território. Almeida escreve:

> Consoante o santo padroeiro destas fazendas, foram sendo adotadas denominações próprias, que recobriam seus limites e lhe conferiam unidade territorial. Assim, têm-se as terras de Santa Tereza, de Santana e de São Raimundo.

Nas chamadas terras de santo, as formas de uso comum coexistem, no nível da imaginação dos moradores, com uma legitimação jurídica de fato desses domínios, onde o santo aparece representado como proprietário legítimo, a despeito das formalidades legais requeridas pelo código da sociedade nacional, expõe o autor.

A categoria chamada de "terras de preto" compreende, segundo Almeida, "domínios doados, entregues ou adquiridos com ou sem formalização jurídicas por famílias de ex-escravos" (ibidem, p.1). Também contempla concessões feitas pelo estado a essas famílias, por serviços guerreiros. Como terras de santo, o grupo não procedeu à partilha. As terras de preto recebem como designação secundária denominações de entidades religiosas.[10]

As famílias mais antigas de Bacabal são nomeadas pela professoras Tereza Santos do Nascimento:

> Tinha outras famílias. Raimundo Leal era sobrinho do meu pai. Mauricio, esse era meu sogro. Manoel Gonçalves, Romualdo Jesus dos Santos seu irmão era Justo Jesus dos Santos, a irmã era a Virgília dos Santos.
>
> Outra era a família Abelardo Leal ele era sobrinho do meu pai. Tinha o João Leal, Abelardo Filho, Abelardo Leal, Abelardo Angelim Leal, Antonio Angelim Leal, Ademar Angelim, Maria das Graças Angelim Leal. Tinha a família de Raimunda

[10] Almeida destaca outro elemento da organização social destas unidades sociais, nela os denominados *encarregados* ou lideranças do grupo teriam funções vinculadas ao ciclo de festas e ao cerimonial religioso. Eles são designados para administrar os bens do santo, arrecadando um pagamento simbólico entre as famílias de moradores, geralmente denominado jóia, elemento que mantém a coesão do grupo acionando rituais de devoção (ALMEIDA, 1989, 176).

Leal. Dessa família é Daguemar Leal Filha, o Rodrigo, Maria do Rosário Leal e Raimundo Nonato Leal.

O sistema de parentesco tem centralidade na vida do grupo e perdura mesmo com mudanças na família, que se modifica e desfaz continuamente. Esses laços são representados por entrevistado *per se* como elo de uma história social. Lina do Socorro Leal identificou o seu "tio Baba, seu nome de verdade era Abelardo Leal, ele veio fugido da fazenda e veio dar em Bacabal".

O território quilombola de Salvaterra é o mais densamente povoado desse município, considerando-se os núcleos fora da sede (ver mapa). O levantamento de povoados realizados na pesquisa indica que esse segmento corresponde a 38% da população classificada como rural. Entretanto, esse grupo étnico é maior pelas indicações posteriores à pesquisa. A categoria rural e urbana demonstra ser pouco elucidativa de seus processos de deslocamento para a sede como estratégia de uso de serviços urbanos (escola, saúde, emprego temporário, vida social). Algumas famílias instalam a segunda casa na cidade e devem enviar seus filhos para estudar ou trabalhar. Outros compartilham da vida de filhos que residem em Salvaterra, tornando alguns bairros e ruas uma extensão do território quilombola. Dessa maneira, as relações entre os povoados e a cidade são muito dinâmicas, incluindo nesse universo a sede municipal e bairros de Belém (Telégrafo, Sacramenta, Tapanã).

O assentamento mais populoso é Caldeirão, o mais atingido pelo avanço da cidade, isto é, por interesses econômicos que põem em marcha a especulação sobre os terrenos e a expulsão dos quilombolas. As lideranças do povoado interpretam a "invasão São Veríssimo", organizada pelo Movimento dos Pequenos Agricultores[11] como um "jogo, pois ocupam de dia e de noite voltam às suas casas com apoio do prefeito e do Incra, eles não são lavradores". Dessa ocupação resulta um problema complexo para as demandas do grupo, que tem retomado a organização e se aproxima do Conselho das Associações das Comunidades Quilombolas do município de Salvaterra para enfrentar as ameaças.[12] Ainda os terrenos estão sendo

[11] Em setembro de 2004 foi criado o acampamento Terra Livre Padre Antônio Vieira, que reúne 160 famílias em parte das terras da fazenda São Veríssimo.

[12] O Conselho reúne 13 Associações de Quilombolas do Município. Em 2007, cumpriu uma agenda de discussões sobre o território quilombola em cada povoado. Atualmente tem uma sede na cidade de Salvaterra. Este Conselho dirigiu documentos de denúncia sobre as cercas aos ministérios do Meio Ambiente, Justiça, Ministério Público do Estado, Grupo Regional de Patrimônio da União e à recém-criada Comissão Nacional de Desenvolvimento Sustentável para os Povos e Comunidades Tradicionais – CNPCT (criada pelo Decreto de 13 de julho de 2006) com a finalidade de coordenar a implementação da Política Nacional para o Desenvolvimento Sustentável dos Povos e Comunidades Tradicionais. Segundo a Coordenação desse Conselho, não obtiveram resposta dessas instâncias.

Representação do Território Quilombola no Município de Salvaterra, Ilha de Marajó

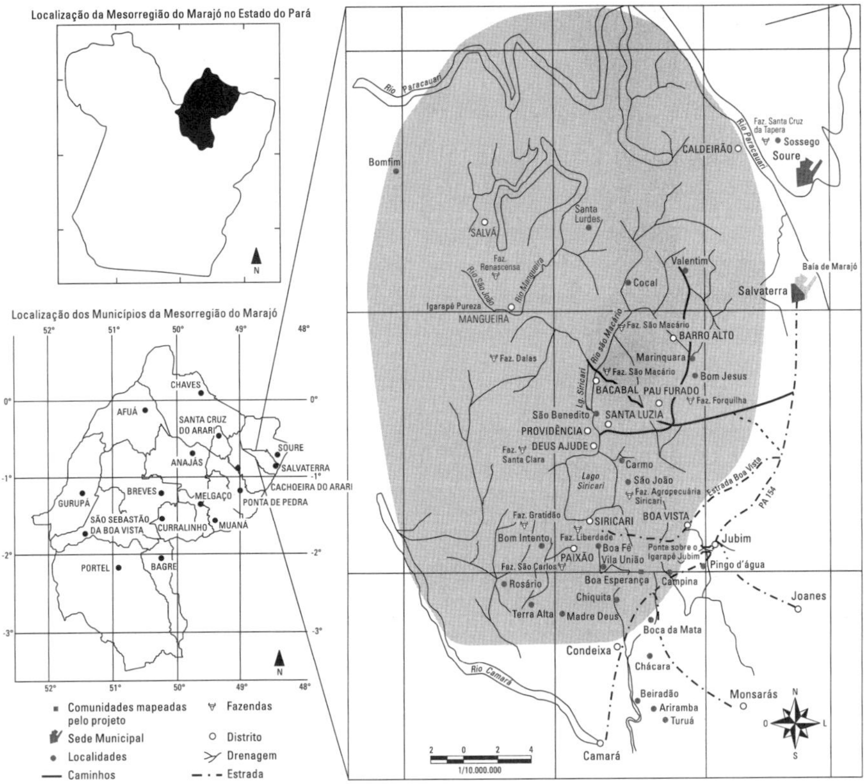

Elaboração: Rosa Acevedo Marin & Adaise Lopes

ocupados por bares, pousadas,[13] comércios e o frigorífico São Francisco. A abertura e pavimentação da Estrada PA-154 provocaram essa avalanche de indivíduos interessados nos terrenos. As fazendas São Judas Tadeu e São José levantaram suas cercas e dois sítios, "Mariana e São Francisco", ocupam a área. As famílias que resistem buscam terras para plantar no Bairro Alto e Pau Furado. Seu percurso diário é tomar o atalho dos "antigos", atravessando o igarapé Clarindo. Caldeirão e Vila União-Campina foram profundamente modificadas com a construção da estrada, mas pode ser uma interpretação apressada pensar que essa intervenção nega o território quilombola e que estaríamos diante o avanço do modo de vida urbano. Em ambos os povoados a maioria identificou-se como ocupação "na roça", apesar de terem comprometidas as condições reais de acesso às terras de cultivo.

[13] O movimento de abertura de pousadas é favorecido pela proposta turística para a ilha de Marajó. Em pouco tempo aumentaram esses negócios e hoje estão em funcionamento as pousadas Recanto do Sol, da Loura, Arauaque, Suíço e Canto dos Pássaros.

O povoado de Bairro Alto está fechado pela Fazenda Forquilha (conhecida como fazenda do Americano) e a Estação Experimental da Embrapa. Bairro Alto, Bom Jardim, Campo Alegre, São Roque e São Luis correspondem a terras herdadas. Bom Jardim, como já mencionado, constituiria uma doação de terras do imperador dom Pedro I a Miguel Antonio Sapucaia por seus serviços. Outro grupo de famílias reconhece sua herança no sítio São Luís.

As ocupações e os títulos existentes são ignorados pelos que têm grilado as terras e "fabricado" documentos de terra nos cartórios locais. Nesses anos, ocorreu o avanço das cercas dos fazendeiros sobre suas terras e perda de território que os obriga a negociar a abertura das roças na fazenda, pagando com a abertura de pastos. As transações de terras, que ocorreram nas décadas de 1960 e 1980, têm mantido as famílias sob tensão. De um lado, enfrentam problemas com a área da antiga Fazenda Paraíso, que teria sido adquirida pelo Ministério da Agricultura e, posteriormente, ficou sob controle da Embrapa, que ali estabeleceu a Estação Experimental. E, do outro, mantêm um conflito de longa data com os donos da Fazenda São Macário e, mais recentemente, desde 1984, com os que se denominam donos da Fazenda Forquilha. Um dos entrevistados indicou que as negociações de 1987, com o "Americano" os deixaram praticamente sem terra. As situações conflituosas revelam-se no dia-a-dia, quando foram impedidos de caçar e de plantar, interdição ainda vigente. Algumas famílias submetem-se a pedir autorização dos "feitores" e negociam o cultivo de uma pequena extensão, entre uma e três tarefas. A privação e a série de interdições são realizadas sobre uma terra que está integrada à noção de herança. Um dos problemas desses herdeiros é apresentar as provas que a sociedade, apoiada em normas jurídicas do direito agrário, focaliza sobre a existência de uma escritura como base verídica do reconhecimento do usufruto de bens patrimoniais por venda, compra, herança, aluguel e cessão (Acevedo Marin, 2004, p.90). A maioria desses procedimentos não é compatível com os processos de territorialização desses grupos e suas situações sociais. Como demonstrar a existência de uma doação do imperador dom Pedro I a Miguel Antonio Sapucaia?

Caldeirão, Vila União, Campina, Bacabal e Bairro Alto revelam formas diferenciadas de conflitos pelo controle da terra e dos recursos que ameaçam o território e a reprodução material e social do grupo. Paixão, Pau Furado, Boa Vista, Deus Ajude, Salvá, Siricari, São Benedito da Ponta, Santa Luzia, Mangueira e Rosário experimentam conflitos e tensões que poderão ser superados com a titulação coletiva.

A burocracia dos órgãos responsáveis pelas políticas fundiárias no Brasil tem funcionado no sentido contrário das necessidades dos grupos quilombolas. Demoras nos processos, ambigüidade na definição legal, retorcidas interpretações dos textos legais contribuem para fazer da titulação coletiva uma luta infindável. Após a audiência pública acima citada, a Presidência da República, Casa Civil, Subchefia para Assuntos Jurídicos, criou por meio de decreto de 26 de julho de 2006 o Grupo Executivo Interministerial para acompanhar a implementação das ações de competência dos órgãos federais no Arquipélago de Marajó, bem como elaborar plano de desenvolvimento sustentável em articulação com a sociedade civil e os governos estadual e municipal, e dá outras providências. Entre os representantes de Ministérios não se encontra a Secretaria Especial de Políticas de Promoção da Igualdade Racial – Seppir). Contudo no parágrafo 1, do art. 3 explica que:

> o Grupo Executivo poderá contar com a participação de representantes de outros órgãos federais, estaduais e municipais, entidades públicas ou organizações da sociedade civil, para participar das reuniões, mediante solicitação de seu coordenador.

Entretanto, depois de quase dois anos, essa convocação não foi feita à Coordenação das Associações de Quilombolas do município de Salvaterra ou outra representação do movimento dos quilombolas no estado, como a Coordenação Estadual das Associações de Remanescentes de Quilombo do Estado do Pará (Malungu) e o Centro de Estudos e Defesa do Negro no Pará (Cedenpa).

O primeiro relatório apresentado pelo Grupo é totalmente omisso em relação aos grupos quilombolas da ilha e adota uma linha de generalizações sobre a realidade fundiária da ilha de Marajó. Ignora posições e denúncias expressas na Audiência Pública e em outros documentos encaminhados pelo grupo. Dessa forma, é difícil considerar que suas recomendações contribuam para a titulação coletiva, para reduzir a violência das cercas. Nesse ínterim, mais dezenove quilômetros de cercas elétricas foram levantadas no município de Salvaterra.

As arbitrariedades e desrespeitos na ilha de Marajó estão sendo cada vez mais conhecidos, contudo as medidas para freá-los são insuficientes. O sr. Teodoro Lalor de Lima, membro da Associação Quilombola do Rio Gurupá, município de Cachoeira do Arari, foi vítima, pela terceira vez, em outubro de 2007, de prisão arbitrária e aponta o fazendeiro como autor. Há anos este vem provocando danos e afrontas às famílias do povoado. A resistência do sr. Lalor, há mais de dezoito anos, assim como das famílias que foram remanejadas dos igarapés e lagos à margem direita do rio Arari para a parte das terras do rio Gurupá, poderá ser coroada com êxito se a titulação coletiva ocorrer e garantir a recuperação do antigo território. Esse processo mudará, minimamente, as regras do poder dos fazendeiros da ilha.

CONSIDERAÇÕES FINAIS

No Brasil, os quilombolas estão no centro de um debate recente, de processos de emergência de uma identidade coletiva. Se, na atualidade, grupos de agentes sociais se autodenominam quilombolas, isso constitui um posicionamento como sujeitos, para acessar direitos territoriais e étnicos. A Constituição Federal de 1988 contemplou o direito à diferença e incluiu no art. 68 do Ato das Disposições Constitucionais Transitórias (ADCT) a titulação coletiva como modalidade de apropriação formal das terras destinadas aos remanescentes de quilombos[14] (Almeida, 2005). Nesse tempo, observa-se o acúmulo de debates, lutas em várias frentes, revelando dimensões combinadas – política, jurídica, social, ideológica, acadêmica. Novos marcos dos direitos quilombolas foram erigidos sob pressões e demandas do movimento quilombola. Os arts. 215 e 216 da Constituição Federal, a Convenção 169 da OIT, o Decreto n. 4887 de 20 de novembro de 2003 e, ainda como política pública, o "Programa Brasil Quilombola", são espaços de reconhecimento de direitos para esses grupos.

Não obstante esses avanços, salientados entre 1996 e 2000, o intervalo de 2003 a 2007 mostra um processo de estancamento no tocante à titulação das terras quilombolas, praticamente paralisada. A manifestação "Ato em Defesa dos Direitos Quilombolas"[15] teve como reivindicações:

> Afirmar e divulgar a base legal que fundamenta os direitos quilombolas; informar sobre os processos de titulação das terras quilombolas; ampliar o acesso a informações sobre as políticas públicas para esse segmento; defender os Direitos Quilombolas e apoiar o Decreto n. 4887 de 2003.

Hoje, para o movimento quilombola, a questão é divulgar, abrir o debate sobre os empecilhos aos processos de reconhecimento de direitos e encontrar mecanismos políticos de enfrentá-los, de elaboração de políticas públicas dirigidas aos grupos quilombolas no Brasil. Essas compreendem o conjunto da "política étnica" do governo e suas tendências no período 2003-2007. Em nível nacional, o estado do Pará é destacado por ter titulado o maior número de territórios, sem se analisar os motivos pelos quais experimenta profunda reversão da proposta que armou a propaganda de avanço político em matéria de direitos territoriais para os quilombolas. Diversos processos mostram uma excessiva demora, como ocorre com a titulação coletiva do território de Cacau, no município de Colares, que tem enfrentado os atos autoritários da Empasa, extratora do açaí e o vaivém do processo no interior da burocracia do Incra e Iterpa.

Almeida (2005) analisa que essa política étnica caracteriza-se por ações pontuais, dispersão e ainda subordinação a outras políticas governamentais, como a política agrária, políticas de educação, saúde, habitação e segurança

---

[14] O art. 68 das ADCT determina que "Aos remanescentes das comunidades dos quilombos que estejam ocupando suas terras é reconhecida a propriedade privada definitiva, devendo o Estado emitir-lhes os títulos respectivos".

[15] Ato realizado em 25 de setembro de 2007 no Plenário 2 da Câmara dos Deputados promovido pela "Frente de Promoção da Igualdade Racial e Frente Quilombola" com apoio da Coordenação Nacional de Articulação das Comunidades Quilombolas Negras Rurais – CONAQ.

alimentar, às quais se somam outras, classificadas no âmbito "da cultura afro-brasileira"[16] que mostram pouca eficiência na aplicação dos recursos (Almeida, 2005, Inesc, 2008).

Nessa linha se propõe, primeiro, analisar a atuação da burocracia do estado, os grupos de poder que levantam obstáculos à titulação das terras quilombolas; segundo, as categorias de análise elaboradas para compreender os processos de territorialização e de identidade coletiva.

A diversidade dos processos de territorialização (terras de preto, mocambos, comunidades negras rurais) evidencia a pluralidade de categorias de uso na vida social que demandam reconhecimento. Quilombos e quilombolas como formas de identidade coletiva e de organização política objetivam-se como movimento social no Brasil contemporâneo. A questão central é onde esbarra o reconhecimento dos direitos territoriais e étnicos desses grupos. Grupos dominantes da elite têm-se mostrado céleres e eficientes para coagir esses processos encontrando apoio na tecnoburocracia do Estado. Essas terras figuram nos planos de expansão do agronegócio, da mineração, da pecuária extensiva, dos projetos de infra-estrutura. Por sua vez, em 2007, a mídia comprometida com empresas e grupos econômicos e políticos que se posicionam contra as reivindicações dos quilombolas desenvolve uma campanha contra as titulações, apostando na despolitização e rupturas no movimento.[17]

REFERÊNCIAS BIBLIOGRÁFICAS

ACEVEDO MARIN, R. E. Alianças matrimoniais na alta sociedade paraense no século XIX. *Revista Estudos Econômicos*, v.15, n. especial, p.153-67, 1985.

______. *Campesinato étnico na ilha de Marajó*: acesso, controle e qualidade dos recursos hidricos. Belém: Unamaz/UFPA (março 2005). [Relatório da pesquisa do

[16] O INESC em Nota Técnica de março 2008 analisa questões do orçamento financeiro do Programa Brasil Quilombola que "teve no período 2004/2007 um orçamento aprovado de R$ 150,26 milhões, aplicando desse montante pouco mais do que R$ 48,49 milhões (32,27%)". Acrescenta que "O Ministério do Desenvolvimento Agrário (MDA), responsável pela regularização das Terras Quilombolas, só conseguiu aplicar no período 2004/2007 cerca de 21,75% do orçamento autorizado para a pasta, que foi de R$ 104,10 milhões. É certo que boa parte desse recurso se destinava ao pagamento de indenizações aos ocupantes das terras demarcadas e tituladas, mas também é certo que cerca de R$ 5,94 milhões deixaram de ser aplicados, entre outras coisas, na elaboração de Relatórios Técnicos de Identificação e Delimitação (RTID) dos territórios quilombolas. No apoio ao desenvolvimento sustentável das comunidades quilombolas, deixou de ser aplicado R$ 1,6 milhão". No relativo ao "*Programa Cultura Afro-Brasileira* ficou numa posição 'intermediária' em relação aos dois anteriores, pois aplicou 69,53% dos R$ 68,17 milhões orçados para os quatro anos. Pesaram aí o fato de não terem sido aplicados cerca de R$ 2,19 milhões no fomento a projetos da cultura afro-brasileira nem os R$ 15,60 milhões destinados no período 2004/2005 à implantação de unidades do Centro Nacional de Cidadania Negra". (INESC. Nota Técnica N. 139, p.4.)

[17] Ver o dossiê sobre esses atos no site: www.koinonia.org.br/oq/.

projeto "Águas da Pan-Amazônia: institucionalização de marcos regulatórios, visões de atores políticos e estratégias" (Unamaz/UFPA, CCB, CNPq), Belém, 2005.]

______. Herdeiros das terras de Deus Ajude, Salvaterra – Pará. Belém, Unamaz/SEJU/UFPA/NAEA. Set. 2006 [Relatório da pesquisa "Estudos e publicações sobre Grupos Negros no Pará".]

______. *Roceiros de Paixão, nos limites da cerca, Salvaterra, Pará*. Belém: Unamaz/UFPA, out. 2004. [Relatório da pesquisa "Estudos e publicações sobre Grupos Negros no Pará".]

______. *Terras de herança de Barro Alto*: entre a fazenda da EMBRAPA e a fazenda do Americano, Salvaterra, Pará. Belém: Unamaz/UFPA, set. 2005. [Relatório da pesquisa "Estudos e publicações sobre Grupos Negros no Pará".]

______. Uso e condições de acesso e controle de recursos hídricos em comunidades quilombolas do município de Salvaterra (ilha de Marajó), Pará. Seminário Internacional Águas da Pan-Amazônia. Institucionalização de marcos regulatórios, visões de atores políticos e estratégias (Belém, de 2 a 4 de março de 2005). *Anais*... Belém: Unamaz/UFPA, CNPq, NAEA, NUMA. 45p.

______; NOGUEIRA, C. Os quilombolas de Salvaterra, ilha de Marajó: processo de territorialização e acesso aos recursos naturais. In: ARAGÓN, Luis E. *População e Meio Ambiente na Pan-Amazônia*. Belém: UFPA/NAEA, 2007.

ALMEIDA, A. W. B. de. Os quilombolas e a base de lançamentos de foguetes de Alcântara. Laudo antropológico. Brasília, Ministério do Meio Ambiente (MMA), 2006. 2 v.

______. Terras de preto, terras de santo, terras de índio: uso comum e conflito. *Cadernos do NAEA*, Belém: UFPA-NAEA, n. 10, p.163-96, 1989.

______; SPRANDEL, A. *Palafitas do Jenipapo*: uso comum das águas e conflito. São Paulo: EDUSP, 2003.

BAENA, A. L. M. *Ensaio corográfico sobre a Província do Grão Pará*. Brasília: Ed. do Senado Federal (1839), 2004.

GOMES, F. *A hidra e os pântanos*. Mocambos, quilombos e comunidades de fugitivos no Brasil (séculos XVII e XIX). São Paulo: Editora UNESP/ Polis, 2005.

GOVERNO Federal. Grupo Executivo Interministerial. Plano de Desenvolvimento Territorial Sustentável para o Arquipélago do Marajó. Arquipélago do Marajó. Versão Preliminar. Resumo Executivo. Brasília: Distrito Federal, 2007, 23p.

INESC – Instituto de Estudos Socioeconômicos. Nota Técnica. n.139. Orçamento 2008. Quilombola: entre o previsto e o gasto. Março 2008. (http://www.inesc.org.br. Acesso em: 9.5. 2008.)

LOPES, P. R. de C. Aldeias, Missões Religiosas e Diretório: intercâmbios políticos, econômicos, culturais e ambientais. In: NEVES, Fernando Arthur de Freitas; LIMA, Maria Roseane Pinto (Orgs.). *Faces da História da Amazônia*. Belém: Paka Tatu, 2006.

MARTINS, F. A concepção de Missão no Projeto da Companhia de Jesus no Estado do Maranhão e Grão-Pará, no século XVII. In: NEVES, Fernando Arthur de Freitas; LIMA, Maria Roseane Pinto (Orgs.). *Faces da História da Amazônia*. Belém: Paka Tatu, 2006.

MEGGERS, B.; DANON, J. Identification and Implications of a hiatus on the archeological sequence on Marajo island, Brazil. *Journal of Washington Academy of Sciences*, v.78. n.3, p.245-53, 1988.

NOGUEIRA, C. da S. Território de pesca no Estuário Marajoara: comunidades negras rurais e conflito no município de Salvaterra (Pará). Dissertação (Mestrado), Núcleo de Altos Estudos Amazônicos – NAEA/UFPA Belém, agosto, 2005.

RAVENA, N. Maus vizinhos e boas terras: idéias e experiências no povoamento do Cabo Norte – século XVIII. In: GOMES, Flavio dos Santos (Org.). *Nas terras do Cabo Norte*: fronteiras, colonização e escravidão na Guiana Brasileira (séculos XVIII-XIX). Belém, Editora Universitária: UFPA, 1999..

ROOSEVELT, A. As sociedades complexas indígenas na Amazônia. In: CUNHA, Manuela Carneiro da (Org.). *História dos índios no Brasil*. São Paulo: Companhia das Letras/FAPESP/SMC, 1992.

SALLES, V. *O negro no Pará*. Sob o regime da escravidão. Fundação Getúlio Vargas/ Universidade Federal do Pará, 1971.

SOARES, E. C. L. A ilha dos Nheengaíbas: alianças e conflitos nas vilas do Marajó (séculos XVIII e XIX). In: COELHO, M. C.; GOMES, F. dos S.; QUEIROZ, J. M.; MARIN, R. E.; PRADO, G. (Orgs.). *Meandros da história*: trabalho e poder no Pará e Maranhão, séculos XVIII e XIX. Belém: Unamaz, 2005.

VERISSIMO, J. *Estudos Brasileiros* (1ª. Serie) Pará, 1889.

VIANNA, A. CATÁLOGO nominal dos posseiros e sesmarias. *ANNAES da Bibliotheca e Archivo Público do Pará*. Belém: Biblioteca e Arquivo Públicos, 1904. t.3.

10

"Condição camponesa" e novas identidades entre remanescentes de quilombos no Vale do Ribeira de Iguape

Renata Medeiros Paoliello

INTRODUÇÃO

Entre remanescentes de quilombos do Vale do Ribeira de Iguape, no sudeste paulista, as relações sociais vêm se modificando com o processo de reconhecimento de seus direitos territoriais e a incorporação da nova identidade quilombola que essa legitimação institucional aporta. Com base em uma etnografia de um conjunto de "bairros rurais", distribuídos em dois municípios – Eldorado e Iporanga –,[1] o que se pretende é problematizar as mudanças de sua "condição camponesa" ao longo de uma trajetória a que hoje se sobrepõe esse reconhecimento legal do direito à terra nos termos do art. 68,[2] agregando a ela o novo componente identitário.

O problema concreto que suscita a reflexão é a emergência, entre os moradores, de estratégias diversas, desde o âmbito local até sua extensão a campos de ação crescentemente distanciados, ao lado de estratégias ligadas à organização de suas demandas pela atuação do Movimento dos Ameaçados por Barragens, o Moab (Rosa, 2007), revelando-se com isso a multiplicidade de orientações e escolhas que esses agentes vêm formulando no curso de um processo de mudanças.

[1] Ao longo da estrada que liga Eldorado a Iporanga, margeando o rio Ribeira à direita, localizam-se vários "bairros de pretos": Sapatu, André Lopes, Nhunguara e Castelhano. E Ivaporunduva, Pedro Cubas, São Pedro e Pilões na margem esquerda, ao lado de outros, rio acima, já em direção ao alto Ribeira, que configuram particularmente a situação aqui abordada.

[2] O art. 68 do Ato das Disposições Constitucionais Transitórias dispõe que "Aos remanescentes das comunidades dos quilombos que estejam ocupando suas terras é reconhecida a propriedade definitiva, devendo o Estado emitir-lhes os títulos respectivos".

A abordagem desses contextos pelo viés do conceito de condição camponesa (Bourdieu, 1962) se deve ao sentido decisivo que assume a relação com a terra, para os moradores, há décadas vivendo mudanças que se desdobram em pressões sobre seus patrimônios. A incidência da nova identidade étnica sobre essa condição se apresenta como possibilidade de reconstituição das fronteiras dos grupos na luta política (Barth, 1969; Cunha; 1986), e como alternativa viável à expropriação e à exclusão dos direitos, diante do deslocamento da questão fundiária na agenda pública.

Enquadrá-los nessa condição genérica, assim, não significa uma tentativa de redução da diversidade empírica a um conceito único, nem de desconsideração da especificidade desses contextos, mas, sim, de pensar as possibilidades e limites das recomposições de um rural no mundo social brasileiro contemporâneo, partindo do reconhecimento como remanescente, que incide em especial sobre áreas de campesinato posseiro, recorrentes no país em virtude de sua história agrária, e que se especifica para populações negras, num contexto mundial de reconhecimento de direitos culturais[3] e de políticas da diferença. Se o campesinato brasileiro se diversifica, sua contingência histórica generalizada é a do acesso jurídico precário à terra. Mas, se até a década de 1960 ele é tornado invisível na historiografia e na teoria social, por não se ajustar ao modelo europeu da propriedade parcelar (Palacios, 1993, p.45), suas práticas se orientam para contornar essa precariedade pela via da apropriação por posse (Paoliello,1992). Se as estratégias de apossamento são gerais – embora assumam feições distintas, mais individualizadas ou mais comunitárias, em diferentes situações –, podem ser consideradas estratégias de um *habitus* ajustado a uma estrutura social que recusa atribuir um direito básico, ao mesmo tempo que comporta essa modalidade de acesso, conformando uma condição particular ao mundo rural brasileiro.

Ressaltar essa condição compartilhada ajuda a esclarecer uma experiência social que os aproxima de outros grupos não negros, ao mesmo tempo que os distingue destes e os aproxima entre si. Pode-se lembrar que a própria formulação do art. 68 esteve informada por análises de processos de apropriação – terras de uso comum, de santo, de herança, de preto – que não se encaixavam em categorias legais como propriedade ou terra devoluta, e estão pautados por uma lógica de herança familiar específica. Mas também marcados pela não titulação da terra, recorrente e não exclusiva das terras de negros. Entender como essa condição se concretiza nos "bairros de pretos" em foco, como vem se transformando e como fica com a conversão da terra em território quilombola é o objetivo deste capítulo.

---

[3] Os arts. 215 e 216 da Constituição Federal, incorporando direitos culturais a patrimônios materiais e imateriais, institucionalizam essa orientação global no âmbito da sociedade nacional.

Uma condição, contudo, não é estática, supõe o sentido do trajeto social de indivíduos e grupos (Bourdieu, 1987, p.7). É necessário, portanto, seguir a trama das relações em movimento, problematizar a condição em mudança e seus nexos com o conjunto social maior, para entender o papel desses agentes na possível recomposição de um rural, pensado como um universo de relações em que uma condição camponesa, bem como o acesso à terra que a acompanha, podem se inserir. Problematizar essa condição demanda, portanto, analisar os processos que atravessam esses contextos hoje remanescentes, por referência às transformações mais recentes do campo brasileiro.

Se, partindo das transformações econômicas e sociais da década de 1970, intensificando-se o processo de urbanização no Brasil, expandindo-se o capitalismo no campo, borra-se a dicotomia teórica entre rural e urbano e desloca-se a centralidade do mundo rural no debate político, é em razão dessas mudanças que novas categorias de agentes emergem: sitiante, posseiro, ocupante, volante, campesinato de fronteira, assalariado rural, sem-terra... (Sigaud, 1992, p.37). Uma vez que nomeiam relações e expressam o ponto de vista dos agentes, a pesquisa empírica sobre essa diversidade se impõe (Garcia Jr.; Grynzpan, 2002, p.326). A estratégia metodológica de que aí se lança mão, na abordagem de grupos camponeses, é a de privilegiar suas relações com o mundo social em que se inserem. O foco recai sobre os diferentes processos sociais no campo e sobre as condições sociais da emergência das novas identidades (Sigaud, 1992), delineando-se novos temas: lutas sociais não só pela terra, mas por preço, direitos trabalhistas e previdenciários, e contra as hidrelétricas, entre outros, para entender em concreto as várias faces da expropriação. Aborda-se também o papel identitário da herança camponesa e seus efeitos sobre a ação política, bem como a importância das redes de sociabilidade e a crucialidade do acesso à propriedade para a definição da autonomia (Garcia Jr.; Grynzpan, 2002).

Partindo das estratégias variadas dos hoje remanescentes, desenvolvidas no curso da trajetória de mudanças que esse novo contexto, empírico e teórico, permite situar, procuro equacionar a dinâmica concreta das áreas remanescentes, relacionando-a aos processos regionais, marcados agora pelo entrelaçamento da questão fundiária e a alternativa aberta pelo artigo constitucional n. 68, e problemáticas globais relativas a meio ambiente e energia (Rosa, 2007). A incidência de diferentes políticas governamentais, em particular desde os anos 1960, a princípio orientadas para a incorporação regional ao processo de desenvolvimento econômico (Muller, 1980), vem contribuindo para a mudança das formas organizativas locais, em especial nos contextos de pequenos sitiantes e posseiros. Configura-se, então, variada gama de estratégias e arranjos visando a contornar a pressão sobre os estoques territoriais e o empobrecimento, as quais resultam de processos históricos e sociais tecidos em uma multiplicidade de relações, em contextos espaciais e temporais distintos, em cujo curso os atuais quilombolas se vão constituindo como sujeitos capazes de formular, para suas ações, orientações diversas daquelas que o movimento organizado pode agregar.

Especialmente a partir de meados da década de 1980, com a reemergência da luta pela terra, favorecida pela retomada do projeto de reforma agrária no contexto da redemocratização, a região do Ribeira é atravessada por uma gama de intervenções não só governamentais. Estas se sobrepõem e alteram a feição das relações locais, sobretudo aquelas que se tecem nas áreas não regularizadas, apropriadas por posse.

Entram em cena a regularização fundiária e a reforma agrária, e os planos de desenvolvimento agrícola que as acompanham, em resposta aos conflitos agudizados com a especulação imobiliária incidente sobre as áreas de posse, favorecida pela política de incentivos fiscais dos anos 1970. Ao mesmo tempo que essa intervenção em poucos anos se enfraquece, relegada a um plano secundário na pauta da agenda pública, emerge a questão ecológica, contundente na região do Ribeira, em que se localiza a maior parte do remanescente de Mata Atlântica em área contínua. A legislação ambiental, fortemente restritiva dos usos dos recursos, atinge as áreas de pequenas posses, em que a atividade agrícola depende da itinerância das roças e, portanto, das derrubadas cíclicas de parcelas da mata: "de uns anos prá cá, veio essa proibição... eu nunca comprei arroz, agora estou comprando direto porque não dá prá derrubar mais mato, fui multado" (VF, morador do São Pedro), bem como da extração de recursos florestais, entre eles o palmito, destinado ao mercado, como uma das alternativas às dificuldades produtivas crescentes. Tais atividades se restringem também pela delimitação das divisas dos parques estaduais, incidentes justamente sobre as áreas em boa parte devolutas em que se situam as terras de posse,[4] entre as quais as hoje remanescentes de quilombos.

O projeto das hidrelétricas também é retomado nesse contexto, configurando um novo quadro conflitivo, em que, daí em diante, entrechocam-se os problemas fundiário e ambiental e as barragens. O dispositivo constitucional n. 68, reabrindo a possibilidade de assegurar a terra até então possuída sem revestimento titular, para aquelas parcelas da população rural, passíveis de serem classificadas na categoria legal de "remanescentes", emerge como possibilidade única, pela via institucional, de contornar a expropriação, recompor seus arranjos e redefinir-se como sujeitos sociais.

Ao longo dessa trajetória, por vezes entrelaçando-se ao jogo político-institucional, respondendo às possibilidades e limites que ele determina, às vezes, paralelamente, dele escapando, delineia-se a gama de estratégias organizativas para acostar as dificuldades reprodutivas, definidas não só em razão dos graves problemas produtivos, mas também da precariedade do

[4] Em especial, para as áreas em foco, os Parques Estaduais de Jacupiranga e do Alto Ribeira.

vínculo com a terra. Entre elas, as de inserção, parcial ou total, no mercado de trabalho, cujo leque de possibilidades oscila de acordo com a conjuntura econômica, e a oferta de novas atividades no plano local, na medida das mudanças que nele incidem. São essas estratégias que se procura ressaltar aqui, porque são as que favorecem ampliar o foco sobre os processos em curso nesses contextos.

PARA ETNOGRAFAR REDES SOCIAIS

Para uma abordagem que vise à análise de dinâmicas relacionais em que fenômenos de disputa e de poder estejam presentes, etnografar redes de relações constitui-se uma estratégia relevante. Como argumenta Boissevain (1987), a descrição de redes sociais permite apreender processos políticos de formação de grupos temporários conforme interesses específicos, de coalizões e enfrentamentos em situação. Analisar redes, nesses termos, pressupõe estender a noção do político para além do institucional, como nota Barnes (1987).

O termo rede, em Ciências Sociais, não se refere especificamente a uma teoria das redes sociais. Não opera como conceito analítico, mas como categoria etnográfica, uma vez que a análise de redes não se constitui como teoria que formula leis e correlações, mas como estratégia para investigar os nexos entre estrutura e organização social, passando-se, daí, a usar a categoria como intermediária nas relações entre os níveis macro e micro da sociedade.

Sendo assim, a descrição de redes sociais pode ultrapassar a polarização entre ênfases opostas na estrutura ou na ação, com rendimento para a compreensão das dinâmicas dos campos sociais que, como entende Bourdieu (1989), são constituídos por processos de poder e relações de força, que os definem como campos de lutas sociais, configurando relações objetivas entre posições, estruturadas conforme princípios de divisão incorporados como *habitus* e ocupadas conforme a distribuição diferencial de capitais específicos em disputa. Para os agentes em pauta, então, ingressar e agir nos campos sociais significa estabelecer conexões para organizar o fluxo de pessoas e ações por intermédio deles e assim redefinir sua dinâmica.

De acordo com Vincent (1987), na análise de processos sociais nos contextos que ela chama de "sociedades agrárias", deve-se levar em conta três dimensões: 1) a das relações sociais, projetadas em níveis que ultrapassam crescentemente o contexto localizado das pequenas unidades domésticas e da atividade agrícola, e permitindo considerar categorias de agentes "não-proprietários" de terras, desde o nível da organização do "fluxo" familiar, em que mulheres e jovens têm papel decisivo, inclusive porque seus trânsitos podem acabar por remetê-los à ação política; 2) a dimensão temporal desse movimento, articulando o micro ao macro-histórico; e 3) a dimensão espacial dos "campos de atividades", atravessada pelos fluxos de pessoas através destes e, portanto, por uma multiplicidade de relações e determinações que perpassam os contextos localizados e os conectam aos processos que se configuram no contexto social mais amplo. O que releva da proposta metodológica de Vincent é a abordagem dinâmica de um conjunto de relações que não se reduzem ao contexto terra. Seu foco nos indivíduos em movimento para além do binômio terra-família permite apanhar aquelas categorias de agentes negligenciadas quando a ênfase da abordagem é posta nas relações estáveis com a terra, mostrada como insuficiente para dar conta de universo de relações em movimento.

É dessa perspectiva que procuro focalizar as dinâmicas em curso nas áreas remanescentes, ressaltando a abordagem em concreto do "fluxo" mediante campos de ação social, evitando o risco de fixar sujeitos, cujas identificações, adesões e identidades se fazem flexíveis, atravessando constantemente limites espaciais e sociais e se relacionando "entre" mundos sociais diferentes, como apontam Bhabha (1998) e Hall (2003). Dito de outro modo, o que permite atravessar campos distintos são as redes que se tecem para fins de ação. Tais redes, ali, têm como um de seus motes buscar alternativas às condições de vida crescentemente precarizadas, desde o cotidiano imediato até os projetos e as expectativas avaliados como possíveis a serem realizados.

O conceito de *habitus* (Bourdieu, 1983) ajuda a pensar esses dilemas. Embora aqui se esteja, nos termos de Vincent, dando atenção àquelas categorias de pessoas negligenciadas nas análises da vida camponesa que privilegiam o vínculo fixo com a terra como definidor de uma situação específica, de uma condição de classe e de uma identidade particular, são essas mesmas pessoas que traçam suas trajetórias de uma organização dos fluxos familiares, alimentando em maior ou menor grau uma expectativa de permanência ou de retorno ao patrimônio familiar (ou de constituição de novos patrimônios), para o qual contribuem com ingressos de renda oriunda de suas atividades não agrícolas e/ou extradomésticas, em virtude do peso simbólico da terra na autodefinição da identidade pessoal e social. São esses dilemas, oriundos de experiências múltiplas, conformando um *habitus* "clivado" por valores e interesses supostamente inconciliáveis (Bourdieu, 2005), que permeiam as redefinições dos sujeitos e orientam as escolhas da ação, em contextos distintos, alimentando as redes pelas quais podem transitar para resolver seus problemas.

REDES SOCIAIS E IDENTIDADE QUILOMBOLA

Para organizar um esboço de descrição das redes pelas quais transitam os moradores das áreas remanescentes, tomo como ponto de partida aquele aspecto crucial na definição da condição e da identidade dos agentes, a relação entre parentesco e terra, pela qual se projetam relações definidas na órbita do parentesco, e faladas na sua linguagem, sobre o espaço físico. Como já analisado em outros momentos da trajetória dessas áreas (Paoliello, 1992; 1999), a pertença a um grupo ligado por laços de descendência, aliança e filiação define direitos territoriais exclusivos.

O parentesco, portanto, é o atributo primeiro da pessoa e do direito à terra e delimita a cadeia sucessória. É com base nele que se organiza a dinâmica territorial costumeira: constituído o núcleo central de um "bairro", na forma de um patrimônio de um grupo de parentes com ancestralidade comum, delineando-se assim uma "grade genealógica" por referência à qual se define a rede de parentesco, esse núcleo, ou "vila", tende a se estender, na medida de sua insuficiência de terra para as partilhas hereditárias, pela abertura de novas áreas, por novos grupos familiares conjugais. E é na medida das necessidades destes, sobretudo as relacionadas à cooperação no trabalho, que se convidam parentes para avizinhar, disponibilizando-lhes terras, constituindo-se assim o germe de novos bairros, por vezes distantes e descontínuos com relação ao núcleo de origem:

> Do tempo da escravatura eles foram fugindo pro mato, reunindo as famílias e entrando pro mato. Foi no ponto que ficou esses bairros, o São Pedro, o Nhunguara, Ivaporunduva. Depois tem o espigão adiante lá, que também é sertão grosso. Foi o ponto que eles foram formando os sítios e ficou até agora. Ali no André Lopes já tinha um povo que era uma família só, os de lá vinham prá cá, os de cá prá lá. É como faziam os bairros. (JF, morador do Nhunguara)

Uma dinâmica similar se procura atualizar em situações de expropriação, como nas décadas de 1970 e 1980: constituir novas posses implica se fazer acompanhar por parentes, como aliados qualificados, e essa prática se constitui em estratégia de luta.

Essa dinâmica territorial móvel, organizada pelo parentesco, liga-se também ao ajuste ecológico de uma agricultura "de rodeio", de roças que demandam a abertura cíclica de novas áreas e a formação de "capovas"[5] (Carvalho, 2006) sobre as quais se constituem direitos de um grupo familiar específico que são o núcleo de potenciais novos sítios. É ela, portanto, que exige a disponibilidade de áreas de mata, do ponto de vista interno consideradas pertencentes ao grupo de descendentes do ancestral fundador do primeiro direito, que fez a primeira derrubada e se situou no local:

> Se tem uma área grande, todo mundo trabalha, eu nesse pedacinho, outro nesse. Por exemplo, de dez irmãos, cada um fazia um pedacinho. Uma mata virgem, no

[5] A capova é a nova área aberta por grupos familiares na "terra comum", o "sertão", a reserva. Diferente da capoeira, já aberta, e deixada em repouso para o cultivo cíclico das roças. Para abrir capova, desde que se pertença à grade genealógica, não é preciso autorizar-se. Para abrir capoeira é preciso pedir a quem fez a primeira derrubada para formá-la.

> caso eu derrubasse, deixava ela repousar por dois, três anos. Se passasse mais sem derrubar, se tinha uma outra pessoa que tivesse interesse, então ela conversava comigo e se autorizava a derrubar. (JP, morador do Nhunguara)

São essas áreas que costumeiramente se chamam de "terra comum", ou seja, aquela ainda não arroteada e recoberta por direitos específicos, integrando um "sistema de direitos combinados" (Godoi, 1999). Crucialmente atingida tanto pelas grilagens e pela formação de fazendas, como pelas demarcações do Incra e pelas divisas dos parques, está em jogo nas autodefinições de limites nos processos de reconhecimento como remanescentes de quilombos.

Mesmo que o parentesco tenha seu papel relativizado no âmbito mais largo de relações que se configura nas redes de atividades, ele tem peso significativo no processo político em dois aspectos. Lembrando o sentido ampliado do político, de um lado, é um componente decisivo nas relações de poder "internas" ao território, principalmente no que se refere às disputas pelo acesso e uso da terra e dos recursos. De outro, nos planos do reconhecimento jurídico-legal do direito à terra, e/ou da ação política organizada, a pertença ao grupo que compartilha simbolicamente a ancestralidade comum, transmutada em um direito coletivo de acesso e/ou de uso, é o fator decisivo. A tradução do regime de acesso e uso local a essa categoria legal é a condição de sua garantia jurídica, que exige a delimitação do território. Na iminência da imposição de limites territoriais, auto-atribuídos no processo de identificação, essa nova leitura do "comum" costumeiramente referido ao ancestral fundador incorpora-se às práticas locais de acesso aos recursos, fazendo emergir tensões latentes.

O caso analisado por Carvalho (2006, p.71-91) exemplifica o processo. Localizados nas áreas remanescentes do médio Ribeira, entre os municípios de Eldorado e Iporanga, os bairros de São Pedro e Galvão, vizinhos e aparentados, entram em confronto com os trabalhos técnicos para a elaboração do laudo, visando a demarcação de seus territórios. Os moradores do São Pedro, durante o levantamento territorial, indicam à demarcação a maior parte do território contínuo entre os dois bairros, omitindo famílias do Galvão da grade genealógica que serve de fundamento ao laudo. Essas famílias se vêem, assim, subtraídas dos direitos às áreas que lhes pertencem por herança, ou por abertura de capovas (ibidem, p.71-91). As disputas então se acendem e se agudizam diante da possibilidade de reabertura do processo de reconhecimento. Os moradores do São Pedro posicionam-se contrariamente à reabertura, devido ao fato de que as terras do Galvão foram englobadas pelo São Pedro e de que os moradores do Galvão ficaram com pouquíssima terra.

O argumento contra estes, enunciado pela advogada, ligada à Pastoral, encarregada da assistência jurídica aos bairros, é o de que as terras convertidas em territórios quilombolas não são mais terras individuais. Com o reconhecimento oficial, passam a ser da associação de moradores. Portanto, a reabertura do processo não é cabível, devendo o Galvão ser reconhecido em processo separado. As alegações que se seguem em reforço a estas apontam para o quadro de tensões reacesas no curso do processo de identificação. Segundo a advogada, o englobamento de ambos os bairros em uma única associação não é viável porque os moradores do São Pedro seriam agricultores, e os do Galvão, palmiteiros. O Galvão, além disso, não compareceria aos mutirões, querendo, no entanto, dividir os frutos da roça. Sobretudo, os moradores do Galvão seriam desorganizados, de modo que prejudicariam o desenvolvimento de projetos no São Pedro.

O que está na raiz desse embate, como aponta Carvalho, é que boa parte das terras em disputa corresponde à área retomada a uma fazenda, ali introduzida por meio de uma estratégia de grilagem corrente na região: um dos parentes no Galvão vendeu, no passado, uma parcela ao fazendeiro, que "abraçou" gleba maior. Esse tipo de negociação, corrente em várias áreas de posse, freqüentemente desencadeia conflitos internos, porque a terra a mais, "abraçada", ultrapassa em muito a extensão que se atribui ao vendedor, por direito de herança ou abertura de capova, prejudicando direitos de outros e comprometendo o estoque de terras disponíveis no bairro.

Carvalho mostra como se rebate no local o novo enquadramento legal do direito à terra. Ela aponta que a nova modalidade de apropriação, agenciada pelos moradores do São Pedro, não se apóia no princípio de implantação das capovas, que é o da descendência comum, e, paradoxalmente, em nome do direito coletivo, rompe a idéia de que o território transmitido pelos fundadores é uno e indivisível. O desencadeante da disputa, portanto, é o rompimento público do conjunto de regulações das relações sociais: a) o direito à terra pelo pertencimento ao grupo de descendentes dos ocupantes iniciais; b) o princípio de herança familiar por transmissão cognática, de acordo com o direito ao uso do território; e c) o direito por ocupação originária e uso continuado, que se concretiza na abertura das capovas. Em síntese, isso revela como a idéia nova do controle coletivo do território é distinta do modo costumeiro de apropriação das áreas comuns: o controle dos grupos cognáticos, nas vilas, e domésticos, nas capovas.

Nesse entrechoque de significações, estão em jogo a dinâmica territorial corrente e a terra, resignificada de várias maneiras. Ao recortarem um campo de posições em que, de um lado, estão os "individualistas", praticantes de uma atividade mercantil, ilegal e antiecológica, não cooperativos, não participantes das relações comunitárias, interessados apenas em usufruir em benefício próprio do produto comum, desorganizados e "amigos" do expropriador a quem venderam a terra de parentes, e, de outro, os "comunitaristas", cultivadores da terra de subsistência, cooperativos, organizados e "inimigos" do expropriador do território comum, os moradores em conflito revelam seu universo social, não só no presente, mas também na dimensão temporal, marcado por processos de mudança que antecedem o reconhecimento como remanescente.

Esses processos se rebatem nas resignificações do capital simbólico central: à terra-patrimônio se sobrepõe, sem deslocá-la completamente, a terra valorizável pela produção que pode ser orientada para o mercado, e pela possibilidade de ser negociada, e que, no limite do empobrecimento, e do esgotamento das possibilidades produtivas esperadas, converte-se em local de moradia e de produção para autoconsumo, não mais para "sobejar". Manifesta-se com isso a natureza estratégica da terra, como do parentesco, acionável para repor um espaço de existência. Vendê-la é um direito, embora ambíguo, num contexto econômico em que se avalia que o modo costumeiro de trabalho cooperativo, o "puxirão", não compensa mais, em face da frustração quanto ao retorno esperado da produção. O corte amigo-inimigo manifesta-se, por sua vez, nas relações de vizinhança e sociabilidade extensíveis a um plano assimétrico: os mais "fortes", os proprietários, que "dão serviço", abrindo redes de atividades, e, chegando como compradores de seus "direitos de posse", ao titularem as terras adquiridas, por serem "fortes", tanto podem grilar área maior como, ao declarar no título a origem do direito e os confinantes, dar-lhes existência legal. Também a atividade mercantil no corte do palmito constitui uma rede que se estende para além do território, como complemento às restritas condições produtivas. Potencialmente todos se envolvem nessas práticas, gestadas na mudança, e carregadas de ambivalência, conformando um *habitus* clivado.

Em suma, a disputa parece condensar a gama de elementos e agentes que, em seu contexto, são englobados pelo sentido coletivo do direito, mas que emergem à medida que esse mesmo é manipulado e resignificado, articulando-se a redefinições do parentesco, em mais uma tentativa de contornar a escassez da terra, da produção e das alternativas de atividades, pelo controle do acesso aos recursos, pela aliança com mediadores externos e por uma série de práticas simbólicas cuja lógica Leach (1968; 2003) esclarece.

Busquei delinear a gama de relações que constituem o universo social em que transitam os moradores das áreas remanescentes e ressaltar a centralidade que adquire, para eles, a reposição das condições de vida. Também procurei mostrar como esse processo presente se entrelaça ao passado, a uma trajetória de mudanças em que o curso das ações localizadas já encontra caminhos variados, para se projetar em âmbitos sociais mais ampliados. Isso configura a permanência de canais de interação que constituem possibilidades outras de decisão e ação para além daquelas canalizadas pelo movimento organizado e pelas agências públicas. A seguir, procuro então mapear as redes mais ativas pelas quais os moradores buscam repor suas condições de existência.

Cabe dizer, como já foi ressaltado, na descrição de sua dinâmica e de suas estratégias, que a rede de parentesco e suas atualizações têm papel decisivo na apreensão da temporalidade das redes de ação, desde que se pode notar que é de seu âmbito, inscrito na gênese e na processualidade dos bairros, que se agenciam ingressos em campos de ação crescentemente ampliados para além do local e das relações sociais mais próximas, do rural e do contexto terra. É ela que abre, entre outras possibilidades de trabalho assalariado, a de migração sazonal intra-regional, já antiga, para plantio e colheita. Também dá sustentação à migração para as cidades, temporária ou definitiva, articulando moradia e emprego, fora ou dentro do setor agrícola.

Com isso, não se pretende dar um peso determinante e estrutural ao parentesco, aqui abordado como uma linguagem organizadora das relações, estratégica e performativa, e que, ao se projetar para campos de ação mais amplos que seu contexto, pode relativizar-se, à medida que a pessoa social que ele define tende a individualizar-se, como na instância do mercado, em particular o de trabalho. Além disso, como se procurou mostrar, nas áreas em foco, ele conforma, desde o passado, uma rede que favorece a mobilidade geográfica e social, desfazendo a idéia de uma estabilidade estrutural rígida dos grupos em que opera. Mas o ponto de partida do recorte é posto nesses contextos, em que opera uma política do parentesco, como indicado por Barnes.

As demais redes estão discriminadas segundo a ênfase da motivação mais imediata para nelas ingressar e agir, do ponto de vista dos moradores, sem desconsiderar que promovem, com o parentesco, possibilidades variadas de participação em distintos campos de atividade. Por exemplo, uma rede religiosa pode agenciar interesses políticos, trabalho e sociabilidade, do mesmo modo que uma rede política pode remeter à religião, à atividade econômica e à sociabilidade, ou seja, cada uma delas pode abrir possibilidades de ação próprias de outra, como se dá com a política do parentesco, que agora se conecta às agências públicas e ao movimento social. São redes de três tipos: político, econômico e cultural/religioso.

As redes políticas podem ser traçadas das distintas agências para as quais os moradores encaminham suas demandas, e que buscam implementar seus respectivos papéis de agenciamento e os projetos de que são portadoras, conformando um espaço público: 1) as governamentais, ligadas à execução de políticas públicas, destacando-se o Itesp e o Ministério Público Federal, no contexto do reconhecimento como remanescente; 2) as não governamentais, como o Moab, articulado à Pastoral e à CEB, as ONGs ambientalistas, como o Instituto Socioambiental e o SOS Mata Atlântica, os sindicatos rurais e os partidos políticos aos quais se ligam diferenciadamente lideranças locais em disputa, ingressando na cena política municipal, em que atuam como cabos eleitorais de candidatos a prefeito, eventualmente em troca do apoio destes à sua própria candidatura ao legislativo municipal. Pode-se notar o entrelaçamento tenso dessas distintas redes, uma vez que, em primeiro lugar, as não governamentais se orientam para influir sobre as ações governamentais, nos três níveis do Poder Executivo, canalizando as demandas locais e concorrendo com as agências de governo, como nota Rosa (2007, p.124), ao assinalar a relação de confronto entre o Moab, de um lado, e, de outro, o governo estadual e os setores da sociedade civil, municipal e até mesmo regional, que apóiam as barragens. Em segundo lugar, porque as agências governamentais – e isso se vê claramente na dimensão temporal, na qual se defrontam a política agrária, a ambiental, as desenvolvimentistas, orientadas para o apoio às hidrelétricas, principalmente nas esferas estadual e municipal, e a de reconhecimento – implementam diferentes políticas, com freqüência antagônicas, estabelecendo-se a concorrência entre elas, e abrindo-se espaço para as tentativas de influência das não-governamentais.

As redes econômicas abrem uma gama de atividades ligadas às ofertas do mercado, em especial o de trabalho, permanente ou temporário, dentro e fora do setor agrícola, no entorno, no município, em outros municípios da região, ou mesmo fora dela. No setor produtivo, estão presentes empresas de variados portes, particularmente as ligadas à construção civil e a empreendimentos agrícolas, contando-se entre esses as fazendas, sobretudo as de cultivo da banana. No setor de serviços, público e privado, o primeiro comparece ofertando empregos em especial no nível municipal, e o segundo, desde o emprego doméstico, nos sítios e fazendas do entorno e nas cidades próximas, até os postos de trabalho no comércio local. A pequena atividade comercial autônoma, introduzindo bens no local ou levando produtos locais para serem vendidos fora, também se faz presente e depende de uma rede de fornecedores e clientes. Sem contar a produção agrícola dos bairros, em boa parte voltada ao mercado, que, se para ser escoada, já dependeu dos "atravessadores", no presente circula por intermédio dos canais das associações de moradores, várias delas originadas da demanda de resolver o problema dos custos da intermediação, incidentes na baixa rentabilidade dos produtos. Esse papel das associações condiciona o apoio a suas lideranças, portanto é decisivo para a ação política, reforçando seu caráter mediador, consolidado no presente por sua instituição como titular do direito coletivo.

Essas redes econômicas podem, em primeiro lugar, ser aprofundadas diacronicamente. Ainda em meados da década de 1990, estava vivo na memória dos mais velhos o tempo em que a produção de arroz, plantado para "sobejar", era embarcada nas canoas, e descia o Ribeira para Eldorado, para as máquinas de beneficiamento, pago com 20% da produção (Paoliello, 1999). Menos complexas do que foram se tornando ao longo de um trajeto de mudanças, concretizavam os vínculos diretos entre os bairros e a cidade, como já bem apontou Queiroz (1973a; 1973b). Em segundo lugar, constituem o nexo imediato mais significativo entre os moradores e seu contexto social mais amplo, pois é em função de suas ofertas que esses se colocam em movimento e se organiza o fluxo familiar, para compor total ou parcialmente a renda doméstica.

Pode-se ver que as redes econômicas são diversificadas e difusas, conectando-se com outros tipos de redes à medida que as relações estabelecidas nestas podem providenciar novos espaços de atividades rentáveis, com isso reforçando adesões, revelando como o econômico se vincula ao político, não só no âmbito de suas redes específicas, e apontando para uma multifuncionalidade das redes sociais.

Por último, mas não menos importantes, vêm as redes culturais, especialmente as religiosas, cuja relevância pode ser sublinhada pelo papel exercido pela Pastoral e pela CEB na construção do Moab, e deste no desenvolvimento de seu trabalho político, mediante a promoção organizada e confluente das identidades de gênero, étnica e camponesa. Mais uma vez aqui se pode visualizar as conexões entre redes e sua multifuncionalidade. Por sua vez, é notável a presença das igrejas evangélicas, em particular em alguns bairros, onde as conversões foram acentuadas e a ação pastoral ficou a princípio comprometida, chegando a retardar-se, com isso, o processo de reconhecimento. É o caso do Nhunguara, onde, já em meados da década de 1990, das 88 famílias relatadas, apenas catorze permaneciam católicas, devendo-se isso ao fato de que a chegada da primeira igreja evangélica remontava à década de 1950, quando os moradores introduziram bananais em suas terras e estabeleceram relações com um fazendeiro de Eldorado, proprietário de uma fábrica de derivados de banana, para fornecimento de matéria-prima (Paoliello, 1999). Sendo ele próprio evangélico, iniciou um processo de conversão no bairro, que conferiu a este um perfil específico e precoce, com relação à onda mais recente. Mais "mercantis", visando à formação de pequenos capitais pelo cultivo comercial e a acumulação em terra para esse fim, por meio de estratégias matrimoniais orientadas por uma endogamia de bairro, foram alvo de estigmas similares àqueles que os moradores do São Pedro lançaram ao Galvão, quando a ação pastoral já procurava organizar os bairros, pelo que suas terras não estiveram entre as primeiras a serem identificadas como remanescentes.

SITIANTES, POSSEIROS E REMANESCENTES: AS CATEGORIAS DE AGENTES

É possível notar, com base nas trajetórias e relações que as redes sociais descritas permitem delinear, que as categorias de sujeitos que enfeixam essas relações produzem-se num processo, acionam-se conforme os contextos de ação e se sobrepõem sem necessariamente deslocarem-se. Sitiante nomeia não só a modalidade de organização do espaço de cultivo centrada na família, como a relação em que se define o dono, como abridor da terra, herdeiro ou adquirente do direito a ela por qualquer outra forma. Posseiro se refere ao modo de apropriação e à precariedade jurídica do direito a ela, no contexto dos conflitos e da expropriação (Paoliello, 1998). Remanescente corresponde à nova identidade e à garantia de um direito que com ela se modifica.

Tal direito é construído com a abertura da mata ao cultivo, que constitui a condição de sitiante, a autonomia de "dono". "Posseiro", nesse sentido, é categoria que atualiza, em contextos mais recentes de disputa, "dono", fundada no ato que inaugura o patrimônio, exprimindo no espaço e no tempo, pelo parentesco e pela herança, o vínculo familiar, não só referido à conjugalidade e à filiação, mas também a uma genealogia bilateral que pode assegurar direitos em outros sítios e bairros. Aí se visualiza a rede que constitui os bairros e seus conjuntos, conformando as possibilidades de trânsito entre um e outro (Paoliello, 1998; 1999):

> o avô de minha mulher era tio do meu avô. Ela é de Ivaporunduva. A propriedade, o nosso bisavô deixou para nosso avô, nossos pais deixaram para nós, e nós estamos querendo deixar para nossos filhos. (JP, morador do Nhunguara)

O direito à terra, em particular aquele que a grade genealógica permite especificar pela pertença a ela, é concebido como individualizado na pessoa do "dono", que, ou abriu a mata, fundando-o, ou o recebeu por herança ou por compra: "aqui era sertão quando meu pai entrou... é herança de pais. Antigamente ia embocando no mato e abrindo" (JF, morador do Nhunguara). É o direito à capova ou ao sítio. E é a herança que leva a perceber a tendência a sua individualização: após a morte de seu dono, o patrimônio dificilmente fica indiviso por muito tempo. E a divisão, na maior parte dos casos, não define áreas de uso comum do grupo familiar, a menos que a possibilidade de expansão dos sítios se restrinja, por sua titulação, intervenção para regularização, presença da propriedade titular confinante, ou, mais recentemente, por divisas de parques, que incidem sobre o devoluto. O comum, como visto, em particular nos "bairros de pretos", mas não só neles, corresponde à área de expansão dos sítios e capovas, emoldurada pela referência a um ancestral fundador da terra de herança, disponível para os que são reconhecidos como pertencentes ao grupo de herdeiros.

No entanto, um aspecto importante que esse campesinato propicia destacar é o de que o vínculo com uma parcela fixa de terra, embora central, configurando-se como um direito adquirido, é mais flexível do que o que se pode encontrar em outros contextos rurais, mesmo em face da recente restrição à disponibilidade de terras na região. Estudos como os de Pereira de Queiroz (1973a; 1973b) e Candido (1979) permitem relacionar esse aspecto à mobilidade histórica de um campesinato autônomo, para o qual ela é um fator decisivo na incorporação da terra às relações sociais, como patrimônio. É essa mobilidade que abre possibilidades de trânsitos, retornos e fundações de novos sítios e bairros, sustentados pelas redes de parentesco que se projetam no espaço, constituindo conjuntos de bairros. Estas se conformam como redes flexíveis, vitais para repor ou agregar à terra.

As práticas de movimentação favorecem, assim, estratégias diversas e recorrentes de atualização da condição de sitiantes, como a destinação dos patrimônios por ela constituídos em reserva de valor, para eventualmente serem revertidos em dinheiro, a fim de que se adquira terra em outro local, mais terra, ou mesmo moradia urbana, quando a escolha é a de saída, total ou parcial, da terra. Em situações recentes, de quase ausência de alternativas de produção, de baixa oferta de trabalho e de risco de fechamento da terra, procuram-se redefinir estratégias de acesso a esta, acionando-se uma gama de possibilidades que a mobilidade propicia: novos apossamentos, compras, arrendamentos. Esses processos levam a repensar os sentidos atribuídos à terra. Patrimônio herdável, mas também divisível e negociável, certamente um capital simbólico, já que é o atributo de "dono", definindo-lhe um lugar social e uma identidade. O reconhecimento como remanescente, como a disputa entre o São Pedro e o Galvão bem expressa, interdita as práticas de mobilidade, apossamento e negociação, estigmatizando-as, enfatizando a pertença a uma ancestralidade comum que tende a englobar as demais relações e redefinindo a terra como território étnico.

Focalizar as possíveis recomposições de um rural e de uma condição, com base em tais mecanismos e estratégias, implica considerar a variedade de arranjos para fazer face às dificuldades produtivas e ao vínculo não legalizado com a terra. Em particular diante das incertezas quanto ao futuro do patrimônio, que conduzem a mudanças de expectativas e projetos, especialmente no que toca ao destino das novas gerações: "agora mudou, se a pessoa não tiver um estudo, vai sofrer muito" (BV, morador do Nhunguara).

Em função das dificuldades reprodutivas e da exigüidade da terra a ser partilhada, o trabalho fora da unidade se delineia como alternativa até para as mulheres, que se assalariam como caseiras nas propriedades rurais do entorno, ou como domésticas nas cidades próximas. As rendas obtidas – de várias formas de assalariamento, do emprego público, de aposentadoria e de pequenos comércios, estabelecidos ou informais – vêm assegurando a continuidade do patrimônio, em muitos casos destinado à moradia, inclusive para os descendentes que retornam após um período vivendo e trabalhando fora. É freqüente que jovens, e mesmo homens casados, dirijam-se à baixada de Iguape, para trabalhar no cultivo de maracujá. E, ainda hoje, mesmo com a crise da banana, Miracatu e Registro, em busca de emprego nos bananais. Alguns se empregam em empresas de engenharia que atuam na região, ou mesmo em Santos e São Paulo. Entre mulheres jovens e solteiras, também é habitual o trabalho doméstico nessas cidades, e em outras, mais próximas, bem como em sítios e fazendas da região. Em geral, o retorno dos solteiros fica assegurado, e é estimulado, pela perspectiva de receber uma parcela de terra de herança, às vezes adiantada em vida dos pais. Tais estratégias, assim, voltadas à permanência no patrimônio, são as que, por sua vez, fazem emergir novas categorias de agentes, como aqueles que Vincent destaca, desvinculados no todo ou em parte do acesso à terra, como propriedade ou como instrumento de trabalho, que assumem, fora do contexto terra, outras identidades. Da mesma forma, a atuação política, intensificada na luta pela terra e por outros direitos, e também pelo reconhecimento como remanescente, gesta novas categorias e identificações: agora quilombolas, negros, mulheres, jovens trabalhadores, aposentados.

A oferta dessas atividades variadas fora das unidades e das áreas, constituindo-se como um aporte decisivo, dependendo das redes de relações que o parentesco prefigura, mas que o ultrapassam, leva a reconsiderar as especificidades do espaço rural e indagar, do ponto de vista das estratégias familiares e individuais, como se atualiza ali o que se está chamando de "condição camponesa". E em que medida se reconfigura um rural, diante desse contexto, em que múltiplas experiências, estratégias e identidades se organizam e se entrecruzam com uma identidade político-territorial decisiva para a manutenção da terra.

REINTERPRETANDO UMA CONDIÇÃO

Esses contextos sugerem uma relativização de valores supostos como inerentes a um *éthos* camponês, desde que se flexibilizam categorias culturais e práticas que, mais do que orientadas para a reafirmação de um modo de vida particular, procuram reconstruir um espaço social de existência.

Não se pode esquecer de assinalar aqui o aspecto comunitário dessas situações de "bairros", como importantes análises do meio rural brasileiro (Candido, 1979; Woortmann, 1983, 1995; Queiroz, 1973b), não só no que se refere à cooperação no trabalho – mutirão, troca de dias etc., estreitamente ligados a relações de parentesco e vizinhança – como à própria regulação do acesso à terra, que o parentesco estabelece. No entanto, a tendência à individualização de sítios e capovas, vinculada a direitos específicos dos grupos familiares fortalece-se no curso de um processo marcado pela pressão sobre os patrimônios (Paoliello, 1999). No caso dos territórios negros, essa dinâmica opera igualmente, mas se especifica, na vigência do art. 68, pelo reforço à terra ancestral de um grupo de parentes, que, contudo, como mostra Carvalho (2006), é algo diferente da terra coletiva cujo titular é a associação dos moradores:

> Há uns anos atrás, aqui era um bolão, não tinha tanto esse interesse de querer vender. Depois já não deu, porque se uma pessoa entrasse prá dentro dessa área e plantasse meia dúzia de pés de banana e fizesse um ranchinho, o interesse dele já

era passar na grana. A gente respeitava porque era uma coisa que os pais deixavam prá gente. (JP, morador do Nhunguara)

Assim, considerando essa tendência à autonomização e à individualização do patrimônio familiar, que marca esse contexto de campesinato livre e posseiro, bem como o momento presente em que simultaneamente a terra se restringe, a produção agrícola se enfraquece e as alternativas ocupacionais são buscadas, o que se vê é uma rarefação dos laços comunitários.[6]

Isso conduz a uma reformulação das orientações culturais, reforçando estratégias de individualização e de organização interna às famílias. E mais, o declínio da atividade agrícola leva a uma resignificação do patrimônio, que não mais é visto apenas como lugar de trabalho e de vida. Como já dito, novos sentidos se sobrepõem, e ele se torna também local de moradia e objeto de valorização econômica, modificando-se uma condição que, além de operar segundo estratégias que incorporam a atividade não-agrícola, incorpora também a nova referência ao patrimônio como bem cultural revestido de privilégios jurídicos, para repor a terra.

As ressignificações desse patrimônio no contexto dos quilombos são tensas, uma vez que opõem patrimônios familiares e patrimônio coletivo. Essa tensão decorre do dispositivo legal que impõe a titulação do conjunto territorial em nome das associações de moradores, tornando a terra inalienável.[7] A incidência disso sobre dinâmicas territoriais atualiza tensões internas, revelando comunidades não homogêneas, cujas rivalidades internas, ordenadas em termos de direitos e atribuições diferenciadas, podem vir à tona nos processos de mudança.

O novo direito coletivo e a demarcação territorial de seus limites podem produzir também a "exclusão" de herdeiros, para os quais não há terra suficiente, e, com isso, reforçar o trânsito de pessoas para atividades assalariadas e/ou não-agrícolas, gerando novas identificações e práticas políticas, bem como uma retomada do apossamento fora da terra-território, de migrações e de saída da terra, em especial para os jovens. Certamente contribui para a reorientação dos valores familiares e do sentido de pertencimento ao grupo de parentes.

Nesse processo se formulam práticas compensatórias, de resto já vigentes, relativas a direitos de herdeiros, como ajuda para a continuidade dos

---

[6] No bairro do Nhunguara, como em outras áreas, e não só de remanescentes, há décadas substitui-se o "puxirão" pela troca de dias, porque "fica caro, não compensa o baile. Antes da banana, o puxirâo era pago com o baile, não sentia quando pagava aquele dia de serviço. Nunca a pessoa trabalhava sozinha", ou seja, o trabalho cooperado na forma do mutirão, envolvendo o conjunto da comunidade, deixa de ser economicamente viável, porque o retorno da produção comercial não cobre seus custos.

[7] De acordo com o art. 2 da Lei estadual n. 9757/97, o título de *legitimação de posse* deve ser expedido a cada associação representante da *coletividade* remanescente, *com obrigatória inserção de cláusula de inalienabilidade* (grifos meus).

estudos, ou para aquisição de moradia ou terra em outro local. Mas, sobretudo, o que essa compensação pode oferecer aos "deserdados" é justamente o capital que as redes de relações em que as famílias se inserem significam, em termos de oportunidades de circulação e de trabalho.

CONSIDERAÇÕES FINAIS

Do ponto de vista das estratégias em rede descritas acima, foi possível reconstruir alguns caminhos pelos quais se atualiza uma condição "camponesa" e se recompõe um rural: a desvinculação, total ou parcial, de membros das famílias relativamente ao patrimônio, pela limitação das áreas de expansão, pela divisão hereditária, pelo acesso ao assalariamento e aos serviços, à atividade não-agrícola, à educação e ao emprego urbano, abertos especialmente para as novas gerações, reforça a incorporação de valores e práticas urbanos, ampliando as referências culturais.

No que toca às dinâmicas de reforço a uma territorialização que comporta essas novas relações, as estratégias ligadas à condição de remanescentes de quilombos são centrais e encontram respaldo nas estruturas macropolíticas em que as situações específicas se inserem. E que fixam numa forma legal o conteúdo do direito titulado, produzindo inflexões restritivas às dinâmicas territoriais localizadas e exclusões na sucessão. Isso tem um efeito sobre as dinâmicas de saída da terra, uma vez que alimenta trânsitos em direção a campos de ação ampliados para além do local e da atividade agrícola. Por sua vez, as atividades exercidas nesses campos também revertem aos patrimônios, na forma de renda, que fortalece a permanência na terra, e de aportes culturais e políticos.

Pode-se dizer que essas dinâmicas operam segundo uma tensão entre dois conjuntos de estratégias. Um primeiro, alicerçado no reconhecimento legal da condição de remanescente, pelo que se atribuem uma identidade quilombola, reafirmando, em um novo contexto, o caráter "tradicional" de seu "modo de vida", mas que leva a alterações nas formas até então correntes de incorporação de terras às relações sociais, de produção e organização do trabalho e de transmissão sucessória de seus patrimônios territoriais. E, outro, que se reforça dessas mudanças e das "exclusões" de herdeiros que pode gerar, com efeito de retorno sobre a condição quilombola, reforçando, para uns, com aportes econômicos e culturais, as possibilidades de permanência na terra, e, para outros, trajetórias de saída.

Nesses processos estão postas as condições sociais de emergência de novas, e múltiplas, identidades, das quais uma mesma pessoa pode lançar mão, conforme o contexto, ao transitar por relações que ultrapassam o local, incorporando novos valores. Essa emergência segue a trajetória que vai do sitiante ao quilombola, passando pelo posseiro, incorporando outras tantas.

Quanto à condição camponesa, pode-se dizer que busca atualizar-se porque um ponto de articulação dessa multiplicidade de identidades é a tentativa de recompor um vínculo entre terra, família e trabalho. Mas terra, família e trabalho, nesses contextos, adquirem novos sentidos, na medida mesmo em que se resignificam valores. Ao mesmo tempo, trajetos de afastamento relativo a essa condição se delineiam, mas o que importa é que o conjunto de estratégias em jogo manifesta uma resignificação do valor da autonomia na terra. Nesse sentido, pode-se dizer que, ali, um "rural" tenderia a se recompor, como universo de relações de que participam agentes para os quais o vínculo entre parentesco e terra é significativo. Mas que incorporam outras dinâmicas e valores, ligados a demandas e expectativas gestadas no fluxo por múltiplos campos sociais e orientados para signos e bens referidos à vida urbana, desde os básicos, como educação, trabalho e participação política, como os oriundos do mundo do consumo. Seu próprio patrimônio pode ser convertido em bem de consumo cultural.

Olhar para esse contexto dos quilombos do Ribeira propicia uma reaproximação à diversidade de situações no campo brasileiro contemporâneo, e que compartilham processos de mudanças em que a fronteira entre o rural e o urbano mais uma vez revela-se permeável. O que se procurou delinear foi uma discussão que favoreça aproximações a outras situações de "comunidades tradicionais", que historicamente encontram pontos de convergência com a aqui descrita, quanto à constituição e funcionamento do patrimônio, quanto às transformações por que vêm passando e quanto à condição de terra de quilombo.

Nessa tentativa de, em primeiro lugar, esboçar uma abordagem de processos sociais pela via de um recorte de redes de relações em movimento, e, a seguir, buscar construir uma descrição das dinâmicas sociais em que estão imersos os moradores das áreas remanescentes, procurei seguir na direção de um entendimento dos modos e motivos da organização dos fluxos de pessoas e bens, e suas relações com as diversas agências que se fazem presentes.

As redes que se tentou reconstruir permitem perceber como, e em que medida, os moradores, e não de hoje, atravessam espaços geográficos e sociais, ampliando o leque de sua experiência e se constituindo, dentro de suas possibilidades, como sujeitos – flexíveis, situados – de seus processos de mudança. Sua demanda por terra, nesse sentido, parece exprimir, antes que um *éthos* camponês, um *habitus* clivado pela experiência de viver em vários mundos, no tempo e no espaço, e responder à percepção de sua condição de subalternidade e exclusão, em um universo social marcado pelo desemprego, em que mesmo a alternativa da proletarização, antes subvalorizada por eles, agora pouco se oferece.

Sua motivação, assim, para atuar nas redes, e em rede, tem o sentido de procurar abrir alternativas por suas interações, e com isso se projeta para campos mais alargados e se altera. Para esses agentes em movimento, a multiplicidade das redes que conseguem tecer é o capital social que lhes permite circular, e, com isso, contornar seu precário acesso à terra, ao emprego, à educação e a outros capitais. O reconhecimento como remanescentes, e as alterações de suas redes sociais que esse fato introduziu, agregam, por um lado, um capital cultural à nova identidade, utilizável no campo político, onde, por ela, reingressam, reforçados, assinalando, em parte, uma "percepção das relações de subordinação como de opressão", que passam a compartilhar com outros sujeitos sociais, no âmbito do movimento social organizado, constituindo-se assim o sujeito coletivo como sujeito plural, como aponta Scherer-Warren (2006).

Por outro, continuam atualizando suas demais redes correntes, entrelaçadas tensamente às redes movimentalistas, condicionando demandas, mudando expectativas e avaliações da própria situação. É preciso estar atento, nesse sentido, para a medida que a gama de expectativas e projetos procura e/ou encontra lugar no interior dos encaminhamentos do movimento organizado, exprimindo aí não apenas um sujeito plural, mas uma pluralidade de experiências subjetivas oriunda de múltiplas conexões. O uso de "rede", assim, enfatiza o conteúdo social em movimento, permitindo apanhar as interações, e, ao mesmo tempo, referi-las aos condicionantes objetivos maiores das relações localizadas.

Até aqui privados de seus direitos civis, de que a precariedade jurídica do vínculo com a terra é a expressão mais dura, os remanescentes defrontam-se com possibilidades e limites de atualizar uma "condição" para a qual a demanda de reconhecimento de direitos específicos supõe o reconhecimento de um direito maior, de inclusão e cidadania.

REFERÊNCIAS BIBLIOGRÁFICAS

BHABHA, H. *O local da cultura.* Belo Horizonte: Ed. UFMG, 1998.

BARNES, J. A. Redes sociais e processo político. In: BIANCO, B. (Org.). *Antropologia das sociedades contemporâneas.* São Paulo: Global, 1987.

BARTH, F. *Ethnic groups and boundaries. The social organization of culture difference.* Bergen-Oslo: Universitets Forlaget, 1969.

BOISSEVAIN, J. Apresentando "Amigos de amigos: redes sociais, manipuladores e coalizões". In: BIANCO, B. (Org.). *Antropologia das sociedades contemporâneas.* São Paulo: Global, 1987.

BOURDIEU, P. Célibat et Condition Paysanne. *Revue d'Études Rurales.* Paris, n.5-6, 1962.

______. Esboço de uma teoria da prática. In: ORTIZ, R. (Org.). *Pierre Bourdieu.* São Paulo: Ática, 1983.

______. Condição de classe e posição de classe. *A economia das trocas simbólicas.* São Paulo: Perspectiva, 1987.

______. *O poder simbólico*. Rio de Janeiro/Lisboa: Bertrand Brasil/DIFEL, 1989.

______. *Esboço de auto-análise*. São Paulo: Companhia das Letras, 2005.

CANDIDO, A. *Os parceiros do Rio Bonito*. 5.ed. São Paulo: Duas Cidades, 1979.

CARVALHO, M. Celina Pereira de. *Bairros negros do Vale do Ribeira*: do "escravo" ao "quilombo". Campinas, 2006. 199p. Tese (Doutorado) – Depto. Antropologia UNICAMP.

CUNHA, M. C. da. Etnicidade: da cultura residual mas irredutível. *Antropologia do Brasil*. São Paulo: Brasiliense, 1986.

GARCIA Jr., A.; GRYNZPAN, M. Veredas da Questão Agrária e Enigmas do Grande Sertão. In: MICELI, S. (Org.). *O que ler na ciência social brasileira 1970-2002*. São Paulo/Brasília: ANPOCS/ Sumaré/CAPES, 2002. v.4.

GODOI, E. P. de. *O trabalho da memória* – cotidiano e história no sertão do Piauí. Campinas: Ed. UNICAMP, 1999.

HALL, S. *Da diáspora*: identidades e mediações culturais. Belo Horizonte: Ed. UFMG, 2003.

LEACH, E. *Pul Elya*: A Village in Ceylon. Cambridge: Cambridge University Press, 1968.

______. *Sistemas políticos da Alta Birmânia*. São Paulo: EDUSP, 2000.

MULLER, G. Estado, estrutura agrária e população: ensaio sobre estagnação e incorporação regional. *Cadernos CEBRAP*. Petrópolis: Vozes/CEBRAP, n.32, 1980.

PALACIOS, G. Campesinato e historiografia no Brasil: comentários sobre algumas obras notáveis. *Boletim Informativo e Bibliográfico de Ciências Sociais*. Rio de Janeiro: Relume-Dumará/ANPOCS, n.35, 1º sem., 1993.

PAOLIELLO, R. *As tramas da herança* – da reprodução camponesa às atualizações dos sentidos da transmissão da terra. São Paulo, 1999. 497p. Tese (Doutorado) – Depto. Antropologia, FFLCH/USP.

______. Estratégias possessórias e constituição de espaços sociais no mundo rural brasileiro: o contexto da baixada do Ribeira. In: NIEMAYER, A. M.; PIETRAFESA DE GODÓI, E. (Orgs.). *Além dos territórios:* para um diálogo entre a etnologia indígena, os estudos rurais e os estudos urbanos. Campinas: Mercado de Letras, 1998.

______. *Conflitos fundiários na baixada do Ribeira*: a posse como direito e estratégia de apropriação. Campinas, 1992. 475p. Dissertação (Mestrado em Antropologia Social) – Depto. Antropologia, IFCH/UNICAMP.

PETRONE, P. A baixada do Ribeira: estudos de geografia humana. *Boletim de Geografia*, São Paulo: FFLCH/USP, 1966, n.283.

QUEIROZ, M. I. P. de. *O campesinato brasileiro:* ensaio sobre civilização e grupos rústicos no Brasil. 2.ed. Petrópolis: Vozes, 1973a.

______. *Bairros rurais paulistas:* dinâmica das relações bairro rural-cidade. São Paulo: Livraria Duas Cidades, 1973b.

ROSA, L. da S. *Os quilombos do Vale do Ribeira e o movimento social*: o movimento dos ameaçados por barragens do Vale do Ribeira (Moab). Araraquara, 2007. 168p. Dissertação (Mestrado) – Programa de Pós-graduação em Sociologia, FCL/UNESP.

SCHERER-WARREN, I. Redes sociais na sociedade de informação. In: MAIA, R.; CASTRO, M. C. P. Spínola (Orgs.). *Mídia, esfera pública e identidades coletivas.* Belo Horizonte: Ed. UFMG, 2006.

SIGAUD, L. Para que serve conhecer o campo. In: MICELI, S. (Org.). *Temas e problemas da pesquisa em Ciências Sociais*. São Paulo/Sumaré/FAPESP. Série Seminários e Debates, 1992.

VINCENT, J. A Sociedade agrária como fluxo organizado: processos de desenvolvimento passados e presentes. In: BIANCO, B. *Antropologia das sociedades contemporâneas.* São Paulo: Global, 1987.

WOORTMANN, E. F. O sítio camponês. *Anuário Antropológico 81*. Rio de Janeiro: UnB/TB, 1983.

11

O ACAMPONESAMENTO COMO SINÔNIMO DE AQUILOMBAMENTO: O AMÁLGAMA ENTRE RESISTÊNCIA RACIAL E RESISTÊNCIA CAMPONESA EM COMUNIDADES NEGRAS RURAIS DO RIO GRANDE DO SUL

Rosane Aparecida Rubert
Paulo Sérgio da Silva

INTRODUÇÃO

O estado do Rio Grande do Sul, outrora província de São Pedro, apesar de ter tido uma posição econômica secundária durante o período colonial e imperial, se comparado às províncias onde se instaurou a estrutura econômico-produtiva da *plantation*, contou com uma presença significativa da mão-de-obra cativa de descendência africana durante a vigência do regime escravocrata no Brasil (Zarth, 2002, p.108-9).[1] Diante de uma ocupação territorial marcada por constantes litígios fronteiriços entre Portugal e Espanha, a estrutura político-econômica dessa província meridional apoiou-se em uma diversidade de regimes de produção (Osório, 1999), com proeminência econômica e política das estâncias agropastoris.

A historiografia agrária vem apontando, nos últimos anos, para o caráter conflituoso da formação do espaço agrário do Brasil meridional. As contradições e os conflitos se multiplicam quando o olhar sobre o passado passa a focalizar não apenas os confrontos essencialmente classistas entre

[1] Zarth apresenta alguns censos de época (século XIX) importantes para se avaliar a significação da população escrava na sociedade regional. Sobre a presença escrava nas primeiras viagens exploratórias das "bandas meridionais", realizadas pelos portugueses, ver Maestri, 1993, p.28.

estancieiros e lavradores/posseiros ou o tradicional confronto representado no dualismo latifúndio pastoril *versus* colônias de imigrantes. Uma abordagem sobre a complexidade dos processos que modelaram a estrutura agrária gaúcha não pode desconsiderar que os confrontos pela posse da terra assumiram, desde os primórdios da ocupação, conotações étnicas e raciais.[2]

As recentes pesquisas historiográficas e antropológicas sobre a formatação da estrutura agrária e a escravidão no Rio Grande do Sul – entre as quais os laudos técnicos produzidos com a finalidade de fundamentar o pleito das comunidades remanescentes de quilombos pela regularização de seus territórios – têm tornado visível um segmento social até então pouco contemplado nos imaginários construídos sobre a sociedade regional: os descendentes de escravos africanos. Este artigo pretende refletir sobre algumas dessas contribuições, a fim de apontar algumas pistas sobre as razões da persistência, no presente, de comunidades negras localizadas no meio rural como grupos etnicamente diferenciados.

A integração compulsória de ex-escravos e seus descendentes a uma sociedade regional caracterizada por um espaço agrário duplamente fechado por latifúndios e colônias de imigrantes, a recorrente exclusão social e a invisibilidade perante o poder público, reportadas a atributos raciais, tornam imperativo pensar a reprodução social desse segmento camponês sob a ótica da resistência. Resistência que se manifesta não necessariamente por meio do confronto aberto com a ordem instituída, mas justamente na simples insistência em reproduzir a campesinidade como ordem moral (Woortmann, 1988), mesmo diante das intimações históricas adversas e destituição arbitrária dos meios objetivos para que a condição camponesa efetivamente se concretize como conjunto de relações sociais e de produção.

A breve reconstituição histórica a que este artigo se propõe, logo a seguir, tem por objetivo fundamentar um exercício interpretativo sobre dados da atualidade que põem em cena as comunidades negras rurais do Rio Grande do Sul, suas estratégias de reprodução sociocultural e de inversão de uma identidade contrastiva constituída sob a égide do estigma. É nesse sentido que etnografias recentes realizadas em comunidades negras rurais, publicadas ou não, são tomadas como referência para refletirmos sobre a resistência. Importa ainda destacar que tais dados históricos e etnográficos emergem em um contexto de reformulação da identidade social e política dos grupos sociais que inspiram este trabalho, uma vez que reivindicam, em distintos graus de adesão, a auto-identificação como remanescentes de quilombos.

[2] O termo "raça" é referido neste texto como constructo social que delimita fronteiras entre um grupo e outro, podendo orientar o comportamento dos atores que compartilham um mesmo contexto de interação em dois sentidos: transformando supostas diferenças inatas em argumento legitimador da desigualdade; fomentando vínculos de cumplicidade e lealdade entre atores que compartilham uma ascendência comum, no caso a ascendência africana ou escrava.

RIO GRANDE DO SUL: ESCRAVIDÃO, COLONIZAÇÃO E IDEOLOGIA DO BRANQUEAMENTO

Como já referido, são das últimas duas décadas os avanços da historiografia sobre a efetiva inserção dos escravos nas várias dimensões da vida social e econômica desta província desde o período colonial.

Esses estudos têm colocado em xeque duas abordagens historiográficas sobre a escravidão no estado, as quais consolidaram um senso comum sobre o assunto. A primeira, enfatizando as características próprias às lides campeiras – trabalho ao ar livre, relativa liberdade de movimento, uso do cavalo etc. –, destaca que no interior das estâncias os escravos viviam em relativa igualdade perante seus senhores e demais trabalhadores livres, ou seja, tal abordagem afirma que nesta província, mais do que em qualquer outra, teria-se concretizado uma "verdadeira" democracia rural e racial (cf. Zarth, 2002, p.105-6; Osório, 1999). A segunda reconhece a presença da escravidão com todo seu viés brutalizante, desconsiderando, no entanto, a importância do trabalho escravo em outras atividades produtivas que não as desenvolvidas nas charqueadas.[3]

Contrariando um imaginário reiterado por vários setores da sociedade regional (folcloristas, historiadores, tradicionalistas etc.) sobre a formação da paisagem agrária sulina, Osório (1999) aponta, com base em pesquisa minuciosa em inventários e outras fontes da época colonial, para duas conclusões importantes para os objetivos deste artigo. No entendimento dessa historiadora, a maioria das grandes estâncias era direcionada, simultaneamente, às atividades da pecuária e agricultura, com o número de detentores de terras que se dedicavam às atividades agrícolas predominando sobre os exclusivamente pecuaristas. Outra informação importante diz respeito à disseminação da propriedade escrava entre a população livre rural, tendo em vista que não só os estancieiros, mas também um número significativo de lavradores (em especial açorianos) contava com a presença da mão-de-obra cativa africana.[4]

Ambas as conclusões reiteram, portanto, o emprego de escravos africanos no desenvolvimento de atividades agrícolas, domésticas, de processamento

---

[3] Empreendimento industrial voltado para o abate de animais e produção do charque. Implementadas na área sul do estado a partir de 1780, exigiam um significativo plantel de escravos para seu funcionamento, o que explica a significativa presença de comunidades negras nessa região até os dias atuais.

[4] A amostra dos inventários estudados por Osório indica que 97% das estâncias possuíam escravos, com uma freqüência média de onze escravos por estância, que representavam, em média, 20,7% do valor total do patrimônio produtivo. Estâncias de médio porte teriam em média sete escravos, número que sobe para 22 nas de grande porte. Quanto aos lavradores, 84% dos proprietários de escravos possuíam até cinco cativos de ascendência africana.

de alimentos e, contrariando a historiografia tradicional sobre o assunto, nas atividades da pecuária. A historiadora Helen Osório apresenta conclusões contundentes sobre esse tema. Ao se deter unicamente sobre os inventários de estancieiros que procedem à individualização dos escravos por ocupação, Osório (1999) chega a um percentual de 74% de estancieiros donos de escravos que possuíam cativos declaradamente voltados para atividades da pecuária, com predominância destes (41%) sobre os escravos lavradores ou roceiros (20%). A análise dos inventários dos estancieiros proprietários de escravos, os ancestrais da atual comunidade de Morro Alto, indica que "o valor de um [escravo] campeiro era mais de 165% superior ao de um cativo não especializado" (Barcellos et al., 2004, p.64), reafirmando a importância dessa categoria de cativos perante o restante do plantel e no âmbito das atividades produtivas.

Essas reconstituições historiográficas reforçam constatações efetuadas por etnografias recentes de que as tentativas de consolidação de uma autonomia no interior do próprio regime escravocrata foram negociadas, por parte de escravos ou negros alforriados, diante das variadas alternativas de inserção produtiva e os constantes fluxos que movimentavam a sociedade regional: se ser escravo roceiro facilitava negociações em torno de futuras doações (Barcellos et al., 2004, p.89; Leite, 2002, p.95), ser escravo campeiro possibilitava a formação de poupança para a compra de terras mediante a constituição e venda de pequenos rebanhos.[5] O trabalho em ferrovias, nas grandes lavouras ou em alguma outra especialidade (carreteiro, tropeiro) também poderia proporcionar tais recursos, sobretudo após a abolição (Anjos; Silva, 2004, p.48; Rubert, 2005a). Da mesma forma, o constante estado de guerra poderia resultar ou no agraciamento dos escravos combatentes com alforria e alguma recompensa material, ou na facilitação da fuga e aquilombamento.

A condição geopolítica estratégica da antiga província de São Pedro ensejou uma ocupação militarizada que primou pela monopolização das terras (Osório, 1996), vigindo dispositivos de impedimento de acesso àquelas logo após o fechamento de fronteiras, de forma a torná-las indisponíveis para pessoas situadas na base da hierarquia político-econômica (Osório, 1999). Esse fechamento do espaço agrário para lavradores pobres, já no período colonial, nos dá uma medida das dificuldades de negociação das condições

[5] Pesquisa em andamento na comunidade de Passo dos Brum (São Sepé) com vistas à realização do projeto de doutoramento (RUBERT, 2005b) aponta para a importância de se ter uma "ponta de gado", adquirida nas negociações entre capatazes (negros) e fazendeiros, como forma de assegurar a posse da terra mediante compra. A memória oral tem indicado que essa comunidade se funda na fuga de um escravo – Athanásio Miguel dos Santos – que conquista a confiança (e postos de trabalho) de fazendeiros próximos à área onde se refugiou, consolidando ali um território de acolhimento para outros descendentes de escravos ou negros alforriados. Situação observada também em outras comunidades localizadas na região da campanha (cf. RUBERT, 2005a, p.43-4).

de autonomia por parte de escravos e seus descendentes. As políticas imperiais de colonização com imigrantes europeus e a Lei de Terras de 1850 não só sobredeterminaram essas dificuldades, como também legitimaram desapropriações arbitrárias de áreas já apossadas.

No Rio Grande do Sul os efeitos da Lei de Terras estão intrinsecamente vinculados às políticas de imigração (Zarth, 2002, p.47). Nessa unidade federativa, transformar amplas áreas de terra em colônias para mercantilizá-las foi uma forma de inseri-las em um jogo mediado pelas leis de um capitalismo incipiente. As áreas situadas em relevos impróprios ao desenvolvimento das atividades agropecuárias predominantes passaram a constituir, com a imigração, um mercado de terras lucrativo para as elites regionais (ibidem, p.33), o que redundou na expropriação dos chamados "lavradores nacionais", categoria abrangente na qual se torna pertinente incorporar os ex-escravos (Anjos; Silva, 2004, p.49 e 51).

As políticas imigracionistas são tributárias, por sua vez, das propostas de branqueamento da nação mediante a miscigenação seletiva entre as raças. Foi de tais teorias racistas que se imputavam aos lavradores nacionais os atributos de preguiça, indolência e ignorância, incapazes, segundo essa ótica, de inserção em um mercado em formação (Zarth, 2002, p.156; Seyferth, 2000, p.145). A construção dessa identidade étnica contrastiva, fundada em referentes racializados tornou possível, por oposição, a construção de uma imagem dos imigrantes como pioneiros civilizadores de um território inculto, únicos capazes de instaurar o progresso por meio de uma suposta aptidão para o trabalho apresentada como inata e exclusiva (Seyferth, 2002).

Há todo um arcabouço jurídico-institucional que irá tornar viável a concessão de lotes de terras e subsídios para a produção aos imigrantes em detrimento de outros grupos étnicos. A idéia de que a eficiência era inerente e exclusiva às "raças" européias, representadas como únicas capazes de impor ordem à natureza, facilitou a difusão de pacotes tecnológicos que alçaram as categorias discursivas progresso e produtividade ao *status* de princípios normativos justificadores do avanço sobre terras de outrem (índios, negros e caboclos). Basta referir que o emprego, por parte dos imigrantes, de técnicas de cultivo "brasileiras" consideradas primitivas (ou a antítese da modernização) foi apontado com recorrência como sinônimo de descenso social por intelectuais e administradores da época (Seyferth, 2002, p.19).

Talvez isso explique o fato de o Rio Grande do Sul ter-se constituído em uma das unidades federativas mais atingidas pela modernização da agricultura e, portanto, pelos pacotes tecnológicos da Revolução Verde, financiada por políticas agrícolas direcionadas para grandes e médias propriedades e para a agricultura comercial em detrimento da produção de subsistência (Tambara, 1983).

Entre as conseqüências mais diretas de tais políticas agrárias e agrícolas sobre as comunidades negras destacam-se: a clivagem dos produtores, por parte da assistência técnica, entre os capazes e os incapazes de incorporar novas tecnologias, desconsiderando as necessidades singulares de todo um contingente de pequenos proprietários, o qual abarca os afro-descendentes; a drástica concentração de terras, que se torna visível nas comunidades negras com a indicação de que em 55,2% destas dispõe de menos de três hectares de área por família (Rubert, 2005a, p.127); a criação de postos de trabalho temporários, caracterizados pela precariedade no que diz respeito ao aspecto jurídico formal, explicitado em recentes levantamentos na proeminência das rubricas "diarista" e "aposentadoria" como principais fontes de renda das comunidades negras rurais (Rubert, 2005a, p.129-30); a imposição de dispositivos padronizados de relações homem-natureza.

Os estudos até aqui realizados dão conta de que os processos de expropriação foram efetuados por diferentes mecanismos, os quais foram agrupados, a título classificatório, em quatro formas a seguir relacionadas. Convém ressaltar, entretanto, que tais mecanismos foram utilizados ou concomitante ou sucessivamente, operando em conjunto na desarticulação das comunidades negras rurais:

a) expropriação parcial ou total realizada mediante a intervenção direta do poder público ou com o aval deste. Tal foi o caso das comunidades de Limoeiro (Palmares do Sul[6]), Teixeiras, Beco dos Coloidianos (Mostardas) e Rincão das Almas (São Lourenço do Sul), atingidas diretamente pelo programa de reforma agrária do governo Brizola (1962). Numerosas comunidades foram atravessadas também por rodovias que geraram expropriações compulsórias, sem que houvesse qualquer forma de ressarcimento pelas áreas desapropriadas e impactos ocasionados;
b) coação física direta, apoiada no poder de mando e aparatos repressivos particulares de fazendeiros ou "colonos" locais, sendo a "Vila dos Corvos" e Rincão dos Pretos dois exemplos paradigmáticos dessa violência extremada (Rubert, 2005a, p.43-4; Santos, 2001);
c) uso de relações clientelistas em situações de fragilidade das famílias negras (empréstimos cobrados em terras, troca de terra por comida etc.), em geral acompanhadas do fomento, por parte de agentes externos interessados nas terras, de conflitos intercomunitários entre herdeiros de uma mesma gleba; e
d) manipulação do código da escrita: pela indução a assinar documentos sem dominar seu conteúdo, dado os altos índices de analfabetismo (Barcellos et al., 2004, p.192); pelo extravio dos "papéis" (escritura da terra, testamentos dos antigos senhores ou comprovante de pagamento de imposto junto ao Incra), confiados a pessoas externas às

[6] As denominações entre parênteses que seguem as indicações dos nomes das comunidades referem-se ao município no qual estão localizadas.

comunidades que se responsabilizariam pela regularização fundiária; pela má-fé de agentes judiciários que, mesmo conhecendo mecanismos que ampárariam os direitos costumeiros das comunidades, auxiliaram ou deram ganho de causa aos expropriadores (Anjos; Silva, 2004, p.99; Leite, 2002, p.267-9; Barcellos, 2004).

Os territórios das comunidades foram e têm sido reduzidos a áreas pouco adequadas para a prática da agricultura – terrenos alagados ou demasiadamente íngremes e pedregosos –, além de sofrerem com as práticas de manejo ecologicamente questionáveis realizadas pelos lindeiros.[7] A expropriação ocasiona ainda a destruição dos marcos que delimitavam o território e/ou que figuravam como indícios do tempo da escravidão, ou a interdição aos membros das comunidades de espaços que são simbólica e ritualmente referenciais no processo de rememoração.

COMUNIDADES NEGRAS NA ATUALIDADE: DA INVISIBILIDADE À AUTO-IDENTIFICAÇÃO COMO REMANESCENTES DE QUILOMBOS

A terra é sua, mas a estrada é minha[8]

A existência do termo quilombo remete ao período colonial, cujo conteúdo semântico já se apresentava sob a égide da ambigüidade: como categoria jurídico-administrativa designava uma afronta à ordem instituída, passível dos mais variados tipos de repressão; ao mesmo tempo, exprimia a resistência ao cativeiro.

A aprovação do art. 68 – ADCT – na Constituição Federal de 1988[9] consagrou essa categoria como um símbolo aglutinador da resistência às mais

[7] Em muitas comunidades em que foram realizadas pesquisas ou atividades de formação houve a incidência de relatos sobre a impossibilidade de continuarem plantando para o autoconsumo e a destruição dos pomares devido à pulverização de veneno nas grandes lavouras vizinhas com pequenos aviões.

[8] Frase que teria sido dita por um quilombola da comunidade de Rincão do Inferno/Palmas a um fazendeiro não sensível à reivindicação por melhores condições de trabalho. A estrada é o caminho que leva à comunidade, no interior da qual, segundo o depoente, não lhe faltaria comida graças às pequenas hortas, roças e criações de animais de pequeno porte mantidos pelos demais familiares. Situação relatada durante pesquisa exploratória realizada por Rosane Rubert, em 2004. Observa-se claramente, com esse caso, a presença da produção para autoconsumo como um componente importante nas negociações das relações de trabalho com o entorno. O território emerge, então, como um refúgio contraposto aos demais espaços sociais do entorno, marcados por relações de desigualdade.

[9] Nele foi inscrito: "Aos remanescentes das comunidades dos quilombos que estejam ocupando suas terras é reconhecida a propriedade definitiva, devendo o Estado emitir-lhes os títulos respectivos".

variadas práticas de discriminação racial, às hierarquias raciais historicamente reproduzidas e à recorrente desatenção, por parte do poder público, das necessidades específicas dos afro-descendentes.[10] Após a consagração do texto constitucional, várias portarias ministeriais, medidas provisórias e outras disposições normativas foram editadas com o intuito de regulamentar o art. 68,[11] em um embate explícito entre setores da sociedade civil, mobilizados em prol das políticas de reparação à escravidão e setores políticos que representam o agronegócio e a especulação imobiliária.

Quilombo passa a significar, então, não só os confrontos abertos com instituições escravistas, mas toda uma variedade de enfrentamentos indiretos e negociações sutis, por meio dos quais se logrou a conquista de espaços de autonomia no interior do próprio regime escravocrata. Os estudos atuais sobre remanescentes de quilombos revelam que a constituição de territórios negros, no transcorrer e após o desmantelamento do regime escravocrata, se deu pelas mais variadas estratégias, cotejadas entre os anseios por criação de espaços de autonomia e a segregação do entorno: o tradicional esconderijo/refúgio; doação testamental por parte do antigo senhor/estancieiro (chamadas, no sul do Brasil, de "dádivas" ou "deixas"); compra com pagamento não só em dinheiro, mas também com trabalho e/ou outros bens; posse de terrenos "devolutos" e impróprios às atividades produtivas dominantes; recompensa por participação em revoluções. Tais estratégias de territorialização não são mutuamente excludentes, apresentam-se antes como paralelas ou sobrepostas.

No Rio Grande do Sul, foi a partir da década de 1990 e mediante alianças estratégicas com alguns atores da sociedade civil, em especial organizações do Movimento Negro urbano e pesquisadores, que as comunidades negras passaram a transformar sua memória e atributos singulares em prerrogativas para assumirem esse outro lugar perante a sociedade englobante: o de remanescentes de quilombos. Tal articulação que teve como ponto de partida um levantamento realizado pelo Nuer/UFSC, em 1995, dos territórios negros

---

[10] Sobre as variações de significados do termo quilombo no decorrer da história, tanto no seio da sociedade civil organizada quanto no âmbito acadêmico, ver Gomes (1996). Sobre a transformação do termo quilombo em um símbolo mais explícito e universal de resistência ao racismo por parte do Movimento Negro no Brasil, no fim da década de 1970, ver Guimarães (2002). Sobre debates atuais relacionados à oposição entre uma noção colonial de quilombo e os novos sentidos atribuídos ao termo a partir da Constituição de 1988, ver Almeida (2002).

[11] A luta pela conquista de direitos reparatórios à escravidão é uma realidade também em outros países do "Novo Mundo" que conheceram a escravidão moderna, o que tem resultado em conquistas ratificadas por tratados multilaterais, como é o caso da Convenção 169 da Organização Internacional do Trabalho, da qual o Brasil é signatário. No Brasil, os principais dispositivos normativos que tornaram possível a regularização dos territórios das comunidades quilombolas são o Decreto Presidencial n. 4.887/2003 e a Instrução Normativa n. 20/2005 do Incra.

do sul do país. Desde então as comunidades passaram a se organizar com assessoria do Movimento Negro e a apresentar suas demandas em fóruns institucionalizados e especializados sobre a questão, vindo a figurar como "público especial" de políticas governamentais. Um novo levantamento realizado no ano de 2004 pelo Programa RS-Rural[12] possibilitou a visita de uma profissional da área de Antropologia a 42 comunidades negras rurais, resultando na publicação de um relatório com informações parciais sobre a ancestralidade escrava destas e a constituição de seus respectivos territórios (Rubert, 2005a).

Os dados históricos anteriormente explicitados permitem afirmar que foi em um contexto de fronteiras étnico-raciais imperiosamente demarcadas que as comunidades negras do Rio Grande do Sul lograram permanecer, mesmo que expropriadas e fragmentadas. É levando em conta as diversas modalidades dessas fronteiras que foram se configurando nas diversas fases da colonização, bem como os diferentes ciclos econômico-produtivos a elas associados, que irá se chegar a uma compreensão adequada da realidade em que cada uma dessas comunidades se encontra atualmente.

Nesse sentido, ousamos construir uma pré-classificação das comunidades por regiões, partindo dos dados até o momento publicizados:[13]

1) *Região do litoral/lagunas*: primeira região do Estado a ser ocupada por portugueses, em particular de origem açoriana. Houve inicialmente a instalação de sesmarias que forneciam a infra-estrutura necessária para os caminhos das tropas, além de assegurarem a posse territorial diante das constantes investidas dos espanhóis. Nas primeiras décadas do século XX acorrem para aquela região os descendentes de imigrantes italianos e alemães, coincidindo com o estabelecimento de grandes lavouras de arroz irrigado. É possível observar, atualmente, o grande avanço da agroindústria da celulose, com vastas áreas sendo ocupadas com plantações de pinus, acácia negra e eucalipto, empregando a mão-de-obra negra em seu manejo.
   Situam-se nessa região as comunidades: Casca, Teixeiras, Beco dos Coloidianos (Mostardas); Morro Alto, Prainha, Ribeirão (Maquiné); Limoeiro (Palmares do Sul); Boa Vista (Terra de Areia); Olhos d'Água, Capororocas (Tavares); Costa da Lagoa (Capivari do Sul); Aguapés (Osório), Bojuru (São José do Norte); São Sebastião, Morro do Chapéu (Três Forquilhas).

[12] Programa implementado pelo governo do estado e financiado pelo Bird, cujo objetivo é a intervenção em comunidades rurais caracterizadas por pobreza e exclusão. Direcionado inicialmente para o genérico público "agricultores familiares", acolheu, como resposta às pressões exercidas pelos movimentos sociais, a demanda por uma intervenção diferenciada entre assentados da reforma agrária, pescadores artesanais, indígenas e quilombolas.

[13] Informações extraídas de Rubert (2005a) ou repassadas diretamente por lideranças do Movimento Negro e Movimento Quilombola.

2) *Região metropolitana e serrana*: regiões nas quais originalmente se instalaram as primeiras levas de colonos alemães e italianos, formando um amplo segmento de produtores parcelares que dinamizaram a economia por meio da produção de excedentes e liberação, no transcorrer das gerações, de mão-de-obra para o desenvolvimento da indústria, proporcionando acelerado processo de urbanização que acentuou a especulação imobiliária. A ocupação principal da mão-de-obra cativa na esfera doméstica (meio urbano) e na pecuária intercalou-se, desde cedo, com o trabalho em empreendimentos de processamento de alimentos e bens de infra-estrutura, como atafonas, olarias, serrarias, alambiques e produção de melado/rapadura, entre outros. Por ser uma região de relevo íngreme, possibilitava refúgio para escravos fugidos, encontrando-se alguns dados em documentos históricos sobre a formação de esconderijos de escravos (Maestri, 2002; Moreira, 2003). Por razões óbvias, nessas regiões se encontram as principais referências de quilombos urbanos.
   Situam-se nessa região também as comunidades: Alpes,* Serraria,* Areal da Baronesa,* Kilombo Família Silva* (Porto Alegre); São Roque (Arroio do Meio); Macaco Branco (Portão); Paredão (Taquara); Cantão das Lombas, Quilombo da Anastácia (Viamão); Manoel Barbosa (Gravataí); Mato Grande (Muitos Capões); Passo dos Negros* (Alvorada); Tafona (Ipê); Vila Pedro (Sertão Santana); Cupido/Nova Real (Bom Retiro do Sul); Matuto (Fazenda Vila Nova); Chácara Barreto* (Canoas); Paris Baixo (Brochier); Mato Leitão (Linha Santo Antônio).
3) *Região dos pampas e antigas charqueadas*: historicamente dotada de uma matriz produtiva assentada na pecuária de corte, impulsionou o surgimento das charqueadas no século XIX, empreendimento industrial que requeria uso intenso de mão-de-obra escrava. A localização das charqueadas nas proximidades da serra do Sudeste foi um fator facilitador para a constituição de refúgios de escravos e/ou futuro apossamento de terras inicialmente não valorizadas. A posterior ocupação dessa região serrana por imigrantes alemães tornou mais tensa as relações étnico-raciais, tendo em vista que as áreas de relevo acidentado também passaram a ser cobiçadas para o desenvolvimento de atividades agropecuárias em propriedades de pequeno e médio porte. As comunidades localizadas mais ao Sul e na fronteira Oeste se encontram em acelerado processo de desagregação devido às alterações na matriz produtiva tradicional: a expansão da soja e da fruticultura em escala industrial reduz os já escassos postos de trabalho oferecidos pela pecuária. Além disso, são as comunidades dessas regiões as que menos usufruem de acesso a bens e serviços públicos básicos,

* As denominações seguidas por asterisco referem-se a quilombos urbanos.

como estradas, saúde, educação, energia elétrica etc. (Rubert, 2005a). Observa-se a presença significativa, nessas áreas, de ascendentes indígenas e "castelhanos" junto às comunidades negras.

Situam-se nessa região as comunidades: Cerro do Ouro, Von Bock, Calheira (São Gabriel); Rincão dos Negros, Chirca (Rosário do Sul); Ibicuí da Armada (Santana do Livramento); Rincão São Miguel, Angico (Alegrete); Tamanduá, Vila da Lata (Aceguá); Palmas, Pedra Grande, Santa Tereza* (Bagé); Cerro Pelado/Cerro das Véia, Redenção Manoel do Rego, Maçambique, Favila (Canguçu); Vila do Torrão, Serrinha, Picada e Rincão das Almas (São Lourenço do Sul); Serrinha (Cristal); Baianos, Várzea do Candiota (Pedras Altas); Alto do Caixão, Rincão da Cruz/Quinongongo (Pelotas); Picada das Vassouras (Caçapava do Sul); Rincão do Quilombo (Piratini); Rincão dos Dutras (Santana da Boa Vista); Passo dos Vimes, Vila Madeira (Jaguarão); Cerro Chato, Desvio do Herval (Herval); Passo dos Pires (Pinheiro Machado), Vila Jacinto* (Santa Vitória do Palmar).

4) *Região da depressão central*: colonizada inicialmente por portugueses, que estabeleceram sesmarias onde predominava a atividade de pecuária, a região passou a ser ocupada por levas de colonos europeus – principalmente italianos – nas últimas décadas do século XIX. Com essa segunda ocupação introduziu-se a rizicultura, tornando a terra um bem de produção muito disputado, além de inicialmente requerer grande contingente de mão-de-obra disponível e, portanto, destituída de meios próprios de produção. Os conflitos pela apropriação das terras passíveis de mecanização, bem como o marcante grau de segregação racial propiciada pela entrada de imigrantes de ascendência européia, ocasionaram uma forte tendência à expropriação territorial das comunidades negras situadas nessa região.

   Situam-se nessa região as comunidades: São Miguel dos Pretos, Rincão dos Martimianos (Restinga Seca); Rincão Santo Inácio (Nova Palma); Rincão dos Pretos, Pederneiras, Aldeia São Nicolau, Cruz Alta (Rio Pardo); Ipê, Passo dos Brum (São Sepé); Passo dos Brum, Passo do Maia, Cerro do Formigueiro, Faxinal da Eugênia (Formigueiro); Sítio Novo (Arroio do Tigre); Irapuazinho, Cambará (Cachoeira do Sul); Quadra (Encruzilhada do Sul); Recanto dos Evangélicos (Santa Maria).

5) *Região do planalto médio/alto Uruguai*: constituindo a última fronteira agrícola a ser ocupada no Estado, foi intensamente disputada entre indígenas (sobretudo Kaigang), "lavradores nacionais" (caboclos) e migrantes europeus, resultando em um processo de expropriação das duas primeiras categorias em prol da terceira. A integração econômica desta região ao restante do Estado foi mediada, originalmente, pela coleta e comercialização da erva-mate. A historiografia tradicional aponta essa região como aquela onde menos se fez uso de mão-de-

obra escrava, tendo em vista que originalmente a geografia era pouco propícia ao desenvolvimento da atividade pecuária dada a presença de cobertura florestal. Pesquisas recentes apontam, no entanto, a presença significativa de contingentes de escravos africanos nos primeiros núcleos populacionais – principalmente no município de Cruz Alta (Zarth, 2002, p.122), além de indicarem o uso da mão-de-obra escrava no cultivo e preparo da erva-mate, informação até então inédita (Bortolli, 2003). Assim como a região da depressão central, essa foi uma das mais áreas atingidas pelo processo de modernização na agricultura, com a predominância da sojicultura, o que pode ter intensificado os processos de expropriação de territórios negros localizados em áreas propícias à produção mecanizada.
Situam-se nessa região as comunidades: Butiá, Paiol Queimado, Arvinha, Mormaça (Sertão); Rincão dos Caixões (Jacuizinho); Júlio Borges (Salto do Jacuí); Passo do Araçá (Catuípe); Comunidade do Bino (Rodeio Bonito); Família do Sr. Nenézio (Nova Ramada); Comunidade dos Morenos (Giruá).

As comunidades citadas se encontram atualmente nos mais diversos níveis de organização. Algumas apenas conhecem vagamente a legislação que torna possível a auto-identificação como quilombola, aguardando um trabalho mais incisivo de mobilização por parte de ONGs e/ou do Movimento Quilombola já constituído.[14] Outro conjunto de comunidades vem sendo objeto de programas governamentais e projetos sociais, encaminhando-se para a consolidação de suas respectivas Associações Quilombolas. Finalmente, várias estão pleiteando judicialmente a reintegração de domínios territoriais que lhes pertenciam e dos quais foram expropriadas, com a realização (ou em fase de andamento) dos laudos técnicos que legitimam tais demandas. São elas: Casca, Arvinha, Mormaça, São Miguel dos Pretos, Rincão dos Martimianos, Morro Alto, Kilombo Família Silva, Manoel Barbosa e Cambará.

Um primeiro olhar sobre comunidades negras rurais do Rio Grande do Sul torna saliente, em uma perspectiva comparativa com comunidades quilombolas localizadas em outras regiões do país, a extensão territorial diminuta e a fraca densidade demográfica. Algumas explicações apontam as constantes fugas de escravos para os países vizinhos e a ausência de acidentes geográficos em regiões nas quais a escravidão foi mais intensa (campanha e planície litorânea) (Maestri, 2002, p.78) como fatores decisivos para tal. Osório (1999) observa, no entanto, que os escravos não fugiam em um único sentido, pois os espanhóis também reclamavam do esconderijo de seus em territórios portugueses.

[14] Em março de 2006 realizou-se o III Encontro Estadual das Comunidades Quilombolas em Porto Alegre, com a participação de cinqüenta comunidades. Em seu transcorrer foi encaminhada a formação da Federação das Comunidades Quilombolas do Rio Grande do Sul.

Pensamos não ser esta uma questão de resposta simples e definitiva, havendo a necessidade de pesquisas mais exaustivas para o encaminhamento de um consenso definitivo sobre o assunto. Julga-se pertinente, por ora, apontar alguns aspectos que relativizam possíveis conclusões, decorrentes da explicação já apresentada, que venham minimizar a significância da resistência escrava e sua contribuição para acelerar o fim do regime escravista no recorte espacial que aqui estamos tratando (estado do Rio Grande do Sul).[15]

O primeiro aspecto diz respeito ao elevado número de comunidades que paulatinamente vêm se inserindo no Movimento Quilombola, sugerindo a dispersão de ex-escravos e seus descendentes em virtude da não existência de possibilidades de acesso à terra desde as origens da disputada ocupação do espaço platino, conforme já referido na seção anterior.

Um segundo aspecto remete às constatações etnográficas de que os agrupamentos localizados em uma mesma região alimentam densos laços de reciprocidade entre si, os quais foram instituídos, não raro, pelos próprios ancestrais fundadores das comunidades. Nesse caso, teríamos espécies de "territórios-rede" articulando uma pluralidade de "territórios-zona" pulverizados (Costa, 2004), por meio de princípios de convivência e padrões de relações que expressam uma identidade étnico-racial alicerçada em uma gramática do parentesco.

Essa dimensão territorial das comunidades negras rurais que remete para a metáfora da rede supõe tanto a gestação de estratégias comuns de apropriação territorial quanto o apoio mútuo diante de processos de expropriação. Supõe ainda a constituição de um território de reciprocidade que transcende os domínios de cada comunidade em particular. Território que é fundamental para a reatualização de um *éthos* camponês, pois é em seu interior que são trocados saberes, alimentos, sementes, dias de trabalho, mudas de plantas medicinais etc., além de possibilitar a reprodução de padrões de estabelecimento de alianças matrimoniais e transmissão do patrimônio.

Um terceiro aspecto remete às complexas redes de relações que articulam os agrupamentos rurais de afro-descendentes com as periferias das cidades, questionando um conceito reificado de comunidade que prima pelos princípios da contigüidade residencial e de ruptura, na ordem da experiência vivida, entre as categorias rural/urbano. Pesquisas realizadas (Anjos; Silva, 2004; Barcellos et al., 2004; Leite, 2002; Rubert, 2005a) e outras ainda em andamento (Rubert, 2005b) dão conta: 1) da persistência do referencial de

[15] Na década de 1880 eclode um movimento generalizado pela libertação escrava, redundando com o fim parcial da escravidão em 1884 (MONTI, 1985). Parcial porque mantinha os ex-escravos presos aos seus senhores mediante a Cláusula de Prestação de Serviços, cujo tempo durava em média sete anos: um dispositivo que permitia a continuidade do aprisionamento da mão-de-obra africana. Por isso a importância de se diferenciar "movimentos emancipacionistas" de "movimentos abolicionistas" ao se proceder à abordagem desse tema (cf. MOREIRA, 2003).

pertencimento à comunidade de origem, mesmo que a migração para o meio urbano seja considerada definitiva; 2) do caráter reversível de grande parte dessas migrações, o que as inscreve em um generalizado conjunto de práticas de reprodução do campesinato (Woortmann, 1990); 3) da permanência de formas padronizadas de trocas entre migrantes e não-migrantes, embora estas sejam preenchidas com novos conteúdos: em troca de bens produzidos/plantados pelos parentes que ficaram "lá fora", os parentes e vizinhos migrantes retribuem, sobretudo, com a facilitação do acesso a bens e serviços fundamentais, precariamente oferecidos pelo poder público aos "pobres do campo". Cabe ressaltar que tais migrações foram e ainda são impulsionadas menos por um suposto fascínio pela cidade e mais pela expropriação generalizada que se inicia já nas primeiras décadas do século XX, quando ocorre uma última expansão das fronteiras agrícolas no estado a qual se acirra no período de difusão da Revolução Verde.

Um último e significativo aspecto diz respeito à proeminência das doações testamentais como origem das atuais comunidades negras rurais do estado, alternativa de apropriação que é seguida de perto pelas transações monetárias que tinham em vista os mesmos objetivos (Rubert, 2005a, p.122-3). O significado dessas doações testamentais remete para o acamponesamento como importante estratégia de consolidação de autonomia, acionada tanto nas brechas entre um empreendimento agropecuário e outro quanto no interior das próprias fazendas/estâncias. Em alguns casos a doação ocorreu, inclusive, algumas décadas antes da abolição e acompanhava a alforria aos escravos agraciados; tal foi o caso das comunidades de Casca e Teixeiras, ambas localizadas no município de Mostardas.

A reconstituição elaborada por Leite (2002) da história da comunidade de Casca, apoiada em vários tipos de fontes, é exemplar do que se tem verificado em outras comunidades: a apropriação objetiva do espaço doado, por parte dos escravos, mediante a realização de atividades produtivas autônomas, antecedeu a doação testamental, o que significa que esta apenas ratificou o apossamento já legitimado por direitos costumeiros que relativizavam as condições do cativeiro. Direitos cotidianamente negociados que não necessariamente atendiam aos interesses apenas dos escravos.

Outra etnografia, realizada na comunidade de Morro Alto, também localizada na região litorânea, explicita claramente essa última questão e as situações sociais ambíguas que esta engendra: a permissão para formar família e plantar roças como uma estratégia usada pelos escravocratas para "prender" os escravos ao espaço da fazenda por meio do fomento a um vínculo de fidelidade, sendo este tanto mais estreito quando a relação senhor-escravo era perpassada pela consangüinidade (filhos de senhores com escravas) ou compadrio. Em contraposição, observa-se a apropriação ativa, por parte dos escravos, de tais "concessões", expressa na contínua cumplicidade com os escravos fugidos que formavam quilombos (Barcellos et al., 2004, p.81-2). É nesse sentido o destaque dado, anteriormente, à constatação de Osório (1999) quanto à presença generalizada da agricultura até mesmo no interior das grandes propriedades, uma vez que corrobora os dados levantados por pesquisas sobre escravidão e constituição das comunidades negras rurais.

Os casos em que a legitimação da posse ocorreu por meio de transações monetárias são mais característicos em regiões nas quais a ameaça de expropriação se fez mais presente com a imigração interna por parte dos colonos de ascendência européia, como é o caso da região da depressão central (Anjos; Silva, 2004). Nesses casos a compra só avalizou apossamentos já há muito efetivados. Pesquisa em andamento na comunidade de Passo dos Brum (São Sepé) também aponta a compra estratégica realizada em situações que tornavam mais iminentes as possibilidades de expropriação de uma área onde famílias já estavam estabelecidas há algumas décadas (Rubert, 2005b).

Plantar uma roça e estabelecer benfeitorias sobre uma área não correspondiam, portanto, só a uma atividade produtiva, mas, sobretudo, a um gesto simbólico que transformava determinado espaço em território de resistência a ser legado para as gerações futuras. Refúgio no qual a vida poderia ser reinventada sob outros parâmetros, seja no período escravocrata, seja na atualidade, como atesta a frase-depoimento que dá início a este tópico.

A construção de tais "refúgios" mediante estratégias variadas de territorialização não constitui, portanto, uma prática temporal localizada exclusivamente no escravismo e no período pós-abolição. Pesquisa exploratória desenvolvida na comunidade de Ipê (São Sepé), em 2004, indicava que um dos núcleos de afro-descendentes se havia territorializado em espaço próprio apenas há alguns anos, em virtude do repasse (relatado como "doação") de 1,5 hectare por parte do antigo "patrão" do donatário. Tal ato não foi deflagrado por um excesso de bondade do primeiro em relação ao segundo, mas, sim, explicitamente negociado das posições desiguais que cada uma das partes assume em uma estrutura de poder: em troca da área cedida houve o não cumprimento de direitos trabalhistas que incidiam sobre uma vida inteira de trabalho.

Ora, passados um ano e meio da primeira visita à comunidade, na segunda visita verificou-se que o já constituído "território de parentesco" que acolhe cinco unidades familiares havia dobrado de tamanho, em decorrência da compra por parte do filho do donatário de uma gleba de 1,5 hectare contígua à área do pai, com recursos advindos da venda da força de trabalho.[16] O relato simplificado desse caso neste capítulo não tem como objetivo a reflexão exaustiva sobre todas as dimensões antropológicas, sociológicas e políticas de situações como essa. Visa apenas a referir o quanto algumas situações de aparente acomodação "às regras do jogo" secretam

[16] Pesquisa em andamento com vistas ao projeto de doutoramento (RUBERT, 2005b).

desejos e projetos coletivos alimentados por gerações: o de se morar em terra própria (como orgulhosamente relatava o donatário) e/ou proporcionar às gerações futuras outras condições de inserção social. Serve ainda para questionar opiniões correntes no plano do senso comum (e até mesmo no âmbito acadêmico!) sobre o suposto desapego pela terra e conseqüente incapacidade de se "enraizar" por parte dos camponeses descendentes de escravos: seria pela ausência de "disposições incorporadas" (Bourdieu, 2002), referida a supostas singularidades históricas e culturais ou pela completa autodesresponsabilização por parte do poder público, desde a abolição, quanto à necessidade de políticas de efetiva inserção social para com os descendentes de escravos africanos?

ACAMPONESAMENTO E CONSTRUÇÃO DE ESPAÇOS DE AUTONOMIA

> ...então eu era guri pequeno, eu chegava nela e no meu avô e eu pedia pra eles me darem um pedaço de terra. Eu dizia pra eles assim: oh, vó, vô, vocês podiam me deixar um pedaço de terra pra mim. Isso aí eu ainda me lembro perfeitamente que eu dizia.[17]

Um atributo largamente apontado como característico das comunidades remanescentes de quilombos, compartilhado por outros segmentos, diz respeito a formas de apropriação da terra e de outros recursos naturais, assentadas em princípios normativos e em um senso de justiça distintos dos apregoados pelas categorias legitimadas no Direito Fundiário vigente (Almeida, 2002). Tais princípios alicerçaram e ainda alicerçam relações sociais e produtivas distintas das vigentes no interior do latifúndio agroexportador, ou das "colônias" e outros empreendimentos agrícolas direcionados por parâmetros produtivistas e mercadológicos.

Estaríamos diante de "terras de uso comum" ou "terras tradicionalmente ocupadas", categorias que acusam modalidades de apropriação culturalmente formatadas que vêm exigindo alterações na legislação agrária e ambiental de forma a contemplar direitos coletivos, e não só individuais, de usufruto de recursos naturais. As "terras de uso comum" constituem uma mescla entre espaços de uso coletivo com outros de cunho mais individualizado (família nuclear). Sobressai, contudo, a integração da terra em outros eixos de relações que não o mercadológico, seja por se atribuir a ela uma origem divina, seja por ter acolhido o trabalho dos antepassados, sendo a conti-

[17] Entrevista concedida por morador da comunidade de Passo dos Brum, município de São Sepé, em fevereiro de 2006, parte do projeto de doutoramento (RUBERT, 2005b).

nuidade deste trabalho um dispositivo de legitimação do direito de posse.

Etnografias levadas a efeito ou em fase de realização nas comunidades negras do Rio Grande do Sul acusam, sobretudo, a existência de uma lógica de transmissão do patrimônio compatível com o que a bibliografia especializada instituiu como própria ao campesinato. Compõe essa lógica alguns princípios e valores que se articulam e adquirem conteúdos diferenciados em cada contexto comunitário: o princípio da descendência, o princípio da residência, as regras de casamento preferencial e outros preceitos que compõem o "direito costumeiro" e norteiam as práticas e relações sociais.

Segundo Almeida (2002), o acamponesamento é intrínseco ao aquilombamento, tendo em vista que os movimentos de resistência por parte de escravos e ex-escravos, deflagrados ou não pela fuga deliberada, só se consolidam com a criação de uma área de cultivo que possibilite a autonomia produtiva, direcionada tanto para o autoconsumo quanto para diversos circuitos do mercado. Essa autonomia produtiva só é possível, por sua vez, mediante a consolidação de um espaço em que instâncias de socialização, que, no caso, são fundamentadas em uma gramática do parentesco, operam a passagem, por parte de escravos e ex-escravos, da condição de coisa à condição de pessoa.

É com a criação dessas instâncias que a transmissão de uma memória adscrita ao tronco de parentesco ou comunidade étnico-racial torna-se possível em um contexto escravocrata, no qual laços sociais poderiam ser interrompidos a qualquer momento. A construção dessas instâncias de pertencimento assentadas no parentesco se expressa com veemência nos sistemas de nominação: pela transformação do primeiro nome em sobrenome a ser transmitido aos filhos (Leite, 2002, p.119) e pela repetição de nomes de uma geração para outra (Barcellos et al., 2004, p.113).[18] É ainda essa linguagem do parentesco que possibilita a constituição de um tecido social que integra várias comunidades de uma mesma região, o que é viabilizado por regras de casamento preferencial que operam o amálgama entre parentesco e identidade étnico-racial.

No Rio Grande do Sul as terras de uso comum das comunidades negras rurais adquirem o formato de "terra dos herdeiros", apresentando seus territórios segmentados em diversos "domínios" indivisíveis, cuja partilha formal da herança não é realizada há várias gerações. Cada "domínio" sendo ocupado por um "tronco" de parentesco ou linhagem que elege, de acordo com critérios consensuais, seu "administrador" (Anjos; Silva, 2004, p.81) ou "chefes de domínio" (Barcellos et al., 2004, p.176 e 229; Leite, 2002,

[18] Ambas as práticas foram amplamente observadas tanto durante levantamentos gerais de caráter exploratório (RUBERT, 2005a) quanto em pesquisas ainda em andamento nas comunidades localizadas nos limites dos municípios de São Sepé e Formigueiro (RUBERT, 2005b).

p.199). São eles os responsáveis pela gestão das regras de transmissão do patrimônio e pelas orientações quanto ao uso prático a ser feito da área que está sob sua jurisdição. No interior desses "troncos" e "domínios" é que, prioritariamente, hortas, potreiros, roças, atividades produtivas e domésticas, instrumentos de trabalho são cotidianamente compartilhados. Além do mais, as alianças matrimoniais endogâmicas entre os diversos "troncos" de uma mesma comunidade resultam na circulação de homens e mulheres pelos mais diferentes "domínios", integrando-os em um único território.[19]

Mesmo com o explicitado, há um aspecto que pode levar ao questionamento da pertinência de se fazer uso da categoria campesinato para a compreensão das comunidades negras rurais do Rio Grande do Sul: não se trataria de simples trabalhadores rurais proletarizados, tendo em vista que a renda familiar advém, sobretudo, da venda da força de trabalho nas redondezas?

O esforço de Klaas Woortmann (1988) em conceituar o que ele irá chamar de "campesinidade" apresenta-se oportuno para elucidar situações como as tratadas aqui. Esse antropólogo se propõe a estudar o campesinato tomando como ponto de partida não relações sociais objetivas, mas sim categorias e valores centrais da subjetividade desse segmento social, abordado em sua generalidade. *Terra, trabalho* e *família* são elencados como categorias nucleantes da visão de mundo camponesa porque agregadoras de significados, e relacionais, tendo em vista que o significado de cada uma dessas categorias supõe a existência das outras. Terra, trabalho e família manifestariam uma ordem moral, uma vez que referidas em um contexto de valorações éticas que dotam de sentido as práticas e relações sociais.

São, sobretudo, duas ponderações de Woortmann (1988) que se revelam plausíveis no esclarecimento da questão posta anteriormente: 1) é em situações de crise, no caso situações de ausência de controle sobre todos os fatores de produção, que ocorre a agudização consciente das categorias antes explicitadas e valores a elas associados em cada contexto particular (ibidem, p.6 e 21); 2) a relação estreita com o mercado não implica a passagem mecânica de um universo relacional para um universo atomizado e instrumental de relações dos homens entre si e com a natureza, haja vista que "um movimento que se dirige em direção a uma dimensão da modernidade pode ser, ele mesmo, necessário para que haja um outro movimento, o de reconstituir a tradição" (ibidem, p.11).

A venda da força de trabalho nos empreendimentos agrícolas das redondezas, por parte dos membros das comunidades negras, nega a autonomia – um valor tão caro na definição da campesinidade – em suas duas dimensões básicas: sobre o controle do tempo e sobre o processo de trabalho no interior do território de parentesco. É muito comum o encontro

[19] Ver nota 18.

nas comunidades da seguinte equação: a carga horária extenuante, que a depender da etapa do ciclo agrícola inclui sábados, domingos e feriados, torna (ou tornava) praticamente impossível o cultivo de lavouras próprias de área significativa. Ora, se há/havia disponibilidade de terra própria para tal, esta passa a ser arrendada para lindeiros (empregadores ou não do arrendador), configurando-se aí o primeiro passo para posterior expropriação.

Diante desses condicionantes, de que forma se atualiza a centralidade do valor-família, valor-trabalho e valor-terra no ordenamento da realidade desses agrupamentos rurais de descendentes de escravos? Sobre o valor-família já tecemos reflexões (não exaustivas, mas significativas), referentes às regras de transmissão do patrimônio e princípios de legitimação do direito de uso da terra. Resta afirmar, de forma breve, que se esse valor encontra impeditivos para se concretizar de modo pleno no plano da organização da produção, é intensamente vivido no plano do consumo mediante as redes de redistribuição articuladas pela intensa sociabilidade interna. Sociabilidade interpretada comumente, de forma preconceituosa e acusatória, como "vadiagem" pelos demais grupos sociais com os quais essas comunidades formam vizinhança.[20] No plano étnico-racial a relação entre parentesco e traços fenotípicos, expressa na recorrente concepção de que se compartilha de um sangue só, corrobora as propriedades primordiais elegidas para a construção de uma memória das "origens", remetida à experiência comum do cativeiro. O depoimento a seguir sintetiza tais concepções reiteradamente observadas no interior das comunidades:

> tudo tem descendência de escravo, todo preto tem descendência de escravo. Você sabe, todos nós preto nós *semo*, nosso sangue é de escravo, porque nós primeiro, nossas pessoas todas eram escravo. Eu mesmo, a minha bisavó foi escrava, entendeu?" (grifo nosso)[21]

Quanto ao trabalho, Woortmann sugere que seu sentido como valor ético-cultural no ordenamento moral do mundo camponês é informado por um saber transmitido de geração a geração, o qual, além de orientar o processo de produção, permite a reprodução de determinados papéis e relações sociais. Nesse sentido, diante do restrito tamanho das áreas para plantio, chama a atenção a pujante agrobiodiversidade dos exíguos quintais

[20] Uma hermenêutica sobre a importância das formas de sociabilidade existentes nessas comunidades como celebração da liberdade conquistada sobre o corpo e o uso do tempo pode ser encontrada em Anjos & Silva (2004). A etnografia em andamento nas comunidades de São Sepé e Formigueiro revela a associação direta, realizada por seus membros, entre as situações de impossibilidade de compartilhamento do tempo com os parentes e vizinhos e o "tempo do carrasco".

[21] Depoimento registrado durante pesquisa exploratória feita por Rosane Rubert, em 2004. A depoente é uma das lideranças da comunidade Ibicuí da Armada, município de Santana do Livramento.

e a manutenção de sementes raras, além de uma memória culinária que sobrevaloriza os produtos que integram uma tradição produtiva própria, mesmo que na atualidade eles sejam adquiridos no mercado (Rubert, 2005a), ou seja, na impossibilidade de atualizar um projeto de autonomia plena no presente, se mantém em estado latente todo um estoque de recursos (genéticos, técnicos, simbólicos) que possa vir a viabilizá-lo em um futuro hipotético.[22]

A terra, considerada para além de seu estatuto de objeto de trabalho ou fator de produção (Woortmann, 1988), é representada no plano das valorações éticas, sobretudo como suporte de uma ancestralidade escrava. Pequenos acidentes de relevo ou uma gama variada de objetos sociotécnicos que compõem o território (cemitérios, casas antigas não mais em uso e não derrubadas, fontes, árvores plantadas por antepassados etc.) se constituem marcadores de ocupação e configuram uma (geo)grafia complexa. Articulada com a oralidade, tal (geo)grafia desencadeia narrativas que condensam a historicidade das gerações precedentes e os sentidos atribuídos a uma trajetória coletiva. Tal é o caso dos "causos" sobre "sinais" que indicam aos vivos o lugar onde teria ocorrido o enterramento de tesouros, guardados pelo espírito de um escravo que fora morto para tal finalidade.

A venda da força de trabalho em empreendimentos produtivos externos às comunidades teve de modo inegável sua intensidade aumentada pelos esbulhos territoriais decorrentes das políticas imigratórias e dos processos sucessivos de modernização da agricultura. Pesquisas realizadas (Anjos; Silva, 2004), contudo, e outras em andamento (Rubert, 2005b), revelam a presença dessa modalidade de relação com lindeiros em períodos da história das comunidades em que estas ainda não haviam sofrido processos mais contundentes de expropriação. É importante analisar os aspectos não só econômico-produtivos de tais práticas, mas principalmente sua dimensão político-estratégica tendo em vista duas questões evidenciadas pelas etnografias: 1) muitos territórios se consolidaram por meio da exploração, por parte de ex-escravos ou escravos fugidos, de rivalidades existentes entre fazendeiros locais (Anjos; Silva, 2004), ou da construção de um vínculo estreito de confiança com fazendeiros que, por conveniência, acobertavam a presença de escravos fugidos nas imediações de suas propriedades; 2) mesmo as atuais relações "de trabalho", nas quais os membros das comu-

[22] Esse estoque de recursos se complexifica se nele for incluída a disseminada presença de plantas rituais e curativas existentes nos quintais (arruda, manjericão, espada-de-são-jorge, alecrim etc.). Elas apontam tanto para a persistência de práticas próprias de cura, como o benzimento e remédios caseiros fitoterápicos (RUBERT, 2005, p.125-6), quanto para as relações estreitas estabelecidas por membros das comunidades com práticas religiosas afro-brasileiras, recorrendo para isso a centros existentes nas cidades e, em alguns casos, no interior da própria comunidade, como se observa em São Miguel dos Pretos (ANJOS; SILVA, 2004, p.104).

nidades estão envolvidos, em geral são estabelecidas com os descendentes de antigos "senhores" que eram os donos dos ancestrais escravos.[23] Ambas as questões remetem para a necessidade de pesquisas mais exaustivas sobre as micropolíticas que articulam historicamente esses segmentos aos demais grupos e classes sociais. Pesquisas recentes sobre o tema já apontam, contudo, para a reformulação do conceito de resistência, conforme breves esboços que seguem.

CONSIDERAÇÕES FINAIS: BREVES PALAVRAS SOBRE RESISTÊNCIA

Os estudos de caso realizados por Gomes (1996) indicam o apadrinhamento como uma estratégia política de resistência por parte de escravos, a qual em geral apresentava-se articulada a manifestações mais contundentes de rebeldia (fugas esporádicas, pequenas rebeliões declaradas). Essas formas de resistência não visavam unicamente a instaurar a condição de libertos, objetivo que se apresentava demasiadamente irrealista em determinadas situações, mas sim negociar melhores condições de vida e conquistar direitos costumeiros (a ter roça própria, a usar determinados dias da semana ou mês em atividades particulares, a comercializar seus produtos, a constituir família etc.) mesmo perdurando a condição de cativo. É o aquilombamento desenvolvido no interior da própria casa-grande ou fazenda de que nos fala Almeida (2002), ou seja, a insistência em subverter, nas interações cotidianas, toda uma gama de relações estruturais próprias do regime escravocrata, engendrando formas alternativas de existência.

É nessa mesma direção que aponta a pesquisa realizada por Moreira (2003) sobre as negociações em torno da liberdade efetuadas num espaço urbano, ou seja, para a não existência de fronteiras estanques entre cativeiro e liberdade. Nesse sentido, da mesma forma que direitos costumeiros que garantiam espaços de autonomia podiam ser paulatinamente conquistados, "a condição de libertos não descartava traços que os prendiam ambiguamente ao *status* de cativos" (ibidem, p.16). As constatações efetuadas por Moreira quanto às décadas pré-abolicionistas podem ser estendidas, a nosso ver, para algumas décadas pós-abolicionistas: a submissão a esferas particularizadas de proteção se apresentava, paradoxalmente, como "um pré-requisito para a montagem de eficazes estratégias de resistência e sobrevivência", pois os projetos de escravos e ex-escravos não estavam desvinculados daqueles dos demais atores que faziam parte dos contextos mais imediatos de interação, os quais podiam figurar ou como inimigos ou como aliados potenciais (ibidem, p.17).

[23] Situação intensamente observada nas comunidades pesquisadas por Rubert (2005b).

As ponderações de Moreira sobre o caráter assumido por essas formas cotidianas de resistência se apropriam sobremaneira para compreendermos os processos de territorialização realizados no espaço rural por meio do acamponesamento. Segundo ele,

> Podemos pensar muitas dessas ações – analisando retrospectivamente – como resistências "passivas" ou "não-revolucionárias", mas não podemos negar o quanto eram válidas em propiciar possibilidades de uma vida melhor e, quem sabe, analisá-las como propulsoras de novas idéias de trabalho não-coercitivo. (2003, p.17)

As considerações de Scott (2002) sobre as formas cotidianas de resistência camponesa se encaminham para a mesma direção. Sua análise de casos concretos demonstra que, por se tratarem de trabalhadores em desvantagens estruturais, as formas cotidianas anônimas, indiretas e subterrâneas de resistência apresentam-se como cruciais para os camponeses se reproduzirem como um grupo social diferenciado. Tais formas, ofuscadas por uma aparente passividade e conformidade às regras impostas no jogo social, se expressam "através de sabotagens sutis, de não participação, de evasão e de engano" (2002, p.12).

Esses novos aportes teóricos sobre a resistência (negra e camponesa), que não deve ofuscar a devida consideração das relações de desigualdade nas análises sobre o tema, permitem apreender esses atores na sua inteira capacidade de operar mediações, negociações e inversões dos condicionamentos impostos à (re)criação da vida de suas próprias concepções de bem-viver, bem-estar e de justiça. Essa capacidade, entretanto, não é ilimitada e resulta por moldar esquemas de ação marcados pela ambigüidade, tendo em vista que a operacionalização destes não deixa de reproduzir, ao menos em parte, uma estrutura hierarquizada de relações que passa a ser naturalizada com o decorrer do tempo.

Esses condicionamentos se apresentam com mais rigor nos segmentos aqui tratados se for considerado que sofrem uma "invisibilidade expropriadora de duplo sentido" (Gusmão, 1995, p.65) ao compartilharem os atributos de *negros* e *rurais*, ou seja, estão submetidos a um duplo sistema de relações verticais: do urbano sobre o rural e de brancos sobre negros. Adolfo de Oliveira chama a atenção, porém (insistimos nesse ponto!), para o fato de que, além dessa invisibilidade imposta, há também "toda uma esfera de práticas sociais igualmente invisibilizadoras" exercidas no cotidiano pelos próprios atores. Tais práticas relativizam a condição do "ser negro" em determinados contextos e situações (quando é mais estratégico assumir o lugar de um pobre generalizado ou um simples trabalhador desqualificado, por exemplo), mas não deixam de estar articuladas a estratégias de reprodução do grupo enquanto etnicamente diferenciado (1999, p.166-7).

O atual processo de auto-identificação como remanescentes de quilombos vem dinamizar essas formas de resistência, uma vez que a inserção em outras redes de relações amplia o leque de recursos mediante os quais a história particular de cada comunidade é reconstruída e os fundamentos empíricos da etnicidade são recriados. Este processo não se resume a uma simples redenominação de segmentos antes chamados de trabalhadores rurais, camponeses tradicionais, agricultores descapitalizados etc. Trata-se, sim, "de reconhecer naqueles grupos, até então marginais, um valor cultural absolutamente novo" (Arruti, 1997, p.21-3), o qual alterará de maneira significativa a auto-imagem e o ordenamento político-identitário interno a cada comunidade, a correlação de forças com os atores políticos locais e regionais e as interações com a vizinhança, em geral alicerçadas no estigma clientelismo e patronagem. Em síntese: encaminha-se a criação de uma nova realidade embasada não só nos novos recursos materiais e simbólicos a que os grupos passam a ter acesso, mas também na resignificação e no reordenamento de conteúdos e atributos referidos em uma memória coletiva, e na desnaturalização das relações de desigualdade.

REFERÊNCIAS BIBLIOGRÁFICAS

ALMEIDA, A. W. B. de. Os quilombos e as novas etnias. In: O'DWYER, E. C. (Org.). *Quilombos:* identidade étnica e territorialidade. Rio de Janeiro: Ed. FGV/ ABA, 2002.

ANJOS, J. C. G.; SILVA, S. B. (Orgs.). *São Miguel e Rincão dos Martimianos*: ancestralidade negra e direitos territoriais. Porto Alegre: Ed. da UFRGS/Fundação Cultural Palmares, 2004.

ARRUTI, J. Mo. *A emergência dos "remanescentes"*: notas para o diálogo entre indígenas e quilombolas. Mana 3(2): 7-38, 1997.

BARCELLOS, D. et al. *Comunidade negra de Morro Alto*: historicidade, identidade e territorialidade. Porto Alegre: Ed. da UFRGS/Fundação Cultural Palmares, 2004.

BORTOLLI, C. de Q. *Vestígios do passado*: a escravidão no Planalto Médio gaúcho. Passo Fundo (RS): UPF, 2003.

BOURDIEU, P. *O poder simbólico*. Rio de Janeiro: Bertrand Brasil, 2002.

COSTA, R. H. *O mito da desterritorialização*: do "fim dos territórios" à multiterritorialidade. Rio de Janeiro: Bertrand Brasil, 2004.

GOMES, F. dos S. Ainda sobre os quilombos: repensando a construção de símbolos de identidade étnica no Brasil. In: REIS, E.; ALMEIDA, M. H. T.; FRY, P. *Política e cultura. Visões do passado e perspectivas contemporâneas*. São Paulo: ANPOCS/ Hucitec, 1996.

GUIMARÃES, A. S. A. *Classes, raças e democracia*. São Paulo: Fundação de Apoio à Universidade de São Paulo: Ed. 34, 2002.

GUSMÃO, N. M. M. Caminhos transversos: território e cidadania negra. In: O'DWYER, E. C. (Org.). *Terra de Quilombos*. Associação Brasileira de Antropologia. Rio de Janeiro, 1995.

LEITE, I. B. *O legado do testamento:* a comunidade de Casca em perícia. Florianópolis: NUER/UFSC, 2002.

MAESTRI, M. *O escravo gaúcho. Resistência e trabalho*. Porto Alegre: Ed. da Universidade/UFRGS, 1993.

MAESTRI, M. Quilombos no Rio Grande do Sul. *Deus é grande, o mato é maior! Trabalho e resistência escrava no Rio Grande do Sul*. Passo Fundo: UPF, 2002.

MONTI, V. A. M. *O abolicionismo*: sua hora decisiva no Rio Grande do Sul – 1884. Porto Alegre: Martins Livreiro, 1985.

MOREIRA, P. R. S. *Os cativos e os homens de bem*: experiências negras no espaço urbano. Porto Alegre – 1858-1888. Porto Alegre: EST, 2003.

OSÓRIO, H. *Conflitos e apropriação da Terra*: Região Platina, século XVIII. In: AZEVEDO, F. N.; MONTEIRO, J. M. (Orgs.). *Raízes da América Latina*. São Paulo: Edusp, 1996.

OSÓRIO, H. *Estancieiros, lavradores e comerciantes na constituição da estremadura portuguesa na América*: Rio Grande de São Pedro, 1737-1822. Niterói, 1999. Tese (Doutoramento) em História – UFF.

OLIVEIRA JR., A. N. de. A invisibilidade imposta e a estratégia da invisibilização entre negros e indios. In: BACELAR, J.; CAROSO, C. *Brasil, um país de negros?* Rio de Janeiro: Pallas; Salvador: CEAO, 1999.

RUBERT, R. A. *Comunidades negras rurais do RS*: um levantamento socioantropológico preliminar. Porto Alegre: RS-Rural / IICA, 2005a.

______. *Territórios negros rurais:* outras naturezas? Outros 'mundos de vida?'. Porto Alegre: UFRGS/PGDR. Projeto (Doutoramento), 2005b.

SANTOS, R. L. Festa de Nossa Senhora Imaculada da Conceição: articulação, sociabilidade e etnicidade dos negros do Rincão dos Pretos no Município de Rio Pardo – RS. Porto Alegre 2001. Dissertação (Mestrado) em Antropologia Social – UFRGS/PPGAS.

SCOTT, J. Formas cotidianas de resistência camponesa. Raízes. *Revista de Ciências Sociais e Econômicas*. UFCG/PPGS, v.1, n.1, 2002.

SEYFERTH, G. As identidades dos imigrantes e o melting pot nacional. *Horizontes Antropológicos*, ano 6, n.14. Porto Alegre, 2000.

______. Estudo sobre reelaboração e segmentação da identidade étnica. *Cadernos CERU*, Série 2, n.13, 2002.

SOUZA, C. R.; FERNANDES, M. B.; RUBERT, R. A. *Comunidades negras rurais do RS:* o trânsito rumo à auto-identificação como quilombolas. In: www.koinonia.org.br/oq. Reportagem especial do mês de junho, 2005.

TAMBARA, E. *RS*: modernização & crise na agricultura. Porto Alegre: Mercado Aberto, 1983.

WOORTMANN, K. Com parente não se neguceia. *Série Antropologia Unb*, n.69, 1988.

______. Migração, família e campesinato. *Série Antropologia Unb*, n.87, 1990.

ZARTH, P. A. *Do arcaico ao moderno:* o Rio Grande do Sul agrário do século XIX. Ijuí: Ed. Unijuí, 2002.

12 COLONIZAÇÃO EUROPÉIA, CAMPESINATO E DIFERENCIAÇÃO CULTURAL NO VALE DO ITAJAÍ (SC)

Giralda Seyferth

INTRODUÇÃO

A fundação de São Pedro de Alcântara, em 1829, marcou o início da colonização estrangeira em Santa Catarina. Naquele núcleo, situado no caminho do sertão que conduzia cargueiros à Vila de Lages, no planalto, 146 famílias alemãs e 112 soldados da mesma origem, que haviam participado do levante dos batalhões estrangeiros no Rio de Janeiro (ocorrido em 1828), receberam lotes de terras para cultivo. Nessa ocasião a província possuía menos de sessenta mil habitantes (Mattos, 1917, p.29) e a colonização com imigrantes surgia como solução para povoar o território, especialmente em algumas bacias hidrográficas que pudessem assegurar a comunicação por terra com o planalto atravessando a Serra do Mar. Essa forma de ocupação era diferente da colonização açoriana ocorrida em alguns pontos do litoral catarinense na segunda metade do século XVIII, e realizou-se de acordo com o modelo instituído pelo governo português desde 1819, quando dom João VI autorizou a localização de colonos suíços em Nova Friburgo (RJ). Seguiu o regime agrícola baseado na pequena propriedade familiar voltada para a produção de alimentos que, após a Independência, passou a ser mais explicitamente pensado e implementado como processo de povoamento que alguns geógrafos chamaram de "frente pioneira", tendo em vista sua localização em áreas de floresta inexploradas (Waibel, 1958). No Rio Grande do Sul e em Santa Catarina as primeiras colônias receberam famílias de imigrantes alemães trazidas por agenciador a serviço do governo imperial brasileiro, configurando uma imigração subsidiada porque o alto custo da travessia para a América do Sul tornava inviável qualquer movimento espontâneo. A introdução de ex-soldados em São Pedro de

Alcântara foi algo excepcional, pois a política imigratória voltada para a colonização do Sul privilegiou o assentamento de famílias e não concedia subsídios a indivíduos desacompanhados. O alto custo da imigração teve como conseqüência a promulgação de uma lei que proibiu gastos com a colonização estrangeira a partir de 1830.

Apesar da situação pouco favorável, que seria agravada pela guerra civil no Rio Grande do Sul (a Revolução Farroupilha, que persistiu entre 1835 e 1845), projetos particulares foram aprovados para Santa Catarina nesse período, embora nenhum deles obtivesse resultados satisfatórios. A localização de São Pedro de Alcântara, por sua vez, revela a intenção de povoamento partindo de um ponto estratégico, pois veio concretizar antigo projeto de instalação de um povoado que tornasse seguro o caminho para o planalto, ameaçado por temidas incursões indígenas. A mesma intenção marcou o deslocamento de famílias alemãs de São Pedro de Alcântara para o rio Itajaí-açu. As condições precárias da vida naquela colônia, inclusive os confrontos com indígenas, motivaram a saída para outro núcleo de colonização, de certa forma incentivada pelas autoridades interessadas no estabelecimento de novas colônias num momento de retração do fluxo imigratório.

O processo de ocupação de parte do território catarinense por meio da formação de núcleos coloniais foi, de fato, retomado a partir de 1845, quando o próprio governo imperial procurou atrair novos fluxos de imigrantes alemães pela missão diplomática do Visconde de Abrantes em Berlim. Nesse momento histórico já estava sendo discutida uma nova lei de terras, finalmente aprovada em 1850 e regulamentada em 1854. Definiu "terras devolutas" (ou públicas), instituindo o acesso a elas por compra, dando assim novas diretrizes à colonização, pois abriu espaço para a atuação de empresas particulares, uma forma de diminuir os gastos públicos com a localização de imigrantes em núcleos coloniais. Pela nova legislação, a imigração, definitivamente vinculada à ocupação do território, ficou no início subordinada à Secretaria-Geral das Terras Públicas, passando depois à jurisdição do Ministério da Agricultura, Comércio e Obras Públicas e, já na República, ficou vinculada ao Serviço de Povoamento do Ministério da Agricultura, Indústria e Comércio. A posse de escravos foi proibida nos núcleos coloniais ainda na década de 1840; o trabalho livre, familiar e a policultura tornaram-se os elementos distintivos privilegiados nesse modelo de exploração agrícola; e após 1850 as províncias assumiram o encargo da colonização, apoiadas pelo governo imperial, recebendo o controle de uma parte das terras devolutas.

Na segunda metade do século XIX e também na Primeira República (1889-1930) surgiram núcleos oficiais de colonização, portanto sob administração pública; mas a maior parte dos núcleos coloniais era particular, formada da concessão, por compra, de áreas maiores, a empresas que tinham a obrigação de demarcá-las em linhas e lotes para venda a imigrantes.

A colonização de Santa Catarina se fez nos dois formatos. O governo imperial fundou a colônia de São Pedro de Alcântara em 1829; depois surgiram outras, sob os auspícios do governo provincial (Santa Izabel, 1847, por exemplo) ou imperial (Brusque, no rio Itajaí-mirim, 1860). Mas os núcleos mais importantes e exemplares surgiram da iniciativa particular (em terras públicas): a colônia Blumenau, fundada em 1850 no médio Itajaí-açu pelo químico alemão Hermann Blumenau; e a colônia D. Francisca, hoje Joinville, estabelecida em 1851 nas terras recebidas como dote pela princesa D. Francisca, irmã do imperador Pedro II – uma vasta área colonizada pela Sociedade Colonizadora de 1849 em Hamburgo, autorizada pelo governo imperial. Essa e outra empresa do mesmo tipo (formada no exterior) – a Sociedade Colonizadora Hanseática – expandiram a ocupação por meio de outros núcleos coloniais, no alto Vale do Itajaí e de Joinville em direção ao planalto, com abertura de estradas de rodagem, num processo que só foi concluído no século XX. Seria exaustivo citar todos os núcleos, mas sua multiplicação aponta para a continuidade dessa ocupação territorial, que não ficou restrita à parte Norte de Santa Catarina e ao Vale do Itajaí. Ela se realizou com a imigração direta, inicialmente alemã e, depois, com uma parte dos descendentes. Na década de 1870 intensificou-se a imigração italiana e, no final do século XIX, a polonesa, também dirigidas para o Vale do Itajaí, até então predominantemente "alemão", e para o Sul do estado. A colonização do meio-Oeste, por sua vez, começou no início do século XX, inicialmente por concessões feitas à Brazil Development and Colonization Co., subsidiária da empresa construtora da ferrovia São Paulo–Rio Grande. De fato, a ocupação mais sistemática ocorreu depois da "guerra do Contestado" (1912-1916), envolvendo a disputa fronteiriça entre os estados do Paraná e Santa Catarina, mas também referida ao movimento messiânico dos "caboclos" – justamente a população de posseiros expropriados na transferência de terras devolutas para a empresa colonizadora acima mencionada. A Lei de Terras de 1850 previa a possível legitimação de posses sem titulação legal, mas isso não impediu que algumas terras ocupadas fossem declaradas devolutas para fins de colonização.

A colonização do Oeste tomou impulso na década de 1920, sobretudo pela atuação de empresas particulares, entre as quais se destacou a de Ernesto Bertaso, imigrante italiano que assentou descendentes de imigrantes oriundos das colônias do Rio Grande do Sul na região que hoje tem como principal pólo econômico a cidade de Chapecó (Piazza, 1983). Houve também imigração direta para o Oeste e o alto Vale do Itajaí, mas a maioria dos colonos vinha de outras regiões coloniais – a segunda e a terceira gerações de descendentes em busca da reprodução social na condição camponesa. Deve-se observar que, além das empresas que buscavam lucros com a venda de lotes a colonos europeus ou de ascendência européia, num processo que as autoridades consideraram "civilizador", muitos núcleos agregando imigrantes e descendentes tinham perfil confessional, isto é, formados por iniciativas de ordens religiosas católicas – caso da *Volksverein*, que fundou Porto Novo em 1926 com descendentes de alemães católicos – ou de organizações evangélicas luteranas (Renk, 1997).

Essas breves referências têm o propósito de mostrar a continuidade dessa ocupação que, no final da Primeira República, chegou ao extremo Oeste de Santa Catarina, onde colonos encontraram, com mais freqüência, o *outro*, o caboclo (ou brasileiro) do sertão que ficou à margem da colonização apropriadamente chamada "européia" por Waibel (1958). A exclusão da população cabocla, por sua vez, tem relação também com pressupostos racistas contidos nos discursos das elites comprometidas com a idéia da inferioridade biológica do povo brasileiro.

As principais características do campesinato formado nesse processo de ocupação do território catarinense são o objeto deste trabalho, abordando um caso exemplar: a colonização do Vale do Itajaí. Dois motivos justificam o foco nessa região: sua relevância no contexto da história da imigração e colonização no Sul do Brasil, e o formato comum dos projetos coloniais configurado na legislação desde o Império. Apesar das diferenças culturais entre os vários grupos de imigrantes, e das variações locais e regionais que repercutiram na adjetivação étnica de muitos núcleos coloniais, a formação camponesa assumiu características próprias mais gerais.

O SISTEMA DE COLONIZAÇÃO

Blumenau tem grande destaque na historiografia da imigração alemã e, por isso, o ano de sua fundação – 1850 – é tomado como marco da colonização da bacia do Itajaí, apesar da localização de algumas famílias nos arraiais de Pocinho e Belchior em 1837 e 1842 e do empreendimento belga (fracassado) em Ilhota (1845). Nas primeiras décadas de colonização houve grande predominância de imigrantes alemães, os primeiros povoadores dos núcleos de Blumenau e Brusque – este último fundado pelo governo imperial em 1860 no rio Itajaí-mirim. Herman Blumenau foi autorizado a fundar uma colônia no médio Itajaí-açu, recebendo, por compra, uma grande concessão de terras devolutas. A chegada dos primeiros colonos no lugar destinado para sede da colônia – na confluência do Ribeirão Garcia com o rio Itajaí-açu – ocorreu em setembro de 1850, mas a demarcação dos lotes só começou em 1852. Esse fato, comum em áreas coloniais, aponta para as precárias condições encontradas pelos imigrantes, que ficavam meses abrigados em alojamentos provisórios à espera da concessão de terra para agricultura, eventualmente trabalhando na abertura de vias de comunicação e demarcação dos lotes. A dificuldade para atrair um fluxo espontâneo de alemães tornou o empreendimento economicamente inviável e, em 1860, Blumenau foi transformada em colônia oficial, comprada pelo governo imperial, que manteve o fundador como diretor. A fundação de Brusque no mesmo ano mostra o interesse da administração pública nessa forma de povoamento de um território considerado estratégico. A ação dos agenciadores a serviço do governo brasileiro e uma propaganda que destacou subsídios e facilidade de acesso à terra permitiram a formação de um fluxo suficiente de famílias de imigrantes nas décadas seguintes. No último quartel do século XIX surgiram vários núcleos formados com colonos italianos e poloneses, e, em 1897, a Sociedade Colonizadora Hanseática, com sede na cidade de Hamburgo, recebeu autorização para promover a colonização do alto Vale do Itajaí. Essa empresa fundou a colônia Hansa/Hammonia (atual cidade de Ibirama) em 1899, trazendo primeiro imigrantes alemães. Mas a maior parte daquela área foi ocupada por famílias da segunda e da terceira geração de colonos oriundos de outros núcleos coloniais. Esses poucos dados apontam para a longa duração desse processo de ocupação territorial e para a mobilidade espacial produzida pela dificuldade de reprodução social nos lotes familiares a partir da segunda geração.

Assim, a bacia do Itajaí foi um dos territórios considerados devolutos pelo estado para fins de colonização com imigrantes europeus, propiciando um sistema de assentamentos rurais familiares regulado por uma legislação que o manteve sob controle da administração pública mesmo nas áreas concedidas, por contrato legal, às empresas colonizadoras. O modelo de ocupação do espaço que figura na lei, e pode ser observado nas plantas cadastrais de cada núcleo, criou um "hábitat rural", uma "paisagem cultural" (conforme expressão usada por Waibel, 1958) diversa da tradição luso-brasileira, com reflexos nas formas de organização social e econômica do campesinato. Em outras palavras, há um substrato básico que se expressa pela noção de *colônia* e pela categoria *colono* e que nas leis estão contidas na definição de núcleo colonial e suas partes, o povoado e as linhas.

As determinações legais não levaram em conta as condições naturais das terras destinadas à colonização. Quando a região começou a ser colonizada, a pequena propriedade rural (denominada "lote colonial") possuía área média de 25 hectares. O lote tornou-se a unidade econômica básica, cultivado com trabalho familiar; era recebido por compra e devia ser pago à vista ou num prazo de cinco anos com o acréscimo de juros. No ato da concessão por compra o colono recebia um título provisório e o documento definitivo devia ser requerido às autoridades, uma vez comprovado o pagamento da "dívida colonial" (um termo que podia englobar também eventuais subsídios). As demarcações enfileiraram os lotes ao longo de linhas, isto é, uma via de comunicação, quase sempre designada pelo termo "picada", aberta acompanhando os cursos d'água. Eles tinham formato alongado, com a frente para a linha e os fundos limitando com outro conjunto de lotes ou, com mais freqüência, com terrenos muito acidentados e impróprios para a atividade agrícola.

A área destinada a cada povoado formava o outro pólo dessa ocupação, lugar que os alemães denominaram *Stadtplatz* (algo equivalente a cidade) porque abrigava a administração do núcleo, era demarcado com lotes "urbanos" aos quais os colonos não tinham acesso, e servia como ponto de referência civilizatório num contexto de frente pioneira. Assim, desde o início houve uma polarização entre as linhas e o povoado reservado para prestadores de serviço, comerciantes, autoridades etc., e onde ficava o barracão para recepção e moradia temporária de imigrantes.

De acordo com a lei, os colonos deviam fixar sua moradia no lote rural, um dispositivo assinalado nos títulos provisórios de propriedade. Isso impediu a formação da aldeia camponesa de acordo com as diferentes tradições européias. Em contrapartida, havia o pressuposto da concessão familiar, inclusive os subsídios (financiamento das passagens e alimentação no período de espera pela concessão do lote) restritos aos grupos familiares, sendo comum a figura do "agregado", às vezes sem nenhum grau de parentesco, que aparece nas listagens, por família, dos imigrantes. Enfim, a linha, com seus lotes familiares, tornou-se uma unidade de referência espacial convertida em "comunidade rural". Nesse contexto houve a apropriação da categoria colono como referência identitária remetida às concepções de senso comum sobre o trabalho "pioneiro" de desbravamento realizado por imigrantes. Trata-se de uma identidade social adjetivada pela "origem" (nacional) ainda hoje usada para aludir à diferenciação cultural produzida pela imigração (Seyferth, 1993).

A demarcação das linhas e lotes tomou por referência a topografia do Vale do Itajaí, mas não considerou a questão da qualidade das terras e a viabilidade da exploração agrícola ao padronizar as concessões. A escolha das áreas para instalação das sedes das duas primeiras colônias é significativa: Blumenau e Brusque surgiram onde os rios Itajaí-açu e Itajaí-mirim deixam de ser navegáveis. As linhas principais acompanharam as margens dos rios, e as linhas secundárias se ramificaram ao longo dos principais afluentes (ou ribeirões), tomando o nome de cada curso d'água ou, às vezes, recebendo uma denominação vinculada ao lugar de origem de algum grupo de imigrantes. Conforme os mapas cadastrais dos agrimensores, a dimensão dos lotes variava entre 200 e 300 metros de largura por 600 a mil metros de comprimento, aproximadamente. Áreas um pouco maiores, mas não superiores a 50 hectares, foram vendidas no início da colonização em Blumenau, quando ainda era empreendimento privado (Silva, s/d, p.50). As primeiras levas de imigrantes receberam terras nas áreas próximas às sedes coloniais, mas à medida que se expandiu a ocupação, e com o surgimento de novos núcleos, os lotes foram demarcados em terrenos cada vez mais acidentados e de difícil cultivo. De fato, os colonos localizados nessas áreas enfrentaram também o problema do transporte dos excedentes de sua produção agrícola. Ambos os problemas foram causa principal de abandono das concessões, da transferência ilegal da terra para outro colono ou mesmo da invasão de lotes não ocupados à revelia das autoridades, sobretudo na fase inicial da colonização. Isso aponta para os problemas fundiários surgidos em regiões de colonização estrangeira, até porque o modelo "perfeito" contido na legislação não se realizou tranqüilamente na prática.

Quando os primeiros imigrantes alemães chegaram pelo rio aos dois principais núcleos coloniais encontraram a floresta virgem e abrigos provisórios coletivos; homens adultos obtiveram trabalho temporário em serviços públicos enquanto suas famílias aguardavam a concessão das terras ainda não demarcadas. Nesse período de espera muitos colonos ficaram dependentes do fornecimento de alimentos por parte dos comerciantes; aqueles que trabalharam como jornaleiros, isto é, recebiam pagamento por dia trabalhado, ficaram em situação melhor, outros contraíram dívidas antes mesmo da família receber, por compra, um lote colonial. Assim, o início da ocupação foi difícil, mas as terras recebidas eram melhores, situadas mais próximas do lugar destinado ao povoado, facilitando a relação com os comerciantes. Os colonos que não puderam pagar a terra no ato da concessão contraíram a "dívida colonial", que devia ser paga no prazo de cinco anos. O pagamento recebido por serviços prestados à administração ajudou muitos colonos a amortizar a dívida ou quitá-la, para poder solicitar o título definitivo de propriedade, também vinculado à moradia no lote e sua exploração. Isso foi relativamente tranqüilo nas duas primeiras décadas, apesar do isolamento espacial da região e da subordinação dos colonos aos interesses dos comerciantes que detinham o monopólio do transporte até o porto de Itajaí. No entanto, a continuidade do povoamento nas décadas de 1870-80, e a concentração de grande número de famílias à espera das concessões em algumas colônias – provocada pela intensa atividade de aliciamento de imigrantes na Europa por parte de alguns agenciadores, a serviço do governo imperial –, produziu protestos, abandono de lotes e fugas em grupo. Tais conflitos, também relacionados à carência de serviços públicos, além de epidemias, altas taxas de mortalidade, a difícil adaptação na situação de "frente pioneira", marcaram a vida colonial e só desaparecem dos registros oficiais após a criação dos municípios (já no final do Império), quando a concessão de terras passou a ser feita pelos escritórios locais da Inspetoria de Terras e Colonização já no período republicano. De fato, em algumas colônias – caso de Brusque e Luiz Alves, por exemplo – foram comuns as petições e abaixo-assinados contendo reivindicações, bem como ajuntamentos coletivos, marchas e outras formas de pressão contra as autoridades, fugas e outros movimentos de protesto classificados pelas autoridades policiais como "motins". Eram causados pelo atraso nos pagamentos dos serviços prestados, pela demora das concessões e da expedição dos títulos (provisórios ou definitivos) de propriedade, pela precariedade do atendimento médico e religioso etc. Algumas lideranças desses movimentos foram expulsas do País, acusadas de práticas comunistas e ativismo político; e em várias ocasiões as forças policiais enviadas da capital Desterro (atual Florianópolis) ajudaram a conter as manifestações (Seyferth, 1999). Trata-se de um aspecto pouco conhecido da colonização, mas as situações conflituosas foram comuns, conforme observou também Roche (1969) para o Rio Grande do Sul.

Apesar de seu alcance apenas local, o breve registro desses movimentos sociais é importante para situar a questão fundiária, mas revela igualmente outro problema relacionado à primeira geração de imigrantes – sua condição de colonos estrangeiros sem plenos direitos de cidadania, implícita na própria condenação dos "motins" e nas referências às fugas, pois era gente que não podia se deslocar para fora do núcleo colonial sem autorização do diretor.

Quanto à titulação das terras recebidas, pode-se dizer que vários fatores ajudaram a configurar a "situação caótica" registrada na documentação oficial relativa a algumas áreas de assentamentos no início do século XX: o desconhecimento do funcionamento burocrático por parte dos imigrantes, o entendimento errôneo do título provisório como documento definitivo, o abandono de lotes localizados em áreas acidentadas e de acesso precário, a transmissão irregular para outro colono (usando o expediente de registrar a "venda" no título provisório), a invasão de áreas demarcadas etc. Os colonos que assim procediam eram chamados de "posseiros criminosos" ou "intrusos", categorias acusatórias empregadas para desqualificar a posse de lotes sem o necessário registro legal, inclusive da "dívida colonial" (Seyferth, 1996).

Na maior parte das áreas colonizadas a regularização das propriedades se fez na forma legal, após a quitação das dívidas coloniais. Mas muitas famílias precisaram renegociar a dívida ou simplesmente deixaram de pagá-la e só alcançaram a titulação muito tempo depois, quando a figura jurídica do usucapião permitiu aquilo que fosse considerado um "perdão" (coletivo) da dívida. O caso mais exemplar desse tipo de problema ocorreu na área de atuação da Sociedade Colonizadora Hanseática, onde a titulação definitiva de muitas propriedades só foi obtida na década de 1950 (Richter, 1986). Ali os assentamentos ocorreram até 1938, mas a empresa passou para o controle do governo federal em 1942, em razão da declaração de guerra à Alemanha, fato que repercutiu na regularização das propriedades, porque também no regime particular a venda de lotes podia ser feita a prazo.

A ocupação da bacia do Itajaí segundo o modelo legal de colonização com imigrantes, portanto, demorou praticamente um século. Apesar das dificuldades inerentes à colonização em terras florestais, o modelo produziu um campesinato formado por pequenos proprietários, ainda persistentes e convivendo com um processo de industrialização iniciado no fim do século XIX.

A COLÔNIA: ASPECTOS DA ORGANIZAÇÃO ECONÔMICA E SOCIAL

O aparecimento da indústria têxtil coincidiu com a emancipação (política) dos dois principais núcleos coloniais da região. Os municípios de Blumenau e Brusque foram criados na década de 1880 e os dois povoados passaram a ser designados, oficialmente, pelo termo *vila*, indicador (legal) de uma formação urbana intermediária entre a aldeia (ou povoado) e a cidade. A industrialização – possível pela expansão das atividades artesanais e, sobretudo, da acumulação de capital pelos mais abastados comerciantes das vilas, responsáveis pelo estabelecimento de fábricas de fiação e tecelagem – diversificou o mercado de trabalho para a segunda geração de colonos e contribuiu para o crescimento urbano, tornando mais visível a dicotomia campo-cidade, assunto amplamente discutido na literatura sobre camponeses. Assim, uma das características dessa formação camponesa é a relação restabelecida entre as linhas – que, no conjunto, configuraram o mundo rural – e os centros urbanos que emergiram nos locais demarcados para sediar os núcleos coloniais.

A noção de colônia, na conformação espacial presente nos discursos da população local, inclui esses centros urbanos. Trata-se de uma apropriação da definição legal de "núcleo colonial" que permite evocar a situação inicial de "frente pioneira". Mas o termo refere-se, sobretudo, ao espaço rural em sentido amplo, e à unidade produtiva desse campesinato, o lote.

Existem, pois, diferentes definições para colônia. De forma mais vaga pode ser apenas sinônimo de hábitat rural produzido pela imigração. Nesse hábitat distinguem-se diversas localidades – as áreas definidas espacialmente em função da demarcação dos lotes ao longo de uma linha. Tais localidades têm denominação: o nome do curso d'água que serviu de referência para a demarcação, o nome de uma pessoa, ou de um santo, ou ainda um topônimo que remete à origem européia. São representadas como "comunidades". Ao tratar da colonização do alto Vale do Itajaí, na área de atuação da Sociedade Colonizadora Hanseática, Albersheim (1962) mostrou a unidade própria dessas localidades, com sua vida recreativa, associativa e econômica; muitas têm escola, capela e casa comercial ou "venda". A historiografia do Vale do Itajaí também registra a popularidade dos salões de baile e das associações recreativas no meio rural; mas chama a atenção, principalmente hoje, a presença das canchas de bocha, marcando a convivência e a sociabilidade comunitárias tanto quanto as festas comemorativas e as atividades religiosas.

Finalmente, a propriedade rural chamada colônia é, idealmente, o lote de 25 a 30 hectares original, representando uma suposta auto-suficiência familiar. Constitui-se como uma unidade econômica e local de moradia de uma família de colonos. A produção numa unidade padrão do sistema colonial caracterizou-se pela policultura e criação de animais. Olhando os aspectos funcionais da exploração, a propriedade contém a moradia da família, construída de madeira ou alvenaria nas proximidades da via de comunicação (a picada ou estrada) e, no seu entorno, estão a horta, o pomar, o galpão e outras construções para abrigo dos animais (porcos, galinhas, vacas etc.). Os cultivos (milho, mandioca, cana-de-açúcar, arroz, fumo, feijão etc.) são distribuídos pelo restante da propriedade, mantendo-se uma parte da mata e áreas de capoeira próprias do sistema de rotação de terras. Essas são características de uma propriedade familiar no auge da produtividade e do ciclo de desenvolvimento do grupo doméstico.

Embora a policultura fosse característica marcante da produção colonial, os geógrafos deram destaque sobretudo às técnicas de cultivo adotadas pelos imigrantes "pioneiros" consideradas "primitivas" e próprias do caboclo brasileiro. O desmatamento seguido da "queimada" para abrir espaço para o plantio foi inevitável no início da ocupação, e o emprego do arado não ocorreu de imediato. No entanto, os métodos foram mudando, até porque se tratava de um sistema com base na propriedade da terra e de um modelo de ocupação contínua que dificultou a expansão das propriedades. A adoção progressiva do sistema de rotação de terras e culturas combinado com a criação de animais domésticos (Waibel, 1958) surgiu para aumentar a produtividade e evitar o esgotamento dos solos. Conforme observou Lago (1960), a necessidade de transformar o lote colonial numa unidade econômica de subsistência levou à derrubada/queimada da mata para desenvolver a policultura, meio de garantir o fornecimento de alimentos de consumo imediato para a família colonial diante do relativo isolamento no início do povoamento. Mas o emprego da queimada diminuiu em razão do alto valor da madeira e o conseqüente estabelecimento de serrarias na região.

O discurso camponês valoriza os aspectos da produção voltada para a subsistência, enfatizando a necessidade primeira do consumo familiar. Mas desde o início da colonização houve a produção de itens especificamente destinados ao mercado. O caso mais expressivo é o cultivo do tabaco, que obtinha bons preços entre os comerciantes locais, e o qual foi intensificado na segunda metade do século XX com a presença das multinacionais do fumo – a primeira forma de integração dos colonos com a agroindústria. No regime de policultura, porém, são os excedentes que têm destinação comercial. A criação de suínos, por exemplo, além da finalidade de consumo doméstico, destinava-se à produção de banha para venda. Cana-de-açúcar, aipim e milho, transformados em açúcar ou cachaça, farinha e fubá, tinham grande valor comercial.

Esses dados apontam para a importância das atividades artesanais e industriais ligadas à produção agrícola, e para a relação com os comerciantes locais, intermediários entre os colonos e o mercado. A documentação que assinala o progresso econômico da região ao longo da colonização traz muitas estatísticas sobre o aumento no número de engenhos, atafonas, serrarias, olarias, manufatura de charutos e outras atividades arroladas como "industriais". Algumas famílias de colonos possuíam engenho ou atafona e prestavam serviços aos vizinhos. Apesar disso, os comerciantes, estabelecidos nas linhas ou em área urbana, dominaram essa atividade. Assim, a maioria dos colonos precisava recorrer a seus vizinhos mais afortunados ou a comerciantes, pagando os serviços com uma parte do produto. Por sua vez, dependiam dramaticamente dos comerciantes, que monopolizaram os transportes, controlavam os preços, criando uma relação de dependência e dominação visível nos mecanismos de crédito e troca de mercadorias, e expressa pelo ditado "o colono compra a ferradura pagando com o cavalo". Em resumo, a casa comercial – denominada "venda" – funcionava como local de troca de mercadorias (envolvendo dinheiro ou não) e de estocagem dos produtos coloniais; ali o colono podia obter crédito (comprometendo seus excedentes futuros) para a compra de sementes, equipamentos, tecidos, sal e outras necessidades, ou deixar depositadas suas "economias" (Willems, 1946; Seyferth, 1974). Não existiam feiras ou lugares de mercados semelhantes, destacados nos estudos sobre campesinato por suas características econômicas e sociais (Wolf, 1970). No entanto, as casas comerciais de menor importância, situadas no meio rural, eram espaços de sociabilidade, sendo comum haver cancha de bocha, venda de bebidas e jogos diversos.

As atividades artesanais e industriais, e as relações entre colonos e comerciantes, embora apresentadas de forma sucinta, são indicadoras da diferenciação interna do campesinato. A sistemática de localização nas linhas coloniais sugere igualdade, assim como as formas de organização social e exploração agrícola. As diferenças, de natureza econômica, expressamse pela dicotomia contida nas categorias "colono forte" e "colono fraco" (Seyferth, 1993), hoje mais comumente associada à insuficiência de terras para cultivo e ao trabalho assalariado.

No decorrer da colonização, as famílias mais bem-sucedidas eram, invariavelmente, aquelas que receberam lotes em terras mais apropriadas para a lavoura, situadas mais perto dos povoados, conseguiram pagar a dívida colonial, tiveram acesso a trabalho acessório ou haviam emigrado com filhos adultos, solteiros. Essas informações aparecem em depoimentos, autobiografias de colonos e outros documentos que destacam, em primeiro lugar, a importância do trabalho temporário na abertura de estradas e demarcação e outros serviços públicos, que permitiu a quitação do lote recebido por compra e certa independência do crédito dos comerciantes; em segundo, e dado o caráter familiar da exploração, sem assalariados, destacam as dificuldades das famílias com filhos muito pequenos. As invasões de áreas demarcadas e os abandonos de lotes, anteriormente mencionados, por sua vez, sinalizam para o problema fundiário mais sério – a localização em terras muito acidentadas e impróprias para a agricultura. Na fase final do povoamento, grande número de famílias abandonou as concessões para procurar trabalho nas fábricas têxteis de Blumenau e Brusque.

A diferenciação interna, subentendida nos vocábulos "forte" e "fraco", não significa uma divisão de classes; antes, nuança a identidade social articulada à colonização, da mesma forma que a adjetivação pela origem nacional dos imigrantes. A expressão "colono fraco" refere-se às famílias que não possuem terras suficientes para viver do ofício de agricultor; portanto, não têm uma colônia padrão correspondente ao lote de 25 hectares. É um indicativo de escassez de terra, igualmente associado à partilha da propriedade entre herdeiros, e a conseqüente dependência do trabalho assalariado na condição de operário ou do arrendamento de terras para plantio (recurso pouco freqüente na região). Não significa, necessariamente, o empobrecimento em relação aos "fortes", pois o salário pode ser tão importante quanto a renda familiar alcançada com a comercialização de produtos da lavoura. A dupla ocupação, portanto, não desqualifica socialmente: são todos colonos, vivem na colônia e trabalham na terra com suas famílias, tem padrão de vida similar e plantam para o consumo familiar. Mesmo nas condições de mudança social num contexto progressivo de industrialização, essa formação camponesa tem características próprias, em geral acionadas para distingui-la de outras realidades rurais brasileiras, independentemente das similitudes decorrentes da adaptação ou acomodação dos imigrantes ao novo ambiente (Willems, 1946; Waibel, 1958).

A terra recebida por compra, assegurando a propriedade, a policultura com criação, a atividade artesanal e a produção para o comércio, já destacados, são suas características econômicas mais significativas. A divisão do trabalho e a estrutura familiar também têm suas especificidades. É difícil, conceitualmente, falar de uma família camponesa ou, de modo mais preciso, da "família camponesa tradicional", conforme definição de Galeski (1972). Apesar da constatação de que a família nuclear prevaleceu na maioria das sociedades modernas, o tipo de família destacado para o campesinato europeu na literatura especializada é a de três gerações, ou "família tronco", comum no Vale do Itajaí (Seyferth, 1985). Sua ocorrência está relacionada à transmissão do patrimônio, em especial no caso da herança indivisível e ao ciclo de desenvolvimento do grupo doméstico.

É preciso destacar que a família de três gerações aparece num dado momento da trajetória familiar, pois supõe a coabitação dos pais com um dos seus filhos casado e sua prole. Por isso, é mais comum nas situações em que apenas um dos filhos herda a terra. Nesse caso, o enfoque no grupo doméstico e seus padrões de residência, por meio do seu ciclo de desenvolvimento, num dado período de tempo, conforme sistematização conceitual de Meyer Fortes (1969), permite deixar de lado a noção de "tipos" de família. O grupo doméstico não é sinônimo de família, mas no caso do campesinato em questão ambos coincidem, tendo em vista as características da concessão de lotes. Fortes distingue três fases no ciclo do desenvolvimento: a primeira começa com o casamento e corresponde ao período durante o qual os filhos são dependentes dos pais; na segunda ocorre a dispersão, e começa com o casamento de um dos filhos (eventualmente o mais velho); e na terceira reinicia-se o ciclo da morte dos pais, substituídos na estrutura social da família por seus filhos. O próprio Fortes assinala que o fator crítico da mudança são as regras de herança e sucessão segundo as quais os direitos de propriedade são transmitidos. Ao longo do tempo, pode haver uma alternância entre a forma nuclear e a forma tronco de família, o que explica privilegiar-se conceitualmente a família de três gerações pelos estudiosos do campesinato, mesmo nas situações em que ela não é estatisticamente mais significativa.

As listas das famílias de imigrantes que constam na documentação oficial para o Vale do Itajaí mostram que algumas tinham o perfil da família tronco (destacada por Willems, 1946); mas no processo migratório predominaram as famílias nucleares, sendo raros os idosos, incluídos entre os indesejáveis, segundo as regras da política de colonização. Indivíduos desacompanhados eram pouco comuns na fase inicial da ocupação, e só aparecem com mais freqüência no contexto da imigração polonesa no fim do século XIX. Em sua maioria eram homens que deixaram seus familiares, inclusive esposas e filhos, no país de origem, para tentar trazê-los num momento mais propício.

Na maioria dos casos, o lote era recebido por famílias nucleares (o casal e seus filhos) e explorado com essa mão-de-obra familiar. Havia o recurso do mutirão (a ajuda mútua entre vizinhos e/ou parentes) para atividades mais difíceis, como a derrubada de matas e a construção da primeira (e rústica) moradia. Na prática cotidiana a família aparece como um grupo de produção, sendo as tarefas atribuídas a cada pessoa de acordo com o sexo e a idade – a forma mais simples de divisão social do trabalho. Nesse caso, aos homens cabiam as atividades consideradas mais penosas (derrubada, plantio); as mulheres auxiliavam nas demais atividades agrícolas e tinham a seu encargo a horta e os cuidados com a criação e o lar. Crianças e adolescentes participam nas atividades reputadas mais simples ou "leves" – capina, a lida com os animais domésticos, a horta etc.

Delineia-se aí um fato básico da condição camponesa: a família operando como um grupo de produção no domínio doméstico, mas com características de uma pequena empresa – unidade básica com total integração da vida familiar e seu empreendimento agrícola. A inexistência de trabalhadores assalariados e a dependência da mão-de-obra familiar serviram de base para os discursos sobre as vantagens de uma prole numerosa. Atribuía-se, em geral, maior sucesso àqueles imigrantes com muitos filhos adolescentes ou adultos, mão-de-obra ideal para tornar o lote mais rapidamente produtivo; em sentido inverso, há registros que falam das dificuldades dos casais com filhos muito pequenos e que recorriam mais à solidariedade dos vizinhos.

Dois fatos marcantes podem ser assinalados no contexto da colonização européia: as altas taxas de natalidade e a migração interna. São coisas relacionadas porque muitos filhos, num dado momento do ciclo familiar, significam mais mão-de-obra e produtividade, mas os casamentos, em especial dos filhos homens, desencadeiam o processo sucessório, já que o tamanho padrão do lote colonial não permite o excessivo fracionamento.

A reprodução social na condição camponesa depende das possibilidades de garantir a ocupação de agricultor, ou outra qualquer, para os filhos, sem dividir a propriedade familiar. O lote colonial não podia ser fragmentado sem o empobrecimento ou o assalariamento das novas famílias. Daí privilegiar-se o herdeiro único por uma parte dos colonos, uma forma de herança costumeira conduzida pela autoridade paterna e que precisa de consenso dos herdeiros porque contraria a legislação. De fato, foram mantidas diferentes estratégias de transmissão da propriedade trazidas pelos imigrantes, o que explica a persistência do lote indiviso em algumas áreas e a fragmentação em outras.

No início da ocupação ainda era possível adquirir terras para estabelecimento dos filhos casados na mesma região. Tratava-se, porém, de um recurso escasso para quem já era proprietário de um lote nos núcleos oficiais, especialmente nos períodos de maior intensidade dos fluxos imigratórios. Poucas famílias conseguiram obter terras suficientes para assegurar aos filhos a ocupação de agricultor no mesmo núcleo colonial.

São três as regras sucessórias básicas observáveis (ainda hoje) na região. As mulheres recebem um dote (quando possível), mas não herdam a terra, ou só assumem a colônia na ausência de um herdeiro masculino. A herança compartilhada supõe a divisão da terra entre os herdeiros homens. A situação considerada ideal – e associada à formação da "família tronco" – é a herança indivisa, ou o herdeiro único, primogênito ou não. Existem variações, mas a adoção de uma ou outra dessas formas costumeiras de transmissão do patrimônio vem da tradição européia de cada grupo imigrado. A transmissão indivisa para o filho mais novo era comum em algumas regiões da Alemanha; colonos originários do Sul da Alemanha, por sua vez, trouxeram o costume de partilha entre herdeiros, uma das razões da emigração. Os italianos privilegiaram a transmissão para o primogênito. Enfim, seria muito exaustivo detalhar todos esses processos e arranjos (entre os herdeiros) que visavam a compensar os excluídos da terra, ou evitar a fragmentação. Interessa mais assinalar o que está em evidência no momento crucial do casamento dos filhos e a conseqüente constituição de novas famílias, e as motivações não costumeiras que permitiram a permanência de assalariados da indústria na colônia.

A persistência da herança indivisa e, com ela, a manutenção plena da condição de agricultor, foi assegurada por causa da migração interna, mais precisamente o deslocamento dos filhos para outros núcleos coloniais, inicialmente no próprio Vale do Itajaí e, depois, no Oeste de Santa Catarina e Paraná, para onde se expandiu a colonização estrangeira na década de 1920. A outra alternativa de compensação estava na proletarização em área próxima, possível a partir da expansão industrial em Blumenau e Brusque. Muitos deixaram a colônia para fixar residência nas áreas urbanas em expansão; outros, mesmo proletarizados, nela permaneceram com dupla ocupação. Essa segunda alternativa tem relação com a fragmentação dos lotes originais nos processos sucessórios e representa importante transformação social evidenciada pela presença de colonos que combinam a exploração agrícola na sua pequena propriedade com o trabalho assalariado. Na verdade, são famílias que ocupam apenas uma fração do lote original e completam sua renda com o salário recebido por um ou mais membros na condição de operários. Na maioria dos casos, as famílias coloniais que têm um ou mais membros operários plantam para seu próprio consumo, diminuindo o ritmo da atividade agrícola, agora praticada em tempo parcial.

A prática dessa agricultura de tempo parcial aumentou ao longo do século XX, observável, inclusive, na diminuição das propriedades agrícolas (Seyferth, 1985). No tempo presente predominam as propriedades com menos de 20 hectares, sendo comuns os estabelecimentos com menos de 5 hectares onde os membros da família são colonos e operários. A proletarização parcial não mudou muito o modo de vida e os valores desse campesinato, nem tampouco os princípios que norteiam as representações sobre a identidade social do colono. A organização social, a policultura com criação, os sistemas de cultivo são os mesmos, apesar da parcela proletarizada não produzir para a venda. Daí a ênfase dos estudiosos da imigração na "paisagem cultural" criada pelos colonos, assinalada por Waibel (1958) – questão que remete à identidade e suas referências empíricas.

IDENTIDADE E DIFERENCIAÇÃO CULTURAL

A diferenciação interna, em grande parte associada à proletarização e divisão do lote colonial e, eventualmente, às famílias mais bem-sucedidas na atividade agrícola, não tolheram a construção de uma identidade social comum e associada ao processo histórico de formação de um campesinato majoritariamente composto por pequenos proprietários. A categoria colono é reconhecida como elemento distintivo, e singularizada pela experiência compartilhada num processo de povoamento com características de "frente pioneira". As distinções étnicas relacionadas às diversas nacionalidades dos imigrantes acrescentam qualidades específicas, estereótipos e ditos jocosos (Seyferth, 1993), mas não interferem na atribuição da identidade mais geral articulada a uma realidade rural específica.

Além das referências à figura emblemática do pioneiro, que evoca as dificuldades do início do povoamento, a identidade de colono está ancorada nas diferenças culturais advindas da imigração e colonização. Desde o início e mantendo-se até hoje, os elementos acionados para estabelecer distinções identitárias relacionam-se às práticas da policultura, da divisão do trabalho, de casamento e herança e ao próprio espaço da colônia em sua definição mínima – o lote familiar; destacam-se, também, as formas de sociabilidade, hábitos alimentares, tipos de moradia e todo um conjunto de características culturais que remetem à origem européia. Nesse caso, a identidade valorizada não envolve tanto a distinção campo-cidade e destaca, principalmente, outras categorias de produtores rurais que não têm relação com a imigração.

O discurso identitário articulado às categorias colono e colônia legítima fronteiras sociais e espaciais envolvendo uma realidade empírica, que também é representação, ressalta o local e a singularidade como resultado do processo colonizador. A noção de identidade é complexa. Envolve múltiplas dimensões e sua concepção vem associada a teorias sobre socialização e referências às experiências compartilhadas que informam comportamentos. De fato, a identidade social é plural, embora às vezes uma classificação étnica, por exemplo, se sobreponha às demais por causa de seu grau de visibilidade; mas nunca é, simplesmente, uma soma de *status* e papéis individuais.

O termo colono tem significados culturais, mas seu atributo estrutural é a condição camponesa e sua contrapartida territorial, a colônia. Identifica o pequeno agricultor rural familiar de origem européia, apropriado da legislação sobre colonização pelos imigrantes, que abandonaram os termos alusivos aos camponeses de sua língua materna. As palavras alemãs para camponês (*Bauer*) e colono (*Ansiedler*), por exemplo, foram substituídas por *Kolonist* no dialeto teuto-brasileiro do Vale do Itajaí. Assim, seu caráter estrutural é delineado pela ocupação e pelo espaço ocupado, a colônia em suas múltiplas territorializações, mas também pela organização social que privilegia a família tronco.

Os valores camponeses prevalecem no delineamento da identidade pelos atores sociais, sendo acionados por oposição aos outros brasileiros. O colono não se considera apenas um pequeno produtor rural; enfatiza a ascendência européia e a simbólica do pioneirismo vinculado à colonização, conferindo a ela um caráter civilizatório. De fato, categorizar por oposição faz parte da dinâmica identitária e colonos costumam considerar-se social e culturalmente distintos de outras categorias de produtores rurais. Assim, diferenciam-se dos *fazendeiros*, um termo que pressupõe a propriedade de uma área muito maior do que uma colônia, a utilização de mão-de-obra assalariada, alguma riqueza e poder. O contraste mais comum, porém, é com os *caboclos* (às vezes chamados de brasileiros) – pequenos produtores rurais que ficaram à margem do processo de colonização. Muitos desses caboclos foram expropriados na demarcação das terras devolutas no planalto catarinense e aparecem em maior número no Vale do Itajaí após iniciada a industrialização. Poucos tiveram acesso a lotes coloniais, já na fase final dos assentamentos, pois a legislação favorecia os imigrantes. Acentuando o contraste, podiam ser desqualificados pelo termo *Schlammburger* – uma referência à casa de taipa, incomum no meio colonial (Albersheim, 1962) e à ausência de elementos característicos da propriedade do colono, como horta, jardim e espaços demarcados para os animais. O termo certamente pressupõe uma desqualificação social, mas denota igualmente a diferença cultural. Caboclo é uma categoria genérica que inclui tanto o "fanático" do planalto (o sertanejo da Guerra do Contestado) quanto os pescadores do litoral, em sua maioria descendentes dos açorianos trazidos pelo governo português em meados do século XVIII.

A distinção entre as duas categorias tem um referencial étnico primário, reconhecido por ambas – o uso de outra língua, certas formas de sociabilidade e comportamento atreladas à identidade étnica, ou diferenças fenotípicas (a aparência com conotação racial). No entanto, os colonos usam com mais freqüência certas peculiaridades da vida cotidiana para marcar a diferença: detalhes da organização do espaço em cada propriedade familiar, os costumes relacionados a casamento, dote, herança, moradia e seu entorno, divisão social do trabalho, *éthos* do trabalho, eventualmente, a religião etc.

Na impossibilidade de detalhar a subcultura da colonização, alguns exemplos permitem ilustrar o modo de construção da diferença por parte dos colonos. Um deles é o conjunto de termos usados como sinônimo de caboclo pelos colonos "alemães" (e aceitos, em sua generalidade, pelos demais): *Schlammburger* (já mencionado), *Eidechse* (lagarto), *Fauleuzer* (mandrião), *Silva*. Lagarto e mandrião desqualificam pela preguiça e vagabundagem; Silva é claramente uma referência à banalidade do nome, por um lado, e a uma vegetação espinhosa que toma conta das áreas de pousio, dificultando o trabalho agrícola, por outro. São representações estereotipadas, evidenciando preconceitos relacionados à posição social mais baixa e à divisão do trabalho, ou seja, a pobreza (que não é atributo exclusivo dos caboclos) e o papel secundário da mulher cabocla nas atividades produtivas são marcadores simbólicos de uma identidade estigmatizada, baseados na realidade objetiva.

O outro exemplo é mais prosaico e diz respeito aos hábitos alimentares como metáforas de fartura vinculada à policultura. O primeiro ponto destacado nas representações é a suposta auto-suficiência, um dos valores desse campesinato, representada pela variedade de alimentos à mesa produzidos na colônia. O outro diz respeito a hábitos de cada grupo imigrado que, não obstante, fazem parte da dieta de todos: a polenta e o vinho dos italianos, os pratos à base da batata, os diversos tipos de pão e a *Kuchen* (cuca) dos alemães, o aproveitamento das frutas na forma de doces e geléias, os embutidos derivados da criação de porcos etc. O caráter simbólico dessa fartura, reportada ao progresso, pode ser visto hoje na proliferação dos chamados "cafés coloniais", mais uma tradição inventada para embasar um pertencimento referenciado à colonização.

Finalmente, colono é um termo estrutural, referido a um dado campesinato, mas tem adjetivações relacionadas às diferentes procedências dos imigrantes. Aqui, os principais indicadores são o sobrenome, a variedade lingüística, às vezes a religião, certos costumes eventualmente transformados em representações estereotipadas. Entram em cena as identidades étnicas que diferenciam os colonos "de origem" alemã, italiana e polonesa. Apenas como exemplo, é comum os "alemães" chamarem os "italianos" de "polenteiros", sovinas, espalhafatosos, que têm casa pintada com as cores da bandeira italiana; em contrapartida, os italianos chamam os alemães pela alcunha de "batateiros" (ou "alemão-batata"), colonos excessivamente preocupados com a decoração/aparência de sua casa etc. São formas de destacar as diferenças culturais. A dicotomia entre "fortes" e "fracos", mencionada, não tem qualquer conotação étnica; ela apenas dá destaque à plena condição camponesa, possível numa propriedade idealizada – o modelo do lote colonial.

As divisões que caracterizam o mundo social da colônia, porém, não apagam o sentido mais geral da diferenciação cultural produzida pela colonização. A categoria colono foi construída, historicamente, como uma identidade coletiva com múltiplas dimensões econômicas, sociais e culturais (ou étnicas). E o modelo presente na caracterização dessa identidade é aquele da tradição camponesa representada pela fração mais valorizada: o colono "forte", símbolo maior de uma imaginada auto-suficiência camponesa e guardião dos valores pioneiros. Sem adjetivos, colono é indicativo da condição camponesa de uma população obviamente heterogênea e diferenciada; uma identidade fundada em sentimentos de vida comum e na história compartilhada "em comunidade".

CONSIDERAÇÕES FINAIS

Muitos estudiosos voltados para os efeitos do progresso técnico na agricultura, e os riscos (sobretudo econômicos) que cercam a pequena produção camponesa, prenunciaram o "fim" dos camponeses "tradicionais". Argumentam que a exploração familiar policultora não poderá resistir às novas formas de divisão do trabalho mais especializada, que se impõem em todos os setores da produção, nem à necessidade de modernização e união em associações e cooperativas e à pressão da agroindústria. Nessa perspectiva, para o camponês seria impossível manter a indiferenciação dos papéis de produtor familiar, detentor dos meios de produção e empresário, marca da sua condição social. Por sua vez, tem sido destacada a maior intensidade da migração, a diminuição da população rural, a multiplicação dos trabalhadores camponeses (ou *worker-peasants*), o aumento da concentração fundiária etc. (Mendras, 1984; Kearney, 1996). Dificuldades conceituais existem desde que os camponeses se tornaram objeto das ciências sociais, e isso pode ser observado em algumas coletâneas (Shanin, 1971, por exemplo), nas críticas ao dualismo campo-cidade e outras tipologias e nas referências ao alto grau de abstração contido na própria noção de campesinato (Kearney, 1996). No entanto, a grande diversidade e, por sua vez, as transformações sociais, assim como a migração e as influências externas, fazem parte da realidade camponesa, no passado e no presente. Por isso, a noção de campesinato, apesar de sua natureza conceitual abstrata, tem sido útil para analisar a colonização do Vale do Itajaí.

Nessa região, o povoamento com famílias de imigrantes produziu um campesinato formado basicamente por pequenos proprietários policultores. De acordo com as premissas oficiais, deviam morar no lote recebido por compra e cultivá-lo com mão-de-obra familiar. A política de colonização visava ao desenvolvimento de uma agricultura para abastecimento urbano, distinta da grande propriedade escravista; por isso a escravidão foi proibida nos núcleos coloniais desde a década de 1840.

O modelo de núcleo colonial instituído pelo Estado, e as características camponesas mais gerais presentes na exploração agrícola, na relação com os comerciantes, na organização comunitária baseada nas "linhas" e na constituição de uma identidade social partindo da categoria oficial "colono", entre outras coisas, deram certa unidade social ao campesinato, apesar da heterogeneidade dos fluxos imigratórios. Olhando para a história do processo de colonização, pode-se dizer que as principais transformações sociais têm relação com a industrialização e o crescimento urbano de Blumenau, Brusque e outras antigas sedes coloniais: a fragmentação de muitas unidades produtivas, ou "colônias" em sentido restrito, e o aparecimento, e aumento progressivo, dos colonos com dupla ocupação. Entretanto, os assalariados que plantam em pequena escala, apenas para consumo familiar, são reconhecidos como colonos, integrando uma comunidade rural – a colônia em sentido amplo. De certa forma, a dupla ocupação aponta para a diferenciação interna porque a propriedade idealizada para marcar a plena condição camponesa é aquela correspondente ao lote colonial dos tempos pioneiros, implícita na noção de "colono forte". A vida em comum e todo um substrato cultural derivado da imigração e colonização, porém, servem como contraponto a outras realidades sociais. A identidade mais geral expressa pela apropriação da categoria colono tem importância na formação de fronteiras sociais diretamente associadas à imigração. As subcategorias referidas às origens nacionais existem, mas não sugerem desigualdades sociais. Estas aparecem, em tempos mais recentes, nas relações com os caboclos, representados por estereótipos e preconceitos, numa oposição marcada pela pouca participação, ou mesmo ausência, de brasileiros no contexto do povoamento. De fato, o convívio mais sistemático ocorreu no espaço das fábricas – que atraíram mão-de-obra de outros lugares – e muitas vezes a desqualificação de natureza cultural ou racial é superada pelos interesses de classe e até pelo casamento inter-étnico.

Por último, é interessante observar que o termo colono também pode ser apropriado por gente das cidades, em sua maioria "descendentes" de imigrantes. A história compartilhada de colonização faz dos brasileiros os "outros", mas a identidade coletiva está longe de refletir apenas uma condição camponesa ou rural. Tal história é o critério fundamental e marcante da distinção cultural. Há uma diferenciação entre o rural e o urbano que apela para o colono rústico, que fala com sotaque, mas que, por sua vez, aciona como diferencial as virtudes de natureza moral do "trabalho" na agricultura. Nesse sentido, o espaço rural é diferente, apesar da paisagem urbana às vezes confundir-se com o da colônia. Mas os discursos sobre identidade procuram diminuir a distinção rural-urbana com o argumento histórico: "todos tem o pé na colônia" é um dito comum e relacionado ao passado e, por isso, muitos dos que vivem na cidade têm parentes na colônia, algo inevitável tendo em vista, igualmente, as situações pendulares, isto é, o ir e vir diário dos colonos que trabalham nas fábricas. História, identidade e as diversas maneiras de assinalar a diferenciação cultural também permitem pensar sobre a natureza do campesinato.

REFERÊNCIAS BIBLIOGRÁFICAS

ALBERSHEIM, U. *Uma comunidade teuto-brasileira (Jarim)*. Rio de Janeiro: Centro Brasileiro de Pesquisas Educacionais/INEP/MEC, 1962.

FORTES, M. Introduction. In: GOODY, J. (Ed.). *The developmental cycle in domestic groups*. Cambridge: Cambridge Univesity Press, 1969.

GALESKI, B. *Basic concepts of rural sociology*. Manchester: Manchester University Press, 1972.

KEARNEY, M. *Reconceptualizing the peasantry*: anthropology in global perspective. Boulder: Westview, 1996.

LAGO, P. F. Brusque: aspectos geográficos das paisagens rurais. *Álbum do 1º Centenário de Brusque*. Brusque: Edição da Sociedade Amigos de Brusque, 1960.

MATTOS, J. A. de. *Colonização do estado de Santa Catharina*. Florianópolis: Gab. Typ. D'ODia, 1917.

MENDRAS, H. *La fin des paysans*. Paris: Actes Sud, 1984.

PIAZZA, W. F. *Santa Catarina:* sua história. Florianópolis: Ed. UFSC/Ed. Lunardelli, 1983.

RENK, A A. *A luta da erva:* um ofício étnico da "nação brasileira" no oeste catarinense. Chapecó: Grifos, 1997.

RICHTER, K. *A Sociedade Colonizadora Hanseática de 1897 e a colonização do interior de Joinville e Blumenau*. Florianópolis: Ed. UFSC; Blumenau: Ed. FURJB, 1986.

ROCHE, J. *A colonização alemã e o Rio Grande do Sul*. Porto Alegre: Globo, 1969.

SEYFERTH, G. *A colonização alemã no Vale do Itajaí-mirim*. Um estudo de desenvolvimento econômico. Porto Alegre: Ed. Movimento/SAB, 1974.

______. Herança e estrutura familiar Camponesa. *Boletim do Museu Nacional*, Rio de Janeiro, N.S., n.52, p.1-27, 1985.

______. Identidade camponesa e identidade étnica (um estudo de caso). *Anuário Antropológico*, Brasília, 91, 1993, p.31-63.

______. Concessão de terras, dívida colonial e mobilidade. *Estudos. Sociedade e Agricultura*, Rio de Janeiro, 7, 1996, p.29-58.

______. Colonização e conflito: estudo sobre "motins" e "desordens" numa região colonial de Santa Catarina no século XIX. In: TAVARES DOS SANTOS, J. V. (Org.). *Violência em tempo de globalização*. São Paulo: Hucitec, 1999.

SHANIN, T. (Ed.). *Peasants and peasant societies*. Middlesex: Penguin Books, 1971.

SILVA, J. F. da. *História de Blumenau*. Florianópolis: Edeme, S/D.

WAIBEL, L. *Capítulos de geografia tropical e do Brasil*. Rio de Janeiro: IBGE, 1958.

WILLEMS, E. *A aculturação dos alemães no Brasil*. Estudo antropológico dos imigrantes e seus descendentes no Brasil. São Paulo: Companhia Editora Nacional, 1946.

WOLF, E. *Sociedades camponesas*. Rio de Janeiro: Zahar, 1970.

13
EXPROPRIAÇÃO DO CAMPESINATO CABOCLO NO OESTE CATARINENSE

Arlene Renk

"O caboclo é o segundo brasileiro. O primeiro é o índio"
Cabocla, moradora da região.

INTRODUÇÃO

Este texto tem por objetivo abordar o processo de expropriação do campesinato caboclo, diferenciado etnicamente, no Oeste catarinense. Sua condição de minoria resultou da colonização de descendentes de alemães, italianos e poloneses, nas primeiras décadas do século XX. No que consiste a categoria caboclo? Caboclo não corresponde a uma determinada fenotipia. Trata-se de condição social atribuída àqueles que não partilhavam dos valores dos colonizadores descendentes de alemães, italianos e poloneses, os chamados *de origem [européia]*. Além da condição social associa-se à experiência partilhada de colonização, o que será abordado adiante. Diversos deslocamentos geográficos contribuíram para a formação do grupo. De um lado, temos a população da Colônia Militar de Xapecó (atual município de Xanxerê), com "os chamados nacionais" que vieram das diversas províncias do país para povoar o interior. Escravos forros e fugitivos também formaram a base dos caboclos. Outra fração era egressa das fazendas de criar, à medida que essas apresentavam uma considerável demografia e não necessitavam de tanta mão-de-obra. A população excedente de Campos de Palmas, Lages e do Rio Grande do Sul buscara amparo no sertão. Outros eram originários das aldeias indígenas. Parcela considerável migrou do Rio Grande do Sul, principalmente durante a Revolução de 1895. Também há a população fugitiva da Guerra do

Contestado[1] e da construção da Estrada de Ferro São Paulo–Rio Grande do Sul.

O que denominamos neste texto por Oeste catarinense engloba as fronteiras do município de Chapecó, criado em 1917. Embora tenha sofrido os rebatimentos do Contestado, não foi território dos embates, que ocorreram mais a Leste. Seus limites geográficos iam do município de Cruzeiro [Joaçaba], a Leste, até a Argentina; com o estado do Paraná ao Norte e o Rio Grande ao Sul, cuja área era de 14 mil quilômetros quadrados. Desse município desmembraram-se centena de outros. Anterior à instalação do município, essa região foi motivo de disputas de terras. Primeiro houve o litígio entre Brasil e Argentina. Em 1895 foi dirimida a pendência a favor do Brasil por *uti possidetis*, um recurso jurídico que o árbitro levou em conta ao reconhecer brasileira a área em disputa, em razão da instalação de fazendas e do campesinato caboclo, voltado às atividades extrativas.

No mapa oficial do estado do Paraná, de 1896, na área hoje pertencente ao Oeste catarinense, estava grafado: *sertão desconhecido,* e mais ao Leste estavam *os territórios invadidos pelos catharinenses.*

Posteriormente, ocorreu a querela entre o Paraná e Santa Catarina, um dos elementos desencadeadores da Guerra do Contestado (1912-1916). Finda a guerra, a área foi incorporada ao novo contorno geográfico catarinense, valendo-se de fronteiras naturalizadas, fundamentadas em cursos d´água.

REPERTORIANDO A APROPRIAÇÃO DAS TERRAS

Em 1839, período anterior à Lei de Terras, parte da área hoje nomeada Oeste catarinense e Sudoeste do Paraná, foi apropriada pelos fazendeiros paulistas, nos chamados Campos de Palmas. Esses campos estavam encravados entre os rios Iguaçu e Uruguai. Dos sessenta fazendeiros que se deslocaram ao Sul em busca de campos para instalar novas fazendas de criar, trinta permaneceram nos campos recém-descobertos (Bandeira, 1902). A procura de novos campos consistia numa estratégia de reprodução social desse segmento. No início do século XIX fazendeiros conquistaram os campos de Guarapuava e, em 1839, estes já eram considerados ocupados.

[1] A Guerra do Contestado ocorreu no período de 1912 a 1916, em área disputada por Paraná e Santa Catarina. Diversos foram os motivos que desencadearam o evento. De um lado, a disputa de terras entre Santa Catarina e Paraná; a dupla titulação de glebas e tributação. De outro, a revolta dos camponeses contra a expropriação das terras pela empresa construtora da Estrada de Ferro São Paulo–Rio Grande do Sul. Some-se a disputa entre os coronéis, solapando as bases clientelísticas com "suas gentes" e a presença do messianismo com as figuras dos monges João Maria e José Maria.

Os fazendeiros que se deslocavam à conquista de campos e para instalação das grandes propriedades necessitavam de mão-de-obra. Em parte, esta acompanhou os proprietários e consistia em população dependente, ou seja, trabalhadores pobres livres subordinados por vínculos de lealdade aos senhores, conhecidos como "as gentes do fazendeiro tal". Como retribuição, o fazendeiro os protegia, assegurava-lhes moradia e terra para pequenos cultivos. A instalação das fazendas ocorreu antes da Lei de Terras e com o incentivo da Coroa. Os campos, porém, não eram desabitados, pois havia a população indígena. Do contato dos fazendeiros com os indígenas resultou um confronto. De um lado, Kaingang e Xoklen travavam combates; de outro, lideranças indígenas, armadas pelos fazendeiros, combatiam seu próprio grupo. Um exemplo é a disputa da representação do índio Condá. Na história dos fazendeiros e colonizadores ele foi visto como um herói, homenageado em nomes de ruas e prédios. As escolas Kaingang, nos últimos anos, apresentaram sua contra-história. Condá passa de herói a vilão, pela cumplicidade na expropriação das terras indígenas em favor das grandes propriedades instaladas.

À época, os Campos de Palmas situavam-se na Quinta Comarca de São Paulo; de 1854 até 1917 foram administrados pelo Paraná, seja como capela curada de Guarapuava até 1855, ou como freguesia e Vila de Palmas. O que caracterizou a ocupação desses campos foi a instalação de grandes propriedades e poucos proprietários, com povoamento escasso e segmentação vertical, em que o contato e a mediação da população dependente com a sociedade maior era feita pela fração superior da hierarquia social, na figura de grande proprietário.

A Lei n. 601/1850 e o Decreto n. 1318/1854 proibiram a posse de terras devolutas sem que houvesse compra. O registro das áreas ocupadas ou obtidas por concessão deveria ser feito nas freguesias, cabendo ao vigário registrá-lo, em livro próprio. No caso dos Campos de Palmas, na freguesia de Palmas, Paróquia de Guarapuava, nos anos de 1855-1886, em cumprimento ao referido decreto, foram realizados 89 registros de terras. Entre os imóveis registrados constam os de: Campo Erê, São Bento, Chapecó, Marco, Hiranin, Goio-En, Capoeira, São Joaquim, São Domingos, Campina do Gregório, Chapecozinho, Estrela, Rodeio do Erval, Barra Grande e Norte, que, a partir de 1917, pertenceriam a Santa Catarina. Nesses registros são declaradas as léguas de campo que confrontam com o sertão nacional, como se esse fosse o limite da humanidade.

Muitos dos declarantes nem sequer sabiam a extensão das terras. Os raros posseiros registravam seus alqueires de campo, campinas, capoeiras e faxinais. As áreas florestais com caboclos, invariavelmente, eram preteridas pelos fazendeiros. Pelo número de registros, fica evidente que a população das matas não declarava suas posses, seja pelo desconhecimento da lei, seja por julgar desnecessário, ou pelo fato de a posse estar inserida em posse maior. Essa população, de modo geral, estava alheia aos procedimentos legais de registro de terras e tampouco possuía documentos, ou seja, não tinham existência civil.

De modo especial, cabe destacar a gleba da Campina do Gregório [atual Chapecó]. Registrada por José Raymundo Fortes, casado com Anna de Jesus, filha do Cacique Gregório, cujo nome até hoje está estampado nas escrituras de terras. José Raymundo Fortes registrou duas áreas por posse e cultura. A segunda se situava em Mangueirinha (PR), também área indígena. Infelizmente há poucos e controvertidos registros da vida e das áreas declaradas por Fortes. Merece atenção o registro feito em Palmas-PR da doação de terras a São Sebastião, protetor da localidade de Passo do Carneiro (Marechal Bormann, distrito de Chapecó). Em meados do século retrasado, destinou ao Santo noventa hectares de terras, das quais se conhece somente a área em que está edificada a Igreja. Também destinou aos pobres área intitulada Quadro dos Pobres, situado na localidade atualmente chamada Baronesa da Limeira. Morar na terra implicaria a retribuição da dádiva, com doação de dias de serviço na abertura de estradas. Algumas indagações podem ser feitas: os posseiros que entravam em Chapecó pelo rio Uruguai receberam acolhida no Quadro dos Pobres ou entravam em outras áreas, à revelia de Fortes? E, como se dizia, não eram todos pobres? De qualquer forma, chama a atenção o zelo de Fortes em registrar em Cartório os atos de doação, considerando a distância de dias, à época. Os escritos a respeito de Fortes informam que vendeu parte da terra e outra fração não conseguiu validar, o que reduziu consideravelmente a área de seus herdeiros.

Ainda no Império, com o Decreto n. 10432, de 1889, o governo concedeu à construtora da Estrada de Ferro São Paulo–Rio Grande do Sul, a título de ônus pela construção da ferrovia, trinta quilômetros de cada lado da estrada. Mesmo quando essa porção foi reduzida para quinze quilômetros, a maior parte das terras já estava titulada. A solução encontrada pelo governo paranaense, a quem esteve vinculada até 1917, foi conceder áreas ao Oeste, tidas como devolutas. Santa Catarina, que as incorporou em seu território, passa a revendê-las aos camponeses descendentes de alemães e italianos, vindos do Rio Grande do Sul, por intermédio de empresas. A constituição de um campesinato parcelar, os *de origem [européia]* representou ao povo da terra, chamado de brasileiro ou caboclo, a expropriação de seu modo de vida e, em grande parte, de suas terras.

As áreas de terra concedidas e registradas pelo Paraná tiveram de se submeter a novo registro em Santa Catarina. Até os anos 30 ou 40 do século passado, poderíamos dizer que as áreas coloniais do Oeste catarinense e sudoeste do Paraná contavam com população cabocla, ou seja, um tipo de campesinato que no sertão tinha assegurado seu modo de vida peculiar, como veremos no próximo tópico.

MODO DE VIDA ANTERIOR: "O TEMPO D´ANTES"

Grosso modo, poderíamos dividir a população cabocla em dois segmentos: sedentários e nômades. Entre os primeiros estão comerciantes e donos de sítios e faxinais com infra-estrutura mais elaborada. Suas relações com a população que se deslocava em nada diferia: parentesco, compadrio e amizade. Partilhavam dos mesmos valores e sentiram do mesmo modo os efeitos da colonização.

A população sedentária dividia suas terras em terras de plantar e terras de criar. As primeiras ficavam longe de casa, exigindo horas de deslocamento. Derrubavam as árvores, queimavam as coivaras. A cada plantio escolhiam nova área, dada a imensidão e a baixa concorrência pelas terras. E plantavam milho, feijão, mandioca, abóbora e batata-doce. À medida que necessitavam de gêneros alimentícios ou para os animas, buscavam o produto com cargueiro, isto é, animal carregado de cestos de taquara trançada. Para quantias menores, o cesto, pela alça, podia ser preso à testa do carregador. Nos casos de carga maior, punham as cestas com os víveres no lombo do cavalo, uma de cada lado, para equilibrar o peso.

As terras de criar ficavam nos faxinais ou nas campinas, nas quais os animais pastavam soltos, desconhecendo a instituição da cerca (Campos, 1987). Era comum dar por extraviado um animal e depois de um dia ou mais de procura encontrá-lo. Os suínos, base da alimentação, eram criados soltos ou em cercados, no regime de safra. O gado vacum era procurado com maior assiduidade para alimentá-lo de sal.

É entre os caboclos sedentários que encontramos instrumentos agrícolas ausentes entre os nômades. Um desses é o monjolo, que consiste numa roda de madeira movida à água, utilizada para moer milho para canjica, quirera, farinha para o pão e beiju. Sua capacidade de triturar os grãos era superior ao pilão, seja pela quantidade de grãos triturados, seja pelo dispêndio de menor esforço físico. Mesmo assim, entre esses se encontrava o pilão de mão, para triturar pequenas quantidades de milho. Outro uso do monjolo era a trituração da erva-mate cancheada, isto é, sapecada e desidratada. Nessas moradias encontrava-se freqüentemente o engenho de moenda, que requeria habilidade especial em sua construção. Com o uso de animal, andando em círculos, era moída a cana-de-açúcar que fornecia o melado, a rapadura e o açúcar-mascavo. Por serem equipamentos maiores, não poderiam ser deslocados de um lugar para outro. Na lógica da reciprocidade, o engenho era oferecido àqueles que não dispunham do equipamento, a fim de que pudessem moer a cana e fazer o melado e o açúcar.

Havia os que preferiam um modo de vida errante, ou nômade: "quando enjoavam de um lugar iam para outro". Procuravam um local próximo à fonte d'água. Derrubavam um pinheiro ou outra árvore, falquejavam a madeira para construir a casa, em geral coberta de folhas de palmeira ou tábuas fabricadas manualmente. Seu interior era de chão batido, como também o era das casas dos moradores sedentários. Muitas vezes compatibilizavam pequenos roçados com a extração de erva-mate. Esta era seca e moída com facão de madeira, transportada para comerciante comprador. Em nenhuma moradia faltava o pilão de mão. Ficava em geral do lado externo da casa, próximo à porta, como extensão da cozinha e da cozinheira. Constituía outro tipo de campesinato, para quem a floresta assegurava um modo de vida peculiar. Garantia frutos, como o pinhão, e caça.

Os caboclos sempre se consideravam pobres, mas com o suficiente para viver e com escassas relações de mercado. "Todos eram pobres e não havia luxo." "Todo mundo era igual." Predominavam entre eles as trocas de produtos como mel, carne de animal criado para abate ou caça, relações de parentesco espiritual, ou seja, o compadrio, as doações e a partilha para as festas comunitárias de seus santos. Estas eram as festas de *adoar*, ou seja, valiam-se unicamente da doação de alimentos. A monetarização nas festas não era conhecida. A festa era uma partilha. Com a colonização, ao contrário, os alimentos passaram a ser vendidos e a finalidade de um evento festivo era o de arrecadar fundos para construir a igreja ou outros equipamentos comunitários.

Segundo Queiroz (1957, p.81) e Cabral (1979, p.92-104), os valores nobres dessa população consistem na lealdade, na honra e na coragem, sendo esta considerada a maior virtude. Esses aspectos se refletem no cotidiano, por meio de práticas como a preferência pelos santos guerreiros. A preservação da honra nunca foi vista como crime, mas como algo que deveria ser defendido. Permanecer vivo equivaleria a ser vencedor, uma prova de coragem e invencibilidade de que não se poderia fugir.

Seguiam o catolicismo popular, mas raras vezes encontravam assistência do clero católico ou de outro credo. A distância deste com o catolicismo oficial pode ser medida pela frase pronunciada por frade franciscano (Queiroz, 1957) que atuou na região do Contestado: "Aqui é uma terra de missão, tal qual a África e a China".

Os santos mais festejados eram São Sebastião, São Roque, São João e a festa do Senhor Divino. Nessas festas, como traço invariante, havia a doação dos gêneros alimentícios e posterior partilha e cantorias. Era sempre o momento de reunir os dispersos, rever parentes e amigos e reafirmar os vínculos da sociabilidade cabocla. Esse catolicismo popular seria vigiado pelos padres, quando da introdução do catolicismo oficial, dando-lhe outro caráter. Na hagiografia popular São Sebastião foi aquele que sofreu maior invisibilidade. Algumas festas começam a ser recuperadas depois de décadas. Entre os padroeiros e os protetores introduzidos pelo catolicismo na colonização estão São José, Santo Antônio, São Brás e São Carlos Borromeu, entre outros, deixando de lado São Sebastião, São João e São Roque. Muitos se queixam por não encontrar estátuas dos santos para colocar em oratórios particulares. Alguns santos, como São Sebastião, eram conhecidos apenas por reprodução gráfica.

Algumas residências dos antigos ainda conservam os oratórios de madeira, falquejada a facão. Em muitos destes são encontradas as pombas de madeira, representando o Divino Espírito Santo. A introdução do catolicismo oficial, que exigiu da população o batismo na Igreja, muitas vezes foi tensa em relação aos caboclos, por sua missão salvadora, colocando no *índex* práticas religiosas tradicionais, como a crença em João Maria, o batismo em suas águas-santas; os usos terapêuticos das águas, as práticas de benzer etc. Ainda hoje um dos sinais de resistência cabocla reside nos batismos ou nos usos terapêuticos do monge João Maria. Algumas dessas fontes, atualmente em terra de particulares, encontram-se cuidadas, com cruzes e capitéis com *ex-votos*.

A partir dos anos 20 do século passado, iniciou-se o processo de medição das terras pelas diferentes colonizadoras e a revenda aos camponeses descendentes de alemães, italianos e poloneses, vindos do Rio Grande do Sul. A constituição do campesinato parcelar dos *de origem*, ou seja, de origem estrangeira em oposição aos que não teriam origem e eram do Brasil, os brasileiros, categoria na qual os caboclos se inseriam, representou para estes a expropriação de seu modo de vida e, em grande parte, de suas terras, impedindo o nomadismo anteriormente praticado.

A migração dos agricultores do Rio Grande do Sul para Santa Catarina consistiu numa estratégia de reprodução social camponesa. Suas práticas de cultivo e criação de gado eram diferentes das dos caboclos. Usavam intensivamente o solo, criavam o gado em área cercada, cultivavam vínculos associativos, como sociedade de corais, da igreja, do cemitério, do clube e da escola, entre outros.

Demarcadas as terras, fizeram-se presentes os propagandistas, pessoas de confiança da empresa vendedora e encarregadas de levar para Santa Catarina pessoas "desejáveis" e de "bom caráter". Mostradas as terras à venda, após a escolha, faziam o negócio, assinavam o contrato, e os agricultores retornavam ao Rio Grande do Sul para buscar a família. Inicialmente eram vendidas as terras consideradas "melhores", ou seja, menos acidentadas e mais próximas às estradas, para permitir o deslocamento dos produtos ao mercado.

Quando nas proximidades das áreas adquiridas pelos colonos havia caboclos, a colonizadora sentia a necessidade de proceder à limpeza das terras para não prejudicar seus negócios. Um dos procedimentos habituais era se valer da superstição cabocla. Uma dessas era o sentido atribuído à sexta-feira, dia interdito para iniciar roça nova, mudar e casar entre outros. Um preposto da companhia colonizadora, com o intento de tirar os caboclos da terra, à noite, em três sextas-feiras consecutivas, incendiava um corvo besuntado de banha de porco e nele amarrava um trapo. Com isso produzia um corisco no céu, e fazia acompanhar o ziguezague do pássaro de urros em pedaço de couro, dizendo ser o diabo. Os posseiros, "ou negros intrusos", como a eles se referiam, invariavelmente se retiravam. Alguns iam para as áreas mais afastadas e não disputadas. Outros *se extraviaram no Paranã,* que pode ser considerado uma geografia imaginada, nos termos formulados por Said (1985). Isso consistia em entrar nas matas à procura de abrigo e perder os vínculos familiares. Em alguns casos foram ajuizadas ações de despejo, para a retirada dos caboclos das áreas a serem vendidas. Nesse caso, as empresas se valiam da força policial. Quando os personagens do evento ou seus descendentes narram o fato, incluem no relato a penalização do executor; ou foi morto por raio, ou teve morte com sofrimentos, "como castigo pela maldade" praticada. Outros, com base nos exemplos conhecidos, preferiam afastar-se, em busca de áreas não concorridas, como as terras acidentadas, ou morros ou barrancas de rios. Uma fração menor da população sedentária comprou terras. No caso específico do atual município de Chapecó, foram adquiridas dos herdeiros de José Raymundo Fortes. Outros sedentários seriam os ex-colonos da Colônia Militar de Xapecó, instalada em 1882, como forma de assegurar ao Brasil as terras fronteiriças com a Argentina, com a presença de *nacionais trazidos de* várias partes do país para o povoamento. Desativada a Colônia, no início do século passado, foram expedidos em torno de 250 títulos de terra (Santos, 1974).

O anúncio dos tempos futuros de penúria, com perda das terras, se evidenciava nas profecias de São João Maria. Os caboclos antigos mencionam que o monge João Maria ou São João Maria[2] previra a entrada de uma *nação* [etnia] que acabaria com o mato. Quando perguntado se isso aconteceu, respondem afirmativamente, mostrando que os gringos, isto é, os descendentes de italianos, entraram e acabaram com o mato e se apropriaram das terras.

Há narrativas em que é contada a saída dos caboclos de suas terras. Quando se pergunta da atitude pacífica, expressam que "caboclo não é ganancioso, caboclo quer ficar de bem com todo mundo". Há um lapso na história em trazer à tona a resistência e as rebeliões caboclas, diante da expropriação das terras.

As populações autóctones das áreas florestais, os chamados brasileiros ou caboclos, consideravam as terras "*terra dos brasileiros*", "*terra do Brasil*" ou "*terra de Deus*", razão pela qual não legalizaram áreas efetivamente ocupadas e tampouco conheciam a figura de despejo ou de ordem de retirada. A

[2] Os monges são figuras freqüentes nas narrativas dos caboclos. Faziam o percurso de Sorocaba ao Rio Grande do Sul. O monge reverenciado é José Maria Agostini, o São João Maria, o primeiro dos três que apareceram. Além de exemplo de vida ascética, frugal, orava e benzia. Nos locais em que parava, alimentando-se de couve, estão hoje as chamadas águas santas. As rezas e profecias de João Maria são recorrentes.

terra não era tida como mercadoria, mas um patrimônio moral que podia ser renovável. Ao contrário da literatura acerca dos bens limitados (Foster, 1967), os caboclos consideram as terras bem ilimitado, recurso renovável, à disposição, dada a baixa densidade demográfica. "Sempre tiravam um cantinho."

A expropriação dos caboclos não se restringe somente à perda da terra. Compreende o circuito de relações encantadas, como o modo de vida tradicional, as escassas relações de mercado, o compadrio, as trocas materiais e simbólicas, a religiosidade, a festividade, os recursos da medicina tradicional, ou seja, a perda da terra e a introdução de outro agricultor, com outro *habitus* (Bourdieu, 1972), desestruturando o modo de vida caboclo. As narrativas expressarão sempre que foi introduzido um novo tempo de vida, estragado, isto é, penúria, sem os recursos de outrora, remetendo ao passado o pólo positivo.

O acesso aos frutos, à madeira e à terra foi cerceado. "A colonização diferenciou tudo, antes era só brasileiro, era tudo do Brasil e depois entraram a gringalhada [os descendentes de europeus] com ganância de terra e tudo ficou diferente."

Mais adiante trataremos do surgimento de novo elemento, o cercado do gado, com estacas e arame farpado, que impede a saída e a entrada nas roças, onde a cerca aparece é sinal da presença do colonizador e da expulsão dos caboclos. Os nativos se expressavam: "a lei de criar preso". Ou, no dizer de Índio Campos (1987), viam-se perseguidos pelos colonos e suas cercas.

Nos raros casos em que caboclos se valeram de requerimento ao governo catarinense para a legalização das terras, constava a qualificação do requerente como posseiro, a área a ser adquirida e o tempo de posse. No caso de Faxinal do Tigre, em Chapecó, em 1919, foram encaminhados mais de noventa pedidos de compra das terras ocupadas naquela localidade. O tempo de posse, constante dos pedidos, variava de 25 a mais de cinqüenta anos. As áreas oscilavam de dez a 61 mil hectares. Os pedidos de compra foram negados, sob a alegação de que já foram titulados pelo Paraná.

ETNOGÊNESE CABOCLA

A colonização, a partir da década de 1920, é tida como o marco zero da história oficial da região. Implicou a ocupação das matas, pequena propriedade, com trabalho familiar na lavoura, por um processo de arregimentação das companhias colonizadoras, em concorrência pela venda de terras.

Grande parte dessa população autóctone não possuía existência civil, ou seja, registro de nascimento, alistamento militar e outros vínculos com o Estado. Além disso, eram portadores de outros *habitus*, o que contribuiu para a expropriação, resultando na etnogênese dos brasileiros que passaram a ser "diferentes", no que Banton (1979) definiria como condição de minoria. Os nativos expressam esse momento: "quando a companhia entrou, estragou tudo", e apresentam as relações encantadas do passado que se opõem à monetarização posterior, quando a reciprocidade dos mutirões ou puxirões é substituída pelo assalariamento. Anteriormente, a fração que vivia do extrativismo, com a expulsão das terras, torna-se imóvel. A previsão da vida estragada concretiza-se. Uma das formas de observá-la é a monetarização. "Agora é só do comprado. Só não compra ar e água porque Deus dá." A entrada de alemães, italianos e poloneses pode ser analisada como situação típica de contexto colonial em que se defrontam dois grupos dotados de diferentes capitais, como o social, o econômico e o escolar. Não poderia ser analisada como uma "competição por recursos", pois, segundo Hoetnick (1975), a competição supõe, no mínimo, um relativo equilíbrio de forças, o que não aconteceu nesse caso. Parece-nos mais indicado, dada a estratificação horizontal, entendê-la como um monopólio, em que o acesso à terra e aos recursos era exclusivo a italianos e alemães. Essa situação alterou a vida dos posseiros, agora intrusos, não só expropriando-os dos recursos naturais, como também desestruturando a rede de sociabilidade e seus padrões culturais.

Até os anos 30 ou 40 do século passado, poderíamos dizer que nas áreas coloniais do Oeste catarinense e Sudoeste do Paraná tínhamos povos caboclos, ou seja, um tipo de campesinato que tinha assegurado na floresta o modo de vida peculiar. A partir dos anos 1920 inicia-se o processo de medição das terras das diferentes colonizadoras e revenda aos camponeses descendentes de alemães e italianos, vindos do Rio Grande do Sul à procura de terras para a reprodução social camponesa. A constituição de um campesinato parcelar representou para os caboclos a expropriação de seu modo de vida e, em grande parte, de suas terras, impedindo o anterior nomadismo àqueles que o praticavam.

As colonizadoras, por sua vez, empregavam agentes propagandistas, aos quais cabia divulgar a terras e trazer os futuros moradores. Nesse caso, a exemplo do que ocorreu na imigração, houve clara preferência por descendentes de europeus. Alguns núcleos coloniais eram de orientação étnico-confessional.

De qualquer forma, com avanços e recuos, iniciou-se o povoamento proveniente do Sul. Como afirma um integrante do governo catarinense, na fala de Ferreira (1929), com "os obreiros da civilização", com os colonos "trabalhadores", "construtores do progresso e da civilização", como se referiam aos descendentes de alemães, italianos e poloneses do Rio Grande de Sul, potencial migrantes compradores. Esses seriam os povoadores desejáveis, com *éthos* de trabalho, concepção de terra compatível com os ordenamentos jurídicos, dispostos a iniciar nova vida nas matas, advogando o espírito de pioneirismo, qualidades essas não encontradas entre os nativos.

Estes, quando descritos, são a antítese da civilização. O caso exemplar da estigmatização dos caboclos é encontrado em Wenceslau Breves (1985). Em texto memorialístico, narra sua vivência como responsável pela demarcação das terras nos anos 20 do século passado e aponta instrumentos de trabalho rudimentares, crenças e superstições incompatíveis com um mundo racional, *habitus* de trabalho, de tempo e poupança que não permitiria a "civilização". Considera a violência constitutiva desse grupo.

Aos colonos do Rio Grande do Sul, a possibilidade de migrar para o sertão catarinense, além de constituir uma estratégia de reprodução social camponesa, era a promessa, sempre adiada, de cumprir o imaginário medieval da terra da fartura, sem necessidade do trabalho intenso e da auto-exploração. Sem dúvida, os relatos posteriores dos tempos inaugurais vão em outra direção: privilegiarão as agruras, as dificuldades, o isolamento e o abandono.

O projeto colonizador, enunciado pelas representações da elite política do Estado ou dos colonizadores, esteve voltado para um determinado tipo de colono: "os obreiros da civilização", e às "colméias admiráveis de trabalho", como foram apresentados os de origem. À medida que privilegiavam e enalteciam esse tipo de campesinato, isto é, os de origem, excluíam a fração localizada na área, pela "falta de vocação agrícola", "pela falsa consciência de posse", pela ausência de acumulação de capital econômico para a compra da terra, por ser diferente. Enfim, um conjunto de indicativos que justificavam a expropriação dessa população.

Poderíamos estabelecer que a vinda dos colonos para o sertão fazia parte de um sonho milenar de saciar a fome, a busca da Cocanha.[3] Mesmo não a encontrando aqui, àqueles deserdados das terras novas que se dirigiram para Paraná, Mato Grosso, Rondônia, a Cocanha deslocavam-se as novas frentes. A memória social desse grupo apresentará os tempos iniciais como difíceis, penosos, vivendo como caboclos (o que aposta o distanciamento atribuído aos nativos). Os caboclos remetem-se às glórias do passado, ao paraíso perdido.[4]

De camponeses, com liberdade de deslocamento, transformaram-se em sedentários. Os expulsos de suas terras foram empurrados às áreas íngremes ou acidentadas, ainda não concorridas no mercado imobiliário. Quando esse momento chegar, se afastarão para regiões de mais difícil acesso. Outros voltaram-se para atividades extrativas, como a derrubada de madeira para fazer as lavouras ou para balsas e serras. A madeira foi um dos esteios econômicos dos colonizadores, servindo de acumulação primitiva. Grande

---

[3] A Cocanha consistiria um lugar imaginário de fartura. Para alguns as aves estariam assadas esperando os comensais. Opunha-se ao trabalho penoso dos camponeses.

[4] Recentemente, uma fração de caboclos fundou a Associação Puxirão Caboclo, que estimula a recuperar o modo de vida dos antigos, no sentido do ambientalismo, da agroecologia e das relações solidárias. A prefeitura municipal de Vargeão criou o Museu do Caboclo, no intuito de desenvolver o turismo.

quantidade de toras de madeira era derrubada, transportada às margens do rio Uruguai à espera da cheia. Os troncos eram amarrados, formando uma balsa, largada nas cheias com destino à Argentina. Uma comitiva de práticos conduzia a madeira até o destino final, numa viagem cheia de perigos e adversidades, que durava de cinco a sete dias. Muitos pereceram nessas atividades. Os práticos eram em geral caboclos e essa era uma das formas de obter dinheiro. Outros se envolveram na indústria madeireira, abatendo árvores e transportando os troncos com auxílio de animais até a serra.

A extração da erva-mate sempre foi considerada pelos colonizadores uma atividade inferior, desqualificada, sazonal, itinerante e de baixa remuneração. Em toda a região havia densos ervais que podiam ser podados a cada três anos. As podas ocorriam duas vezes ao ano, na safra e na safrinha, que corresponderia ao inverno e ao verão. As erveiras nativas eram altas, sendo perigoso escalá-las, sobretudo no orvalho. Abatidos os galhos a facão, estes eram recolhidos e secos em fogo, até atingir o ponto de desidratação. Posteriormente, era triturada e levada ao comércio mais próximo. Embora o ervateiro tivesse autonomia, incursionava nas diversas áreas, desconhecendo proprietário, e o produto era trocado por itens de consumo, como querosene, sal e tecido. Os caboclos nunca estiveram à frente do processo de industrialização da erva-mate, mas associaram-se aos extratores. À medida que os caboclos foram expropriados dos ervais, o estado foi mais vigilante quanto ao corte e à higiene do produto, as indústrias foram instaladas pelos descendentes de europeus. Aos caboclos restou a atividade sazonal do corte da erva-mate, contratados pela indústria ervateira, transformando-se em tarefeiros, isto é, aquele pago por tarefa de extração. Atualmente, a extração da erva-mate é considerada atividade de brasileiro, de caboclo (Renk, 1997). Expropriados dos ervais, das terras e da criação de gado, no modo tradicional, hoje encontramos considerável contingente de caboclos inseridos em acampamentos e assentamentos do MST.

CONSIDERAÇÕES FINAIS

O processo de colonização representou a expropriação dos bens, do modo de vida dos caboclos e da base morfológica do grupo. Resultou em agrupamentos "coloniais" (ora, como se adotado em Estado colonial), expresso nos locais acidentados (em declive ou aclive de difícil acessibilidade). Outros foram ao "Paranã", como forma de resistência.

A colonização, considerada o marco zero da história oficial, oculta a contra-história dos caboclos. Uma mereceu textos laudatórios, de caráter oficial e até sérios. Reservou aos autóctones o silêncio, quando não foram surrupiados dos relatos oficiais. Entender o processo de apropriação das terras no Oeste catarinense e o modo de vida dos tempos d'antes desvela faceta pouco conhecida, mas que poderá subsidiar historiadores orgânicos desse grupo, hoje com acesso à universidade. Como foi escrito anteriormente, há lacunas de resistências por ocasião da colonização a serem preenchidas.

Atualmente, as resistências ocorrem mais no plano da etnicidade, quando se consideram diferentes e relacionam-na em direção ao processo colonizador. Se anteriormente a etnogênese atribuía a eles uma posição subalterna, estigmatizada, situando-os no pólo da dominação, hoje a diferença é considerada positivamente, uma vez que não partilham os valores dos colonizadores. Ao contrário, apontam-nos como negativos: ganância expressa pela ânsia em angariar dinheiro e acumular terras, sem saber viver.

Podemos dizer que o deslocamento dos caboclos foi descendente: de *dono de sítio, dono de terra* (que, na verdade, *era do Brasil*), passaram a uma *situação estragada*, com a impossibilidade de reverter a situação. Isso implicou um deslocamento transversal, levando-os ao assalariamento e à heteronomia do movimento, onde *vai no mando do patrão*. Esse deslocamento social é o simétrico oposto ao dos *de origem*.

Assim esses dois grupos mantiveram suas fronteiras étnicas, embora estas sejam objeto de luta entre os grupos. Nesse caso, os *de origem*, pela posição hegemônica que ocuparam no espaço social, tiveram a maior possibilidade de ter voz e vez para falarem de si, de seus feitos, de marcarem suas fronteiras e de lutarem para imposição dessas como as fronteiras legítimas. As narrativas da contra-história poderão redimensionar o papel da humanidade hierarquizada para humanidade sem hierarquias.

REFERÊNCIAS BIBLIOGRÁFICAS

Arquivo Público do Paraná

Livro n.17 da Paróquia de Palmas.
Livros diversos – titulações de terras.
Livros n.3, 18, 31, 66, 67, 68, 70, 71, 72, 73, 74, 75, 76, 77, 78, 79, 80, 81, 82, 83, 84, 85, 86, 87, 88, 89, 90, 91, 92, 93 e 94.

Arquivo Público de Santa Catarina

Gaveta n.5090 e 593
Requerimentos de concessões de terras:
Livros n.22, 175, 176, 177, 179, 180, 181, 182, 183, 184, 184, 186, 187, 188, 191, 193, 194, 195.
Livros de Títulos Definitivos:
Livros 1, 2, 3, 731, 739, 740, 751, 752, 753, 754, 755, 756, 757, 758, 771, 772, 773, 774, 775, 776 e 779.

BANDEIRA, J. J. P. Notícias do Campo de Palmas. In: MARTINS, R. *Argumentos e subsídios sobre a questão de limite entre Paraná e Santa Catarina.* Curitiba: Impressora Paranaense, 1902.

BANTON, M. *A idéia de raça.* Lisboa: Edições 70, 1979.

BAVARESCO, P. R. *Ciclos econômicos regionais* – modernização e empobrecimento no extremo oeste catarinense. Chapecó: Argos, 2005.

BOITEUX, J. A. *Oeste Catharinense*: de Florianópolis a Dionísio Cerqueira. Florianópolis: Alberto Entres, 1931.

BOURDIEU, P. *Esquisse d´une theorie de la pratique.* Geneve: Droz, 1972.

BREVES, W. de S. O Chapecó que eu conheci. *Revista do Instituto Histórico e Geográfico de Santa Catarina.* Florianópolis: IHGSC 3 (6):07-73, 1985.

CAMPOS, Í. *Colonos do Rio Uruguai*: relação entre pequena produção e agroindústria, no oeste catarinense. Campina Grande: UFPb, 1987.

CARDOSO DE OLIVEIRA, R. *Identidade, etnia e estrutura social.* São Paulo: Pioneira, 1976.

COSTA, A. F.. *Oeste catharinense* – visões e sugestões de um excursionista. Rio de Janeiro: Villas Boas e Cia., 1929.

D'EÇA. O. G. *Hespanhoes confinantes.* Florianópolis: Moderna, 1929.

MARCON, T. *História, memória e cultura.* Chapecó: Argos, 2003.

MARTINS, R. *História do Paraná.* Curitiba: Graíra, s/d.

PIAZZA, W. *Santa Catarina*: sua história. Florianópolis: Lunardellli, 1983.

QUEIROZ, M. I. P. *La Guerre Sainte au Brésil; Le Mouvement Messianique du Contestado.* São Paulo: USP, 1957.

RENK, A. *A luta da erva*: um ofício étnico no oeste catarinense. Chapecó: Grifos, 1997.

SEYFERTH, G. A representação do trabalho alemão na ideologia étnica teuto-brasileira. *Boletim do Museu Nacional.* Rio de Janeiro, 1982.

VINHAS DE QUEIROZ, M. *Messianismo e conflito social; a guerra sertaneja do Contestado (1912-1916).* Rio de Janeiro: Civilização Brasileira, 1966.

WAIBEL, L. *Capítulos de geografia tropical e do Brasil.* Rio de Janeiro: IBGE, 1979.

WACHOWICZ, R. *Paraná, sudoeste*: ocupação e colonização. Curitiba, 1984 (mimeo).

WERLANG, A. A. *A colonização às margens do Rio Uruguai* – no extremo oeste catarinense. Atuação da Cia. Territorial Sul Brasil – 1925-1954. Florianópolis, 1992. Dissertação Mestrado) – Departamento de História/UFSC.

14
"COLONOS ITALIANOS" E "CABOCLOS" NO PLANALTO CATARINENSE

Neusa Maria Sens Bloemer

INTRODUÇÃO

Historicamente o cenário catarinense tem apresentado dramas sociais relacionados a disputas territoriais por grupos que buscam seu sustento e a manutenção de suas práticas culturais. Não foi diferente para os agricultores familiares[1] que atualmente ocupam o planalto catarinense, parte deles descendentes de protagonistas de um desses dramas, a Guerra do Contestado.[2]

Se, no passado não muito distante, os "caboclos"[3] lutaram contra a implantação da Estrada de Ferro São Paulo–Rio Grande, atualmente esses

[1] Utilizo ao longo do texto as expressões "camponês" e "agricultura familiar" compreendida "como aquela em que a família, ao mesmo tempo que é proprietária dos meios de produção, assume o trabalho no estabelecimento produtivo" (WANDERLEY, 1996, p.2), apresentando especificidades que dizem respeito à organização social (MOURA, 1986) e, de certo modo, a seu universo cultural (WOORTMANN, 1990). A maioria da população rural dos municípios em análise – Celso Ramos e Anita Garibaldi – é constituída de agricultores familiares policultores, que produzem uma agricultura de autoconsumo, associada à produção orientada, em maior ou menor grau, para o mercado.

[2] Sobre o Contestado ver, entre outros, Queiroz, (1966), Monteiro (1974) e Cabral (1979).

[3] Muito embora os "caboclos" da região se autodesignem "brasileiros", neste artigo manterei a identificação "caboclos", por tratar-se de uma expressão amplamente utilizada pela literatura específica sobre esse segmento social e para evitar que se confunda a expressão "brasileiro" com o designativo genérico que identifica os habitantes do Brasil. Entretanto, não se pode deixar de ressaltar que o termo "caboclo", pelo qual são reconhecidos na região, tem significativa carga pejorativa. Seyferth (1993, p.51) observa que a classificação como caboclos tem caráter de estigma, pois envolve atributos profundamente desacreditadores (GOFFMAN, 1963). Na literatura antropológica e sociológica essa expressão identifica a "mestiçagem, próxima ou remota, de brancos e índios" (CANDIDO, 1971; DIEGUES JÚNIOR, 1976).

agricultores, bem como os autodesignados "colonos italianos"[4] que ocupam esse mesmo espaço, lutam contra a instalação de hidrelétricas que reduzem seus territórios ou ameaçam sua reprodução social,[5] inundando suas terras agricultáveis e interferindo em seu modo de vida.

A escolha da área ocorreu levando-se em conta a implantação de quatro hidrelétricas[6] que compõem o Projeto Uruguai,[7] obras essas que passaram a exigir a remoção de parte da população rural da região em foco. Assim, diante da iminência de terem de migrar compulsoriamente e abandonar suas terras, buscou-se identificar de que modo garantem sua reprodução social e conferir qual o significado da terra para os habitantes dessas regiões e pela qual têm lutado ao longo de sua trajetória histórica e mais recentemente vem sendo ameaçada pela instalação dessas hidrelétricas.

Objetiva-se, pois, neste artigo[8] compreender o modo de vida dos caboclos e colonos italianos – mais especificamente os residentes nos municípios de Celso Ramos e Anita Garibaldi – no contexto social em que estão inseridos (Malinowski, 1973), no que diz respeito à sua reprodução social e ao significado que atribuem à terra como meio de produção. Paralelamente abordando, inclusive, as diferenças que balizam suas identidades, sejam elas sociais sejam étnicas, busca-se conferir como a constituição da identidade destes dois grupos em análise – descendentes de italianos e caboclos – está respaldada no processo de percepção que ambos os segmentos constroem de si mesmos e sobre o "outro", por meio dos quais marcam os seus lugares sociais (Epstein, 1978).

Contudo, a despeito de seus vários significados regionais tal designação não tem sempre implicações fenotípicas, antes, parece remeter a um determinado modo de vida ou a uma cultura específica, denominada de "cultura cabocla" (WILLEMS, 1980), "cultura caipira" ou "rústica" (CANDIDO, 1971). Poli (1987) prefere definir caboclo como categoria sociológica, remetendo à designação de uma condição social.

4 A expressão "colonos italianos" ou simplesmente "colonos" é a auto-identificação regionalmente reconhecida para designar os agricultores de ascendência européia, neste caso, de ascendência italiana.

5 A reprodução social desses agricultores está baseada prioritariamente no concurso do trabalho familiar, tendo como objetivo a reprodução da unidade familiar em um ciclo anual, "combinando trabalho, recursos naturais e conhecimento tradicional para atender ao consumo familiar e para repor os insumos necessários ao reinício do processo" (ALMEIDA, 1986, p.67). Esse circuito, de acordo, ainda, com Almeida, tanto quanto o ciclo longo da reprodução social que perpetua as famílias pela via do parentesco, opera com base em práticas, valores e "modelos cognitivos".

6 Uma parcela da população rural dos municípios de Celso Ramos e Anita Garibaldi ocupa as margens do rio Canoas e do rio Pelotas, estando projetado para o primeiro a implantação das hidrelétricas Campos Novos, Garibaldi e São Roque, parte destas em processo de instalação; para o segundo, a barragem da Barra do Pessegueiro.

7 O Projeto Uruguai é um projeto de construção de 25 hidrelétricas no vale do rio Uruguai em seu trecho nacional, e mais três em áreas fronteiriças com o território argentino.

8 Esse tema constituiu originalmente dois capítulos da minha tese de doutorado, apresentada na Universidade de São Paulo, em 1997, e publicada em versão modificada no livro *Brava gente brasileira:* migrantes italianos e caboclos nos Campos de Lages (2000).

Apesar de serem agricultores familiares há significativas diferenças culturais entre os dois segmentos, além de diferenças econômicas internas (Wolf, 1974), próprias a cada um deles, as quais possibilitam que se reconheçam entre si e sejam reconhecidos como "produtores fortes" ou "fracos". A mesma classificação foi registrada por Seyferth (1990) e, nesse caso, ser "colono forte" significa ter, no mínimo, de 25 a 30 hectares de terras, e preservar a colônia como unidade de produção, utilizando um sistema de transmissão do patrimônio que evita o parcelamento da propriedade. Além disso, o colono forte obtém pelo menos uma safra anual (cultivo comercial) e a produção de autoconsumo com base na policultura agrícola associada à criação de animais, cujos excedentes são comercializados em pequenas quantidades. Contudo, no caso em pauta, embora as dimensões dos estabelecimentos agrícolas sejam maiores, a excessiva declividade de muitas das terras na região relativiza a importância desse critério na definição de "colonos fortes".

Ambos os grupos convivem em espaços contíguos, os "lotes", ou "propriedades" familiares – áreas ao mesmo tempo de moradia e de produção. Essas áreas com determinados bens comunitários – escola, igreja, salão de festas etc. – constituem as localidades denominadas regionalmente de "linhas" que, por abrigarem uma coletividade, são, também, referidas como "comunidades". Os dois grupos fixaram-se na região, portanto, na condição de produtores familiares que buscavam pelo trabalho agrícola sua reprodução social.

Na pesquisa de campo, realizada nos municípios de Anita Garibaldi e Celso Ramos (SC), recorreu-se ao uso de entrevistas semiabertas e da observação participante, entendendo-se esses recursos como favoráveis, como sugere Geertz (1978), a um olhar mais atento com o propósito de produzir uma "descrição densa" buscando compreender o cotidiano dos referidos atores sociais em relação aos seus "saberes" e "fazeres".

A REGIÃO E SUA HISTÓRIA

A região dos Campos de Lages, ocupada a princípio por grupos indígenas (Santos, 1974), foi percorrida, desde a primeira metade do século XVI, por viajantes europeus (entre eles, Alvar Nunes Cabeza de Vaca), por bandeirantes paulistas e por jesuítas (Queiróz, 1966).

Os historiadores relatam que, por volta de 1700, com a passagem de tropas de gado bovino vindo do Rio Grande do Sul, periodicamente transportado para ser vendido na Feira de Sorocaba (SP), os campos nativos da região serviram para o descanso dos tropeiros e invernada das tropas.

O intercâmbio comercial estabelecido por paulistas e mineiros com estancieiros gaúchos colaborou, de início, para o povoamento da região.

Além desses, vieram do sul "acompanhando as tropas, peões paraguaios, correntinos e uruguaios... vieram até bolivianos e um ou outro chileno, talvez já radicados na Argentina" (Ehlke, 1973).

A maior atração para a região não foi certamente o caminho que ligava o Rio Grande a São Paulo, mas foi por ele que chegaram também os paulistas às terras dos Campos de Lages e, ao conhecê-las, estabeleceram-se na área com seus serviçais, dedicando-se prioritariamente à criação de gado.

Se, para o governo central, as terras da região representavam a possibilidade de fixar a população e, assim, guarnecer as fronteiras ainda ameaçadas pelos espanhóis, para os estancieiros, ocupá-las apresentava-se como a oportunidade de enriquecimento, tanto pela obtenção por concessão quanto por sua compra. Assim,

> a política estadual de terras ocorreu ainda na década de 1890 e tinha como objetivo atuar em duas frentes: a) a regularização definitiva de antigas posses; b) venda de terras públicas para estímulo da pecuária e da lavoura. (Machado, 2004, p.138)

A origem dos caboclos é assim mencionada por diferentes autores como etnicamente resultante da miscigenação de índios, brancos e negros. Socialmente, entretanto, tudo indica que se tratava de antigos moradores das áreas transformadas em fazendas, sendo os caboclos identificados como peões, agregados e até estancieiros empobrecidos que, por vezes, adentraram pelos rincões em busca de alternativas de sobrevivência.

Em contrapartida, de início, a presença de escravos negros na região se deveu às famílias paulistas, como já vimos, que para lá se dirigiram com seus serviçais. Mais tarde, por volta de 1788, começaram a aparecer escravos provenientes das Vilas de Tubarão, Laguna e Vila do Desterro (atual Florianópolis), decorrente da venda destes para fazendeiros e tropeiros (Costa, 1982).

No planalto catarinense constituiu-se uma hierarquia social composta, basicamente, do *fazendeiro*, o dono da grande propriedade de terras, dedicado à pecuária, com inúmeros agregados. Abaixo do fazendeiro encontrava-se o *criador*. Tratava-se de proprietário com dois ou três peões ou trabalhando só com o auxílio da família. Abaixo deste, o *agricultor*, que se ocupava das plantações, utilizando-se do trabalho familiar. Depois, o *agregado*, podendo receber ou retribuir em espécie o pagamento pelo seu trabalho e, finalmente, o *peão*, assalariado, trabalhando na pecuária (Renk, 1988, p.58).

Como os espaços territoriais eram pouco ou nada delimitados na região, os caboclos circulavam livremente, estabelecendo suas posses. A emissão da Lei de Terras de 1850 trouxe a necessidade da demarcação das terras e a definição mais precisa das propriedades individuais. Antes dessa data,

> a concessão da sesmaria tinha precedência legal sobre direitos de posseiros. Não era raro o fazendeiro encontrar, no território do qual se tornara sesmeiro, posseiros instalados com suas roças e seus ranchos. (Martins, 1986, p.35)

Os posseiros que ocupavam as terras que vieram a se constituir em propriedades particulares – terras de fazenda – dependiam do fazendeiro aceitar ou não sua permanência como agregados (idem, 1981). Desse modo, muitos dos caboclos, aos quais foi permitido permanecer nos espaços mencionados que pertenciam ao governo, passaram a "viver de favor" em terras que historicamente ocuparam. Criou-se uma relação de dependência e, também, de lealdade para com quem teoricamente lhes "amparava" (Cabral, 1979).

De outra parte, no início do século XIX, ao se espalharem as fazendas de gado ao longo e para fora da Estrada de Tropas, a erva-mate começou a ser colhida nas matas, dentro ou fora do domínio das fazendas, de início para consumo local, sendo só mais tarde destinada à exportação. Assim, enquanto os campos nativos abrigaram atividades pastoris, os espaços florestados indicavam a área onde se espalhou a atividade extrativa, que se constituiu em mais uma atividade à qual dedicaram-se os caboclos.

Enquanto, de início, a atividade extrativa poderia ser exercida por agregados em "terras dos patrões", posteriormente essa atividade passou a ser exercida por caboclos que viviam como uma população semi-nômade que, na entressafra da erva-mate, "dedicava-se à lavoura e à criação de animais, voltados, basicamente, para o consumo doméstico" (Renk, 1997, p.191).

Em síntese, diferentemente do litoral, em todo o planalto catarinense, o regime de terras era, basicamente, o do latifúndio, ao lado das pequenas posses estabelecidas pelos caboclos. Se, por um lado, os campos abertos possibilitaram o regime latifundiário para a criação de gado em grande extensão (Cabral, 1979), por outro, como indica Machado (2004), foram as condições sociais, históricas e políticas, acrescidas do padrão senhorial de ocupação vigente, representado pelas grandes fazendas, que possibilitou a acumulação de riquezas, mas também a afirmação de poder político.

No início do século XX, vários outros acontecimentos vieram a alterar de modo significativo o panorama sociocultural do planalto catarinense, cujos reflexos alcançaram, também, a região dos Campos de Lages. Entre esses acontecimentos, destaca-se a implantação da Estrada de Ferro São Paulo–Rio Grande do Sul, o estabelecimento de empresas colonizadoras e, como conseqüência, a conhecida Guerra do Contestado.

É nessa região que se encontram, historicamente, os caboclos e os colonos italianos, estes últimos oriundos das antigas colônias do Rio Grande do Sul e de colônias do sul catarinense, que para lá se dirigiram, a partir dos anos 50 do século passado, em busca de terras agricultáveis, na perspectiva de, com essa migração,[9] garantir sua reprodução social como camponeses.

[9] Woortmann (1990) aborda diferentes modalidades de migração como alternativas à reprodução social. Por sua vez, Esterci afirma que "a migração, no caso do campesinato, é estratégia do grupo que visa conciliar dois elementos básicos de sua organização: a família e a terra" (1985, p.10).

O SEGMENTO ITALIANO: ORGANIZAÇÃO DA PRODUÇÃO E SUA COMERCIALIZAÇÃO

As unidades familiares de produção dos colonos italianos são preferencialmente compostas de famílias nucleares – pai, mãe e filhos – trabalhando no mesmo estabelecimento agrícola e residindo sob o mesmo teto até o casamento desses últimos. Idealmente, desse modo, o casamento de um filho marca o início de uma nova unidade familiar de produção e de consumo.

Há, entre os colonos, a exemplo de outros grupos, determinada divisão de tarefas com base em diferenças etárias e por sexo. Há regras para normatizar sua execução, passando pela autoridade do pai, considerado o chefe da família, e da mãe na qualidade de organizadora das tarefas da casa, o que não a libera das atividades agrícolas.

A organização da produção agrícola, por tratar-se de atividade que demanda ritmos distintos, apresenta variações na intensidade do trabalho. Assim, no período da safra, o trabalho deve ser executado de forma rápida e intensa, exigindo o empenho de todos os membros da família, porque é o período em que as plantas estão se desenvolvendo, exigindo a capina da terra para que as ervas daninhas não prejudiquem seu crescimento e, em conseqüência, a produtividade da plantação. Pode haver, ainda, a necessidade de pulverizar diversos tipos de insumos químicos para controle de insetos (inseticidas), fungos (fungicidas) ou ervas daninhas (herbicidas) etc. No segundo momento, por ocasião da maturação dos produtos, estes devem ser colhidos sob pena de se perder a produção. Portanto, o que determina o envolvimento de todos os membros da família ou não e o ritmo do trabalho está diretamente relacionado ao tipo de atividade que deverá ser executado, havendo, em geral, menor intensidade de trabalho no período da entressafra.

Os homens adultos, auxiliados pelos filhos do sexo masculino, esses últimos conforme as limitações definidas pela faixa etária em que se encontram, executam todos os serviços da "roça". A par dos produtos cultivados na roça, os homens também se ocupam da "lavoura", mas restringindo-se ao preparo da terra, uma vez que a "lavoura" (ou "lavourinha") e o "quintal" são espaços em que cabe à mulher determinar o que, quando e quanto plantar e, igualmente, as quantias que podem ser comercializadas. Assim, na "lavoura" são cultivados batata-doce e batata-inglesa, aipim, abóbora, melancia, enquanto no quintal são plantadas as hortaliças, temperos verdes e chás. Nesses espaços são cultivados, portanto, produtos que têm por objetivo, prioritariamente, o consumo pela unidade familiar.

A disponibilidade e a produtividade das terras para que seja possível a reprodução econômica do segmento social em questão é outro aspecto que merece algumas considerações. São freqüentes nas falas desses colonos as referências à escassez das terras produtivas em tamanho adequado para a manutenção de seu grupo doméstico.

A dimensão dos lotes de propriedade desses colonos varia de 2 a 100 hectares, havendo maior concentração de unidades de 30 a 50 hectares. Contudo, a produtividade de suas terras não é homogênea, variando conforme sua localização geográfica e a disponibilidade financeira de seus proprietários para investirem em insumos para a recuperação dos solos, de aptidão agrícola natural também variada.

Quanto ao primeiro aspecto – a localização geográfica –, fica evidente a superioridade, em termos produtivos, das terras planas, localizadas às margens do rio Canoas, na parte Leste do território do município de Anita Garibaldi. Essas terras são adubadas naturalmente, conforme o regime de cheias dos rios; assim, mais produtivas do que as terras "dobradas", declivosas que constituem as margens do referido rio, na porção Oeste do mesmo município e ao longo de seu percurso no território do município de Celso Ramos. Enquanto nas primeiras, sempre que disponíveis, é possível utilizar o auxílio de pequenas máquinas agrícolas para o preparo do plantio, nos terrenos acidentados só é possível o uso do arado ou apenas da enxada.

Dependendo, especialmente, do tamanho das propriedades e de suas possibilidades de utilização, para as atividades produtivas, da posse ou não de outros meios de produção, como máquinas agrícolas, insumos para a preparação do solo e combate de pragas e crédito bancário, os pequenos produtores italianos são classificados e reconhecidos localmente como "colonos fortes" e "fracos", havendo, embora não com freqüência, quem se auto-identifique como "colono médio".

Registra-se, portanto, a ocorrência, entre algumas unidades familiares italianas e, em menores proporções, entre as dos caboclos, de trajetórias ascendentes, fruto de um processo de acumulação ou capitalização,[10] ainda que limitado.

Objetivamente, e em termos gerais, conforme afirma Lovisolo (1989, p.172), deve-se levar em conta na identificação de processos dessa natureza, tanto fatores externos quanto internos.[11] Entre os fatores externos indicam-se os aspectos favoráveis de certas conjunturas socioeconômicas relativos aos preços dos produtos agrícolas, assistência técnica etc.; quanto aos internos, em relação às próprias unidades familiares, pode ocorrer uma intensificação do trabalho até uma super-exploração da força de trabalho

[10] A possibilidade, mesmo que numericamente pouco expressiva, da ocorrência de trajetórias ascendentes, como a verificada com os "colonos fortes", tem sido cada vez mais limitada, considerando que o peso das forças conjunturais das últimas décadas tem acentuado os efeitos perversos das injunções decorrentes da vinculação do campesinato à reprodução do capital. Atuando em conjunto, esses constrangimentos têm acentuado a exploração e o empobrecimento do campesinato brasileiro de modo geral.

[11] Essa forma de abordar a questão da diferenciação é também sugerida por Neves (1985, p.238-9). A autora salienta que, desse modo, os camponeses estariam sendo pensados não como agentes passivos, mas como portadores de aspirações e expectativas visando a determinados objetivos sociais, culturais, econômicos e políticos.

familiar, uma diminuição do consumo, ou até mesmo o assalariamento temporário de algum ou alguns membros da família.

Subjetivamente, essa diferenciação é percebida, em geral, por maior ou menor dedicação ao trabalho, pela ganância de uns e a imprevidência de outros, pelo infortúnio provocado por doenças etc., explicações que não superam o nível de avaliações subjetivas, ideologicamente comprometidas com o universo de valores próprios a cada um dos atores que as veiculam.

Entre os agricultores italianos da região, os produtos da área agrícola podem ter dois destinos: a comercialização e o autoconsumo. Os principais produtos destinados à comercialização são produzidos nas "roças", realizadas nas terras consideradas de melhor qualidade do lote, de forma a garantir o retorno dos investimentos realizados com sementes, adubos e com a própria mão-de-obra familiar, embora essa não seja computada como investimento.

Atendendo, em primeira mão, às necessidades de autoconsumo, tanto os colonos italianos quanto os caboclos cultivavam o milho e o feijão, produtos que são, igualmente, os principais produtos destinados à comercialização.

Os produtos agrícolas destinados à comercialização demandam maior conhecimento técnico, mais investimento em mão-de-obra e tempo de dedicação ao trabalho, mas é especialmente deles que advêm o saldo líquido de recursos financeiros que permitirá a aquisição de bens destinados ao consumo doméstico, à reprodução dos pressupostos da produção. São principalmente "os colonos fortes" que apresentam a possibilidade de adquirir mais terras para os filhos ou, ainda, a manutenção e as melhorias no estabelecimento agrícola, além da aquisição de maquinários.

A destinação final dos produtos a serem comercializados pode variar de acordo com a interferência das condições climáticas; pode haver safras em que há fartura dos produtos e outras em que a escassez pode tornar inviável a comercialização, suprindo apenas as necessidades do grupo. Além do produto a ser comercializado, a sazonalidade – a entressafra – também deve ser considerada na organização da produção, havendo períodos anuais em que não há produtos para comercializar (Garcia, 1989).

Os produtos são comercializados nas "vendas", estabelecimentos comerciais localizados nas próprias comunidades, ou no comércio atacadista, localizado nas sedes dos municípios, sendo, também, possível comercializá-los através de intermediários vindos de São Paulo, ou com a Cooperativa Regional Agropecuária Campos Novos.

É no momento da comercialização dos produtos que os "colonos fracos" podem ficar totalmente subjugados pelo mercado local, sobre o qual não exercem nenhum controle. Assim sendo, só lhes resta submeterem-se aos preços estabelecidos por quem deseja comprar o produto, ainda que seja para os comerciantes aos quais "penhoraram" sua produção no decorrer do ano, comprando em seus armazéns os produtos necessários à manutenção do grupo doméstico. Não há, então, como escapar da dupla exploração comercial. Uma proveniente dos altos preços que pagam pelos produtos vendidos pelo comerciante e outra pelos baixos preços que este paga pelos produtos da roça.

Nesse sentido, a exemplo do que já foi mencionado por estudiosos do campesinato brasileiro (Martins, 1981; Abramovay, 1992), que têm enfatizado a questão da "subordinação" desse campesinato ao "capital comercial e financeiro", também os agricultores da área estudada ficam submetidos a mecanismos de exploração no momento da "circulação" dos seus produtos.

Os colonos italianos da área realizam, ainda, transações financeiras para financiar suas roças e pagá-las com a venda de seus produtos. Mencionam, como primeira restrição ao empréstimo bancário, a incerteza de poder pagar o financiamento com a safra agrícola, porque nunca sabem, de antemão, qual preço terá seu produto no momento da comercialização. A incerteza de poder pagar o referido financiamento, nessa primeira situação, está diretamente relacionada aos altos juros bancários em relação aos preços dos seus produtos que, a seu ver, é sempre muito baixo e não acompanha o percentual de aumento dos juros. Na esteira dessas incertezas se acrescentam as variações das condições climáticas que os deixam intranqüilos quanto aos resultados da sua produção.

No caso da impossibilidade do pagamento da dívida, acabam colocando em risco a própria propriedade da terra, a reprodução social da unidade familiar, uma vez que uma das exigências que o banco lhes impõe para garantir o financiamento é a hipoteca das terras. Os empréstimos bancários, portanto, são condicionados e ficam restritos aos agricultores proprietários de terras devidamente documentadas. Os não-proprietários devem apresentar um avalista que seja proprietário de terras e as dê como garantia ao banco.

O risco de que possam, no limite, ser expropriados de suas terras dadas como garantia dos empréstimos bancários é, em síntese, a razão maior para evitarem esses empréstimos, ainda que para isso tenham que reduzir sua produção.

Outra possibilidade mencionada para suprir as precárias condições econômicas é o "recurso" a empréstimos oferecidos por pessoas físicas ou "particulares", freqüentemente com juros até mais altos do que os dos bancos. Livram-se, nesses casos, da ameaça da perda da terra, dos "condicionantes" impostos pelos bancos, uma vez que o empréstimo de particulares está baseado em relações pessoais, que – apesar das relações de exploração aludidas – está assentado na confiabilidade mútua, prática valorizada por este segmento social.

Em síntese, embora tenha sido registrada a ocorrência de trajetórias ascendentes por parte de alguns "colonos fortes", o que foi possível constatar entre os colonos italianos da área em pauta – como ocorre com outros segmentos de camponeses caboclos – é que eles vivenciam formas de exploração, seja pelo capital comercial, seja pelo capital financeiro. Exploração que, no limite, poderia levar até a um processo de expropriação de suas terras. Não surpreende, pois, que apesar de reconhecerem a necessidade de auxílio financeiro para ampliar e até mesmo garantir a produção, o empréstimo bancário, como lembra Lovisolo, seja vivido contraditoriamente, até como expropriação da terra,

> quando as fraquezas frente às condições da natureza, do mercado e até familiares se fazem presentes. Se a "desordem" acontecer e o empréstimo não for pago, a unidade familiar supõe, de forma indubitável, que será expropriada. (Lovisolo, 1989, p.119)

O SEGMENTO BRASILEIRO: ASPECTOS DA SUA REPRODUÇÃO SOCIAL

De modo semelhante aos italianos, as unidades familiares de produção de caboclos são constituídas, preferencialmente, por famílias nucleares. Na prática, entretanto, ocorre a presença de unidades contando com três gerações (avós, pais e filhos) formando famílias extensas (Almeida, 1986), em especial quando um dos membros da família de origem é viúvo.

Entre os camponeses do segmento caboclo observa-se, também, que é o pai, o "chefe da família", quem define como organizar a produção e o trabalho, o que plantar e o que comercializar. Pode-se afirmar que a autoridade paterna é exercida quase com absoluta exclusividade, em relação às atividades econômicas, uma vez que, ao contrário dos italianos, as tarefas ligadas à produção agrícola são, em geral, executadas pelos homens. Tanto a "roça" quanto a "lavoura" são espaços preponderantemente masculinos.

Os caboclos, diferentemente dos italianos, acabam por não envolver toda a família nas atividades agrícolas, cabendo, na prática, ao chefe de família a maior responsabilidade pelas tarefas produtivas, enquanto a mulher trata, preferencialmente, dos cuidados da "casa" e dos filhos, sem comprometer-se com as atividades agrícolas da "roça" e da "lavoura". Auxiliadas pelos filhos menores confeccionam peças de cestaria, "acolchoados" de lã de carneiro, coletam frutos, tratam dos animais de pequeno porte, quando os possuem.

Embora seja possível afirmar que há vários aspectos que diferenciam o segmento brasileiro dos pequenos produtores italianos, em relação à organização da produção e sua comercialização, é indispensável, inicialmente, chamar a atenção para um aspecto que os aproxima.

À semelhança dos italianos, os agricultores caboclos – e esse é o ponto essencial a ser destacado – são classificados e se autocategorizam como produtores "fortes" e "fracos", sendo, a rigor, essa diferenciação interna, que marca o maior ou menor distanciamento em relação às práticas e aos valores dos italianos. Entre esses, a referida diferenciação econômica ocorreu por razões que devem ser localizadas nas trajetórias históricas de cada um desses produtores.

De modo geral, é possível afirmar que, além do acesso à terra em quantidade e qualidade adequadas, para que os caboclos rotulados de agricultores "fortes" iniciassem suas trajetórias em melhores condições do que os demais produtores caboclos, deve-se acrescentar, como um dos fatores, a adoção de práticas e valores tidos como próprios ao segmento italiano. Uma certa "atitude" diante de todo o circuito da produção e do significado da própria terra, diferente daquela tida como definidora de uma "cultura cabocla" orientou, ainda, a despeito das transformações econômicas que ocorreram a partir da colonização, a vida da maioria dos caboclos da região.

Desse modo, se, por um lado, os caboclos reconhecidos como "agricultores fortes", identificam-se plenamente com os italianos, por outro, isso não ocorre com os caboclos considerados "produtores fracos". Estes, que constituem a maioria dos caboclos que ocupam a região em estudo, em vários aspectos se diferenciam do segmento italiano de um modo geral.

Invariavelmente, os caboclos categorizados como produtores "fracos" são os que têm menor extensão de terras entre os agricultores da área pesquisada, não ultrapassando a cinco hectares. É, também, entre esses caboclos que se encontram os pequenos produtores sem-terra, que vivem na condição de "agregados", residindo e trabalhando em terras de "agricultores fortes", italianos ou caboclos. É entre eles, ainda, que se encontram os arrendatários, categoria de pequenos produtores caboclos "fracos" que, por não serem proprietários de terras, ou as possuem em pequenas extensões, pagam o arrendamento para poder utilizar parte das terras de agricultores "fortes".[12]

Além de pouca terra, a maioria dos caboclos, agricultores "fracos", são proprietários das piores terras, excessivamente "dobradas", dificultando seu acesso e também o manejo na preparação para o plantio e para as atividades subseqüentes. Assim, as condições de relevo e pedregosidade tornam a agricultura mecanizada impraticável na maioria dos casos, restringindo-se ao uso do arado e da enxada. Desse modo, os produtores caboclos "fracos", a qualidade das terras é também um empecilho para sua maior produtividade. O fato de possuírem poucas terras implicou levá-las a um desgaste excessivo, pela redução ou total abolição da rotatividade do plantio, impedindo sua recuperação com o "pousio".[13] Quando muito, praticam a rotatividade de culturas, no sentido de garantir relativa produtividade.

[12] Os "arrendatários" mantêm um contrato de "arrendo" com o proprietário da terra, pagando a este, geralmente, um terço de sua produção.

[13] Uma técnica empregada pelos produtores "fracos", na tentativa de manter a produtividade do solo, mencionada pelos caboclos é a "tigüera", que consiste em bater com a foice a palha de milho da plantação anterior ou pequenos arbustos, sem retirá-los, plantando em seu meio. Afirmam, porém, que essa técnica tem eficácia em apenas três safras consecutivas, sendo depois necessário arar a terra.

Acrescenta-se à quase impossibilidade do adequado "descanso" das terras o fato de que os agricultores caboclos de menor poder aquisitivo – que, a rigor, constituem a maioria desse segmento – não utilizam adubos para aumentar a produtividade e não adotam técnicas modernas de recuperação do solo, por falta de condições financeiras para efetivar tais investimentos. A primeira conseqüência tem sido que, quanto maior o tempo que tenham trabalhado em uma determinada terra, menor é a produção que dela obtêm, por não conseguirem vencer a limitação que os impede de recuperar o solo.

Possuir pouca terra dificulta, indiretamente, também a realização de empréstimos bancários, e isso os impede de investir na propriedade e melhorar a produtividade. Tem-se, assim, uma espécie de círculo vicioso, uma cadeia de carências: pouca terra, impossibilidade de pousio e de investimento em insumos e pouca produtividade. Como conseqüência última, ocorre a dificuldade de manutenção da unidade produtiva exclusivamente com a produção agrícola.

Por sua vez, para essas unidades familiares, o ato de contrair dívidas em insumos a serem pagas com a renda proveniente dos produtos agrícolas significa risco. Risco temido pela consciência da precariedade da própria situação. Os caboclos mostraram, igualmente, temor em relação à sua vulnerabilidade em termos produtivos quanto às variações climáticas. Referiram-se, a exemplo dos italianos, a uma safra do feijão, em cujo período ocorreram muitas chuvas, resultando na perda quase total da produção. Vários dos agricultores mencionaram a perda da produção como um risco, no caso de realizarem empréstimos; poderiam, em casos extremos, ter que "entregar a terra para o banco para pagar a dívida".

Abramovay afirma (1992, p.86), ao analisar algumas questões sobre a produtividade agrícola – o que vale para a situação dos produtores caboclos "fracos" –, que como

> as oscilações climáticas são muito mais violentas no mundo tropical do que no temperado, essas mudanças não permitem que as decisões de investimento dos agricultores se apoiem numa média previsível de situações naturais, com base na qual, em alguns anos, se ganharia mais e em outros menos. Isso porque, a privação dos agricultores é de tal magnitude, que eles não podem nunca se permitir obter uma quantidade de produtos abaixo do mínimo necessário à sua sobrevivência.

O financiamento agrícola apresenta-se, dessa forma, como conveniente apenas para aqueles que já dispõem de algum capital e não dependeriam exclusivamente de uma safra para saldar a dívida contraída na agência financiadora. A rigor, no que diz respeito aos financiamentos bancários, teríamos três posições que esses agricultores, quer sejam caboclos, quer sejam italianos, assumem em relação a esse aspecto.

Há, em primeiro lugar, os que financiam porque estão seguros de que podem pagar o banco uma vez que dispõem de algum suporte financeiro próprio, o que só ocorre entre os agricultores "fortes"; em segundo, os que se arriscam, mesmo não dispondo dessa retaguarda e, quando a safra é ruim, acabam se endividando;[14] por último, os que efetivamente nem sequer arriscam financiar uma safra e, de antemão, afirmam que, "quem faz empréstimo no banco é louco". Esses, na verdade, certamente teriam mais dificuldades em contrair os financiamentos, porque o próprio banco não os "conhece" o suficiente para lhes conceder o empréstimo, além de impor condições que jamais poderiam atender. Sobre eles caberia a observação de Ribeiro (1994, p.45) de que "a pobreza [...] não é gerada pela incapacidade dos pobres, mas pelo inviável acesso deles a possibilidades melhores. A incapacidade existe porque pressupõe a impossibilidade".

Para esses agricultores familiares, manter o crédito é fundamental, ainda que, para isso, tenham de vender bens que constituem seus meios de produção. Isso significa que tanto para os italianos quanto para os caboclos, ser honesto e correto nos negócios faz parte de seus valores, razão pela qual, além das reservas e dos cuidados do próprio banco, quanto ao acesso ao crédito, não havia, na área estudada, inadimplentes junto à instituição financiadora.

No que diz respeito aos produtos cultivados, não há diferenças qualitativas significativas entre os segmentos italiano e brasileiro, nem mesmo com relação à parcela de produtores "fracos" desse último segmento.

Paralelamente à produção na "roça", são cultivados na "lavoura" as "miudezas" como denominam os produtos de consumo do grupo doméstico. Assim como os italianos, coletam mel, e alguns grupos domésticos de agricultores caboclos "fracos" cultivam e preparam o seu próprio café. Na "horta ou quintal" – área em geral bastante reduzida no caso dos caboclos "fracos" – plantam algumas verduras.

Só os agricultores caboclos "fortes", à semelhança com os italianos, realizam a "safrinha", sempre que as condições climáticas o permitem, pois só eles dispõem de recursos financeiros suficientes para nela investirem, e para cobrir os eventuais prejuízos da perda de sua produção.

Quanto à criação de animais, os caboclos, tal qual os italianos, criam para comercializar, além de porcos e frangos, animais para sua utilização em tarefas de transporte, carga e tração, para o que utilizam cavalos e bois. Há, entretanto, entre os produtores "fracos", aqueles que não os têm valendo-se de empréstimos de vizinhos ou parentes, sempre que os necessitam. O empréstimo ocorre, também, no caso de matrizes reprodutores. Só os produtores "fortes" desenvolvem a criação desses animais para a comercialização.

[14] O "arriscar" é também raro entre os agricultores. Conforme Lipton (apud Abramovay, idem, p.90) "o essencial na racionalidade camponesa é a conduta de aversão ao risco", razão pela qual apresentam uma racionalidade que impede a maximização de lucros e prioriza a sobrevivência.

Há, porém, unidades familiares de caboclos que, mesmo não usando todo o contingente doméstico na produção, chegam, até mesmo, a dedicar-se a uma criação de gado mais intensiva, obtendo produtividade igual ou superior à de muitas unidades familiares italianas. Para tanto, utilizam-se, quando não dispõem de mão-de-obra familiar suficiente, da contratação de trabalhadores rurais, assalariados temporários, ou do auxílio de "agregados", recrutados ambos entre os próprios caboclos. Isso, entretanto, só ocorre com os agricultores "fortes" ou "médios", uma vez que os demais não dispõem de recursos para pagar mão-de-obra, tamanha é sua precariedade.

Ponderando que no passado os animais eram criados soltos, várias foram as referências à necessidade de manter, na atualidade, os animais em espaço cercado e alimentado para que esses não invadam as roças e criem problemas de relacionamento com os vizinhos. O que se coloca é que mantê-los em tais condições implica a necessidade de alimentá-los com ração ou milho, o que redunda em custos sempre altos para os agricultores caboclos "fracos".

Quanto ao destino da produção, uma primeira observação a ser feita é que os produtores "fortes", sejam eles italianos sejam caboclos, como produtores familiares, têm sua produção orientada para a comercialização e para o autoconsumo. Entre os caboclos, produtores "fracos", todavia, a situação aparenta ser inversa. A produção é significativamente menor e, sobretudo, pelo menos na percepção de alguns desses pequenos produtores, é prioritariamente orientada para atender ao consumo do grupo doméstico. Quando ocorre a comercialização, seus rendimentos são destinados, em primeira mão, para complementar a subsistência do grupo, ou seja, destinam-se à aquisição de outros produtos necessários ao reinício da produção e àqueles bens de consumo não produzidos pelo grupo doméstico. Embora a produção esteja mais voltada para o autoconsumo, e apenas secundariamente para a comercialização, esta ocorre em duas situações. Em primeiro lugar, sempre que haja produção que exceda o autoconsumo do grupo doméstico. Em segundo, em casos extremos, quando parte do produto destinado ao autoconsumo é desviado para ser vendido por alguma necessidade mais urgente. Esta última situação ocorre, justamente, com os agricultores mais empobrecidos que necessitam gerar algum recurso para cobrir despesas com doenças ou para atender a outras circunstâncias emergenciais. Situações como essas são vivenciadas com mais freqüência pelos arrendatários e agregados que, em sua maioria, não possuem terras ou, quando as possuem, são absolutamente insuficientes e de baixa produtividade. No caso dos agregados, necessitam, ainda, dedicar parte significativa de seu tempo para trabalhar para os "patrões".

Na verdade, se os caboclos proprietários de pouca terra e os arrendatários têm pouca produtividade, destinando ou restando muito pouco para a comercialização, os agregados muito raramente vendem os produtos que plantam. Ademais, encontram dificuldades para vendê-los porque não interessa aos atacadistas negociar em pequena escala, restando a eles subordinarem-se aos "vendeiros" locais, no mesmo sistema de dependência econômica a que, também, é submetido o segmento italiano. Do mesmo modo, ocorre sua exploração em relação à instabilidade dos preços agrícolas, em geral, em constante descompasso com as despesas de produção.

Atualmente, a par do assalariamento temporário na zona rural para completar a renda familiar, ocorre, também, como estratégia para o acesso à terra, o assalariamento urbano, por parte de jovens caboclos. A pluratividade (Schneider, 2003) para esse segmento social pode auxiliar na aquisição de terras ou na efetivação de melhorias no estabelecimento agrícola.

Em períodos de maiores dificuldades, os caboclos, em especial após perderem suas safras, diante de outras limitações para garantirem a sobrevivência do grupo doméstico, vendem sua força de trabalho, geralmente na entressafra, aos "produtores fortes", como diaristas ou em empreitadas. Buscam o recurso do assalariamento temporário, apesar de a mão-de-obra assalariada, no espaço rural, ser de baixa remuneração. Consideram essa estratégia indispensável para completar a renda familiar e garantir o sustento do grupo doméstico. É uma atividade que se presta para suprir deficiências e não faz, efetivamente, parte de suas expectativas e idealizações, sendo, por esse motivo, sempre mencionada como uma estratégia de sobrevivência "necessária", embora indesejável.

O afastamento temporário de todo o grupo doméstico, constatado na área em estudo, implica deixar a propriedade aos cuidados de um parente ou de um vizinho, enquanto buscam, no período da entressafra – portanto, temporariamente –, um trabalho nos centros urbanos, retornando para efetuar o plantio da próxima safra.

Pode ocorrer, também, que o casal de origem, com mais idade, permaneça na unidade produtiva cuidando dos animais domésticos, da horta etc., enquanto os filhos adultos se deslocam da área rural para os centros urbanos em busca de assalariamento temporário. Há, ainda, uma terceira possibilidade: a mulher e os filhos pequenos permanecem na propriedade enquanto os homens buscam o assalariamento urbano. Neste último caso, essas mulheres são, inclusive, identificadas na área como "viúvas de marido vivo".

Assim como a saída temporária de um dos membros é indesejável, sendo vista como uma estratégia extrema para manterem-se na condição de pequenos produtores rurais, também as saídas de todo o grupo doméstico expressa uma forma de resistência, uma forma de manterem ou prolongarem ao máximo a sua condição camponesa. Entre os caboclos, o número de filhos que saem para trabalhar em centros urbanos, em serviços que não exigem qualificação profissional, é muito maior do que entre os pequenos produtores italianos.

Além de uma demonstração de resistência, o assalariamento urbano temporário aponta que há entre esses agricultores familiares uma expectativa de "dias melhores", que permitirão sua permanência ininterrupta no espaço rural, como camponeses.

A julgar, entretanto, pelas dificuldades que esses agricultores vêm enfrentando, na atual conjuntura, para garantirem a sobrevivência das unidades produtivas, essas saídas poderão vir a se constituir, em lugar de exceção, uma das práticas corriqueiras para a manutenção de sua condição camponesa.[15]

Um elemento adicional, mas não menos importante, mencionado por esses agricultores foi o benefício oriundo das aposentadorias dos idosos, incorporado aos rendimentos do grupo como um complemento indispensável para arcar com as despesas domésticas e, em casos extremos, para a manutenção do próprio grupo familiar.

CONCEPÇÕES E VALORES RELATIVOS AO SISTEMA PRODUTIVO

Entre alguns dos valores ressaltados por ambos os segmentos destaca-se, de modo especial, a garantia de acesso à terra, seu principal meio de produção, considerada pelos segmentos camponeses em geral fundamental para sua reprodução social. É nesses termos que a herança da terra desempenha um papel estratégico na existência camponesa, sendo um dos fundamentos sobre os quais se apóia a reprodução social do campesinato (Moura, 1978). É ela uma das estratégias básicas para dar continuidade ao uso social, como proprietários, da terra em que habitam e trabalham. Ou ainda, como afirma Woortmann, a importância da herança da terra está vinculada, também,

> ao fato de ela não ser apenas objeto de trabalho – condição de realização do sujeito trabalhador; mais do que propriedade mercantil não obstante ter valor de mercado – ela é o patrimônio de... uma "linhagem". (1995, p.311)

A terra de herança para esses agricultores parece não ter preço porque, além de principal meio para a produção e de seu valor de uso, tem relevância como depositária da memória familiar. As afirmações de que "é ali que toda a família se fez" ou "uma terra que ele se criou e viveu a vida toda" parecem suficientemente expressivas neste sentido.

Há que se considerar, entretanto, que o contato entre caboclos e descendentes de italianos, como aconteceu em outras áreas coloniais do Sul

[15] A conjugação de assalariamento urbano com a produção familiar, embora em outras condições, foi registrada por Seyferth (1983-84), entre os camponeses do Vale do Itajaí, cujos chefes das unidades produtivas – reconhecidos como colonos operários – buscam o assalariamento nas indústrias da região, permanecendo, entretanto, residentes com o grupo doméstico, que fica responsável pelas atividades agropecuárias, às quais o colono-operário dedica-se nos fins de semana.

do país, pôs em confronto dois modos de vida distintos. Mas, sobretudo, provocou, no passado, uma disputa por território entre dois segmentos de produtores rurais que tinham na terra seu principal meio de produção. Suas diferentes formas de acesso a ela – os caboclos como posseiros e os italianos como proprietários – colocaram os primeiros em desvantagem, como "intrusos" das terras que há muito ocupavam, uma vez que a legalidade da propriedade jurídica da terra garantiu, também, a legitimidade da fixação aos italianos.

Os descendentes de italianos chegaram em um movimento migratório voluntário, amparados pela lei e estimulados por suas próprias expectativas e aspirações, que via nessa migração e colonização sua possibilidade de reprodução social. Na condição de "colonos" vieram imbuídos da ideologia do pioneirismo, que os transformava em desbravadores, agentes de "civilização e progresso", conquistados graças à sua "dedicação ao trabalho".

Enquanto os colonos italianos buscavam se fixar na terra, a maioria dos caboclos estava acostumada ao deslocamento espacial, em busca de terras produtivas e da fartura, garantida por uma economia que associava atividades agrícolas a práticas de criação de animais não confinados e, ainda, a possibilidade das práticas da coleta, da caça e da pesca. A eles restou, com a presença dos colonos italianos, o confinamento a pequenos espaços, recantos e grotões, praticando uma agricultura mais orientada para o autoconsumo, como base para a sobrevivência dos grupos domésticos. Mas, embora tenham garantido alguma forma de acesso à terra, muitos deles, foram "expropriados" de seu modo de vida tradicional. É nesse sentido que, como lembra Renk (1990, p.240), a colonização marcou a separação entre um "tempo de antes" e um "depois". No tempo de antes, como manifestaram os informantes, tudo era melhor. Nessa percepção

> a terra supera seu significado original de matéria-prima e meio de produção. Passa a incorporar, enquanto feixe de significados, o processo de trabalho e sua inscrição na vida cotidiana, o tempo que ocupa e o lugar que tem no cotidiano familiar. (Soares, 1981, p.215)

A prática da itinerância em busca de novas posses os fez perceber a terra, no passado, como um bem infindável tornando-os imprevidentes quanto ao futuro (Bloemer, 2004). Nesses termos, a venda das terras trouxe para algumas unidades familiares, a longo prazo, como conseqüência, a total inviabilização da reprodução da unidade produtiva no ciclo longo, pela impossibilidade de sua reprodução na condição de produtores livres, isto é, como proprietários de seus meios de produção.

Não se pode esquecer, portanto, que os caboclos tiveram como tradição, no passado, o tropeirismo e a perambulação pelas terras das quais não dispunham do título de propriedade; seus ascendentes viveram em grandes extensões de áreas devolutas ou grandes fazendas, sem serem importunados, e agora vêem-se confinados em pequenas propriedades, limitados por cercas e documentos. Eram valores que os separavam dos colonos italianos, expressos pelo desejo de liberdade de deslocar-se em um amplo território, diferentemente dos italianos que sempre almejaram a propriedade da terra para nela se fixar. Acreditando tratar-se de um bem interminável e orientados pela lógica do seu próprio sistema produtivo em que a terra tinha mais valor de uso do que valor de mercado, venderam-na aos pedaços, de acordo com suas necessidades imediatas, sobrando pouco ou quase nada para seus descendentes. Essa atitude, que persiste em parte nos dias atuais, é percebida pelos italianos como "imprevidência", como analisa Reis (1997), com base na qual a percepção do futuro apresenta um horizonte limitado, vivenciado de uma perspectiva de curto prazo, diferentemente dos descendentes de italianos.

A implantação da propriedade privada colocou os caboclos, historicamente, em desvantagem em comparação com os colonos italianos sobre o modo de lidar com a propriedade da terra e com o processo produtivo. Entre os caboclos, foram poucos os que mencionaram que seu pai regulamentou a propriedade das terras junto ao governo estadual, isso porque desconheciam ou desacreditavam da possibilidade de verem suas posses se esvaindo sendo reivindicadas ou adquiridas como terras devolutas.

Associado à questão da regulamentação das terras, outro aspecto a ser considerado, em relação à suposta imprevidência dos caboclos, diz respeito à perspectiva e à percepção da acumulação como um valor. É parte da ideologia dos italianos "economizar", "trabalhar duro" para acumular, visando prioritariamente à aquisição de terras para os filhos. Mas essa perspectiva não fazia parte da "cultura cabocla", no período anterior à colonização. E, ao que parece, continua a orientar, em parte, a conduta de alguns de seus remanescentes. A essa orientação ideológica acrescentam-se as reais condições desse segmento e suas limitações em conseguir reunir capital excedente para adquirir terra. Na verdade, para os caboclos, produtores "fracos", tanto a possibilidade quanto a vontade de acumular bens é uma das características específicas dos italianos, não fazendo parte da sua lógica o trabalho duro e intenso e, de modo especial, a perspectiva de poupança.

Desse modo, enquanto na ótica dos italianos "trabalhar muito" é positivamente valorizado, na visão dos caboclos, essa atitude seria proveniente não só de uma espécie de obsessão pelo trabalho, mas também decorrente do fato de serem excessivamente econômicos, ou pior, serem "avarentos" e "ambiciosos", valores esses que não cabem em sua própria cultura.

Assim, o modo de vida dos pequenos produtores caboclos, no que diz respeito às suas práticas econômicas, embora objetivamente esteja, em certos aspectos, próximo daquele dos italianos, em outros mantém-se vinculado a seu passado. Retém, nesse sentido, um universo de valores que a colonização não conseguiu erradicar. Mas, sua atitude de apego aos valores de "ontem" não pode ser interpretada como conservadorismo. É "reativa", como alerta Moura (1991), no sentido do compromisso camponês com a tradição, como reação à dominação simbólica e por vezes, também, objetivamente a que estão sujeitos.

A terra transformada em território (Maldi, 1997) para além da sua materialidade traz as representações que os atores sociais elaboram em seus contextos sociais. Nesses termos, os caboclos valorizam os laços de solidariedade, a sociabilidade cultivada por rodadas de chimarrão em torno do fogo de chão, as aguinhas por onde passou São João Maria, as nascentes que fornecem a água para o primeiro batismo de um filho, o arbusto ou a erva donde é extraído o raminho para o chá de um parente ou um compadre moribundo – todos elementos contidos em determinados espaços, em territórios socialmente constituídos e valorados pela cultura cabocla.

Portanto, pode-se afirmar que a maioria dos caboclos, excetuando-se aqueles identificados como "agricultores fortes", ainda que estejam conformados a determinadas práticas econômicas similares às do segmento italiano, conservam certos valores a respeito da produção e do significado da própria "terra", informados pela "cultura cabocla", legado de seus antepassados que ocuparam a área em análise. Cultura na qual, entre outros aspectos, a terra não era pensada como mercadoria. E o grau de assiduidade que geralmente era revelado no trabalho, conforme Willems (1980), "obedecia às necessidades de auto-suficiência", ou seja, um mínimo alimentar, onde não havia lugar para o espírito de poupança, como um valor. Assim como constatou Candido, o que importa, ao que parece, é que "este mínimo alimentar corresponde a um mínimo vital, e a um mínimo social; alimentação apenas suficiente para sustentar a vida; organização social limitada à sobrevivência do grupo" (1971, p.48).

CONSIDERAÇÕES FINAIS

É mediante padrões culturalmente dados que se regem as escolhas e definições sobre todo o processo produtivo, incluindo, sobretudo, o que e como produzir e comercializar. Desse modo, embora compartilhando dos aspectos comuns aos segmentos camponeses de um modo geral – cuja principal força de trabalho é constituída por unidades familiares que controlam o processo de produção e de consumo com acesso à terra por meio da propriedade jurídica –, os descendentes de italianos e caboclos em questão, como vimos, orientam suas práticas de um modo que lhes é peculiar, seguindo sua própria orientação cultural.

Além da ocupação histórica diferenciada, há aspectos culturais que vivenciam, registrando-se, também, diferenças socioeconômicas de várias ordens. Algumas famílias italianas, passados os anos árduos da conquista do espaço, tiveram, como policultores modernos orientados para o mercado, trajetória ascendente, verificada com pouca freqüência entre os caboclos. Puderam, dessa forma, ampliar o patrimônio fundiário, garantindo o acesso à terra aos filhos e sua reprodução como camponeses, se assim o desejassem.

Os caboclos, a maioria deles na condição de produtores "fracos", por sua vez, têm garantido sua sobrevivência graças, sobretudo, a uma produção voltada para o autoconsumo, menos orientada para o mercado, complementada, por vezes, com o assalariamento rural temporário, além de recursos advindos das aposentadorias. Contando com menor quantidade de terras, há unidades familiares que recorrem ao arrendamento, havendo, ainda, aquelas que necessitam submeter-se à situação, a seu ver, indesejável, de agregadas ou de outras formas de assalariamento rural ou urbano. Apesar do processo de expropriação a que foram submetidos historicamente os caboclos, do descompasso entre seu *habitus* (Bourdieu; Sayad, 1964) e sua realidade objetiva, da total impossibilidade, no presente, de garantir, na maioria dos casos, pela herança, a permanência de mais de um filho na terra ou de acumular meios para adquirir mais terras, os que hoje lá estão têm demonstrado a disposição de lutar contra todas as adversidades para garantir sua reprodução como camponeses.

Em síntese, além dos aspectos mencionados e do papel de determinadas conjunturas econômicas desfavoráveis decorrentes da falta de uma política agrícola e fundiária, voltada para a pequena produção, e da ausência de medidas governamentais que aliviem o peso dos aspectos estruturais, isto é, da dominação histórica a que são submetidos os camponeses, os agricultores familiares da região, em análise, aspiram e desejam permanecer como agricultores, sejam eles colonos sejam caboclos, negando-se a ter de engrossar a massa empobrecida de trabalhadores urbanos não especializados, que não contam, como eles, com a garantia da alimentação básica, da moradia e da solidariedade comunitárias.

Assim, a terra que hoje ocupam, fruto da conquista de seu próprio trabalho e do legado de seus ancestrais, tem, para além de seu lugar de produção e da garantia de sua reprodução social, o sentido de "patrimônio familiar" e, como tal, não está à venda, não tem preço. Agrega, também, muitos outros sentidos, uma vez que ultrapassa seus limites geográficos, abarcando outros espaços domésticos – o dos vizinhos –, os espaços comunitários que abrigam seus bens culturais e as marcas de sua religiosidade, constituindo-se, esse conjunto, em "seu território".

Enquanto, historicamente, para os caboclos a migração deu-se em busca de novas posses que garantissem igualmente o acesso às terras férteis, em razão do rápido esgotamento das terras originais, para os colonos italianos as disputas pelas terras por meio de movimentos migratórios de antigas colônias do Rio Grande do Sul e do Sul do estado catarinense revelam sobretudo, o desejo de ambos os segmentos de continuarem como agricultores.

A despeito da constante ameaça, por condições estruturais de perda dessa condição, o que se constata é que as hidrelétricas – a exemplo do que vem acontecendo em outras regiões brasileiras (Reis e Bloemer, 2001) – são, no presente, a maior ameaça à reprodução social desse segmento.

A migração compulsória, neste caso, imposta pela implantação de hidrelétricas traz conseqüências sociais maiores ou menores para esses agricultores familiares dependendo dos nexos que se estabelecem com outros atores sociais – a maioria deles vinculados ao Estado e, mais recentemente, aos Consórcios –, em especial no que diz respeito às propostas de soluções para os problemas oriundos de tais obras. As possíveis soluções deveriam vir atreladas a projetos de políticas públicas que tornassem viável a retomada do processo produtivo e, conseqüentemente, a sua reprodução social, respeitando-se suas especificidades socioculturais, minimizando, assim, as conseqüências de tais obras para esses atores sociais que vêm pagando os custos sociais desses empreendimentos, na maioria das vezes, de forma isolada.

REFERÊNCIAS BIBLIOGRÁFICAS

ABRAMOVAY, R. *Paradigmas do capitalismo agrário em questão.* Campinas: Unicamp, 1992.

ALMEIDA, M. W. B. Redescobrindo a família rural. *Revista Brasileira de Ciências Sociais.* São Paulo, v.1, n.1. p.66-83, 1986.

BARTOLOMÉ, L. Aspectos sociales de la relocalización de la poplación afectada por la construción de grandes represas. *Seminário Efctos Sociales de las Grandes Represas de America Latina.* (F. Suarez et al.) Buenos Aires. Fundación Culturadia Universitaria para CIDES (OEA) e ILPES (ONU), 1983.

BLOEMER, N. M. S. *Brava gente brasileira*: migrantes italianos e 'caboclos' nos campos de Lages. Florianópolis: Cidade Futura, 2000.

______. Itinerantes e itinerâncias: algumas reflexões sobre a resistência da cultura cabocla. *Revista Grifos.* Chapecó: Argos, 2004.

BOURDIEU, P.; SAYAD, S. *Le déracinement. La crise de l'agriculture tradicionelle en Algérie.* Paris: Minuit, 1964.

CABRAL, O. R. *A campanha do contestado.* Florianópólis: Lunardelli, 1979.

CANDIDO, A. *Os parceiros do Rio Bonito.* 2.ed. São Paulo: Duas Cidades, 1971.

CHAYANOV, A. V. Sobre a teoria dos sistemas econômicos não capitalistas. In: SILVA, S.; STOLCKE, V. (Org.). *A questão agrária.* São Paulo: Brasiliense, 1981.

COSTA, L. *O contingente das Lagens*: sua história e influênica no sertão da terra firme. Florianópolis: Fundação Catarinense de Cultura, 1982. v.1, 2, 3, 4.

EHLKE, C. *A conquista do planalto catarinense.* Rio de Janeiro: Landes/Udesc, 1973.

EPSTEIN, A. L. *Ethos and Identity.* London: Tavistock Publications, 1978.

ESTERCI, N. Migrações e migrantes: uma nova versão. *Textos para discussão do Mestrado em Ciências Sociais.* Rio de Janeiro: Instituto de Filosofia e Ciências Sociais, n.4, 1985.

GARCIA JR., A. *O sul:* caminho do roçado. Estratégias de reprodução camponesa e transformação. São Paulo: Marco Zero; Brasília: Ed. Universidade de Brasília, CNPq,1989.

GEERTZ, C. *A interpretação das culturas.* Rio de Janeiro: Zahar, 1978.

GOFFMAN, E. *Estigma:* notas sobre a manipulação da identidade deteriorada. Rio de Janeiro: Zahar, 1963.

HEREDIA, B. M. A. de. *A morada da vida*: trabalho familiar de pequenos produtores do Nordeste do Brasil. Rio de Janeiro: Paz e Terra, 1979.

LOVISOLO, H. R. *Terra, trabalho e capital*: produção familiar e acumulação. Campinas: Editora Unicamp, 1989.

MACHADO, P. P. *Lideranças do contestado.* Campinas: Editora Unicamp, 2004.

MALDI, D. De confederados a bárbaros: a representação da territorialidade e da fronteira indígena nos séculos XVIII e XIX. *Revista de Antropologia.* São Paulo, v.40, n.2, 1997.

MALINOWSKI, B. *Los argonautas del Pacifico Occidental.* Barcelona: Península, 1973.

MARTINS, J. de S. *O cativeiro da terra.* 2.ed. São Paulo: Ciências Humanas, 1981.

______ *Os camponeses e a política no Brasil*: as lutas sociais no campo e seu lugar no processo produtivo. 3.ed. Petrópolis: Vozes, 1986.

MONTEIRO, D. T. *Os errantes do novo mundo.* São Paulo: Duas Cidades, 1974.

MOURA, M. M. *Os herdeiros da terra*: parentesco e herança numa área rural. São Paulo: Hucitec, 1978.

______, M. M. Liberdade e igualdade: reflexões sobre campesinato sertanejo e política. *Cadernos CERU,* v.II, n.3, p.7-32, 1991.

NEVES, D. P. Diferenciação socioeconômica do campesinato. *Ciências Sociais Hoje.* São Paulo: Cortez/Anpocs, 1985.

QUEIRÓZ, M. V. *Messianismo e conflito social:* a guerra sertaneja do Contestado 1912-1916. Rio de Janeiro: Civilização Brasileira, 1966.

REIS, M. J. *As conseqüências sociais da instalação da hidrelétrica de Itá (SC/RS).* Campinas, 1997. Tese (Doutorado), Ciências Sociais – Instituto de Filosofia e Ciências Humanas, Universidade Estadual de Campinas.

______; BLOEMER, N. M. S. (Org.). *Hidrelétricas e populações locais.* Florianópolis: Cidade Futura, 2001.

RENK, A. Movimento do Contestado: o jogo das alianças e rupturas das frações dominantes. *Cadernos CEOM.* Chapecó, Fundeste, ano 3, n.5, p.57-70, 1988.

______. *A luta da erva.* Um ofício étnico no Oeste Catarinense. Chapecó: Grifos, 1997.

RIBEIRO, H. *A identidade do brasileiro:* capado, sangrado e festeiro. Petrópolis: Vozes,1994.

SANTOS, S. C. dos. *História de Santa Catarina.* Florianópolis: Lunardelli, 1974.

SCHNEIDER, S. *A pluriatividade na agricultura familiar.* Porto Alegre: Editora da UFRGS, 2003.

SEYFERTH, G. Camponeses ou operários? O significado da categoria *colono* numa situação de mudança. *Revista do Museu Paulista.* Universidade de São Paulo, v. 29, p.73-94, 1983/1984.

______. *Imigração e cultura no Brasil.* Brasília: Ed. Universidade de Brasília, 1990.

______. Identidade camponesa e identidade étnica. *Anuário Antropológico,* n.91, Rio de Janeiro: Tempo Brasileiro, 1993.

SOARES, L. E. *Campesinato:* ideologia e política. Rio de Janeiro: Zahar, 1981.

WANDERLEY, M. N. B. Raízes históricas do campesinato brasileiro. *20º Encontro Anual da ANPOCS,* Caxambu, 1996, mimeo.

WILLEMS, E. *Aculturação dos alemães no sul do Brasil.* 2.ed. São Paulo: Ed. Nacional, 1980.

WOLF, E. Parentesco, amizade e relações patrono-cliente em sociedades complexas. *Cadernos de Antropologia.* Brasília: Editora da Universidade de Brasília, n.7, 1974.

WOORTMANN, E. *Herdeiros, parentes e compadres:* colonos do sul e sitiantes do nordeste. São Paulo: Hucitec; Brasília: Ed. UNB, 1995.

WOORTMANN, K. Com parente não se neguceia – o campesianto como ordem moral. *Anuário Antropológico* 87. Brasília: Ed. Universidade de Brasília; Rio de Janeiro: Tempo Brasileiro, 1990.

Sobre os autores

Arlene Renk. Professora de Antropologia da Universidade Comunitária Regional da Região de Chapecó (Unochapecó), Centro de Ciências Humanas e Jurídicas. Doutora em Antropologia, Museu Nacional (UFRJ).

Carlos Rodrigues Brandão. Professor aposentado e atual colaborador no Departamento de Antropologia da UNICAMP e pesquisador e professor na UNIMONTES (MG). Doutorado na USP em Ciências Sociais em 1979.

Edma Silva Moreira. Professora de Sociologia da Universidade Federal do Pará (Faculdade de Ciências Sociais). Doutora em Sociologia pela Universidade Federal do Pará e Paris 13.

Rosa Acevedo Marin. Professora Associada vinculada à Universidade Federal do Pará (UFPA), Núcleo de Altos Estudos Amazônicos (NAEA). Doutora em História e Civilizações pela Ecole des Hautes Etudes en Sciences Sociales EHESS.

Emília Pietrafesa de Godoi. Professora do Departamento de Antropologia da UNICAMP, Diretora-Associada do Centro de Estudos Rurais (CERES/IFCH/Unicamp), Doutora em Antropologia pela Universidade de Paris X-Nanterre, França.

Giralda Seyferth. Professora do Departamento de Antropologia, Museu Nacional (UFRJ). Doutora em Ciências Sociais (Antropologia Social) pela USP.

Heraldo Maués. Professor de Antropologia. Laboratório de Antropologia Arthur Napoleão Figueired", pertencente à Faculdade de Ciências Sociais do Instituto de Filosofia e Ciências Humanas (UFPA). Doutor em Antropologia Social pela Universidade Federal do Rio de Janeiro.

Jean Hebette S. Sociólogo, professor emérito da UFPA e colaborador no PPGCS da UFPA.

Julie Antoinette Cavignac. Professora associada do Departamento de Antropologia e diretora do Núcleo Câmara Cascudo de Estudo Norte-riograndense (NCCEN) da Universidade Federal do Rio Grande do Norte. Doutorado em Ethnologie et Sociologie Comparative, Universidade de Nanterre (Paris X, França).

Leila Claudete Schmitz. Bacharel em Desenvolvimento Rural e Gestão Agroindustrial, pesquisadora do IBGE.

Maria Isabel Dantas. Professora de Arte e Antropologia. Instituto Federal de Educação Tecnológica do Rio Grande do Norte – Diretoria de Educação e Ciência. Doutora em Ciências Sociais, Universidade Federal do Rio Grande do Norte.

Maria Izabel Vieira Botelho. Professora de Sociologia do Programa de Pós Graduação em Extensão Rural da Universidade Federal de Viçosa/MG. Doutora em Sociologia pela UNESP.

Marilda Aparecida de Menezes. Unidade Acadêmica de Ciências Sociais, Universidade Federal de Campina Grande. Doutora em Sociologia pela Universidade de Manchester, Inglaterra.

Helder Pinheiro. Professor de Literatura Brasileira da Unidade Acadêmica de Letras, Universidade Federal de Campina Grande (PB). Doutor em Literatura Brasileira pela USP.

Neusa Maria Sens Bloemer. Professora da Universidade do Vale do Itajaí e da Universidade Federal de Santa Catarina, Núcleo de Estudos e Pesquisas Indígenas (NEPI). Doutora em Ciências Sociais (Antropologia Social) pela USP.

Paulo Sérgio da Silva. Professor da rede estadual de ensino do Rio Grande do Sul. Doutorando em Educação pela UFRGS.

Renata Medeiros Paoliello. Professor de Antropologia do curso de Ciências Sociais da UNESP (campus Araraquara). Doutorado em Antropologia Social pela USP.

Renata Menasche. Professora da Universidade Federal de Pelotas, professora colaboradora do Programa de Pós-Graduação em Desenvolvimento Rural (PGDR) da Universidade Federal do Rio Grande do Sul (UFRGS). Doutora em Antropologia pela UFRGS.

Rosane Rubert. Professora de Antropologia do Departamento de Ciências Sociais,Universidade Regional do Noroeste do Estado do Rio Grande do Sul (UNIJUI). Doutora em Desenvolvimento Rural pela Universidade Federal do Rio Grande do Sul.

SOBRE O LIVRO

Formato: 16 x 23
Mancha: 26 x 48,6 paicas
Tipologia: StempelSchneidler 10,5/12,6
Papel: Off-set 75 g/m² (miolo)
Supremo 250 g/m² (capa)

1ª edição: 2009

EQUIPE DE REALIZAÇÃO

Edição de Texto
Carla Montagner (Preparação de original)
Thaís Totino Richter e Jane Cristina Mathias Cantu (Revisão)

Editoração Eletrônica
Eduardo Seiji Seki

Edições Loyola

impressão acabamento

rua 1822 n° 341
04216-000 são paulo sp
T 55 11 3385 8500
F 55 11 2063 4275
www.loyola.com.br